Dan Brown, wsp[illegible], pisarz amerykański, syn profesora matematyki wyróżnionego Nagrodą Prezydencką, jest absolwentem Amherst College i Phillips Exeter Academy. Przez kilka lat wykładał literaturę angielską i scenopisarstwo. Zainteresowanie dziedziną łamania kodów zainspirowało go do napisania powieści **Cyfrowa Twierdza** (1998), która szybko znalazła się na czołowej pozycji wśród bestsellerów internetowych. Kolejne książki, **Anioły i demony** (2000) i **Zwodniczy punkt** (2001), zostały doskonale przyjęte przez czytelników. Wszelkie rekordy popularności pobił czwarty tytuł pisarza — thriller **Kod Leonarda Da Vinci** — fenomen wydawniczy na skalę bezprecedensową w ostatnim dwudziestoleciu! Dzięki niemu Dan Brown błyskawicznie awansował na pozycję światowego twórcy # 1 w gatunku literatury sensacyjnej. Sprzedaż książki, która od chwili publikacji w marcu 2003 utrzymuje się nieprzerwanie na pierwszej pozycji wszystkich rankingów wydawniczych, osiągnęła na świecie 26 mln egzemplarzy. Columbia Pictures zapłaciła 6 mln dolarów za prawa filmowe. Przygotowywaną na maj 2006 roku ekranizację wyreżyseruje Ron Howard (zdobywca Oscara za „Piękny umysł"); główne role zagrają Tom Hanks, Jean Reno i Audrey Tautou. Pisarz pracuje nad kolejną powieścią — kontynuacją „Kodu" zatytułowaną prawdopodobnie *The Solomon Key*.

Polecamy książki Dana Browna

ANIOŁY I DEMONY

KOD LEONARDA DA VINCI

CYFROWA TWIERDZA

KOD LEONARDA DA VINCI:
SPECJALNE WYDANIE ILUSTROWANE

ZWODNICZY PUNKT

Wkrótce

ANIOŁY I DEMONY:
SPECJALNE WYDANIE ILUSTROWANE

KOD LEONARDA DA VINCI II: KLUCZ SALOMONA

Strona internetowa Dana Browna:
www.danbrown.com

Dan BROWN

Zwodniczy punkt

Z angielskiego przełożyli
MARIA I CEZARY FRĄC

ALBATROS
Wydawnictwo A. Kuryłowicz
WYDAWNICTWO SONIA DRAGA

WARSZAWA 2005

Tytuł oryginału:
DECEPTION POINT

Redakcja: Beata Słama

Ilustracja na okładce: Jacek Kopalski

Projekt graficzny okładki: Andrzej Kuryłowicz

ISBN 83-7359-202-4
(Albatros)

ISBN 83-89779-16-1
(Sonia Draga)

Dystrybucja

Firma Księgarska Jacek Olesiejuk
Kolejowa 15/17, 01-217 Warszawa
tel./fax (22)-631-4832, (22)-632-9155, (22)-535-0557
www.olesiejuk.pl/www.oramus.pl

Wydawnictwo L & L/Dział Handlowy
Kościuszki 38/3, 80-445 Gdańsk
tel. (58)-520-3557, fax (58)-344-1338

Sprzedaż wysyłkowa

Internetowe księgarnie wysyłkowe:
www.merlin.pl
www.ksiazki.wp.pl
www.vivid.pl

WYDAWNICTWO ALBATROS ANDRZEJ KURYŁOWICZ
skr. poczt. 55, 02-792 Warszawa 78

WYDAWNICTWO SONIA DRAGA
Pl. Grunwaldzki 8-10, 40-950 Katowice

Wydanie I
Skład: Laguna
Druk: B.M. Abedik S.A., Poznań

Podziękowania

Składam gorące podziękowania Jasonowi Kaufmanowi za pomoc i wnikliwe uwagi redakcyjne; Blythe Brown za niezmordowane badania i twórczy wkład; mojemu serdecznemu przyjacielowi Jake'owi Elwellowi z agencji Wieser & Wieser; Narodowemu Archiwum Bezpieczeństwa; biuru prasowemu NASA; Stanowi Plantonowi, który wciąż jest źródłem informacji na każdy temat; Agencji Bezpieczeństwa Narodowego; glacjologowi Martinowi O. Jeffriesowi; błyskotliwym umysłom Bretta Trottera, Thomasa D. Nadeau i Jima Barringtona. Dziękuję również Connie i Dickowi Brownom, Amerykańskiemu Archiwum Informacji Wywiadowczych, Suzanne O'Neill, Margie Wachtel, Morey Stettner, Owenowi Kingowi, Alison McKinnell, Mary i Stephenowi Gormanom, doktorowi Karlowi Singerowi, doktorowi Michaelowi I. Latzowi z Instytutu Oceanograficznego Scrippsa, April z Micron Electronics, Esther Sung, Narodowemu Muzeum Lotnictwa i Kosmonautyki, doktorowi Gene'owi Allmendigerowi, niezrównanej Heide Lange z Sanford J. Greenburger Associates i Johnowi Pike'owi ze Związku Naukowców Amerykańskich (Federation of American Scientists).

Od autora

Delta Force, Narodowe Biuro Wywiadowcze (National Reconnaissance Office) i Fundacja „Otwarty kosmos" (Space Frontier Foundation) są prawdziwymi organizacjami. Wszystkie technologie opisane w tej książce istnieją.

Jeśli to odkrycie zostanie potwierdzone, z pewnością zmieni całkowicie nasze spojrzenie na wszechświat. Jego implikacje są dalekosiężne i poruszające wyobraźnię. Niosąc odpowiedzi na niektóre z naszych najdawniejszych pytań, nadaje innym jeszcze bardziej fundamentalne znaczenie.

Prezydent Bill Clinton na konferencji prasowej
po odkryciu znanym jako ALH84001
7 sierpnia 1997 r.

Rozdział 1

Restauracja Toulos sąsiadująca z Kapitolem szczyci się politycznie niepoprawnym menu, które polecając młodziutką cielęcinę i carpaccio z koniny, rzuca wyzwanie typowemu śniadaniu waszyngtońskich elit. Tego ranka w Toulos panował duży ruch — brzęk srebrnej zastawy, szum ekspresów do kawy i szmer rozmów prowadzonych przez telefony komórkowe tworzyły istną kakofonię.

Szef sali wypijał właśnie ukradkiem łyk porannej Krwawej Mary, kiedy do restauracji weszła kobieta. Odwrócił się do niej z wystudiowanym uśmiechem.

— Dzień dobry. Czym mogę służyć?

Kobieta była atrakcyjna, około trzydziestu pięciu lat, ubrana w szare flanelowe spodnie i bluzkę w kolorze kości słoniowej od Laury Ashley. Jej wyprostowane ramiona i lekko uniesiona broda świadczyły nie o arogancji, lecz o spokojnej pewności siebie. Jasnobrązowe włosy, gęste i puszyste, uczesane miała w najmodniejszym waszyngtońskim stylu „prezenterki TV", podwinięte, sięgające ramion. Na tyle długie, by kobieta wyglądała seksownie, lecz na tyle krótkie, żeby dawać do zrozumienia, iż prawdopodobnie jest mądrzejsza od nas.

— Trochę się spóźniłam — powiedziała bezpretensjonalnie. — Jestem umówiona na śniadanie z senatorem Sextonem.

Szef sali poczuł nieprzyjemne mrowienie. Senator Sedgewick Sexton. Bywał tu regularnie i obecnie zaliczał się do najpopularniejszych ludzi w kraju. W ubiegłotygodniowych prawyborach z hukiem rozgromił wszystkich dwunastu republikańskich kandydatów i miał zapewnioną nominację swojej partii na urząd prezydenta Stanów Zjednoczonych. Wiele osób żywiło przekonanie, iż jesienią najprawdopodobniej wyrwie władzę z rąk znękanego prezydenta. Wydawało się, że ostatnio twarz Sextona spogląda z okładek wszystkich czasopism o zasięgu krajowym, a jego hasło wyborcze krzyczy ze wszystkich plakatów w Ameryce: „Koniec wydawania. Początek naprawiania".

— Senator Sexton siedzi tam — oznajmił szef sali. — Jak pani godność?

— Rachel Sexton. Jestem jego córką.

Ale ze mnie dureń, pomyślał. Podobieństwo było dość duże. Kobieta miała przenikliwe oczy senatora i otaczała ją ta sama aura dynamicznej szlachetności. Najwyraźniej klasyczna uroda polityka nie przeskoczyła drugiego pokolenia. Co więcej Rachel Sexton, choć świadoma swoich zalet, nosiła się z wdziękiem, jakiego ojciec mógłby się od niej nauczyć.

— Miło panią poznać, panno Sexton.

Szef sali poprowadził córkę senatora przez jadalnię, zakłopotany taksującymi spojrzeniami mężczyzn. Jedni obserwowali ją dyskretnie, inni nie próbowali ukryć zainteresowania. W Toulos stołowało się niewiele kobiet i tylko nieliczne mogłyby konkurować urodą z Rachel Sexton.

— Niezła sztuka — szepnął któryś z mężczyzn. — Sexton już znalazł sobie nową żonę?

— To jego córka, idioto — syknął drugi.

Mężczyzna zachichotał.

— Znając Sextona, pewnie i tak ją posuwa.

Kiedy Rachel stanęła przy stoliku, senator rozmawiał przez telefon komórkowy, głośno przechwalając się swoimi ostatnimi sukcesami. Zerknął na córkę i postukał w zegarek od Cartiera, dając do zrozumienia, że się spóźniła.

Ja też za tobą tęskniłam, pomyślała Rachel.

Miał na imię Thomas, ale od dawna posługiwał się drugim imieniem. Rachel przypuszczała, że robi to z upodobania do aliteracji. Senator Sedgewick Sexton. Jej ojciec był srebrnowłosym i złotoustym zwierzęciem politycznym o gumowej twarzy doktora z telenoweli — porównanie wydawało się odpowiednie, zważywszy na jego talent do wcielania się w coraz to nowe role.

— Rachel! — Wyłączył telefon i wstał, żeby pocałować ją w policzek.

— Cześć, tato. — Nie oddała pocałunku.

— Wyglądasz na zmęczoną.

A to dopiero początek, pomyślała.

— Dostałam twoją wiadomość. O co chodzi?

— Nie mogę ot, tak sobie, zaprosić córki na śniadanie?

Dawno temu nauczyła się, że ojciec rzadko zabiega o jej towarzystwo, o ile nie ma ku temu powodu.

Sexton napił się kawy.

— A co u ciebie?

— Jestem zapracowana. Widzę, że twoja kampania idzie dobrze.

— Och, nie mówmy o interesach. — Sexton pochylił się nad stołem i zniżył głos. — Co z tym facetem z Departamentu Stanu, którego ci naraiłem?

Rachel wypuściła powietrze, walcząc z pragnieniem spojrzenia na zegarek.

— Tato, naprawdę nie miałam czasu do niego zadzwonić. I wolałabym, żebyś przestał...

— Musisz znaleźć czas na ważniejsze rzeczy, Rachel. Bez miłości nic nie ma znaczenia.

Przyszło jej na myśl wiele ciętych odpowiedzi, lecz wybrała milczenie. Dla ojca zgrywanie moralisty nie było trudne.

— Tato, o czym chcesz ze mną porozmawiać? Powiedziałeś, że to ważne.

— Owszem. — Ojciec spojrzał na nią przenikliwie.

Rachel poczuła, jak część jej rezerwy taje pod wpływem jego wzroku, i przeklęła władzę tego człowieka. Jego największym atutem były oczy — atutem, który, jak podejrzewała, miał doprowadzić go do Białego Domu. Oczy, które w jednej chwili mogły wypełnić się łzami, a w następnej przemienić w czyste, otwarte okna żarliwej duszy, ułatwiały nawiązanie kontaktu i wzbudzały zaufanie. Wszystko zależy od zaufania, powtarzał. Senator przed laty stracił córkę, ale szybko zdobywał naród.

— Mam propozycję — oznajmił.

— Niech zgadnę — odparła Rachel, próbując umocnić swoją pozycję. — Jakiś ustawiony rozwodnik szuka młodej żony?

— Nie żartuj, kochanie. Nie jesteś już taka młoda.

Rachel doznała znajomego wrażenia, które tak często prześladowało ją, gdy spotykała się z ojcem. Nagle poczuła się bardzo mała.

— Chcę ci rzucić koło ratunkowe.

— Nie zdawałam sobie sprawy, że tonę.

— Nie ty. Prezydent tonie. Powinnaś wyskoczyć ze statku, zanim będzie za późno.

— Czy już o tym nie rozmawialiśmy?

— Pomyśl o przyszłości, Rachel. Możesz pracować dla mnie.

— Mam nadzieję, że nie dlatego zaprosiłeś mnie na śniadanie.

Jego pancerz spokoju leciutko się zarysował.

— Nie rozumiesz, że twoja praca dla niego odbija się niekorzystnie na mnie? I na mojej kampanii?

Westchnęła. Przerabiali ten temat wiele razy.

— Tato, nie pracuję dla prezydenta. Nawet nigdy go nie spotkałam. Pracuję w Fairfax, na miłość boską!

— Polityka to postrzeganie. Wygląda to tak, jakbyś pracowała dla prezydenta.

Rachel odetchnęła głęboko, starając się zachować spokój.

— Ciężko pracowałam, żeby dostać tę posadę, tato. Nie zrezygnuję z niej.

Senator zmrużył oczy.

— Wiesz, czasami twój egoizm naprawdę...

— Senator Sexton? — Przy stoliku stanął reporter.

Zachowanie Sextona uległo natychmiastowej zmianie. Rachel z jękiem sięgnęła do koszyka po rogalik.

— Ralph Sneeden — przedstawił się reporter. — „Washington Post". Mogę zadać kilka pytań?

Senator uśmiechnął się, wycierając usta serwetką.

— Cała przyjemność po mojej stronie, Ralph. Tylko szybko. Nie chcę, żeby wystygła mi kawa.

Reporter roześmiał się, tak wypadało.

— Oczywiście, panie senatorze. — Włączył magnetofon. — Senatorze, w swoich wystąpieniach telewizyjnych nawołuje pan do zrównania wynagrodzeń kobiet z płacami mężczyzn oraz do obniżenia podatków młodym małżeństwom. Czy może pan skomentować swoje stanowisko?

— Oczywiście. Jestem zwolennikiem silnych kobiet i silnych rodzin, to wszystko.

Rachel zakrztusiła się rogalikiem.

— Skoro mowa o rodzinach — podchwycił reporter — zajmuje się pan również zagadnieniem edukacji. Zaproponował pan niezwykle kontrowersyjne cięcia budżetowe i przeznaczenie pozyskanych funduszy dla szkół.

— Uważam, że dzieci są naszą przyszłością.

Nie mogła uwierzyć, że ojciec zniża się do cytowania piosenek pop.

— Jeszcze jedno, panie senatorze, w ciągu minionych tygodni pańskie notowania ogromnie wzrosły. Prezydent musi być zmartwiony. Czy podzieli się pan z nami refleksjami na temat swojego niedawnego sukcesu?

— Myślę, że mój sukces wiąże się z zaufaniem. Czekają nas trudne decyzje, a Amerykanie przestają wierzyć, że prezydent dokona słusznego wyboru. Wydatki rządowe wymknęły się spod kontroli, zadłużenie kraju rośnie z dnia na dzień... Amerykanie zaczynają sobie uświadamiać, że trzeba przestać wydawać, a zacząć naprawiać.

W torebce Rachel zapiszczał pager, zapewniając jej chwilę wytchnienia od retoryki ojca. Zwykle ostry elektroniczny sygnał działał jej na nerwy, ale teraz wydawał się niemal melodyjny.

Senator zademonstrował niezadowolenie. Był oburzony, że mu przerwano.

Rachel wyłowiła pager z torebki i wcisnęła sekwencję pięciu klawiszy, potwierdzając swoją tożsamość. Popiskiwanie ucichło, zamrugał wyświetlacz. Za piętnaście sekund miała otrzymać zaszyfrowaną wiadomość.

Sneeden uśmiechnął się do senatora.

— Pańska córka najwyraźniej jest bardzo zapracowana. To miłe, że znajdujecie czas na wspólne posiłki.

— Jak mówiłem, rodzina na pierwszym miejscu.

Sneeden pokiwał głową, a jego spojrzenie stwardniało.

— Mogę zapytać, jak radzicie sobie z konfliktem interesów?

— Z konfliktem? — Senator Sexton podniósł głowę z niewinnie zdziwioną miną. — Jaki konflikt ma pan na myśli?

Rachel z grymasem niezadowolenia obserwowała grę ojca. Dokładnie wiedziała, do czego zmierza rozmowa. Cholerni reporterzy, pomyślała. Połowa z nich figuruje na politycznej liście płac. Pytanie postawione przez Sneedena w żargonie dziennikarskim nazywano „grejpfrutem" — wyglądało na element bezpardonowego przesłuchania, ale w rzeczywistości było zgodne z wcześniej przygotowanym scenariuszem i wyświadczało przysługę indagowanej osobie. Przypominało podaną wysokim łukiem piłkę, którą senator miał bez wysiłku przejąć i wybić z boiska, przy okazji oczyszczając atmosferę z paru innych rzeczy.

— Cóż, panie senatorze... — Reporter kaszlnął, udając zakłopotanie. — Konflikt polega na tym, że pańska córka pracuje dla pańskiego przeciwnika.

Senator Sexton wybuchnął śmiechem, błyskawicznie bagatelizując problem.

— Po pierwsze, prezydent i ja nie jesteśmy przeciwnikami. Jesteśmy dwoma patriotami, mającymi inne poglądy na kwestię kierowania krajem, który obaj kochamy.

Reporter się rozpromienił. Miał już swój krótki wywiad.

— A po drugie?

— Po drugie, moja córka nie jest zatrudniona przez prezydenta. Pracuje dla wywiadu, analizuje raporty wywiadowcze i wysyła opracowania do Białego Domu. Jest pracownikiem niższego szczebla. — Umilkł i popatrzył na Rachel. — Szczerze mówiąc, moja droga, nie jestem pewien, czy kiedykolwiek miałaś okazję porozmawiać z prezydentem.

Rachel wbiła w niego pełne złości oczy.

Ćwierknięcie pagera skierowało jej uwagę na wiadomość ukazującą się na wyświetlaczu.

RPRT DYRNRO NIEZWŁ

Natychmiast rozszyfrowała skróty i ściągnęła brwi. Niespodziewana wiadomość bezsprzecznie oznaczała coś niedobrego, ale przynajmniej stała się pretekstem do zakończenia spotkania.

— Panowie, z przykrością muszę was pożegnać. Spóźnię się do pracy.

Reporter szybko sformułował pytanie:

— Panno Sexton, czy mogłaby pani skomentować pewną pogłoskę? Podobno ojciec zaproponował pani wspólne śniadanie, by omówić możliwość porzucenia przez panią dotychczasowej pracy i zaangażowania się w jego kampanię. Czy to prawda?

Rachel poczuła się tak, jakby ktoś chlusnął jej w twarz gorącą kawą. Pytanie zupełnie ją zaskoczyło. Popatrzyła na ojca i po jego uśmieszku poznała, że zostało z góry przygotowane. Miała ochotę wskoczyć na stół i dźgnąć go widelcem.

Reporter przysunął mikrofon do ust Rachel.

— Panno Sexton?

Spojrzała mu w oczy.

— Ralph, czy jak ci tam na imię, wyjaśnijmy sobie jedno: nie mam zamiaru rezygnować z posady, żeby pracować dla senatora Sextona. Jeśli wydrukujesz coś innego, będzie ci potrzebna łyżka do butów, żeby wydłubać sobie ten magnetofon z dupy.

Reporter otworzył szeroko oczy. Po chwili wyłączył magnetofon, tłumiąc uśmiech.

— Dziękuję państwu. — Zniknął.

Rachel natychmiast pożałowała swojego wybuchu. Temperament odziedziczyła po ojcu i za to też go nienawidziła. Spokojnie, Rachel, tylko spokojnie.

Ojciec popatrzył na nią z dezaprobatą.

— Mogłabyś się nauczyć trochę nad sobą panować.

Zaczęła zbierać swoje rzeczy.

— Spotkanie dobiegło końca.

Senator najwyraźniej też skończył. Wyjął komórkę.

— Pa, skarbie. Wstąp kiedyś do mnie do biura. I wyjdź za mąż, na miłość boską. Masz trzydzieści trzy lata.

— Trzydzieści cztery — warknęła. — Twoja sekretarka przysłała mi kartkę na urodziny.

Zacmokał ze smutkiem.

— Trzydzieści cztery. Prawie stara panna. Wiesz, gdy ja byłem w twoim wieku, to już...

— Poślubiłeś mamę i pieprzyłeś sąsiadkę? — dokończyła za niego głośniej, niż zamierzała. W restauracji panowała akurat cisza. Ludzie siedzący w pobliżu odwrócili głowy w ich stronę.

Oczy senatora Sextona jakby zamarzły. W jej twarz wwierciły się dwa kryształy lodu.

— Uważaj, młoda damo.

Rachel ruszyła do drzwi. To ty uważaj, senatorze.

Rozdział 2

Trzej mężczyźni siedzieli w milczeniu w namiocie. Lodowaty wiatr szarpał tkaniną, grożąc zerwaniem linek. Żaden z nich nie zwracał na to uwagi; bywali w sytuacjach o wiele groźniejszych.

Rozbity w płytkim zagłębieniu śnieżnobiały namiot był prawie niewidoczny. Zajmujący go mężczyźni dysponowali supernowoczesnym sprzętem łączności oraz bronią. Dowódca grupy miał kryptonim Delta Jeden. Był muskularny i zwinny, z oczami pustymi jak otaczający ich krajobraz.

Wojskowy chronometr na jego nadgarstku pisnął przenikliwie. Dźwięk zbiegł się z sygnałami wyemitowanymi przez zegarki jego towarzyszy.

Minęło trzydzieści sekund.

Już czas. Znowu.

Delta Jeden bez słowa zostawił swoich partnerów i wyszedł w ciemność i wyjący wiatr. Przez lornetkę na podczerwień omiótł oświetlony przez księżyc horyzont. Jak zawsze skupił uwagę na budowli. Stała kilometr dalej — ogromna, niezwykła, wzniesiona na jałowej ziemi. Obserwował ją już od dziesięciu dni, od czasu ukończenia budowy. Nie miał wątpliwości, że informacje kryjące się w jej wnętrzu zmienią świat. Ich ochrona już kosztowała ludzkie życie.

W tej chwili wokół budowli panował spokój.

Najważniejsze jednak było to, co działo się wewnątrz.

Delta Jeden wszedł do namiotu i zwrócił się do żołnierzy:

— Czas na przelot.

Obaj pokiwali głowami. Wyższy, Delta Dwa, otworzył i włączył laptopa. Usadowił się przed ekranem, położył rękę na joysticku i poruszył nią. Ukryty w oddalonej o tysiąc metrów budowli robot obserwacyjny wielkości komara odebrał sygnał i zbudził się do życia.

Rozdział 3

Rachel Sexton wciąż gotowała się ze złości, gdy jechała swoją białą integrą Leesburg Highway. Marcowe niebo było pogodne, ozdobione koronką nagich gałęzi klonów na wzgórzach Falls Church, lecz spokojne otoczenie nie studziło jej gniewu. Ostatni skok w sondażach powinien przydać ojcu choć odrobiny wdzięku, a jednak tylko podsycił jego wysokie mniemanie o sobie.

Fałsz ojca sprawiał jej ból tym większy, że poza nim nie miała nikogo bliskiego. Matka umarła przed trzema laty i Rachel wciąż miała w sercu niezagojone blizny po tym ciosie. Jedyną pociechę niosła jej świadomość, że śmierć z ironicznym współczuciem uwolniła matkę od żałosnej parodii małżeństwa z senatorem.

Zapiszczał pager, znów kierując jej myśli na drogę. Wiadomość brzmiała tak samo:

RPRT DYRNRO NIEZWŁ

Zameldować się natychmiast u dyrektora NRO. Westchnęła. Już jadę, na miłość boską!

Coraz bardziej zaniepokojona, skorzystała z tego wjazdu co zwykle, skręciła w drogę wewnętrzną i zatrzymała się przy wartowni obsadzonej przez uzbrojonych po zęby strażników. Adres 14225 Leesburg Highway był jednym z najbardziej utajnionych w kraju.

Gdy strażnik sprawdzał, czy w samochodzie nie ma urządzeń podsłuchowych, Rachel patrzyła na stojący w oddali ogromny gmach o powierzchni dziewięćdziesięciu tysięcy metrów kwadratowych. Kompleks NRO zajmował łącznie dwadzieścia osiem hektarów lesistego terenu i leżał niedaleko stolicy, w Fairfax, w stanie Wirginia. Fasadę budynku tworzyły lustrzane szyby, które podwajały i tak już imponującą liczbę czasz anten satelitarnych i radarów.

Dwie minuty później Rachel zostawiła wóz na parkingu i przeszła przez wypielęgnowane trawniki do głównego wejścia, gdzie napis wyryty w granicie informował:

NARODOWE BIURO WYWIADOWCZE (NRO) *

Po obu stronach kuloodpornych obrotowych drzwi stali, patrząc prosto przed siebie, dwaj uzbrojeni żołnierze piechoty morskiej. Przestępując próg, Rachel miała to samo wrażenie co zawsze... wrażenie, że wchodzi do brzucha śpiącego olbrzyma.

W wysokim holu wyczuwała wokół siebie słabe echa ściszonych rozmów, jakby słowa przesączały się z biur na górze. Ogromna mozaika obwieszczała zadanie NRO:

ZAPEWNIENIE STANOM ZJEDNOCZONYM
GLOBALNEJ PRZEWAGI INFORMACYJNEJ
W CZASIE POKOJU I WOJNY

Na ścianach wisiały wielkie fotografie przedstawiające starty rakiet, chrzest okrętów podwodnych, instalacje przechwytujące — dokumentacja wybitnych osiągnięć, które świętowano wyłącznie w obrębie tych murów.

Rachel jak zawsze poczuła, że sprawy świata zewnętrznego bledną. Wkraczała do świata cieni. Świata, w którym problemy dudniły jak towarowe pociągi, a rozwiązania podawane były szeptem.

W drodze do ostatniego punktu kontrolnego zastanawiała się, jaki problem sprawił, że jej pager dzwonił dwukrotnie w ciągu trzydziestu minut. Podeszła do stalowych drzwi.

— Dzień dobry, pani Sexton. — Strażnik powitał ją z uśmiechem.

Rachel odwzajemniła uśmiech, gdy wyciągnął w jej stronę mały pakiecik.

---

* National Reconaissance Office

— Zna pani procedurę.

Wzięła hermetyczne plastikowe opakowanie i wyjęła bawełniany płatek. Wsunęła go do ust jak termometr i trzymała pod językiem przez dwie sekundy, a potem pochyliła się, żeby strażnik mógł go wyjąć. Strażnik wsunął zwilżony płatek do szczeliny w stojącym z tyłu aparacie. Po czterech sekundach aparat potwierdził sekwencje DNA w ślinie Rachel. Na monitorze ukazało się jej zdjęcie i certyfikat bezpieczeństwa.

Strażnik mrugnął.

— Wygląda na to, że wciąż jest pani sobą. — Wyciągnął płatek z maszyny i wrzucił do otworu, w którym uległ natychmiastowego spopieleniu. — Miłego dnia. — Wcisnął guzik i wielkie stalowe drzwi się otworzyły.

Rachel weszła w labirynt korytarzy. Nawet po sześciu latach pracy onieśmielał ją rozmach i zakres prowadzonych tutaj operacji. Agencja posiadała na terenie Stanów Zjednoczonych sześć innych obiektów, zatrudniała ponad dziesięć tysięcy agentów i dysponowała rocznym funduszem operacyjnym w wysokości ponad dziesięciu miliardów dolarów.

NRO w absolutnym sekrecie stworzyło zdumiewający arsenał supernowoczesnych technik szpiegowskich: elektroniczne instalacje podsłuchowe o światowym zasięgu, satelity szpiegowskie, mikroukłady z cichym przekaźnikiem wbudowane w urządzenia telekomunikacyjne, a nawet globalną sieć nasłuchu podmorskiego zwaną Classic Wizard, składającą się z 1456 hydrofonów zainstalowanych na dnie oceanów i zdolnych do monitorowania ruchów statków na całej kuli ziemskiej.

Technologie NRO nie tylko pomagały Stanom Zjednoczonym wygrywać konflikty zbrojne, ale dostarczały też niekończący się strumień informacji agencjom takim jak CIA, NSA i Departament Obrony. W ten sposób biuro ułatwiało na przykład walkę z terroryzmem czy lokalizowanie działań zagrażających środowisku naturalnemu, a także zapewniało dane niezbędne do podejmowania decyzji w całym spektrum zagadnień.

Rachel była tak zwanym skrótowcem *. Jej praca polegała na analizowaniu rozbudowanych raportów i ujmowaniu ich treści w zwięzłe, jednostronicowe podsumowanie. Jak się okazało, miała

---

* *gister* (ang.) od *gist* — sedno

do tego smykałkę. Dzięki wszystkim tym latom doszukiwania się sensu w bredniach mojego ojca, myślała.

Obecnie zajmowała najwyższe stanowisko w dziale skrótów — była łącznikiem NRO z Białym Domem. W zakres jej obowiązków wchodziło analizowanie codziennych raportów wywiadowczych, decydowanie, które są ważne dla prezydenta, streszczanie ich w jednostronicowe wyciągi, a następnie przesyłanie zwięzłego materiału prezydenckiemu doradcy do spraw bezpieczeństwa narodowego. W żargonie NRO Rachel Sexton „wypuszczała gotowy produkt i obsługiwała klienta".

Tę trudną i czasochłonną pracę uważała za honorowe wyróżnienie, pozwalające przy okazji manifestować niezależność od ojca. Senator Sexton wielokrotnie proponował jej wsparcie, jeśli zrezygnuje z rządowej posady, ona jednak nie miała zamiaru zostać jego dłużnikiem. Los matki dobitnie świadczył o tym, co się może stać, kiedy ktoś taki jak on rozdaje karty.

Brzęczenie pagera odbiło się echem w marmurowym holu.

Znowu? Rachel nawet nie sprawdziła komunikatu.

Zachodząc w głowę, co, u licha, się dzieje, wsiadła do windy, minęła swoje piętro i pojechała prosto na górę.

Rozdział 4

Określenie „przeciętny" w odniesieniu do dyrektora NRO byłoby zbyt pochlebne. William Pickering był niski, miał bladą karnację, pospolite rysy, łysinę i piwne oczy, które, choć oglądały najgłębsze tajemnice kraju, przywodziły na myśl dwie płytkie kałuże. A jednak w oczach ludzi, którzy dla niego pracowali, Pickering piętrzył się niczym góra. Jego spokojny sposób bycia i surowe zasady były w NRO owiane legendą. Niezwykle pracowity, noszący proste czarne garnitury, dorobił się przydomka „Kwakier"*. Będąc genialnym strategiem i wzorem kompetencji, kierował swoim światem z niedościgłą wprawą. Jego dewiza brzmiała: „Poznać prawdę. Działać w oparciu o nią".

Kiedy Rachel stanęła na progu gabinetu, dyrektor rozmawiał przez telefon. Jego widok zawsze ją zaskakiwał — William Pickering zdecydowanie nie wyglądał na człowieka, który ma prawo obudzić prezydenta w środku nocy.

Pickering odłożył słuchawkę i gestem zaprosił ją, by weszła.

— Agentko Sexton, proszę spocząć. — Jego głos był surowy i ostry.

— Dziękuję, panie dyrektorze. — Rachel usiadła.

Większość ludzi odczuwała skrępowanie w towarzystwie dyrektora, który niczego nie owijał w bawełnę, ale ona zawsze go lubiła. Stanowił przeciwieństwo jej ojca — niezbyt imponujący fizycznie, zupełnie niecharyzmatyczny, wykonujący swoje obowiązki z bezin-

* *quaker* (ang.) — kwakier; *earthquake* (ang.) — trzęsienie ziemi

teresownym oddaniem, unikający rozgłosu, który tak uwielbiał senator.

Pickering zdjął okulary i popatrzył na nią.

— Agentko Sexton, około pół godziny temu zadzwonił do mnie prezydent. W pani sprawie.

Rachel poruszyła się niespokojnie. Pickering słynął z bezpośredniego przechodzenia do rzeczy. Niezły początek, pomyślała.

— Mam nadzieję, że nie chodzi o jakiś problem z moimi skrótami.

— Przeciwnie. Powiedział, że Biały Dom jest pod wrażeniem pani pracy.

Odetchnęła bezgłośnie.

— A więc czego chciał?

— Spotkać się z panią. Osobiście. Natychmiast.

Jej niepokój znacznie się nasilił.

— Spotkać się ze mną? W jakiej sprawie?

— Cholernie dobre pytanie. Nie chciał mi powiedzieć.

Zatajanie informacji przed dyrektorem NRO przypominało próbę ochrony sekretów Watykanu przed papieżem. Popularny w środowisku wywiadowczym żart mówił, że jeśli William Pickering nie wie o jakimś zdarzeniu, to znaczy, iż nie miało ono miejsca. Rachel była w kropce.

Pickering wstał i zaczął spacerować przed oknem.

— Poprosił, żebym natychmiast się z panią skontaktował i wysłał ją na spotkanie.

— Teraz?

— Przysłał środek transportu. Czeka na zewnątrz.

Rachel ściągnęła brwi. Prośba prezydenta była niezwykła, ale przede wszystkim niepokoiła ją zatroskana mina szefa.

— Oczywiście, ma pan jakieś zastrzeżenia...

— To chyba jasne! — Pickering pozwolił sobie na okazanie emocji, co nieczęsto mu się zdarzało. — Wybór takiej a nie innej chwili wydaje się niemal prymitywnie przejrzysty. Prezydent chce prywatnie spotkać się z córką człowieka, który wygrywa z nim w sondażach. Uważam, że to wysoce niestosowne. Pani ojciec bez wątpienia byłby temu przeciwny.

Wiedziała, że Pickering ma rację — co nie znaczy, że dbała o opinię ojca.

— Ma pan wątpliwości co do pobudek prezydenta?

— Przysięga zobowiązuje mnie do dostarczania informacji wywiadowczych aktualnej administracji, nie do osądzania jej polityki.

Typowa odpowiedź Kwakra, pomyślała Rachel. William Pickering nie krył się z tym, że polityków uważa za figury przemykające po szachownicy, przy której zasiadają gracze jego pokroju — zaprawieni w boju „dożywotni", biorący udział w grze dostatecznie długo, by postrzegać ją z pewnej perspektywy. Dwie pełne kadencje w Białym Domu, mawiał często Pickering, nie wystarczą, żeby zrozumieć prawdziwą złożoność pejzażu polityki globalnej.

— Może to niewinna prośba — zasugerowała Rachel w nadziei, że prezydent jest ponad takie tanie chwyty w czasie kampanii. — Może potrzebuje streszczenia jakichś tajnych danych.

— Bez obrazy, agentko Sexton, ale Biały Dom ma do dyspozycji wielu wykwalifikowanych skrótowców. Jeśli chodzi o jakąś wewnętrzną sprawę Białego Domu, prezydent powinien wiedzieć, że nie ma potrzeby kontaktować się z panią. Jeśli nie, powinien zdawać sobie sprawę, że nie należy prosić o aktywa NRO, a następnie odmawiać odpowiedzi na pytanie, w jakim celu to robi.

Pickering zawsze nazywał swoich pracowników „aktywami", co wielu osobom wydawało się bezduszne.

— Kampania pani ojca nabiera impetu — ciągnął Pickering. — Ogromnego rozpędu. Biały Dom niewątpliwie robi się nerwowy. — Westchnął. — Polityka to koszmarny biznes. Kiedy prezydent spotyka się w sekrecie z córką swojego przeciwnika, przypuszczam, że chodzi o coś więcej niż tylko o raporty wywiadowcze.

Rachel poczuła chłód. Przypuszczenia Pickeringa miały osobliwy zwyczaj sprawdzania się.

— Obawia się pan, że Biały Dom znalazł się w sytuacji na tyle rozpaczliwej, żeby wciągnąć mnie do politycznej rozgrywki?

Pickering przez chwilę zwlekał z odpowiedzią.

— Nie kryje się pani ze swoimi uczuciami do ojca i nie wątpię, że sztab prowadzący kampanię prezydenta jest świadom rozdźwięku między wami. Przyszło mi na myśl, że być może chcą w jakiś sposób wykorzystać panią przeciwko senatorowi.

— Po czyjej stronie mam się opowiedzieć? — zapytała Rachel, tylko trochę żartując.

Dyrektor zachował niewzruszony wyraz twarzy. Popatrzył na nią surowo.

— Słowo ostrzeżenia, agentko Sexton. Jeśli uważa pani, że relacje z ojcem przyćmią jej osąd podczas rozmowy z prezydentem, radzę odmówić prośbie o spotkanie.

— Odmówić? — Rachel zaśmiała się nerwowo. — Nie mogę odmówić prezydentowi.

— Nie — przyznał dyrektor. — Ale ja mogę.

Jego głos zadudnił lekko, przypominając jej, że nazywano go Kwakrem także z innego powodu. Mimo niewielkiego wzrostu William Pickering, kiedy się wkurzył, mógł spowodować polityczne trzęsienie ziemi.

— Moje obawy są oczywiste — powiedział. — Mam obowiązek chronić ludzi, którzy dla mnie pracują, i nie przyjmę do wiadomości nawet zawoalowanej sugestii, że któryś z nich mógłby zostać wykorzystany jako pionek w grze politycznej.

— Co pan proponuje?

Pickering westchnął.

— Niech się pani z nim spotka. Nie zobowiązuje się do niczego. Kiedy powie, co, u licha, chodzi mu po głowie, proszę do mnie zadzwonić. Jeśli uznam, że próbuje wciągnąć panią w polityczną grę, natychmiast pospieszę z odsieczą.

— Dziękuję, panie dyrektorze. — Rachel wyczuwała w jego słowach troskę, której tak często brakowało jej rodzonemu ojcu. — Powiedział pan, że prezydent już przysłał samochód?

— Niezupełnie. — Pickering zmarszczył czoło i wskazał za okno.

Rachel podeszła i spojrzała w kierunku, który pokazywał jego wyciągnięty palec.

Na trawniku czekał jeden z najszybszych śmigłowców świata, zadartonosy MH-60G pavehawk. Na kadłubie widniały insygnia Białego Domu. Obok stał pilot, spoglądając na zegarek.

Rachel z niedowierzaniem popatrzyła na Pickeringa.

— Biały Dom przysłał helikopter? Przecież to tylko dwadzieścia pięć kilometrów.

— Widocznie prezydent chce albo pani zaimponować, albo panią zastraszyć. — Pickering zmierzył ją wzrokiem. — Sugeruję, żeby nie uległa pani ani jednemu, ani drugiemu.

Rachel pokiwała głową. Była onieśmielona i pod wrażeniem.

Cztery minuty później Rachel Sexton wyszła z NRO i wsiadła do helikoptera. Zanim zapięła pasy, maszyna oderwała się od ziemi i uniosła nad lasami Wirginii. Rachel spoglądała na przemykające w dole drzewa i czuła, jak przyspiesza jej puls. Przyspieszyłby jeszcze bardziej, gdyby wiedziała, że śmigłowiec wcale nie leci do Białego Domu.

Rozdział 5

Lodowaty wiatr szarpał płótno namiotu, ale Delta Jeden nie zwracał na to uwagi. Razem z Deltą Trzy patrzył na kolegę, który z chirurgiczną precyzją manipulował joystickiem. Na ekranie przed nimi widniał przekaz z maleńkiej kamery zamontowanej na mikrorobocie.

Niezrównane narzędzie monitorujące, pomyślał Delta Jeden. Nie posiadał się ze zdumienia za każdym razem, gdy je uruchamiali. Wydawało się, że ostatnimi czasy w świecie mikromechaniki fakt wyprzedza fikcję.

Układy mikroelektromechaniczne (MEMS *) — mikroboty były szczytowym osiągnięciem technologii szpiegowskiej zwanej również „mucha na ścianie".

Dosłownie.

Chociaż miniaturowe, zdalnie sterowane roboty wciąż kojarzą się z wymysłem science fiction, w rzeczywistości pojawiły się już w latach dziewięćdziesiątych XX wieku. W maju 1997 magazyn „Discovery" poświęcił im artykuł na pierwszej stronie, prezentując modele „latające" i „pływające". Pływaki — nanookręty podwodne wielkości kryształków soli — mogły zostać wstrzyknięte do ludzkiego krwiobiegu zupełnie jak w filmie *Fantastyczna podróż*. Obecnie używa się ich w wiodących ośrodkach medycznych; zdalnie sterowane pływają w arteriach pacjentów, umożliwiając lekarzom oglądanie ich wnętrza i lokalizowanie zatorów tętniczych bez użycia skalpela.

---

* Micro Electro Mechanical System

Wbrew przewidywaniom skonstruowanie latającego mikrobota okazało się jeszcze prostsze. Technologia aerodynamiczna umożliwiająca zbudowanie maszyny latającej jest znana od czasów Kitty Hawk *, pozostała więc tylko kwestia miniaturyzacji. Pierwsze latające mikroboty, zaprojektowane przez NASA jako bezzałogowe narzędzia badawcze dla przyszłych misji na Marsa, miały kilkanaście centymetrów długości. Dzięki postępowi w dziedzinie nanotechnologii i mikromechanice oraz zastosowaniu superlekkich materiałów energochłonnych, latające mikroboty stały się rzeczywistością.

Prawdziwy przełom nastąpił w nowej dziedzinie nauki, biomimice, zajmującej się naśladowaniem matki natury. Idealnym pierwowzorem dla zwrotnych, sprawnych mikrobotów stały się ważki. Sterowany przez Deltę Dwa model PH2 miał centymetr długości — tyle co komar — i był wyposażony w dwie pary przejrzystych, przegubowych, silikonowych skrzydełek, które zapewniały mu niezrównaną mobilność w powietrzu.

Kolejnym punktem zwrotnym stało się udoskonalenie układu napędowego mikrobota. Modele prototypowe mogły ładować komórki energetyczne w czasie unoszenia się pod źródłem jasnego światła, nie były więc idealne do prowadzenia ukradkowej obserwacji czy pracy w ciemnych pomieszczeniach. Nowsze modele mogły ładować się po prostu przez parkowanie w odległości kilku centymetrów od źródła pola magnetycznego. W nowoczesnym społeczeństwie pola magnetyczne są wszechobecne — monitory komputerowe, silniki elektryczne, głośniki, telefony komórkowe — stacji ładowania nigdy nie brakuje. Robot wpuszczony do danego pomieszczenia może przekazywać dźwięk i obraz praktycznie w nieskończoność. PH2 Delty Dwa pracował już ponad tydzień, nie sprawiając żadnych kłopotów.

Jak owad w ogromnej stodole, mikrobot latał bezgłośnie w nieruchomym powietrzu w wielkim centralnym pomieszczeniu budowli. Krążył nad niczego niepodejrzewającymi ludźmi — technikami, naukowcami, specjalistami z wielu dziedzin nauki —

---

* Kitty Hawk — pierwszy samolot z silnikiem zaprojektowany w 1903 roku przez braci Wright

przekazując obraz z lotu ptaka do bazy. Delta Jeden wypatrzył na ekranie dwie znajome postacie pogrążone w rozmowie. Treść rozmowy miała być wyznacznikiem. Kazał Delcie Dwa opuścić PH2 i słuchać.

Manipulując urządzeniem sterującym, Delta Dwa włączył czujniki dźwięku, wycelował wzmacniacz paraboliczny i opuścił mikrobota na wysokość trzech metrów nad głowy rozmawiających mężczyzn. Przekaz był słaby, ale zrozumiały.

— Wciąż nie mogę w to uwierzyć — mówił jeden z naukowców. Podniecenie w jego głosie nie zmalało, odkąd zjawił się tutaj przed czterdziestoma ośmioma godzinami.

Drugi wyraźnie podzielał jego entuzjazm.

— Czy kiedykolwiek... czy myślałeś kiedyś, że zobaczysz coś takiego?

— Nigdy w życiu — odparł z uśmiechem pierwszy. — To jak cudowny sen.

Delcie Jeden to wystarczyło. Wyglądało na to, że sytuacja rozwija się zgodnie z przewidywaniami. Delta Dwa odsunął mikrobota od rozmawiających i skierował go do kryjówki. Zaparkował maleńkie urządzenie w pobliżu cylindra generatora. Komórki energetyczne PH2 natychmiast zaczęły ładować się na następną misję.

Rozdział 6

Gdy pavehawk ciął poranne niebo, Rachel Sexton rozmyślała o dziwnych wydarzeniach, jakie miały miejsce tego poranka. Dopiero nad zatoką Chesapeake zdała sobie sprawę, że lecą w niewłaściwym kierunku. Początkowa konsternacja błyskawicznie ustąpiła niepokojowi.

— Hej! — zawołała do pilota. — Co pan robi? — Jej głos był ledwo słyszalny w hałasie wirników. — Miał pan mnie zabrać do Białego Domu!

Pilot pokręcił głową.

— Przykro mi, proszę pani. Prezydenta nie ma w Białym Domu.

Rachel próbowała sobie przypomnieć, czy Pickering mówił konkretnie o Białym Domu, czy też po prostu przyjęła to miejsce przeznaczenia za oczywiste.

— A gdzie jest?

— Spotka się z panią gdzie indziej.

Nie chrzań.

— Gdzie jest to „gdzie indziej"?

— Już niedaleko.

— Nie o to pytałam.

— Dwadzieścia pięć kilometrów stąd.

Rachel spiorunowała go wzrokiem. Ten facet powinien być politykiem.

— Kul unika pan równie dobrze jak pytań?

Pilot nie odpowiedział.

Przelot nad zatoką Chesapeake zabrał im niespełna siedem minut. Kiedy w polu widzenia ponownie ukazał się ląd, pilot skręcił na północ i okrążył wąski półwysep, na którym Rachel zobaczyła szereg pasów startowych i zabudowań w stylu wojskowym. Pilot opadł w ich stronę i wtedy zrozumiała, co to za miejsce. Sześć płyt wyrzutni i osmalone wieże były dobrą wskazówką, ale gdyby miała wątpliwości, ogromne litery wymalowane na dachu jednego z hangarów oznajmiały: WYSPA WALLOPS.

Na wyspie Wallops znajdowała się jedna z najstarszych baz kosmicznych NASA. Wciąż używana do wystrzeliwania satelitów i testowania eksperymentalnych samolotów, leżała z dala od centrum uwagi.

Prezydent jest na wyspie Wallops? To nie ma sensu.

Pilot ustawił maszynę równolegle do trzech pasów biegnących wzdłuż wąskiego półwyspu. Wydawało się, że kieruje się na drugi koniec środkowego.

Zaczęli zwalniać.

— Spotka się pani z prezydentem w jego gabinecie.

Rachel odwróciła się i zastanowiła, czy facet nie żartuje.

— Prezydent Stanów Zjednoczonych ma gabinet na Wallops?

Pilot miał śmiertelnie poważną minę.

— Prezydent Stanów Zjednoczonych ma gabinet, gdzie tylko zechce, proszę pani.

Wskazał koniec pasa. Rachel zobaczyła w dali lśniący wielki samolot i serce podeszło jej do gardła. Nawet z odległości trzystu metrów poznała jasnoniebieski kadłub zmodyfikowanego boeinga 747.

— Spotkam się z nim na pokładzie...

— Tak, proszę pani. Jego dom daleko od domu.

Rachel wbiła wzrok w imponującą maszynę opatrzoną wojskowym kryptonimem „VC-25-A", dla reszty świata znaną pod inną nazwą — „Air Force One".

— Wygląda na to, że zwiedzi pani nowy — powiedział pilot, wskazując cyfry na stateczniku pionowym.

Rachel w osłupieniu pokiwała głową. Niewielu Amerykanów wie, że w rzeczywistości służbę pełnią dwa Air Force One — identyczne, specjalnie zmodyfikowane 747-200-Bs, jeden oznaczony numerem 280 000, a drugi 290 000. Oba latają z prędkością dziewięciuset pięćdziesięciu kilometrów na godzinę i są przystosowane do tankowania w powietrzu, co zapewnia im praktycznie nieograniczony zasięg.

Gdy pavehawk usiadł na pasie obok prezydenckiego samolotu, Rachel zrozumiała, dlaczego Air Force One bywa nazywany „latającym Białym Domem". Jego widok onieśmielał.

Kiedy prezydent udawał się za granicę na spotkania z głowami państw, często prosił — powołując się na względy bezpieczeństwa — żeby spotkanie odbyło się na pasie startowym na pokładzie jego odrzutowca. Niewątpliwie innym ważnym powodem było zapewnienie sobie psychologicznej przewagi w negocjacjach. Wizyta w Air Force One z dwumetrowym napisem STANY ZJEDNOCZONE na kadłubie robiła znacznie większe wrażenie niż odwiedziny w Białym Domu. Pewna członkini gabinetu brytyjskiego zarzuciła prezydentowi Nixonowi, że „wymachuje jej przed nosem swoją męskością", kiedy zaproponował spotkanie na pokładzie Air Force One. Załoga natychmiast przezwała samolot „Wielkim Fiutem".

— Pani Sexton? — Mężczyzna w marynarce służb specjalnych otworzył drzwi śmigłowca. — Prezydent czeka.

Rachel wysiadła i popatrzyła na strome schody przy pękatym kadłubie. Latający fallus, pomyślała. Kiedyś słyszała, że latający Gabinet Owalny ma ponad trzysta pięćdziesiąt metrów kwadratowych powierzchni, łącznie z czterema prywatnymi sypialniami, kojami dla dwudziestu sześciu członków załogi oraz dwoma kuchniami zdolnymi nakarmić pięćdziesiąt osób.

Wchodząc po schodach, Rachel czuła za plecami obecność agenta, który niemal deptał jej po piętach. Wysoko nad nią niczym maleńka rana w boku kolosalnego srebrnego wieloryba otwierały się drzwi. Szła ku nim z coraz mniejszą pewnością siebie.

Spokojnie, Rachel. To tylko samolot.

Na podeście agent uprzejmie ujął ją pod ramię i wprowadził do zaskakująco wąskiego korytarza. Skręcili w prawo i po przejściu paru metrów znaleźli się w luksusowo urządzonym, przestronnym pomieszczeniu. Rachel natychmiast poznała je ze zdjęć.

— Proszę tu zaczekać — rzucił mężczyzna i odszedł.

Rachel została sama w wyłożonej drewnem słynnej kabinie dziobowej Air Force One. Służyła ona do odbywania zebrań, przyjmowania dygnitarzy i, najwyraźniej, onieśmielania gości bawiących tu po raz pierwszy. Wyłożona grubą jasnobrązową wykładziną dywanową zajmowała całą szerokość samolotu. Na wyposażenie składały się fotele obite tłoczoną skórą, okrągły klonowy stół, wypolerowane mosiężne lampy, sofa w stylu kontynentalnym i mahoniowy barek zastawiony ręcznie rżniętymi kryształami.

Przypuszczalnie według projektantów dziobowa kabina miała wywierać „wrażenie porządku i spokoju". W przypadku Rachel Sexton spokój był ostatnią rzeczą, jaką odczuwała. Potrafiła myśleć tylko o tym, ilu wielkich przywódców tutaj siedziało i podejmowało decyzje, które wpłynęły na losy świata.

Wszystko mówiło o władzy, poczynając od lekkiego aromatu wybornego tytoniu fajkowego, a kończąc na wszechobecnym godle. Orzeł ze strzałami i gałązką oliwną w szponach był wyhaftowany na poduszkach, wyrzeźbiony na wiaderku do lodu, a nawet wydrukowany na korkowych podkładkach leżących na barze. Rachel podniosła jedną podkładkę, chcąc ją obejrzeć.

Za jej plecami rozległ się głęboki głos:

— Już kradnie pani suweniry?

Drgnęła i okręciła się na pięcie, upuszczając podkładkę na podłogę. Przyklękła niezdarnie, żeby ją podnieść, odwróciła głowę i zobaczyła prezydenta Stanów Zjednoczonych, patrzącego na nią z rozbawieniem.

— Nie jestem królewskiej krwi, pani Sexton. Nie trzeba padać przede mną na kolana.

Rozdział 7

Senator Sedgewick Sexton rozkoszował się prywatnością wnętrza swojej limuzyny marki Lincoln, w potoku aut mknącej w kierunku biurowca, w którym mieścił się jego gabinet. Naprzeciwko niego Gabrielle Ashe, dwudziestoczteroletnia osobista asystentka, czytała rozkład dnia. Sexton słuchał jednym uchem.

Kocham Waszyngton, myślał, podziwiając jej idealne kształty, uwydatnione obcisłym kaszmirowym sweterkiem. Władza jest afrodyzjakiem... i ściąga do stolicy stada kobiet takich jak ona.

Gabrielle, absolwentka prestiżowego uniwersytetu w Nowym Jorku, marzyła, że pewnego dnia sama zostanie senatorem. Wyglądała oszałamiająco, była ostra jak bicz i, co najważniejsze, rozumiała zasady gry.

Była Afroamerykanką, lecz jej skóra miała barwę ciemnego cynamonu lub mahoniu — wygodny kolor pośredni, który, jak Sexton wiedział, przewrażliwione „białasy" mogą aprobować bez uczucia, że zdradzają swoją drużynę. Opisywał ją swoim kumplom jako Halle Berry obdarzoną inteligencją i ambicjami Hillary Clinton, choć czasami myślał, że nawet taka definicja nie oddaje całej prawdy.

Gabrielle znacząco przyczyniła się do rozkręcenia jego kampanii, odkąd przed trzema miesiącami awansował ją na swoją osobistą asystentkę. I na dodatek pracowała za darmo. Jej rekompensatą za szesnastogodzinny dzień pracy była możliwość pogłębiania znajomości zasad gry u boku doświadczonego polityka.

Oczywiście, chełpił się Sexton, nakłoniłem ją do czegoś więcej niż tylko praca. Po awansie zaprosił ją na „wieczorowe szkolenie" do prywatnego gabinetu. Zgodnie z przewidywaniami młoda asystentka okazała należytą wdzięczność i tryskała chęcią sprawienia mu przyjemności. Z wypracowaną przez dziesięciolecia cierpliwością, roztoczył przed nią swoją magię, budując zaufanie, ostrożnie pozbawiając zahamowań, kusząc obietnicą władzy i wreszcie uwodząc.

Nie wątpił, że to doświadczenie seksualne było jednym z najlepszych w życiu młodej kobiety, a jednak w świetle dnia Gabrielle wyraźnie żałowała swojego postępku. Zażenowana, zaproponowała złożenie rezygnacji. Odmówił. Została, ale postawiła sprawę jasno. Od tej pory ich stosunki miały charakter wyłącznie służbowy.

Pełne usta asystentki wciąż się poruszały.

— ...nie bagatelizuj tej popołudniowej debaty w CNN. Nadal nie wiemy, kogo wystawi Biały Dom. Przejrzyj notatki, które przygotowałam. — Podała mu teczkę.

Sexton wziął teczkę, wdychając z lubością aromat jej perfum zmieszany z zapachem skórzanych obić.

— Nie słuchasz — zganiła go.

— Oczywiście, że słucham. — Uśmiechnął się szeroko. — Daj sobie spokój z tą debatą. W najgorszym wypadku przyślą stażystę niższego szczebla, a w najlepszym jakąś grubą rybę, którą zjem na lunch.

Gabrielle ściągnęła brwi.

— Świetnie. Do notatek dołączyłam listę najbardziej prawdopodobnych nieprzyjemnych tematów.

— Bez wątpienia sami starzy podejrzani.

— Z jednym wyjątkiem. Myślę, że możesz spotkać się z gwałtowną reakcją środowiska gejów na swoje wczorajsze komentarze w programie Larry'ego Kinga.

Senator wzruszył ramionami.

— Zgadza się. Kwestia legalizacji związków homoseksualnych.

Gabrielle obrzuciła go spojrzeniem pełnym dezaprobaty.

— Wystąpiłeś przeciwko nim dość ostro.

Małżeństwa homo, pomyślał z odrazą. Gdyby to zależało ode mnie, te cioty nie miałyby nawet praw wyborczych.

— Dobrze, załagodzę trochę to wystąpienie.

— Doskonale. Ostatnio podchodziłeś odrobinę zbyt radykalnie do wielu gorących tematów. Nie bądź taki pewny siebie. Opinia publiczna może się zmienić w jednej chwili. Teraz wygrywasz i nabrałeś rozpędu. Jedź na nim. Nie ma potrzeby wybijać piłki z boiska. Wystarczy utrzymać ją w grze.

— Jakieś wiadomości z Białego Domu?

Gabrielle okazała pełne zadowolenia zakłopotanie.

— W dalszym ciągu cisza. To informacja oficjalna. Twój przeciwnik stał się „Niewidzialnym Człowiekiem".

Sexton ledwo wierzył w szczęście, jakie ostatnio mu dopisywało. Prezydent, który od wielu miesięcy ciężko pracował na trasie kampanii wyborczej, przed tygodniem zamknął się w Gabinecie Owalnym i od tej pory nikt go nie widział ani nie słyszał. Wyglądało na to, że nie jest w stanie znieść rosnącej fali poparcia dla swojego przeciwnika.

Gabrielle przeciągnęła ręką po rozprostowanych czarnych włosach.

— Słyszałam, że sztab wyborczy Białego Domu jest równie zdezorientowany. Prezydent nie wyjaśnił przyczyny swojego zniknięcia i wszyscy są wściekli.

— Jakieś teorie?

Gabrielle popatrzyła na niego znad okularów.

— Dziś rano otrzymałam ciekawą wiadomość od mojego kontaktu w Białym Domu.

Sexton rozpoznał wyraz jej oczu. Gabrielle Ashe znów zdobyła poufne informacje. Zastanowił się, czy pozwala się dmuchać jakiemuś współpracownikowi prezydenta w zamian za sekrety dotyczące kampanii. W gruncie rzeczy miał to w nosie. Ważny jest wyłącznie dopływ informacji.

— Chodzą słuchy — podjęła asystentka, ściszając głos — że prezydent zaczął się dziwnie zachowywać w ubiegłym tygodniu, po prywatnym spotkaniu z administratorem NASA. Wyszedł z zebrania wyraźnie poruszony. Natychmiast odwołał wszystkie spotkania i od tej pory pozostaje w bliskim kontakcie z NASA.

Sextonowi spodobało się to, co usłyszał.

— Sądzisz, że NASA dostarczyła kolejne złe wieści?

— Na to wygląda — powiedziała z nadzieją. — I wieści musiały być naprawdę straszne, skoro zostawił wszystko z dnia na dzień.

Sexton pogrążył się w zadumie. Najwyraźniej w NASA rzeczywiście zdarzyło się coś złego. W przeciwnym wypadku prezydent rzuciłby mu to w twarz. Sam ostatnio porządnie mu dołożył, podnosząc kwestię funduszy NASA. Szereg nieudanych misji wraz z nagminnym przekraczaniem budżetu sprawił, że agencję kosmiczną spotkał wątpliwy zaszczyt: stała się nieoficjalną ikoną rozrzutności i nieudolności rządu. Niewielu polityków poważyłoby się atakować NASA — jeden z najbardziej znaczących symboli amerykańskiej dumy — w celu zdobycia głosów, on jednak miał broń, jaką nie dysponował nikt inny. Jego bronią była Gabrielle Ashe. I jej nieomylny instynkt.

Bystra młoda kobieta zwróciła jego uwagę kilka miesięcy temu, kiedy pracowała na stanowisku koordynatora w biurze wyborczym w Waszyngtonie. Wypadł wtedy marnie w sondażach przedwyborczych, a jego słowa krytykujące wydatki rządowe trafiały w próżnię. Gabrielle Ashe podesłała mu notkę sugerującą radykalną zmianę kursu kampanii. Poradziła, by skoncentrował się na ciągłym przekraczaniu budżetu przez NASA i subwencjach stale płynących z Białego Domu, podając to jako typowy przykład beztroskiego szastania pieniędzmi przez prezydenta Herneya.

„Utrzymanie NASA kosztuje Amerykanów fortunę — napisała, dołączając listę zestawień finansowych, porażek i subsydiów. — Wyborcy nie mają o tym pojęcia. Będą zaskoczeni. Myślę, że powinien pan uczynić z NASA kwestię polityczną".

Sexton jęknął, wstrząśnięty jej naiwnością.

Tak, równie dobrze mogę wystąpić przeciwko śpiewaniu hymnu narodowego na meczach baseballowych.

Przez kolejne tygodnie Gabrielle zasypywała go informacjami dotyczącymi NASA. Im więcej ich czytał, tym bardziej był przekonany, że dziewczyna ma rację. Nawet według norm przyjętych dla agencji rządowych NASA była finansową studnią bez dna — drogą, nieefektywną i w ostatnich latach rażąco niekompetentną.

Pewnego popołudnia Sexton brał udział w audycji na żywo poświęconej edukacji. Prowadzący zapytał, skąd weźmie fundusze na obiecywaną naprawę systemu szkolnictwa publicznego. Sexton postanowił przetestować teorię Gabrielle, udzielając na wpół żartobliwej odpowiedzi:

— Pieniądze na edukację? Ha, może obetnę o połowę program kosmiczny. NASA wydaje rocznie piętnaście miliardów dolarów na badania kosmosu, sądzę więc, że dałbym sobie radę z wydaniem siedmiu i pół miliarda dla dobra dzieci na Ziemi.

Menedżerowie jego kampanii wstrzymali oddech, przerażeni tak beztroską uwagą. Całe kampanie waliły się w gruzy z powodów błahszych, niż strzelanie na chybił trafił do NASA. W studiu zapaliły się lampki sygnalizujące rozmowy telefoniczne. Sztab kampanii Sextona zmartwiał; kosmiczni patrioci osaczają ofiarę.

Lecz stało się coś niespodziewanego.

— Piętnaście miliardów rocznie? — zapytał pierwszy rozmówca, wyraźnie zaszokowany. — Na pewno miliardów? Mówi pan, że klasa matematyczna mojego syna jest przepełniona, ponieważ szkoły nie stać na zatrudnienie nauczycieli, a NASA wydaje piętnaście miliardów dolarów rocznie na fotografowanie kosmicznego pyłu?

— Tak... to prawda — zaczął Sexton ostrożnie.

— Absurd! Czy prezydent może coś z tym zrobić?

— Jak najbardziej — zapewnił z większą pewnością siebie. — Prezydent może zawetować budżet każdej agencji, którą uważa za przeinwestowaną.

— W takim razie może pan liczyć na mój głos, senatorze Sexton. Piętnaście miliardów na badania kosmiczne, a nasze dzieci nie mają nauczycieli... To skandal! Powodzenia, senatorze, mam nadzieję, że się panu uda.

Na antenę wszedł następny rozmówca.

— Senatorze, niedawno czytałem, że Międzynarodowa Stacja Kosmiczna NASA znacznie przekroczyła budżet. Podobno prezydent zamierza przyznać agencji dotacje z funduszu awaryjnego, żeby prace nad projektem nie zostały wstrzymane. Czy to prawda?

Sexton podskoczył.

— Prawda! — Wyjaśnił, że budowa stacji kosmicznej początkowo była pomyślana jako wspólne przedsięwzięcie dwunastu krajów, które miały dzielić się kosztami. Gdy przystąpiono do realizacji projektu, budżet zaczął wymykać się spod kontroli i wiele krajów się wycofało. Zamiast zamknąć projekt prezydent postanowił pokryć wszystkie wydatki. — Koszt budowy stacji wzrósł z planowanych ośmiu miliardów do oszałamiających stu miliardów dolarów!

Rozmówca nie krył złości.

— Do cholery, dlaczego prezydent nie przykręci kurka?

Sexton miał ochotę ucałować tego faceta.

— To bardzo dobre pytanie. Na nieszczęście jedna trzecia elementów konstrukcyjnych już jest na orbicie, dokąd, nawiasem mówiąc, została wysłana za pieniądze z podatków. Przykręcenie kurka byłoby równoznaczne z przyznaniem, że prezydent wyrzucił w błoto wiele miliardów waszych dolarów.

Odbierał kolejne telefony. Wydawało się, że Amerykanie po raz pierwszy przyjmują do wiadomości fakt, iż utrzymywanie NASA jest opcją, a nie narodowym obowiązkiem.

Z programu, w trakcie którego tylko kilku twardogłowych zwolenników NASA wygłosiło wzruszające kazania o odwiecznym dążeniu człowieka do zdobywania wiedzy, wynikał następujący wniosek: Sexton trafił w wyborczą dziesiątkę, odkrywając nowy, jeszcze nieeksploatowany kontrowersyjny „gorący temat", który trafił w czuły punkt wyborców.

W następnych tygodniach senator spuścił lanie swoim oponentom w pięciu liczących się prawyborach. Mianował Gabrielle Ashe osobistą asystentką do spraw kampanii, nagradzając ją za pomysł przedstawienia wyborcom kwestii NASA. Jednym ruchem ręki zrobił z młodej Afroamerykanki wschodzącą gwiazdę polityki, jednocześnie posyłając w niebyt wszelkie zarzuty związane z jego rasistowskimi i seksistowskimi poglądami.

Teraz, siedząc razem z nią w limuzynie, Sexton wiedział, że Gabrielle po raz kolejny dowiodła swojej wartości. Nowe informacje o tajnym spotkaniu prezydenta z administratorem NASA sugerują niewątpliwie dalsze kłopoty NASA — być może następny kraj wycofał się z finansowania stacji kosmicznej.

Gdy limuzyna mijała monument Waszyngtona, senator Sexton doszedł do przekonania, że naprawdę jest wybrańcem losu.

Rozdział 8

Prezydent Zachary Herney, zasiadający w najpotężniejszym politycznym biurze świata, był średniego wzrostu, szczupły i wąski w ramionach. Miał piegowatą twarz, przerzedzone czarne włosy i nosił dwuogniskowe okulary. Jego skromna powierzchowność kontrastowała z uwielbieniem, jakim darzyli go ci, którzy go znali. Powiadano, że jeśli poznasz Zacha Hernaya, pójdziesz za nim na koniec świata.

— Cieszę się, że mogła pani przyjechać — mówił prezydent Herney, potrząsając ręką Rachel. Jego uścisk był ciepły i przyjacielski.

Rachel musiała odchrząknąć, żeby pozbyć się chrypki.

— O... oczywiście, panie prezydencie. Spotkanie z panem to dla mnie zaszczyt.

Prezydent uśmiechnął się uspokajająco, a wówczas Rachel na własnej skórze przekonała się o prawdziwości otaczającej go legendy. Tego człowieka cechowała niewymuszona swoboda, tak uwielbiana przez politycznych karykaturzystów — niezależnie od stopnia zniekształcenia wizerunku nikt nie mógł wątpić w szczerość jego przyjaznego uśmiechu i naturalność wewnętrznego ciepła. Z jego oczu przez cały czas promieniowała życzliwość i godność.

— Jeśli raczy mi pani towarzyszyć — powiedział wesoło — mam filiżankę kawy przeznaczoną specjalnie dla pani.

— Dziękuję, panie prezydencie.

Prezydent wcisnął klawisz interkomu i poprosił o kawę.

Idąc przez samolot, Rachel zauważyła, że jak na człowieka, który przegrywa w sondażach, Herney sprawia wrażenie nadzwyczaj zadowolonego i wyluzowanego. Jego swobodę podkreślał strój — niebieskie dżinsy, koszulka polo i buty trekkingowe.

Spróbowała nawiązać rozmowę.

— Czy... czy uprawia pan turystykę pieszą, panie prezydencie?

— Ależ skąd. Moi doradcy do spraw kampanii zadecydowali, że taki powinien być mój nowy wizerunek. Co pani sądzi?

Rachel miała nadzieję, że Herney nie mówi poważnie. Dla jego dobra.

— Prezentuje się pan bardzo... hm... męsko, panie prezydencie.

Herney zachował kamienny wyraz twarzy.

— Doskonale. Uważamy, że dzięki temu odbiorę pani ojcu trochę głosów kobiet. — Po chwili uśmiechnął się szeroko. — Pani Sexton, to żart. Chyba oboje wiemy, że potrzebuję czegoś więcej niż koszulki polo i niebieskich dżinsów, żeby wygrać wybory.

Jego bezpośredniość i dobry humor sprawiły, że Rachel szybko zapomniała o zdenerwowaniu. Braki w tężyźnie fizycznej prezydent nadrabiał z nawiązką dyplomatycznym zachowaniem. Nie ulegało wątpliwości, że to wrodzony dar Zachary'ego Herneya.

Rachel szła z nim w stronę ogona samolotu. Im dalej się posuwali, tym mniej wnętrze przypominało samolot — zakrzywione korytarze, ściany pokryte tapetą, nawet siłownia wyposażona w stepper i wiosła. Co dziwne, samolot sprawiał wrażenie zupełnie pustego.

— Podróżuje pan samotnie, panie prezydencie?

Pokręcił głową.

— Szczerze mówiąc, niedawno wylądowałem.

Rachel była zaskoczona. Skąd przyleciał? Jej streszczenia w tym tygodniu nie zawierały żadnych informacji na temat prezydenckich podróży samolotem. Najwyraźniej korzystał z wyspy Wallops, żeby przemieszczać się po cichu.

— Moi współpracownicy opuścili pokład tuż przed pani przybyciem — wyjaśnił. — Niedługo spotkam się z nimi w Białym Domu, ale z panią wolę porozmawiać tutaj.

— Żeby mnie zastraszyć?

— Przeciwnie. Zdobyć pani szacunek, pani Sexton. W Białym Domu nie można liczyć na prywatność, a wieści o naszym spotkaniu postawiłyby panią w niezręcznej sytuacji wobec ojca.

— W takim razie doceniam pański wybór, panie prezydencie.

— Wydaje się, że z dużym wdziękiem udaje się pani zachowywać delikatną równowagę. Nie widzę powodów, żeby ją zakłócać.

Rachel wróciła myślami do porannego spotkania z ojcem. Wątpiła, czy on uznałby jej zachowanie za pełne wdzięku. Zach Herney natomiast zamierzał postąpić przyzwoicie. Choć przecież nie musiał.

— Czy mogę mówić pani po imieniu? — zapytał.

— Oczywiście. — Czy mogę mówić ci Zach?

— Moje biuro. — Prezydent wskazał rzeźbione klonowe drzwi.

Gabinet na pokładzie Air Force One był znacznie przytulniejszy od swojego odpowiednika w Białym Domu, lecz umeblowanie cechowała ta sama surowa prostota. Na biurku piętrzyły się stosy papierów, a za nim wisiał imponujący obraz olejny przedstawiający trzymasztowy szkuner pod pełnymi żaglami, walczący z szalejącym sztormem. W obecnej chwili wydawał się doskonałą metaforą prezydentury Zacha Herneya.

Prezydent wskazał Rachel jeden z trzech foteli stojących przed biurkiem. Usiadła. Spodziewała się, że sam zajmie miejsce za biurkiem, ale przysunął fotel i usiadł obok niej.

Równy poziom, uświadomiła sobie. Mistrz dyplomacji.

— Rachel... — zaczął Herney i westchnął ze zmęczeniem. — Domyślam się, że jesteś cholernie zaskoczona, siedząc tutaj ze mną, prawda?

Resztki jej rezerwy stopniały pod wpływem szczerości w jego głosie.

— W istocie, panie prezydencie, jestem zaskoczona.

Harney roześmiał się głośno.

— Cudownie. Nie codziennie udaje mi się zaskoczyć pracownika NRO.

— Nie codziennie pracownik NRO jest zapraszany na pokład Air Force One przez prezydenta w butach trekkingowych.

Prezydent znowu się roześmiał.

Ciche stukanie do drzwi gabinetu zapowiedziało przybycie kawy. Stewardesa weszła z parującym cynowym dzbankiem i dwoma cynowymi kubkami. Na znak prezydenta postawiła tacę na biurku i wyszła.

— Śmietanka i cukier? — zapytał Herney, podnosząc się, żeby nalać kawy do kubków.

— Śmietankę, proszę. — Rachel delektowała się bogatym

aromatem. Prezydent Stanów Zjednoczonych osobiście nalewa mi kawę?

Zach Herney podał jej ciężki cynowy kubek, mówiąc:

— Autentyczna paul revere. Jeden z drobnych luksusów.

Rachel skosztowała kawy. Nigdy nie piła lepszej.

— Mam niewiele czasu... — powiedział prezydent, gdy już napełnił swój kubek i usiadł. — Przejdźmy więc do interesów. — Wrzucił do kawy kostkę cukru i popatrzył na Rachel. — Przypuszczam, że Bill Pickering ostrzegł, iż jedynym powodem spotkania może być wykorzystanie cię do uzyskania przewagi politycznej?

— W istocie, panie prezydencie, dokładnie tak powiedział.

Herney się zaśmiał.

— Niepoprawny cynik,

— Pomylił się?

— Żartujesz? — parsknął prezydent ze śmiechem. — Bill Pickering nigdy się nie myli. Trafił w dziesiątkę. Jak zwykle.

Rozdział 9

Gabrielle Ashe wyglądała w zamyśleniu przez okno limuzyny senatora Sextona. Zastanawiała się, jakim cudem do tego doszło. Osobista asystentka senatora Sedgewicka Sextona. Dokładnie tego chciała, prawda?

Siedzę w limuzynie z przyszłym prezydentem Stanów Zjednoczonych.

Popatrzyła na pogrążonego w myślach senatora, podziwiając jego przystojne rysy i nieskazitelny ubiór. Wygląda na prezydenta.

Pierwszy raz zobaczyła jego wystąpienie trzy lata temu, gdy była na ostatnim roku nauk politycznych na uniwersytecie Cornell. Wiedziała, że nigdy nie zapomni, jak jego oczy przemykały po twarzach słuchaczy, jakby wysyłając bezpośrednie przesłanie — „zaufaj mi". Po przemówieniu Sextona ustawiła się w kolejce, żeby go poznać.

— Gabrielle Ashe — powiedział senator, odczytując jej nazwisko z plakietki. — Śliczne nazwisko dla ślicznej kobiety. — Jego spojrzenie dodawało otuchy.

— Dziękuję, panie senatorze — odparła, ściskając jego dłoń i czując jego siłę. — Pańskie przesłanie zrobiło na mnie wielkie wrażenie.

— Miło mi to słyszeć! — Sexton wsunął w jej rękę wizytówkę. — Szukam błyskotliwych młodych umysłów, które podzielają moją wizję. Kiedy skończy pani szkołę, proszę mnie odszukać. Być może zaproponujemy pani pracę.

Gabrielle otworzyła usta, żeby mu podziękować, ale senator już witał się z następną osobą. W czasie następnych miesięcy śledziła rozwój jego kariery w telewizji. Patrzyła z podziwem, gdy sprzeciwiał się wielkim wydatkom rządowym — proponował cięcia budżetowe, usprawnienie pracy urzędu skarbowego, odchudzenie Rządowej Agencji do Walki z Narkotykami, a nawet redukcję rozbudowanych programów administracji państwowej. Potem, kiedy jego żona zginęła w wypadku samochodowym, Gabrielle przyglądała się, jak Sexton, sobie wiadomym sposobem, przemienia minusy w plusy. Otrząsnął się z cierpienia i oznajmił światu, że będzie ubiegał się o urząd prezydenta, resztę swojej służby publicznej poświęcając pamięci małżonki. Wtedy Gabrielle zadecydowała, że chce brać udział w jego kampanii wyborczej.

Obecnie ich współpraca nie mogła być już bliższa.

Gabrielle wspomniała noc w jego luksusowym gabinecie i skuliła się, broniąc się przed napływem żenujących wspomnień. Co ja sobie myślałam? Wiedziała, że powinna się sprzeciwić, ale nie była w stanie tego zrobić. Sedgewick Sexton od tak dawna był jej idolem... i pomyśleć, że chciał właśnie ją.

Limuzyna podskoczyła i Gabrielle wróciła myślami do teraźniejszości.

— Dobrze się czujesz? — Sexton patrzył na nią uważnie.

Gabrielle spiesznie błysnęła uśmiechem.

— Doskonale.

— Chyba nie myślisz wciąż o tej świni?

Wzruszyła ramionami.

— Tak, wciąż jestem trochę zmartwiona.

— Zapomnij o tym. Ta świnia była najlepszą rzeczą, jaka spotkała moją kampanię.

Świnia, czego Gabrielle nauczyła się w bolesny sposób, była politycznym odpowiednikiem przecieku informacji mówiących na przykład o tym, że rywal używa powiększacza penisa albo jest prenumeratorem czasopisma „Przystojniak". Podkładanie świni nie było chwalebną taktyką, lecz mogło przynieść ogromne korzyści.

Albo skutek odwrotny do zamierzonego.

W tym przypadku wszystko obróciło się przeciwko Białemu Domowi. Mniej więcej przed miesiącem sztab wyborczy prezydenta, zaniepokojony spadającymi notowaniami, postanowił zadziałać agresywnie i puścił do prasy historię, którą uważał za prawdziwą — że senator Sexton ma romans ze swoją osobistą asystentką,

Gabrielle Ashe. Na nieszczęście dla Białego Domu zabrakło niepodważalnych dowodów. Senator Sexton, zwolennik doktryny, że najlepszą obroną jest zdecydowany atak, przystąpił do kontrofensywy. Zwołał konferencję prasy ogólnokrajowej, aby dać wyraz swojej niewinności i wściekłości. „Nie mogę uwierzyć, powiedział, patrząc w kamery z bólem w oczach, że prezydent chciał zhańbić pamięć mojej żony złośliwymi oszczerstwami".

Telewizyjne wystąpienie było tak przekonujące, że sama Gabrielle prawie uwierzyła, iż wcale z sobą nie spali. Widząc, jak Sexton bez najmniejszego wysiłku kłamie jak z nut, uświadomiła sobie, że naprawdę jest niebezpiecznym człowiekiem.

Później, choć była pewna, że stawia na najsilniejszego konia w wyścigu do prezydenckiego fotela, zaczęła się zastanawiać, czy jest to koń najlepszy. Bliska współpraca z Sextonem otwierała oczy — przypominała wycieczkę za kulisy studia Universal, gdzie dziecięcy zachwyt nad filmami zostaje przygaszony przez zrozumienie, że Hollywood wcale nie jest krainą czarów.

Choć jej wiara w przesłanie Sextona pozostała niewzruszona, Gabrielle zaczynała wątpić w tego, który je głosił.

Rozdział 10

— To, co zaraz powiem, Rachel, jest opatrzone klauzulą tajności UMBRA — oznajmił prezydent. — Znacznie wykracza poza twój obecny status.

Rachel miała wrażenie, że napierają na nią ściany Air Force One. Prezydent kazał dostarczyć ją na Wallops, zaprosił na pokład swojego samolotu, nalał jej kawy, powiedział prosto z mostu, że chce wykorzystać ją w celu uzyskania politycznej przewagi nad jej rodzonym ojcem, a teraz oznajmi, że zamierza nielegalnie przekazać jej tajne informacje. Zach Herney sprawiał wrażenie dobrodusznego, lecz Rachel Sexton dowiedziała się właśnie pewnej bardzo ważnej rzeczy — ten człowiek umie błyskawicznie przejmować kontrolę nad sytuacją.

— Dwa tygodnie temu — podjął, patrząc jej prosto w oczy — NASA dokonała pewnego odkrycia.

Słowa na chwilę zawisły w powietrzu. Wreszcie Rachel zdołała je przetworzyć. Odkrycie NASA? Najnowsze dane wywiadowcze nie sugerowały, że w agencji kosmicznej dzieje się coś niezwykłego. Oczywiście, w obecnych czasach „odkrycie NASA" zwykle sprowadzało się do oświadczenia, że jakiś nowy projekt jest poważnie niedofinansowany.

— Zanim powiem coś więcej — ciągnął prezydent — chciałbym wiedzieć, czy podzielasz cyniczne podejście ojca do badań kosmosu.

Rachel wstrzymała się od komentarza.

— Mam nadzieję, że nie wezwał mnie pan tutaj po to,

żeby poprosić o kontrolowanie wystąpień mojego ojca przeciwko NASA.

Roześmiał się.

— Do licha, nie. Miałem do czynienia z Senatem dostatecznie długo, by wiedzieć, że nikt nie może kontrolować Sedgewicka Sextona.

— Mój ojciec jest oportunistą, panie prezydencie. Podobnie jak większość polityków, którzy odnoszą sukcesy. I, niestety, NASA sama stworzyła okazję.

Niedawna seria niepowodzeń NASA mogła śmieszyć albo być powodem do rozpaczy — satelity rozpadające się na orbicie, sondy kosmiczne, które nie wysyłały sygnałów na Ziemię, dziesięciokrotnie większy koszt budowy Międzynarodowej Stacji Kosmicznej, wycofywanie się państw członkowskich, które uciekały jak szczury z tonącego okrętu. Wyrzucono w błoto miliardy dolarów, a senator Sexton jechał na tej stracie jak na fali — na fali, która, co wydawało się przesądzone, miała zanieść go na brzegi Pennsylvania Avenue pod numer 1600.

— Przyznam — mówił prezydent — że ostatnio NASA przypominała chodzące nieszczęście. Za każdym razem, gdy odwracam głowę, podają mi kolejny powód, żeby przestać ich finansować.

Rachel dostrzegła punkt zaczepienia i natychmiast skorzystała z okazji.

— A jednak, panie prezydencie, niedawno czytałam, że w ubiegłym roku dofinansował pan agencję kolejnymi trzema milionami z funduszu rezerwowego, żeby tylko pozostała wypłacalna.

— Pani ojciec był tym zachwycony, prawda? — zaśmiał się prezydent.

— To przypomina podsyłanie amunicji plutonowi egzekucyjnemu.

— Słyszała go pani w *Nightline*? „Zach Herney jest uzależniony od kosmosu, a podatnicy płacą za jego nałóg".

— A pan pozwala mu udowadniać, że ma rację.

Herney pokiwał głową.

— Nie robię tajemnicy z tego, że jestem wielkim sympatykiem NASA. Zawsze byłem. Jestem dzieckiem wyścigu kosmicznego — sputnik, John Glenn, Apollo Jedenaście — i nigdy nie wzbraniałem się przed wyrażaniem podziwu i dumy z naszego programu kosmicznego. Moim zdaniem pracownicy NASA są pionierami współczesnej historii. Przecierają szlaki, próbują dokonać niemożliwego, godzą się z porażką, a potem wracają do deski kreślarskiej, podczas gdy cała reszta trzyma się z tyłu i krytykuje.

Rachel milczała, wyczuwając, że pod spokojnym zachowaniem prezydenta płonie oburzenie i wściekłość na antykosmiczną retorykę jej ojca. Zastanawiała się, co takiego znalazła NASA. Prezydent nie śpieszył się, żeby to wyjawić.

— Dzisiaj sprawię — rzekł z mocą — że zmienisz opinię o NASA.

Rachel patrzyła na niego niepewnie.

— Mój głos już pan ma, panie prezydencie. Może zechce pan skoncentrować się na reszcie kraju.

— Zamierzam. — Z uśmiechem napił się kawy. — Zamierzam też prosić cię o pomoc. — Umilkł i pochylił się w jej stronę. — O bardzo niezwykłą pomoc.

Rachel widziała, że Zach Herney uważnie przypatruje się każdemu jej ruchowi, niczym myśliwy próbujący ocenić, czy zwierzyna rzuci się do ucieczki, czy do walki. Na nieszczęście, nie miała dokąd uciec.

— Zakładam — podjął prezydent, dolewając kawy do obu kubków — że wiesz o projekcie NASA zwanym EOS *?

Rachel pokiwała głową.

— System obserwacji Ziemi. Wydaje mi się, że ojciec wspomniał o nim parę razy.

Prezydent ściągnął brwi, słysząc tę słabą próbę sarkazmu. Prawda była taka, że senator Sexton mówił o systemie obserwacji Ziemi przy każdej możliwej okazji. Było to jedno z najbardziej kontrowersyjnych i kosztownych przedsięwzięć NASA — umieszczenie w przestrzeni kosmicznej konstelacji pięciu satelitów, które miały obserwować i analizować środowisko naturalne Ziemi: zmniejszanie się warstwy ozonowej, topnienie lodu polarnego, globalne ocieplenie, defoliację lasów tropikalnych. Celem EOS było dostarczenie ekologom unikatowych danych makroskopowych, umożliwiających lepsze planowanie przyszłości planety.

---

* Earth Observation System

Projekt EOS okazał się jednak kolejnym niewypałem. Podobnie jak wiele innych przedsięwzięć NASA kosztował więcej, niż przewidywano, i Zach Herney zbierał za to cięgi. Wykorzystał poparcie lobby ekologicznego, żeby przeforsować w Kongresie projekt wartości miliarda czterystu milionów dolarów. Niestety zamiast wnieść obiecany wkład do globalnej wiedzy o Ziemi, EOS szybko przekształcił się w koszmar nieudanych startów, awarii komputerów i ponurych konferencji prasowych NASA. Ostatnio tylko senator Sexton obnosił się z uśmiechem na twarzy, z zadowoleniem przypominając wyborcom, ile pieniędzy prezydent wpakował w EOS i jak niewielkie były zyski.

Herney wrzucił kostkę cukru do swojego kubka.

— Może to cię zdziwi, ale odkrycie NASA zostało dokonane przez EOS.

Rachel była zdezorientowana. Jeśli EOS niedawno odniósł sukces, dlaczego NASA się tym nie pochwaliła? Jej ojciec ciągle atakował projekt w mediach, więc z pewnością agencja kosmiczna nie wstrzymywałaby się z ogłoszeniem jakichkolwiek dobrych wiadomości.

— Nie słyszałam o żadnym odkryciu dokonanym przez EOS.

— Wiem. NASA wolała na jakiś czas zachować pomyślne wieści dla siebie.

Rachel miała co do tego wątpliwości.

— Z mojego doświadczenia wynika, panie prezydencie, że kiedy chodzi o NASA, brak wiadomości generalnie jest złą wiadomością.

Powściągliwość nie była mocną stroną wydziału public relations agencji kosmicznej. W NRO żartowano, że NASA zwołuje konferencję prasową za każdym razem, gdy jednemu z naukowców uda się pierdnąć.

Prezydent zmarszczył czoło.

— Ach, tak. Zapomniałem, że rozmawiam z uczennicą Pickeringa. Czy wciąż biadoli i narzeka na długie języki w NASA?

— Ochrona to interes, panie prezydencie. Pickering traktuje go bardzo poważnie.

— I słusznie. Ale wprost trudno uwierzyć, by dwie agencje mające tak niewiele wspólnego wciąż znajdowały jakiś powód do walki.

Podczas pracy z Williamem Pickeringiem Rachel dość szybko

nauczyła się, że choć i NASA, i NRO są agencjami związanymi z kosmosem, ich filozofie stanowią biegunowe przeciwieństwo. NRO jest agencją obrony i trzyma w tajemnicy całą swoją działalność w kosmosie, natomiast NASA ma charakter naukowy i z podnieceniem trąbi na cały świat o wszystkich swoich dokonaniach, narażając bezpieczeństwo narodowe — dowodził William Pickering. Niektóre z największych osiągnięć technologicznych NASA — soczewki o wysokiej rozdzielczości dla teleskopów satelitarnych, systemy łączności dalekiego zasięgu i urządzenia obrazowania radiowego — miały paskudny zwyczaj pojawiania się w arsenale wywiadowczym wrogich krajów, gdzie były wykorzystywane do szpiegowania Stanów Zjednoczonych. Bill Pickering często narzekał, że naukowcy NASA mają wielkie mózgi... i bardzo długie języki.

Poważniejszym punktem zapalnym w zatargu między agencjami było to, że ponieważ NASA zajmowała się wystrzeliwaniem satelitów szpiegowskich, wiele jej błędów odbijało się niekorzystnie na NRO. Najbardziej dramatyczna porażka miała miejsce 12 sierpnia 1998 roku, kiedy rakieta Titan 4, będąca wspólnym przedsięwzięciem NASA i sił powietrznych, eksplodowała czterdzieści sekund po starcie, unicestwiając swój ładunek — wartego miliard dwieście tysięcy dolarów satelitę NRO o kryptonimie „Vortex 2". Pickering wykazywał szczególną niechęć do puszczenia tego wydarzenia w niepamięć.

— Dlaczego NASA nie pochwaliła się sukcesem? — zapytała Rachel. — Z pewnością dobre wieści bardzo by im się przydały.

— NASA milczy, ponieważ ja tak poleciłem.

Rachel zastanowiła się, czy dobrze usłyszała. Jeśli tak, prezydent nie wiedzieć z jakiego powodu postanowił popełnić polityczne harakiri.

— Odkrycie to... — podjął — jest... to znaczy może mieć niespodziewane konsekwencje.

Rachel poczuła nieprzyjemny chłód. W świecie wywiadu „niespodziewane konsekwencje" rzadko oznaczały coś dobrego. Zastanowiła się, czy przypadkiem system satelitarny EOS nie wykrył jakiejś bliskiej katastrofy ekologicznej.

— Jest problem?

— Absolutnie nie. Odkrycie EOS jest wprost cudowne.

Rachel milczała.

— Przypuśćmy, Rachel, że powiem ci, iż NASA właśnie dokonała odkrycia o takiej wadze naukowej... takim epokowym znaczeniu... że uzasadnia każdego dolara, jakiego Amerykanie kiedykolwiek wydali na badania w kosmosie?

Rachel nie mogła sobie tego wyobrazić.

Prezydent wstał.

— Przespacerujmy się, dobrze?

Rozdział 11

Rachel wyszła za prezydentem Herneyem na lśniące schody Air Force One. Gdy schodzili, czuła, jak rześkie marcowe powietrze rozjaśnia jej w głowie. Na nieszczęście jasność sprawiła, że twierdzenia prezydenta wydały się jeszcze bardziej dziwaczne niż wcześniej.

„NASA dokonała odkrycia o tak wielkim znaczeniu naukowym, że uzasadnia każdego dolara, jakiego Amerykanie kiedykolwiek wydali na badania w kosmosie”?

Rachel doszła do przekonania, że odkrycie o takiej doniosłości może dotyczyć tylko jednej rzeczy — świętego Graala NASA, czyli kontaktu z życiem pozaziemskim. Niestety o tym szczególnym świętym Graalu wiedziała dość, by się orientować, że jego znalezienie nie jest prawdopodobne.

Była analitykiem informacji wywiadowczych, dlatego znajomi wciąż zasypywali ją pytaniami o rzekomo utajniane przez rząd kontakty z obcymi. Zbulwersowało ją, w jakie teorie wierzą jej „wykształceni” znajomi — rozbite latające spodki ukryte w tajnych bunkrach rządowych, zwłoki kosmitów trzymane w lodzie, uprowadzenia niczego niepodejrzewających cywilów i poddawanie ich zabiegom chirurgicznym.

To wszystko było oczywiście niedorzeczne. Nie ma żadnych obcych. Ani żadnego utajniania.

Wszyscy w środowisku wywiadowczym rozumieli, że przytłaczająca większość przypadków dostrzeżenia UFO oraz relacji z uprowadzeń jest po prostu wytworem bujnej wyobraźni albo mistyfikacją obliczoną na zarobienie pieniędzy. Dziwnym trafem

„autentyczne" fotografie UFO pochodziły z okolic amerykańskich baz lotniczych, w których testowano nowoczesne tajne samoloty. Kiedy Lockheed rozpoczął próby z supernowoczesnym odrzutowcem Stealth Bomber, liczba doniesień o zauważeniu UFO wokół bazy sił powietrznych Edwards zwiększyła się piętnastokrotnie.

— Masz sceptyczną minę — zauważył prezydent.

Rachel drgnęła, wyrwana z zamyślenia. Popatrzyła na niego, nie wiedząc, co powiedzieć.

— Cóż... — zawahała się. — Czy mogę założyć, panie prezydencie, że nie mówimy o pozaziemskich statkach kosmicznych ani małych zielonych ludzikach?

Herney okazał umiarkowane rozbawienie.

— Sądzę, Rachel, że to odkrycie uznasz za dalece bardziej intrygujące niż wszystkie wymysły science fiction.

Rachel odetchnęła z ulgą. Na szczęście NASA nie jest na tyle zdesperowana, żeby sprzedawać prezydentowi historyjkę o ufoludkach. A jednak jego stwierdzenie tylko pogłębiło tajemnicę.

— Niezależnie od tego, co odkryła NASA, dokonała tego w nadzwyczaj dogodnym czasie — zauważyła.

Herney przystanął na schodach.

— Dogodnym? Jak to?

Jak to? Rachel również się zatrzymała i spojrzała na niego zdumiona.

— Panie prezydencie, NASA toczy bitwę na śmierć i życie, żeby uzasadnić swoje istnienie, a pan jest atakowany za stałe finansowanie agencji. Przełomowe odkrycie w obecnej chwili będzie panaceum zarówno dla NASA, jak i dla pańskiej kampanii. Pańscy krytycy z pewnością uznają, że dokonanie go właśnie teraz jest bardzo podejrzane.

— W takim razie... zarzucasz mi kłamstwo czy głupotę?

Rachel poczuła, jak serce podjeżdża jej do gardła.

— Nie chciałam być nieuprzejma, panie prezydencie, tylko...

— Uspokój się. — Herney uśmiechnął się lekko i ruszył na dół. — Kiedy administrator NASA powiadomił mnie o tym odkryciu, z miejsca uznałem je za absurdalne. Oskarżyłem go o planowanie najbardziej przejrzystej politycznej lipy w historii.

Węzeł w jej gardle nieco się rozluźnił.

Herney zatrzymał się u stóp schodów i popatrzył na nią.

— Jedynym powodem, który skłonił mnie do poproszenia

NASA o zachowanie odkrycia w tajemnicy, była chęć ochrony agencji. To odkrycie przewyższa wszystko, czego NASA dokonała. W porównaniu z nim lądowanie ludzi na Księżycu wyda się mało znaczącym epizodem. Ponieważ wszyscy, łącznie ze mną, mają bardzo wiele do zyskania — i do stracenia — uznałem, że przed wystąpieniem na forum światowym z formalnym oświadczeniem nie zaszkodzi jeszcze raz zweryfikować dane agencji kosmicznej.

Rachel nie kryła zaskoczenia.

— Chyba nie chodzi panu o mnie?

Prezydent roześmiał się.

— Nie, to nie pani dziedzina. Poza tym już uzyskałem potwierdzenie przez kanały pozarządowe.

Ulga Rachel szybko ustąpiła zdumieniu.

— Pozarządowe, panie prezydencie? To znaczy, że skorzystał pan z usług sektora prywatnego? W sprawie czegoś, co jest utajnione?

Zach Herney z przekonaniem pokiwał głową.

— Powołałem zewnętrzny zespół składający się z czterech cywilnych naukowców niepowiązanych z NASA, sław o ustalonej reputacji, której na pewno nie zechcą narazić na szwank. Użyli własnego sprzętu i osobiście przeprowadzili badania. W ciągu minionych czterdziestu ośmiu godzin ci niezależni naukowcy potwierdzili, że odkrycie nie budzi cienia wątpliwości.

Rachel była pod wrażeniem. Prezydent zabezpieczył się z typową dla niego ostrożnością. Tworząc zespół z największych niedowiarków — ludzi z zewnątrz, którzy nie mogli niczego zyskać przez potwierdzenie odkrycia NASA — zapewnił sobie obronę przed zarzutami, że to tylko desperacka sztuczka agencji, mająca na celu usprawiedliwienie wydatków, zapewnienie reelekcji nastawionego przyjaźnie prezydenta oraz odparcie ataków senatora Sextona.

— Dzisiaj wieczorem o ósmej — oznajmił Herney — zwołam konferencję prasową w Białym Domu, żeby ogłosić odkrycie światu.

Rachel była sfrustrowana. W gruncie rzeczy Herney nic jej nie powiedział.

— A dokładnie co to za odkrycie?

Prezydent uśmiechnął się.

— Dziś poznasz cnotę cierpliwości. To coś, co trzeba zobaczyć na własne oczy. Chcę, żebyś w pełni zorientowała się w sytuacji, zanim zrobimy coś więcej. Administrator NASA czeka, żeby wprowadzić cię w temat. Powie ci wszystko, co musisz wiedzieć. Później oboje przedyskutujemy twoją rolę.

Rachel dostrzegła dramatyczny błysk w oczach prezydenta i przypomniała sobie przeczucie Pickeringa, że Biały Dom chowa coś w rękawie. Wydawało się, że dyrektor NRO jak zwykle miał rację.

Herney wskazał niedaleki hangar.

— Proszę ze mną — powiedział, kierując się w tamtą stronę.

Zdezorientowana Rachel ruszyła za nim. Budowla nie miała okien, a ogromne wrota były zamknięte. Do wnętrza prowadziło tylko niewielkie boczne wejście. Prezydent zatrzymał się kilka kroków przed uchylonymi drzwiami.

— Tutaj moja trasa się kończy — oznajmił, wskazując wejście. — Ty jedziesz dalej.

Zawahała się.

— Nie wchodzi pan?

— Muszę wrócić do Białego Domu. Niebawem się z tobą skontaktuję. Masz komórkę?

— Oczywiście, panie prezydencie.

— Daj mi ją.

Rachel podała mu telefon przekonana, że Herney zamierza wpisać do niego swój numer. Prezydent schował aparat do kieszeni.

— Teraz jesteś poza siecią. Wszystkie twoje obowiązki w pracy zostały zawieszone. Dzisiaj nie będziesz rozmawiała z nikim bez pozwolenia udzielonego przeze mnie albo przez administratora NASA.

Drgnęła. Czy prezydent właśnie ukradł moją komórkę?

— Po zaznajomieniu cię z odkryciem administrator umożliwi ci kontakt ze mną na bezpiecznym kanale. Wkrótce porozmawiamy. Powodzenia.

Rachel popatrzyła na drzwi hangaru i ogarnął ją niepokój.

Prezydent Herney uspokajająco poklepał ją po ramieniu i skinął głową w stronę wejścia.

— Zapewniam cię, dziewczyno, nie będziesz żałowała, że pomagasz mi w tej sprawie.

Odwrócił się i odszedł w stronę śmigłowca, którym przyleciała. Wsiadł na pokład, maszyna wystartowała. Ani razu się nie obejrzał.

Rozdział 12

Rachel Sexton stała sama w drzwiach wielkiego hangaru i spoglądała w ciemność. Czuła, że przekracza próg innego świata. Z przepastnego wnętrza płynęło chłodne, stęchłe powietrze, jakby budynek oddychał.

— Jest tam kto? — zawołała lekko zachrypniętym głosem.

Cisza.

Z narastającym drżeniem przestąpiła próg. Przez chwilę, dopóki oczy nie przyzwyczaiły się do ciemności, nic nie widziała.

— Pani Sexton, jak sądzę? — zapytał mężczyzna stojący zaledwie parę metrów od niej.

Podskoczyła, odwracając się w stronę, z której dobiegał głos.

— Zgadza się.

Niewyraźna sylwetka przybliżyła się.

Rachel stwierdziła, że ma przed sobą młodego mężczyznę w kombinezonie lotniczym NASA z naszywkami na piersi. Nieznajomy był wysportowany i muskularny, obdarzony potężną szczęką.

— Komandor Wayne Loosigian — przedstawił się. — Przepraszam, że panią przestraszyłem. Tutaj jest trochę ciemno. Nie zdążyłem otworzyć drzwi. — Nim Rachel zdążyła zareagować, dodał: — Z przyjemnością będę dziś pani pilotem.

— Moim pilotem? — Rachel wbiła w niego wzrok. Mam osobistego pilota. — Przyszłam tutaj na spotkanie z administratorem.

— Tak, proszę pani. Mam rozkaz natychmiast panią do niego dostarczyć.

Rachel dopiero po chwili zrozumiała treść tego oświadczenia. Poczuła się oszukana. Jej podróże wcale się nie skończyły.

— A gdzie on jest? — zapytała czujnie.

— Nie posiadam tej informacji — odparł pilot. — Otrzymam współrzędne, gdy będziemy w powietrzu.

Rachel domyśliła się, że mężczyzna mówi prawdę. Najwyraźniej ona i dyrektor Pickering nie są jedynymi ludźmi, którzy tego ranka żyją w nieświadomości. Prezydent bardzo poważnie traktował kwestię bezpieczeństwa; Rachel była zdumiona, jak szybko i bez wysiłku „wyłączył ją z sieci". Wystarczyło pół godziny w terenie, i już nie mam łączności, a mój szef nie wie, gdzie jestem.

Stojąc przed pilotem NASA, Rachel nie wątpiła, że jej poranne plany wzięły w łeb. Wesołe miasteczko wyruszyło w drogę, a ona razem z nim, czy jej się to podoba, czy nie. Pozostaje pytanie: dokąd zmierza?

Pilot podszedł do ściany i wcisnął guzik. Drzwi po drugiej stronie hangaru zaczęły się przesuwać. Do pomieszczenia wlało się światło, a w nim ukazała się sylwetka wielkiego samolotu.

Rachel szeroko otworzyła usta. Boże, miej mnie w swojej opiece.

Na środku hangaru stał groźnie wyglądający czarny odrzutowiec. Rachel nigdy dotąd nie widziała samolotu o bardziej opływowych kształtach.

— Pan żartuje.

— To powszechna reakcja, proszę pani, ale myśliwiec F-14 Tomcat z podwójnym usterzeniem pionowym jest sprawdzoną maszyną.

To pocisk ze skrzydłami.

Pilot poprowadził ją w kierunku samolotu. Wskazał dwuosobową kabinę.

— Pani z tyłu.

— Poważnie? — Uśmiechnęła się nerwowo. — A już myślałam, że to ja mam prowadzić.

Po włożeniu ocieplanego kombinezonu Rachel nie miała innego wyjścia, jak wspiąć się do kabiny. Niezdarnie wcisnęła biodra w wąski fotel.

— Najwyraźniej w NASA nie ma pilotów o tłustych tyłkach — zażartowała.

Pilot uśmiechnął się szeroko, pomagając jej zapiąć pasy. Potem założył hełm.

— Polecimy dość wysoko. Będzie potrzebowała pani tlenu. — Wziął maskę z bocznego pulpitu i chciał ją przypiąć do jej hełmu.

— Dam sobie radę — powiedziała Rachel.

— Oczywiście, proszę pani.

Po dłuższej chwili zdołała przymocować profilowaną maskę do hełmu. Była zaskakująco niewygodna i niedopasowana.

Komandor patrzył na nią z lekko rozbawioną miną.

— Coś nie w porządku? — zapytała.

— Ależ skąd. — Wydawało się, że powstrzymuje złośliwy uśmiech. — Pod siedzeniem są worki, gdyby zrobiło się pani niedobrze. Większość ludzi choruje w czasie pierwszego lotu tomcatem.

— Nic mi nie będzie — zapewniła go głosem stłumionym przez maskę. — Nie cierpię na chorobę lokomocyjną.

Pilot wzruszył ramionami.

— Wielu chłopców z SEAL mówi to samo, a potem muszę sprzątać ich rzygi z podłogi.

Słabo pokiwała głową. Cudownie.

— Jakieś pytania, zanim ruszymy?

Po chwili wahania Rachel postukała w maskę wpijającą się w brodę.

— Odcina mi krążenie. Jak w nich wytrzymujecie w czasie długich lotów?

Pilot uśmiechnął się wyrozumiale.

— Cóż, zwykle zakładamy je odwrotnie.

Widząc przed sobą koniec pasa, a pod sobą czując pulsujące silniki, Rachel miała wrażenie, że jest kulą w karabinie, czekającą na naciśnięcie spustu. Kiedy pilot przesunął dźwignię przepustnicy, bliźniacze silniki Lockheed 345 ryknęły i świat zadygotał. Pilot zwolnił hamulce i przyspieszenie wcisnęło ją w fotel. Odrzutowiec w ciągu paru sekund przebył pas i wzbił się w powietrze. Ziemia oddalała się w zawrotnym tempie.

Gdy samolot mknął jak rakieta w niebo, Rachel zamknęła oczy. Zastanawiała się, w którym miejscu źle skręciła tego ranka. Miała siedzieć za biurkiem i pisać skróty. Zamiast tego siedzi okrakiem na napędzanej testosteronem torpedzie i oddycha przez maskę tlenową.

Gdy tomcat wyrównał na wysokości czternastu tysięcy metrów, dostała mdłości. Ze wszystkich sił starała się skupić myśli na czymś innym. Patrząc w dół na oddalony o czternaście kilometrów ocean, bardzo zatęskniła za domem.

Pilot rozmawiał z kimś przez radio. Kiedy rozmowa dobiegła końca, natychmiast skręcił ostro w lewo. Samolot stanął niemal pionowo, a żołądek Rachel wykonał podwójne salto. Wreszcie znowu wyrównali.

Rachel jęknęła.

— Dzięki, że mnie uprzedziłeś, kowboju.

— Przykro mi, proszę pani, ale właśnie otrzymałem tajne współrzędne miejsca spotkania z administratorem.

— Niech zgadnę, kierunek północ?

Pilot nie krył zdziwienia.

— Skąd pani wie?

Rachel westchnęła. Nie można nie kochać tych pilotów szkolonych na komputerach.

— Jest dziewiąta, kolego, a słońce wisi na prawo od nas. Lecimy na północ.

Przez chwilę w kabinie panowało milczenie.

— Tak, proszę pani, lecimy na północ.

— A jak daleko?

Pilot sprawdził współrzędne.

— Mniej więcej pięć tysięcy kilometrów.

Rachel gwałtownie podniosła głowę.

— Co? — Spróbowała wyobrazić sobie mapę, ale nie miała pojęcia, co może leżeć tak daleko na północ. — To cztery godziny lotu!

— Tak, przy obecnej prędkości — odparł pilot. — Proszę się trzymać.

Zanim zdążyła zareagować, zwiększył kąt skosu, składając skrzydła, by zmniejszyć opór powietrza. Chwilę później przyspieszenie znowu wcisnęło ją w fotel, gdy samolot wystrzelił do przodu tak, jakby do tej pory stał w miejscu. W ciągu minuty osiągnęli prędkość prawie dwóch i pół tysiąca kilometrów na godzinę.

Rachel miała zawroty głowy. Gdy niebo przemykało w oszałamiającym tempie, wezbrała w niej fala mdłości. Słyszała ciche echo głosu prezydenta. „Zapewniam, Rachel, nie pożałujesz, że pomagasz mi w tej sprawie".

Z jękiem sięgnęła po worek. Nigdy nie ufaj politykowi.

Rozdział 13

Choć senator Sedgewick Sexton nie lubił brudu publicznych taksówek, nauczył się ponosić drobne wyrzeczenia na swojej drodze do chwały. Niechlujna taksówka korporacji Mayflower, z której wysiadł na dolnym parkingu hotelu Purdue, zapewniła mu coś, czego nie mogła dać limuzyna — anonimowość.

Z zadowoleniem stwierdził, że ten poziom jest pusty. W lesie betonowych filarów stało tylko kilka zakurzonych samochodów. Idąc przez parking, spojrzał na zegarek.

Kwadrans po jedenastej. Idealnie.

Człowiek, z którym miał się spotkać, przywiązywał dużą wagę do punktualności. Swoją drogą, przypomniał sobie Sexton, zważywszy na to, kogo reprezentuje, może być czuły dosłownie na punkcie wszystkiego.

Biały minivan ford windstar parkował dokładnie w tym samym miejscu, co w czasie wszystkich poprzednich spotkań — we wschodnim kącie garażu, za rzędem koszy na śmieci. Sexton wolałby spotykać się w apartamencie na górze, ale oczywiście rozumiał konieczność zachowania środków ostrożności. Przyjaciele tego człowieka nie zajmowaliby tak wysokich stanowisk, gdyby byli nieostrożni.

Idąc w stronę vana, czuł zdenerwowanie, jak zawsze przed tymi spotkaniami. Zmusił się do rozluźnienia mięśni ramion, wesoło pomachał ręką i usadowił się na fotelu pasażera. Ciemnowłosy mężczyzna na miejscu kierowcy nie odwzajemnił uśmiechu. Miał prawie siedemdziesiąt lat, ale jego czerstwa twarz, jak przystało na symbolicznego przywódcę armii rzutkich wizjonerów i drapieżnych biznesmenów, emanowała surowością i bezwzględnością.

— Zamknąć drzwi — polecił szorstko.

Sexton posłuchał, nie obruszając się na jego arogancję. Ostatecznie ten człowiek reprezentuje ludzi mających kontrolę nad ogromnymi pieniędzmi, z których część została przeznaczona na ulokowanie Sedgewicka Sextona w najpotężniejszym gabinecie świata. Sexton doszedł do przekonania, że celem tych comiesięcznych spotkań jest nie tyle omawianie strategii, ile przypominanie mu, co zawdzięcza swoim dobroczyńcom. Ludzie ci inwestowali w niego i spodziewali się poważnych zysków. „Zyski", musiał przyznać, były szokująco śmiałe, a jednak, co wydawało się jeszcze bardziej niewiarygodne, ich wygenerowanie miało leżeć w sferze jego wpływów, gdy zasiądzie w fotelu prezydenckim.

— Zakładam, że wpłynęła kolejna rata — zagaił, wiedząc już, w jaki sposób mężczyzna lubi przechodzić do interesów.

— Tak. I jak zwykle wykorzysta pan te fundusze wyłącznie na swoją kampanię. Z zadowoleniem stwierdziliśmy, że sondaże wciąż zmieniają się na pana korzyść. Wygląda na to, iż pański sztab wyborczy roztropnie wydaje nasze pieniądze.

— Szybko pniemy się w górę.

— Jak wspomniałem przez telefon, namówiłem sześć kolejnych osób na spotkanie z panem dziś wieczorem.

— Wybornie. — Sexton już zarezerwował czas.

Starszy mężczyzna podał mu teczkę.

— Tutaj są informacje. Proszę je przeanalizować. Chcą wiedzieć, czy podziela pan ich zainteresowania i czy okaże pan zrozumienie. Proponuję, żeby spotkał się pan z nimi w swoim mieszkaniu.

— W domu? Zwykle umawiam się...

— Senatorze, tych sześciu ludzi kieruje firmami dysponującymi kapitałem znacznie większym niż ci, z którymi już pan rozmawiał. To grube ryby. Ostrożne grube ryby. Mają więcej do zyskania i tym samym więcej do stracenia. Niełatwo było ich namówić na spotkanie z panem. Wciąż wymagają specjalnego traktowania. Akcentów osobistych.

Sexton skwapliwie pokiwał głową.

— Zaaranżuję spotkanie w domu.

— Oczywiście, zależy im na dyskrecji.

— Mnie również.

— Powodzenia. Jak dobrze pójdzie, to spotkanie być może będzie ostatnie. Ci ludzie mogą zapewnić wszystko, czego trzeba, żeby kampania Sextona uzyskała miażdżącą przewagę.

Sextonowi spodobało się brzmienie tego zdania. Popatrzył na rozmówcę z pewnym siebie uśmiechem.

— Przy odrobinie szczęścia, przyjacielu, wybory zapewnią zwycięstwo nam wszystkim.

— Zwycięstwo? — Starszy mężczyzna ściągnął brwi i popatrzył na niego groźnie. — Ulokowanie pana w Białym Domu jest zaledwie pierwszym krokiem w kierunku zwycięstwa, senatorze. Zakładam, że pan o tym nie zapomniał.

Rozdział 14

Biały Dom jest jednym z najmniejszych pałaców prezydenckich na świecie: ma 50 metrów długości i 25 szerokości, a powierzchnia przyległych gruntów wynosi 18 akrów. Zgłoszony przez architekta Jamesa Hobana projekt pudełkowej kamiennej budowli z czterospadowym dachem, balustradą i kolumnadowym portykiem, choć mało oryginalny, został wybrany przez jurorów konkursu, którzy wychwalali jego „atrakcyjność, dostojeństwo i uniwersalność".

Prezydent Zach Herney nawet po trzech i pół roku mieszkania w Białym Domu rzadko czuł się swobodnie wśród kandelabrów, antyków i uzbrojonych żołnierzy piechoty morskiej. W tej chwili jednak był ożywiony i dziwnie rozluźniony. Nogi niosły go same po puszystym dywanie do Zachodniego Skrzydła.

Kilku członków personelu na jego widok podniosło głowy. Herney machnął ręką i przywitał każdego z nich po imieniu. Ich odpowiedzi, choć uprzejme, były ciche i osłodzone wymuszonymi uśmiechami.

— Dzień dobry, panie prezydencie.

— Miło pana widzieć, panie prezydencie.

— Dobrego dnia, panie prezydencie.

W drodze do biura słyszał za sobą szepty. W rezydencji na Pennsylvania Avenue pod numerem 1600 zanosiło się na bunt. W ciągu kilku tygodni niezadowolenie narosło do tego stopnia, że Herney zaczął się czuć jak kapitan Bligh dowodzący okrętem, którego załoga przygotowuje się do wypowiedzenia mu posłuszeństwa.

Prezydent nie miał pretensji do swoich współpracowników. Ciężko pracowali przez długie godziny, żeby wspierać go w nadchodzących wyborach, a on nagle wypuścił piłkę.

Wkrótce zrozumieją, powiedział sobie w duchu. Niedługo znowu będę bohaterem.

Żałował, że tak długo trzymał swój personel w nieświadomości, ale zachowanie tajemnicy było absolutnie konieczne. A kiedy chodzi o sekrety, Biały Dom jest znany jako najbardziej przeciekający statek w Waszyngtonie.

Herney wszedł do poczekalni przed Gabinetem Owalnym i wesoło pomachał sekretarce.

— Ładnie wyglądasz, Dolores.

— Pan również, panie prezydencie — odparła, z jawną dezaprobatą patrząc na jego niedbały strój.

Herney konspiracyjnie ściszył głos.

— Chciałbym, żebyś zwołała zebranie.

— Jakie, panie prezydencie?

— Całego personelu Białego Domu.

Sekretarka spojrzała na niego pytająco.

— Całego personelu, panie prezydencie? Wszystkich stu czterdziestu pięciu?

— Co do jednego.

— Dobrze. Czy mam zebrać ich... w sali konferencyjnej? — spytała zaniepokojona.

Herney pokręcił głową.

— Nie. W moim gabinecie.

Zrobiła wielkie oczy.

— Chce pan spotkać się z całym personelem w Gabinecie Owalnym?

— Jak najbardziej.

— Ze wszystkimi naraz, panie prezydencie?

— Czemu nie? Umów ich na szesnastą.

Sekretarka pokiwała głową, jakby spełniała zachciankę chorego psychicznie pacjenta.

— Dobrze, panie prezydencie. A zebranie ma dotyczyć...

— Dziś wieczorem publicznie wygłoszę ważne oświadczenie. Chcę, żeby mój personel usłyszał je pierwszy.

Na twarzy sekretarki odmalowało się przygnębienie, jakby w głębi duszy bała się tej chwili. Zniżyła głos:

— Wycofuje się pan z wyścigu?

Herney wybuchnął śmiechem.

— Ależ skąd, Dolores! Przygotowuję się do walki!

Zrobiła powątpiewającą minę. W mediach już mówiono, że prezydent Herney rezygnuje z walki o fotel.

Mrugnął do niej krzepiąco.

— Dolores, przez cztery lata wykonywałaś dla mnie wspaniałą robotę i będziesz ją wykonywała przez kolejne cztery. Zostaniemy w Białym Domu. Obiecuję.

Sekretarka wyglądała tak, jakby chciała w to wierzyć.

— Dobrze, panie prezydencie. Powiadomię personel. Czwarta po południu.

Gdy Zach Herney wszedł do Gabinetu Owalnego, nie mógł powstrzymać się od uśmiechu na myśl o personelu stłoczonym w tym wbrew pozorom małym pomieszczeniu.

Choć z biegiem lat gabinet dorobił się wielu przydomków — „Kibel", „Jama Dicka", „Sypialnia Clintona" — Herneyowi podobała się „Pułapka na homary". Ta nazwa wydawała się najbardziej odpowiednia. Każdego, kto pierwszy raz wszedł do Gabinetu Owalnego, ogarniała natychmiastowa dezorientacja. Symetria pokoju, łagodnie zakrzywione ściany, dyskretnie zamaskowane wejścia i wyjścia — wszystko to sprawiało, że goście czuli się, jakby zawiązano im oczy i okręcono dokoła. Często po zakończeniu spotkania dygnitarz wstawał, żegnał się i maszerował prosto do drzwi szafy. W zależności od przebiegu rozmowy Herney albo zatrzymywał go w porę, albo z rozbawieniem obserwował zakłopotaną minę gościa.

Herney zawsze uważał, że najbardziej rzucającym się w oczy elementem wyposażenia Gabinetu Owalnego jest owalny dywan z kolorowym amerykańskim orłem. Lewy szpon orła zaciskał się na gałązce oliwnej, a prawy na pęku strzał. Niewielu ludzi z zewnątrz wiedziało, że w czasie pokoju orzeł patrzy w lewo — na gałązkę oliwną. W czasie wojny tajemniczym sposobem orzeł zwracał głowę w prawo — w kierunku strzał. Sekret tej salonowej sztuczki był przedmiotem cichych spekulacji pracowników Białego Domu, ponieważ tradycyjnie znał go tylko prezydent i szef personelu. Herney przekonał się, że mechanizm tajemniczych zmian jest banalnie prosty. W magazynie w piwnicy leżał drugi owalny dywan i administrator w nocy je zamieniał.

Patrząc na pokojowego, zwróconego w lewo orła, Herney uśmiechnął się na myśl o tym, że być może powinien zamienić dywany na cześć małej wojny, jaką zamierza wydać senatorowi Sedgewickowi Sextonowi.

Rozdział 15

Amerykańska formacja Delta Force jest jedyną jednostką bojową, której akcje są chronione immunitetem prezydenckim.

Prezydencki dekret PDD 25 gwarantuje żołnierzom Delta Force „zwolnienie od wszelkiej odpowiedzialności karnej" z wyjątkiem czynów wyszczególnionych w *Posse Comitatus Act* z 1876 roku. Statut ten przewiduje kary dla każdego, kto używa wojska w celu osiągnięcia korzyści osobistych, egzekwowania prawa krajowego albo przeprowadzenia niezatwierdzonych tajnych operacji. Członkowie Delta Force są starannie wybierani z Combat Applications Group (CAG), tajnej organizacji podlegającej dowództwu operacji specjalnych w Fort Bragg w Karolinie Północnej. Żołnierze Delta Force są wyszkolonymi zabójcami — ekspertami od akcji antyterrorystycznych, odbijania zakładników, ataków z zaskoczenia i eliminowania tajnych sił wroga.

Ponieważ misje Delta Force z reguły są ściśle tajne, tradycyjna wielostopniowa hierarchia służbowa jest często pomijana na rzecz dowództwa jednoosobowego — kontrolera, który może kierować jednostką wedle własnego uznania. Kontroler zwykle jest szarą eminencją z kręgów wojskowych lub rządowych, z racji zajmowanego stanowiska albo posiadanych wpływów upoważnioną do przeprowadzenia misji. Niezależnie od jego tożsamości, żołnierze skrupulatnie wykonują rozkazy, a po zakończeniu misji nigdy o niej nie rozmawiają — ani między sobą, ani ze swoimi zwierzchnikami.

Zaatakuj. Zabij. Zapomnij.

Zespół Delta stacjonujący za osiemdziesiątym drugim równoleżnikiem ani nie atakował, ani nie zabijał. Jedynie obserwował.

Delta Jeden musiał przyznać, że jak dotąd jest to jego najdziwniejsza misja, ale już dawno nauczył się nie dziwić temu, co każą mu robić. Od pięciu lat zajmował się ratowaniem zakładników na Bliskim Wschodzie, tropieniem i likwidowaniem komórek terrorystycznych na terenie Stanów Zjednoczonych, a nawet dyskretnym eliminowaniem niebezpiecznych ludzi w różnych miejscach świata.

W zeszłym miesiącu jego grupa wykorzystała latającego mikrobota do spowodowania ataku serca u wyjątkowo groźnego barona narkotykowego z Ameryki Południowej. Kierowane przez Deltę Dwa urządzenie, zaopatrzone w cienką jak włos tytanową igłę z silnym środkiem zwężającym naczynia, wleciało do domu przez otwarte okno na piętrze, znalazło sypialnię, a następnie ukłuło śpiący cel w ramię. Gdy mężczyzna obudził się z bólem w piersi, mikrobot był już na zewnątrz. Zespół Delta ruszył do domu, zanim żona ofiary zadzwoniła po pogotowie.

Bez włamywania się i wchodzenia.

Śmierć z przyczyn naturalnych.

To było piękne.

Niedawno inny mikrobot, umieszczony w gabinecie prominentnego senatora w celu monitorowania jego prywatnych spotkań, zarejestrował sceny ostrego seksu. Zespół Delta żartobliwie nazywał tę misję „wrzuceniem za linie wroga".

Teraz, po dziesięciodniowej służbie obserwacyjnej w namiocie, Delta Jeden był gotów do zakończenia misji.

Pozostać w ukryciu.

Monitorować strukturę od wewnątrz i z zewnątrz.

Meldować kontrolerowi o wszystkich niespodziewanych zdarzeniach.

W trakcie szkolenia Delta Jeden nauczył się podchodzić do zadań bez emocji, ale tym razem jego puls przyspieszył, kiedy wraz z partnerami został zapoznany z sytuacją. Odprawa miała charakter „bezosobowy" — kolejne fazy zostały omówione przez bezpieczne kanały elektroniczne. Delta Jeden nie znał kontrolera odpowiedzialnego za tę misję.

Delta Jeden przygotowywał liofilizowany proteinowy posiłek, kiedy jego zegarek zapiszczał jednocześnie z innymi. Po paru sekundach szyfrujące urządzenie komunikacyjne CrypTalk zamrugało, sygnalizując rozmowę. Delta Jeden przerwał dotychczasowe zajęcie i podniósł komunikator. Jego partnerzy patrzyli na niego w milczeniu.

— Delta Jeden — powiedział do nadajnika.

Dwa słowa natychmiast zostały zidentyfikowane przez system rozpoznawania głosu. Każdemu słowu zostały przyporządkowane numery odniesienia, zaszyfrowane i przesłane drogą satelitarną do dzwoniącego. Tam, w podobnym urządzeniu, liczby zostały zdekodowane i przełożone z powrotem na słowa za pomocą wcześniej ustalonego, losowo wygenerowanego słownika. Następnie słowa zostały wypowiedziane przez syntezator mowy. Opóźnienie w przekazie wynosiło osiemdziesiąt milisekund.

— Tu kontroler — odezwała się osoba nadzorująca operację. Przetworzony głos brzmiał dziwnie, mechaniczny i bezpłciowy. — Jaki jest status operacji?

— Wszystko przebiega zgodnie z planem — odparł Delta Jeden.

— Doskonale. Mam aktualizację ram czasowych. Informacja zostanie podana do wiadomości publicznej dziś wieczorem o ósmej czasu wschodniego.

Delta Jeden spojrzał na zegarek. Jeszcze tylko osiem godzin. Jego praca niebawem dobiegnie końca. Ta myśl podnosiła na duchu.

— Jeszcze jedno — powiedział kontroler. — Na scenie pojawił się nowy aktor.

— Kto?

Delta Jeden wysłuchał odpowiedzi. Interesująca gra. Ktoś idzie na całość.

— Można jej zaufać?

— Należy obserwować ją bardzo uważnie.

— A jeśli będą kłopoty?

Kontroler odparł bez wahania:

— Rozkazy obowiązują.

Rozdział 16

Rachel Sexton leciała prosto na północ prawie przez godzinę. Poza ujrzaną w przelocie Nową Fundlandią, przez całą drogę pod F-14 rozciągał się ocean.

Dlaczego to musi być woda? — pomyślała z niezadowoleniem. W wieku siedmiu lat, gdy jeździła na łyżwach po zamarzniętym stawie, załamał się lód i wpadła do wody. Uwięziona pod powierzchnią, była pewna, że umrze. W końcu silna ręka matki wyciągnęła ją na lód. Od czasu tego strasznego przeżycia Rachel walczyła z hydrofobią — strachem przed otwartą wodą, szczególnie zimną. Dziś, gdy jak okiem sięgnąć widziała tylko północny Atlantyk, stare lęki powróciły.

Dopiero kiedy pilot nawiązał łączność z bazą lotniczą Thule w północnej Grenlandii, żeby potwierdzić swoje położenie, Rachel uświadomiła sobie, jak daleką drogę przebyli. Jestem za kręgiem polarnym? To powiększyło jej niepokój. Dokąd mnie zabierają? Co znalazła NASA? Wkrótce niebieskoszarą przestrzeń upstrzyły tysiące białych plamek.

Góry lodowe.

Rachel widziała górę lodową tylko raz w życiu, sześć lat temu, kiedy matka namówiła ją na wspólny rejs na Alaskę. Rachel proponowała wakacje na lądzie, ale matka nie chciała ustąpić.

— Rachel, kochanie, woda pokrywa dwie trzecie tej planety — mówiła. — Prędzej czy później będziesz musiała nauczyć się radzić sobie z tym faktem. — Pochodząca z Nowej Anglii pani Sexton była twardą kobietą, zdecydowaną wychować równie silną córkę.

Rejs był ich ostatnią wspólną wyprawą.

Katherine Wentworth Sexton. Rachel poczuła daleki ból samotności. Wspomnienia wróciły z rykiem wiatru dmącego na zewnątrz samolotu i rozdzierając jej serce. Ostatnią rozmowę odbyły przez telefon, w poranek Święta Dziękczynienia.

— Przykro mi, mamo — powiedziała Rachel, dzwoniąc do domu ze sparaliżowanego przez śnieg lotniska O'Hare. — Wiem, że nasza rodzina zawsze wspólnie spędza Święto Dziękczynienia. Wygląda na to, że dziś będzie ten pierwszy raz.

Mama sprawiała wrażenie załamanej.

— Tak bardzo się za tobą stęskniłam.

— Ja też, mamo. Gdy będziecie z tatą kroili indyka, pomyśl, że ja jem na lotnisku.

Po chwili ciszy matka powiedziała:

— Rachel, nie zamierzałam mówić ci tego przed przyjazdem, ale twój ojciec stwierdził, że ma za dużo pracy, by w tym roku być w domu. Zostanie na długi weekend w swoim mieszkaniu w Waszyngtonie.

— Co? — Zaskoczenie Rachel natychmiast ustąpiło złości. — Przecież to Święto Dziękczynienia. Senat nie obraduje! Ojciec ma niespełna dwie godziny drogi do domu. Powinien być z tobą!

— Wiem. Mówi, że jest zmęczony... za bardzo zmęczony, żeby prowadzić. Uznał, że ten weekend spędzi, pracując.

Pracując? Rachel miała co do tego poważne wątpliwości. Senator Sexton spędzi raczej ten czas z jakąś kobietą. Zdradzał matkę, choć dyskretnie, od wielu lat. Pani Sexton nie była głupia, ale jej mąż zawsze miał w pogotowiu przekonujące alibi i repertuar min urażonej niewinności. Wreszcie uznała, że nie ma innego wyjścia, jak pogrzebać swój ból i udawać, że niczego nie widzi. Rachel namawiała matkę na zastanowienie się nad rozwodem, ale Katherine Wentworth Sexton była kobietą słowną. „Póki śmierć nas nie rozłączy, odparła. Twój ojciec dał mi ciebie, piękną córkę, i za to jestem mu wdzięczna. Pewnego dnia odpowie za swoje grzechy przed wyższą instancją".

Stojąc na lotnisku, Rachel wrzała z gniewu.

— Ale to znaczy, że będziesz sama w Święto Dziękczynienia! — Zrobiło jej się niedobrze. Odwracanie się od rodziny w takim dniu było po prostu podłe.

— Cóż... — Głos matki zdradzał rozczarowanie, ale brzmiał stanowczo. — Nie mogę pozwolić, żeby jedzenie się zmarnowało. Pojadę do ciotki Ann. Zawsze zapraszała nas na Święto Dziękczynienia. Zaraz do niej zadzwonię.

Rachel czuła się tylko odrobinę mniej winna.

— Dobrze. Przyjadę do domu najszybciej, jak będę mogła. Kocham cię, mamo.

— Bezpiecznej podróży, kochanie.

O wpół do jedenastej wieczorem taksówka wreszcie wjechała na kręty podjazd luksusowej posiadłości Sextonów. Rachel zorientowała się od razu, że stało się coś złego. Na podjeździe stał wóz policyjny i kilka vanów ekip telewizyjnych. W domu paliły się wszystkie światła. Z walącym sercem wbiegła na ganek.

Funkcjonariusz policji stanowej zatrzymał ją przy drzwiach. Miał ponurą minę. Nie musiał nic mówić. Rachel wiedziała. Wypadek.

— Droga dwadzieścia pięć była śliska od marznącego deszczu — wyjaśnił. — Pani matka zjechała do zalesionego wąwozu. Przykro mi. Zginęła na miejscu.

Rachel zmartwiała. Ojciec wyjechał z Waszyngtonu natychmiast po otrzymaniu wiadomości i teraz prowadził w salonie niewielką konferencję prasową. Ze stoickim spokojem oznajmiał światu, że jego żona zginęła w wypadku samochodowym, wracając ze świątecznej kolacji u swojej rodziny.

Rachel stała w rogu pokoju, przez cały czas szlochając.

— Żałuję — mówił senator ze łzami w oczach — że nie wróciłem do domu na weekend. Nie doszłoby do tej tragedii.

Powinieneś pomyśleć o tym wiele lat temu, krzyknęła Rachel w duchu. Jej nienawiść do ojca pogłębiała się z każdą chwilą.

Rozwiodła się z nim tak, jak powinna to zrobić jej matka. Senator prawie nie zwrócił na to uwagi. Nagle stał się bardzo zajęty, wykorzystując majątek po zmarłej żonie, żeby zostać kandydatem na prezydenta z ramienia swojej partii. Głosy współczucia również mu nie zaszkodziły.

Minęły trzy lata, a ojciec nawet na odległość sprawiał, że Rachel wiodła samotne życie. Jego ubieganie się o prezydenturę odsunęło na czas nieokreślony jej marzenia o związaniu się z kimś i założeniu rodziny. Wyłączyła się z gry towarzyskiej, bo było to łatwiejsze niż odpieranie zalotów niezliczonych żądnych władzy waszyngtońskich absztyfikantów, którzy mieli nadzieję na usidlenie potencjalnej „pierwszej córki", zanim przejdzie do wyższej ligi.

Zaczęło się ściemniać. W Arktyce trwała zima, czas nocy polarnej. Rachel uświadomiła sobie, że leci do krainy wiecznego mroku.

W końcu słońce zgasło, zniknęło za linią horyzontu. Wciąż lecieli na północ. Na niebie pojawił się jasny księżyc w trzeciej kwadrze, bielejący w krystalicznie czystym arktycznym powietrzu. Daleko w dole połyskiwały fale oceanu, góry lodowe wyglądały jak diamenty naszyte na ciemną cekinową siatkę.

Wreszcie Rachel wypatrzyła mglisty zarys lądu. Nie tego się spodziewała. Przed samolotem z oceanu wyrastało wielkie, pokryte śniegiem pasmo górskie.

— Góry? — zdziwiła się. — Na północ od Grenlandii są góry?

— Najwyraźniej — odparł pilot, równie zaskoczony.

Gdy nos F-14 skierował się w dół, Rachel poczuła się dziwnie nieważka. Przez dzwonienie w uszach usłyszała rytmiczny dźwięk. Pilot musiał połączyć się z jakimś urządzeniem naprowadzającym i podążał za jego sygnałem.

Gdy zeszli poniżej tysiąca metrów, Rachel ujrzała dramatyczny krajobraz zalany blaskiem księżyca. U stóp gór rozpościerała się rozległa śnieżna równina. Długi na około piętnaście kilometrów płaskowyż z wdziękiem opadał ku morzu i kończył się stromym urwiskiem.

Wtedy to zobaczyła. Nigdy dotąd nie widziała niczego podobnego. Z początku pomyślała, że księżycowa poświata płata jej figle. Zmrużyła oczy i wbiła je w śnieżne pole, nie pojmując, na co patrzy. Im niżej schodził samolot, tym wyraźniejszy stawał się widok.

Do licha, co to takiego?

Wyglądało to tak, jakby ktoś srebrną farbą wymalował na śniegu trzy ogromne pręgi. Lśniące pasy biegły równolegle do urwiska. Dopiero na wysokości stu pięćdziesięciu metrów Rachel zrozumiała, że to złudzenie optyczne. Trzy pasy były w rzeczywistości długimi, głębokimi rowami o szerokości ponad dziesięciu metrów. Koryta zostały wypełnione wodą, która zamarzła, tworząc proste, srebrne kanały. Pomiędzy nimi piętrzyły się wały ze śniegu.

Na niższym pułapie samolotem zaczęły wstrząsać silne turbulencje. Rachel usłyszała, jak podwozie wysuwa się z głuchym zgrzytem, ale wciąż nie widziała pasa do lądowania. Gdy pilot starał się zachować panowanie nad maszyną, w zewnętrznym lodowym korycie zauważyła dwie linie mrugających świateł. Przerażona zrozumiała, co zamierza zrobić pilot.

— Lądujemy na lodzie? — zapytała.

Nie odpowiedział. Był skupiony na walce z porywistym wiatrem. Rachel czuła ssanie w dołku, gdy samolot zmniejszał prędkość i opadał w kierunku lodowego kanału. Po obu stronach wznosiły się wysokie śnieżne wały. Wstrzymała oddech. Wiedziała, że najmniejszy błąd w tym wąskim kanale oznacza pewną śmierć. Zeszli jeszcze niżej i nagle turbulencje ustały. Osłonięty przed wiatrem myśliwiec, pewnie wylądował na lodzie.

Pilot uruchomił ciąg wsteczny i zaczęli zwalniać. Rachel wypuściła powietrze. Odrzutowiec podkołował około sto metrów i zatrzymał się na czerwonej linii wymalowanej sprayem na lodzie.

Z prawej strony widać było tylko ścianę śniegu — zbocze wału. Widok po lewej był identyczny. Z przodu rozciągała się bezkresna połać lodu. Rachel miała wrażenie, że wylądowała na martwej planecie. Poza linią wymalowaną na lodzie nie dostrzegła śladów obecności człowieka.

Po chwili usłyszała. W dali mruczał inny silnik, o wyższym tonie. Hałas narastał, aż w końcu pojazd ukazał się w polu widzenia. Wielki, wielogąsienicowy traktor śnieżny jechał ku nim dnem lodowego koryta. Wysoki i niezdarny, przypominał fantastycznego drapieżnego owada o patykowatych nogach. Wysoko nad podwoziem wisiała zamknięta kabina z pleksiglasu z rzędem reflektorów oświetlających drogę.

Maszyna zatrzymała się z drżeniem tuż obok F-14. Drzwi kabiny otworzyły się i ktoś zszedł po drabince na lód. Był ubrany w biały kombinezon, który wyglądał jak nadmuchany.

Spotkanie Mad Maksa z ludzikiem Michelina, pomyślała Rachel, zadowolona, że ta dziwna planeta okazała się zamieszkana.

Przybysz gestem kazał pilotowi otworzyć kabinę.

Podmuch powietrza w jednej chwili przeniknął Rachel do szpiku kości.

Opuść tę cholerną klapę!

— Pani Sexton?! — zawołał mężczyzna. Miał amerykański akcent. — Witam w imieniu NASA.

Rachel dygotała. Wielkie dzięki.

— Proszę rozpiąć uprząż, zostawić hełm w samolocie i wysiąść, przytrzymując się uchwytów na kadłubie. Jakieś pytania?

— Tak! — odkrzyknęła. — Gdzie ja jestem, do jasnej cholery?!

Rozdział 17

Marjorie Tench, starszy doradca prezydenta, wyglądała jak kościotrup. Jej chuda, wysoka na metr osiemdziesiąt sylwetka przypominała kanciastą konstrukcję z klocków lego. Nad suchotniczą klatką piersiową wisiała koścista twarz obciągnięta żółtawą skórą. Przywodziła na myśl arkusz pergaminu z dwoma dziurami, z których spoglądały beznamiętne oczy. Miała pięćdziesiąt jeden lat, ale wyglądała na siedemdziesiąt.

W Waszyngtonie uchodziła za boginię areny politycznej. Przypisywano jej talent analityczny graniczący z jasnowidztwem. Dziesięć lat kierowania Biurem Wywiadu i Badań w Departamencie Stanu wyostrzyło jej i tak zabójczo ostry, krytyczny umysł. Na nieszczęście drygowi do polityki towarzyszyło lodowate usposobienie, nieznośne dla większości ludzi już po paru minutach kontaktu. Marjorie Tench miała mózg superkomputera. I jego ciepło. Tylko prezydent Zach Herney bez większego wysiłku znosił jej obecność; objął urząd niemal wyłącznie dzięki jej intelektowi i ciężkiej pracy.

— Marjorie... — Prezydent wstał, żeby ją powitać, gdy weszła do Gabinetu Owalnego. — Co mogę dla ciebie zrobić? — Nie zaproponował jej, by usiadła. Konwencjonalne formy towarzyskie nie miały zastosowania w przypadku kobiet jej pokroju. Jeśli Marjorie Tench miała ochotę usiąść, to siadała.

— Słyszałam, że zwołałeś zebranie personelu na czwartą. — Głos miała zachrypnięty od papierosów. — Wyśmienicie.

Przez chwilę krążyła po gabinecie. Herney wyczuwał, że skomplikowane trybiki jej umysłu nieustannie się obracają. Był z tego zadowolony. Marjorie Tench, jako jedna z nielicznych osób z jego otoczenia, wiedziała o odkryciu NASA, a jej polityczne otrzaskanie pomogło mu opracować strategię.

— Ta debata w CNN dzisiaj o pierwszej — zaczęła, tłumiąc kaszel. — Kogo wyślesz na sparing z Sextonem?

Herney uśmiechnął się.

— Młodszego rzecznika kampanii. — Polityczna taktyka frustrowania „myśliwego" przez podsyłanie mu drobnej zwierzyny była równie stara jak same debaty.

— Mam lepszy pomysł. — Tench wlepiła w niego puste oczy. — Pozwól, że ja się tym zajmę.

Zach Herney podniósł szybko głowę.

— Ty? — Do licha, co ona sobie wyobraża? — Marjorie, ty nie robisz spotów w mediach. Poza tym to południowy program w kablówce. Jeśli wyślę starszego doradcę, o czym to będzie świadczyć? Wyjdzie na to, że panikujemy.

— Otóż to.

Herney przyjrzał jej się uważnie. Niezależnie od tego, jaki przebiegły plan wykluł się w głowie tej kobiety, za żadne skarby nie pozwoli jej wystąpić w CNN. Każdy, kto choć raz miał okazję zobaczyć Marjorie Tench, wie, że nie bez powodu pracuje za kulisami. Wygląda koszmarnie — żaden prezydent nie życzyłby sobie, żeby ktoś o takiej prezencji wypowiadał się w imieniu Białego Domu.

— Wezmę tę debatę — powtórzyła. Tym razem nie pytała o pozwolenie.

— Marjorie... — Zaniepokojony prezydent miał zamiar odwieść ją od tego pomysłu. — Sztab kampanii Sextona od razu zacznie twierdzić, że twoja obecność w CNN jest dowodem na to, że Biały Dom się boi. Wysyłając armaty, będziemy wyglądali na zdesperowanych.

Kobieta w milczeniu pokiwała głową i zapaliła papierosa.

— Im bardziej, tym lepiej dla nas.

W ciągu sześćdziesięciu sekund Marjorie Tench wyjaśniła, dlaczego prezydent powinien wysłać na debatę ją, a nie jakiegoś pracownika niższego szczebla. Kiedy skończyła, Herney mógł tylko patrzeć na nią ze zdumieniem.

Marjorie Tench po raz kolejny udowodniła, że jest politycznym geniuszem.

Rozdział 18

Lodowiec Szelfowy Milne'a leży powyżej osiemdziesiątego drugiego równoleżnika na północnym wybrzeżu Wyspy Ellesmere'a w Arktyce. Jest największą jednolitą krą na półkuli północnej: ma ponad sześć kilometrów szerokości i osiąga grubość stu metrów.

Po wejściu do pleksiglasowej kabiny traktora Rachel ucieszyła się, że na siedzeniu czeka na nią skafander z rękawicami, a z otworów nawiewowych płynie ciepło. Na zewnątrz, na lodowym pasie, ryknęły silniki i F-14 zaczął kołować.

Rachel z niepokojem popatrzyła na swojego nowego gospodarza.

— Odlatuje?

Mężczyzna wsiadł do kabiny i pokiwał głową.

— Tutaj wolno przebywać tylko personelowi naukowemu i członkom bezpośredniej grupy wsparcia NASA.

Gdy F-14 poderwał się w ciemne niebo, Rachel poczuła się jak rozbitek.

— Pojedziemy iceroverem — powiedział mężczyzna. — Administrator czeka.

Rachel spojrzała na rozpościerający się przed nimi srebrny szlak lodu. Zastanawiała się, co, do diabła, porabia tu administrator NASA.

— Proszę się trzymać! — krzyknął mężczyzna, przesuwając jakieś dźwignie. Ze zgrzytliwym pomrukiem maszyna obróciła się w miejscu o dziewięćdziesiąt stopni. Teraz mieli przed sobą wysoką ścianę śnieżnego wału.

Rachel popatrzyła na stromiznę i przebiegło ją drżenie strachu. Chyba nie zamierza...

— Naprzód! — Kierowca wrzucił bieg i pojazd pomknął prosto ku ścianie.

Rachel ze stłumionym krzykiem mocno zacisnęła ręce na uchwytach. Gdy dotarli do stoku, zaopatrzone w kolce gąsienice wbiły się w śnieg i zaczęli się wspinać. Rachel była pewna, że zaraz runą do tyłu, ale co dziwne kabina zachowała położenie horyzontalne. Kierowca zatrzymał wielki pojazd na szczycie wału i uśmiechnął się do niej promiennie.

— Przydałoby się w terenówkach, prawda? Zapożyczyliśmy projekt systemu amortyzatorów z marsjańskiego „Pathfindera" i wmontowaliśmy w to maleństwo! Spisuje się jak marzenie.

Rachel słabo pokiwała głową.

— Pięknie.

Ze szczytu wału roztaczał się efektowny widok. Oświetlona przez księżyc lodowa równina zwężała się w dali i znikała w górach.

— Lodowiec Milne'a — wyjaśnił kierowca, wskazując góry. — Tam się zaczyna i spływa, tworząc ten szeroki wachlarz, na którym stoimy.

Dodał gazu. Rachel musiała się przytrzymać, gdy pojazd zjeżdżał ze stromego zbocza. Na dole przecięli kolejną rzekę lodu i wspięli się na następny wał, pokonali szczyt i szybko zjechali po drugiej stronie na ogromne lodowisko.

— Jak daleko? — Rachel widziała przed sobą tylko lód.

— Jakieś trzy kilometry.

Uznała, że to daleko. Wiatr uderzał w icerovera i grzechotał pleksiglasem, jakby próbował zmieść ich z powrotem w kierunku morza.

— To wiatr katabatyczny! — wyjaśnił kierowca. — Przywyknie pani! — Wytłumaczył jej, że na tym obszarze przeważa wiatr zstępujący, zwany katabatycznym. Ciężkie, zimne powietrze spływa po lodowcu jak wściekła rzeka. — To jedyne miejsce na Ziemi, gdzie piekło naprawdę zamarza! — dodał ze śmiechem.

Kilka minut później Rachel dostrzegła w dali mglisty zarys ogromnej białej kopuły, która wyrastała z lodu. Co, u licha...?

— Mieszkają tutaj duzi Eskimosi, no nie? — zażartował mężczyzna.

Rachel próbowała coś z tego zrozumieć. Budowla przypominała pomniejszony stadion Astrodome w Houston.

— NASA zbudowała ją półtora tygodnia temu — mówił. — Wieloelementowy pneumatyczny pleksipolisorbat. Wystarczy nadmuchać elementy, połączyć jeden z drugim, przymocować całość do lodu za pomocą naciągów. Wygląda jak przerośnięty kopulasty namiot, ale w rzeczywistości jest prototypem przenośnego siedliska, jakie mamy nadzieję pewnego dnia postawić na Marsie. Nazywamy go „habisferą" *.

— Habisferą?

— Tak, łapie pani? Bo to nie jest cała sfera, tylko habi-sfera.

Rachel z uśmiechem patrzyła na dziwaczną budowlę, która teraz rysowała się wyraźniej na lodowej równinie.

— A ponieważ NASA jeszcze nie planuje podróży na Marsa, postanowiliście urządzić imprezę tutaj?

Mężczyzna roześmiał się.

— Prawdę mówiąc, wolałbym Tahiti, ale los zadecydował inaczej.

Rachel patrzyła niepewnie na konstrukcję. Biała kopuła odcinała się widmowo od ciemnego nieba. Icerover podjechał bliżej i zatrzymał się przy małych, właśnie otwierających się drzwiach. Światło z wnętrza wylało się na śnieg. Wyszedł zwalisty olbrzym w czarnym wełnianym golfie, który powiększał jego sylwetkę i upodobniał do niedźwiedzia. Ruszył w kierunku pojazdu.

Rachel nie miała wątpliwości, kim jest ten człowiek: Lawrence Ekstrom, administrator NASA.

Kierowca uśmiechnął się pocieszająco.

— Niech się pani nie da zwieść pozorom. Facet jest łagodny jak baranek.

Prędzej jak tygrys, pomyślała. Dobrze znała reputację Ekstroma, który do celu szedł po trupach. Urywał głowę każdemu, kto śmiał stanąć na jego drodze do marzeń.

Kiedy wysiadła z icerovera, wiatr niemal zwalił ją z nóg. Otuliła się skafandrem i ruszyła w kierunku kopuły.

Administrator NASA spotkał ją w połowie drogi i wyciągnął wielką dłoń w rękawicy.

— Pani Sexton, dziękuję za przybycie.

---

* *habitat* (ang.) — siedlisko

Rachel niepewnie pokiwała głową i żeby usłyszał ją w wyjącym wietrze, wrzasnęła:

— Szczerze mówiąc, nie jestem pewna, czy miałam jakiś wybór!

Tysiąc metrów dalej Delta Jeden patrzył przez lornetkę, jak administrator NASA wprowadza Rachel Sexton do kopuły.

Rozdział 19

Lawrence Ekstrom był prawdziwym olbrzymem, rumianym i szorstkim w obejściu jak rozeźlony skandynawski bóg. Miał obcięte po wojskowemu proste jasne włosy, zmarszczone czoło i bulwiasty, pożyłkowany nos. Jego kamienne oczy zdradzały, że ma za sobą niezliczone bezsenne noce. Przed przeniesieniem do NASA był wpływowym doradcą do spraw przestrzeni kosmicznej w Pentagonie. Jego reputacji gbura dorównywało tylko oddanie, z jakim podchodził do swojej pracy.

Rachel Sexton weszła za nim do habisfery i znalazła się w niesamowitym półprzezroczystym labiryncie korytarzy. Jego ściany tworzyły plastikowe płyty wiszące na napiętych drutach. Podłogi nie było — powierzchnię grubego lodu pokrywały pasy gumowych wykładzin. Minęli prowizoryczną sekcję mieszkalną z kojami i chemicznymi toaletami.

Na szczęście powietrze w habisferze było ciepłe, choć ciężkie od zapachu ludzi mieszkających od jakiegoś czasu w jednym pomieszczeniu. Gdzieś mruczał generator, który dostarczał prąd do żarówek wiszących na kablach w korytarzu.

— Pani Sexton — burknął Ekstrom, żwawym krokiem prowadząc ją ku nieznanemu miejscu przeznaczenia — będę z panią szczery. — Jego ton wyraźnie dawał do zrozumienia, że goszczenie jej nie sprawia mu przyjemności. — Znalazła się pani tutaj wyłącznie na życzenie prezydenta. Zach Herney jest moim przyjacielem i wiernym poplecznikiem NASA. Szanuję go. Wiele mu zawdzięczam. I ufam mu. Nie kwestionuję jego bezpośrednich rozkazów, nawet kiedy się z nimi nie zgadzam. Żeby nie było nieporozumień, musi pani wiedzieć, że nie podzielam entuzjazmu prezydenta w kwestii włączania pani w tę sprawę.

Rachel mogła tylko zrobić wielkie oczy. Przebyłam pięć tysięcy kilometrów i spotyka mnie takie przyjęcie? Ten facet zdecydowanie nie jest Marthą Stewart.

— Z całym szacunkiem, ja również wykonuję rozkazy prezydenta — odpaliła. — Nawet mi nie powiedziano, co mam tutaj robić. Wyruszyłam w tę podróż w dobrej wierze.

— Świetnie. W takim razie nie będę owijał w bawełnę.

— Już początek był niezły.

Wydawało się, że szorstki komentarz zaskoczył administratora. Zwolnił na chwilę, a jego oczy pojaśniały, gdy jej się przyglądał. Potem, niczym rozwijający się wąż, wydał długie westchnienie i znowu przyspieszył.

— Proszę zrozumieć — podjął — że jest pani tutaj wbrew mojej woli. To tajny projekt NASA. Nie dość, że reprezentuje pani NRO, którego dyrektora bawi porównywanie personelu NASA do paplającej dzieciarni, to na dodatek jest pani córką człowieka stawiającego sobie za cel zniszczenie agencji. Ostatnio moi ludzie znieśli wiele słów krytyki i w pełni zasłużyli na czekającą nas chwilę chwały. Jednak z powodu gradu oskarżeń zainicjowanych przez pani ojca, mój ciężko pracujący personel zmuszony jest dzielić się uznaniem z kilkoma przypadkowymi cywilnymi naukowcami oraz z córką człowieka, który próbuje nas zniszczyć.

Ja nie jestem moim ojcem!, chciała wrzasnąć Rachel, ale raczej nie był to dobry moment na dyskutowanie o polityce z szefem NASA.

— Nie przybyłam tutaj dla rozgłosu, panie administratorze.

Ekstrom spiorunował ją wzrokiem.

— Być może uzna pani, że rozgłos jest nieunikniony.

To ją zaskoczyło. Wprawdzie prezydent Herney nie wspomniał słowem o pomaganiu mu w „publiczny" sposób, ale William Pickering wyraźnie dał jej do zrozumienia, że może stać się pionkiem w politycznej grze.

— Chciałabym wiedzieć, co ja tu robię.

— Ja również. Nie posiadam tej informacji.

— Słucham?

— Prezydent poprosił, żebym zaznajomił panią z naszym odkryciem natychmiast po pani przybyciu. Rola, jaką ma pani odegrać w tym cyrku, to już wasza sprawa.

— Powiedział mi, że wasz system obserwacji Ziemi dokonał jakiegoś odkrycia.

Ekstrom popatrzył na nią kątem oka.

— Co pani wie o projekcie EOS?

— EOS to konstelacja pięciu satelitów, które badają Ziemię. Dostarczają danych do kartowania oceanów, analizy uskoków tektonicznych, oceny tempa kurczenia się lodu polarnego, lokalizowania złóż paliw kopalnych...

— Świetnie — mruknął Ekstrom, ani trochę nie będąc pod wrażeniem. — Czy wie pani o najnowszym dodatku do konstelacji EOS? Nazywa się PODS *.

Rachel przytaknęła. Celem orbitalnego polarnego skanera gęstości była ocena skutków globalnego ocieplenia.

— Jak rozumiem, PODS mierzy grubość i twardość polarnej pokrywy lodowej?

— W istocie. Korzystając z techniki spektrograficznej, wykonuje kompozytowe skany gęstości dużych obszarów i znajduje „miękkie" anomalie, takie jak wewnętrzne topnienie i wielkie szczeliny, będące wskaźnikami globalnego ocieplenia.

Rachel wiedziała, na czym polega kompozytowe skanowanie gęstości. Przypomina badanie gruntu za pomocą ultradźwięków. Satelity NRO stosowały podobną technikę do wyszukiwania podpowierzchniowych różnic gęstości w Europie Wschodniej i lokalizowania masowych grobów, które potwierdzały informacje o przeprowadzaniu czystek etnicznych.

— Dwa tygodnie temu — ciągnął Ekstrom — PODS przelatywał nad tym lodowcem i wykrył anomalię gęstości, która nie przypominała niczego, co spodziewaliśmy się zobaczyć. Na głębokości sześćdziesięciu metrów dostrzegł w lodzie coś, co wyglądało jak amorficzna kula o średnicy około trzech metrów.

— Kieszeń wodna?

— Nie. Nic płynnego. Co dziwne, anomalia była twardsza od otaczającego ją lodu.

Rachel zatrzymała się.

— A zatem... głaz?

Ekstrom pokiwał głową.

— Zasadniczo tak.

---

* The Polar Orbiting Density Scanner

Czekała na ciąg dalszy. Nie nastąpił. Jestem tutaj, bo NASA znalazła w lodzie wielki kamień?

— Dopiero kiedy PODS obliczył gęstość tej skały, wpadliśmy w podniecenie. Natychmiast przylecieliśmy, żeby ją zbadać. Okazało się, że znalezisko ma gęstość znacznie większą niż skały występujące na Wyspie Ellesmere'a. Prawdę mówiąc, większą niż jakiekolwiek skały w promieniu sześciu tysięcy kilometrów.

Rachel popatrzyła na lód pod nogami, wyobrażając sobie tkwiący gdzieś tam w dole wielki głaz.

— Mówi pan, że coś go tutaj przyniosło?

Ekstrom miał lekko rozbawioną minę.

— Ten kamień waży ponad osiem ton. Tkwi na głębokości sześćdziesięciu metrów w solidnym lodzie, co znaczy, że spoczywa tutaj nietknięty od ponad trzystu lat.

Rachel poczuła się zmęczona, gdy tak szła długim, wąskim korytarzem, w którym stało dwóch uzbrojonych pracowników NASA. Zerknęła na administratora.

— Zakładam, że istnieje logiczne wyjaśnienie obecności kamienia... i całej tej tajemnicy?

— Z pewnością — odparł Ekstrom z kamienną twarzą. — Skała znaleziona przez PODS jest meteorytem.

Rachel stanęła jak wryta i popatrzyła na niego.

— Meteorytem? — Poczuła się rozczarowana. Po takich przygotowaniach meteoryt nie wydawał się niczym nadzwyczajnym. To odkrycie ma usprawiedliwić wszystkie dotychczasowe wydatki i błędy NASA? Co ten Herney sobie myśli? Wprawdzie meteoryty zaliczają się do najrzadszych skał na Ziemi, ale NASA znajduje je przez cały czas.

— Ten meteoryt jest jednym z największych, jakie kiedykolwiek znaleziono — wyjaśnił Ekstrom, stając przed nią. — Jesteśmy przekonani, że stanowi fragment większego, który w siedemnastym wieku wpadł do Oceanu Arktycznego. Najprawdopodobniej ta skała została odszczepiona w momencie zderzenia z oceanem, wylądowała na Lodowcu Milne'a i została pogrzebana przez śnieg.

Rachel ściągnęła brwi. To odkrycie niczego nie zmieniało. Narastało w niej podejrzenie, że jest świadkiem karkołomnego chwytu reklamowego wymyślonego przez zdesperowaną NASA i Biały Dom — dwie walczące o uznanie instytucje, próbujące wynieść przeciętne znalezisko do rangi epokowego zwycięstwa NASA.

— Nie zrobiło to na pani większego wrażenia — zauważył Ekstrom.

— Chyba spodziewałam się czegoś... innego.

Ekstrom zmrużył oczy.

— Meteoryt tej wielkości jest rzadkością, pani Sexton. Na świecie jest tylko kilka większych.

— Zdaję sobie sprawę...

— Ale nie wielkość meteorytu zaintrygowała nas najbardziej.

Rachel podniosła głowę.

— Jeśli pozwoli mi pani dokończyć, dowie się pani, że ten meteoryt ma zdumiewające cechy, niespotykane w żadnym innym meteorycie. Wielkim czy małym. — Wskazał w głąb korytarza. — Jeśli pójdzie pani ze mną, przedstawię pani kogoś, kto ma lepsze kwalifikacje, żeby dyskutować o tym znalezisku.

Rachel była zbita z tropu.

— Lepsze kwalifikacje niż administrator NASA?

Ekstrom skierował na nią swoje nordyckie oczy.

— Lepsze kwalifikacje o tyle, że jest cywilem. Ponieważ profesjonalnie zajmuje się pani analizowaniem danych, założyłem, że woli pani otrzymać informacje z bezstronnego źródła.

No właśnie. Rachel dała za wygraną.

Poszła za administratorem wąskim korytarzem kończącym się ciężką, czarną zasłoną, za której dobiegał wibrujący pomruk licznych głosów, brzmiących tak, jakby dochodziły z otwartej przestrzeni.

Administrator bez słowa wyciągnął rękę i odsunął zasłonę. Rachel zamrugała, oślepiona jaskrawym światłem. Z wahaniem zrobiła krok do przodu, mrużąc oczy. Po chwili zobaczyła wielkie pomieszczenie i westchnęła z podziwu.

— Mój Boże — szepnęła. Co to za miejsce?

Rozdział 20

Studio CNN pod Waszyngtonem jest jednym z dwustu dwunastu rozsianych po całym świecie, łączącym się za pośrednictwem satelity z centralą Turner Broadcasting System w Atlancie.

Była za kwadrans druga, gdy limuzyna senatora Sedgewicka Sextona wjechała na parking. Sexton był zadowolony z siebie, idąc z Gabrielle w kierunku wejścia. Przywitał ich brzuchaty realizator CNN.

— Senatorze Sexton, witamy — powiedział z przesadnie szerokim uśmiechem. — Mam wspaniałe wieści. Właśnie dowiedzieliśmy się, kto będzie pańskim sparingpartnerem. — Jego uśmiech nie wróżył niczego dobrego. — Mam nadzieję, że jest pan gotów do ostrej gry. — Wskazał studio za szybą.

Sexton spojrzał i z trudem zachował spokój. Przez mgiełkę dymu papierosowego patrzyła na niego najbrzydsza osoba w świecie polityki.

— Marjorie Tench?! — wykrzyknęła Gabrielle. — Do licha, co ona tutaj robi?

Sexton nie miał pojęcia, ale niezależnie od powodu, jej obecność była fantastyczną wiadomością, oczywistym znakiem, że prezydent czuje się osaczony. Gdyby było inaczej, czy posyłałby swojego starszego doradcę na pierwszą linię? Prezydent Zach Herney wytoczył największe działa. Sexton z zadowoleniem przyjął wyzwanie.

Im groźniejszy wróg, tym boleśniej upada.

Dobrze wiedział, że Tench jest szczwanym przeciwnikiem, ale patrząc na nią teraz, pomyślał, iż prezydent popełnił poważny błąd. Marjorie Tench wyglądała koszmarnie. Siedziała zgarbiona na krześle, paląc papierosa, jej prawa ręka podnosiła się do ust i opadała leniwie, jakby była posilającą się modliszką.

Jezu, pomyślał Sexton, ktoś z taką gębą powinien ograniczać swoje występy do radia.

Ilekroć w jakimś czasopiśmie natykał się na zdjęcie tego żółtawego oblicza, nie mógł uwierzyć, że należy ono do jednej z najpotężniejszych osób w Waszyngtonie.

— To mi się nie podoba — szepnęła Gabrielle.

Sexton ledwo ją usłyszał. Im dłużej analizował sytuację, tym bardziej był niezadowolony. Jeszcze lepsze od mało medialnej twarzy Marjorie Tench było jej stanowisko w jednej zasadniczej kwestii: starszy doradca Białego Domu głosiła wszem wobec, że jedynie przewaga technologiczna może zapewnić Ameryce wiodącą rolę w świecie. Była gorącym zwolennikiem rządowych programów badawczo-rozwojowych i co ważniejsze NASA. Wielu uważało, iż to jej zakulisowe naciski sprawiają, że prezydent tak zdecydowanie popiera upadającą agencję kosmiczną.

Sexton zastanawiał się, czy przypadkiem prezydent nie chce ukarać Tench za złe doradztwo w kwestii popierania NASA. Czyżby rzucał swojego starszego doradcę wilkom na pożarcie?

Gabrielle Ashe patrzyła przez szybę na Marjorie Tench i czuła narastający niepokój. Ta kobieta jest cwana jak wszyscy diabli, a jej obecność to ogromna niespodzianka. Te dwa fakty budziły podejrzenia. Biorąc pod uwagę poglądy Tench na sprawę NASA, prezydent nie powinien wysyłać jej na spotkanie z senatorem Sextonem. Czyżby ktoś źle mu doradził? Jednak prezydent z pewnością nie jest głupcem. Coś jej mówiło, że ta debata oznacza złe wieści.

Wyczuwała, że senator już się ślini na myśl o zwycięstwie w debacie, co wcale nie zmniejszało jej zaniepokojenia. Sexton miał zwyczaj szarżować, kiedy nabierał zbytniej pewności siebie. Kwestia NASA jest mile widziana jako czynnik podnoszący notowania, ale ostatnio Sexton naciskał zbyt mocno. Wiele kampanii skończyło się fiaskiem, bo kandydat dążył do nokautu, podczas gdy wystarczyło wytrwać do końca rundy.

Realizator chyba nie mógł się doczekać krwawego starcia.

— Proszę tędy, senatorze.

Gdy Sexton szedł do studia, Gabrielle złapała go za rękaw.

— Wiem, co myślisz — szepnęła. — Ale bądź rozsądny. Nie popadaj w przesadę.

— W przesadę? Ja? — Senator uśmiechnął się szeroko.

— Pamiętaj, ta kobieta jest bardzo dobra w tym, co robi.

— Ja również — szepnął Sexton ze znaczącym uśmiechem.

Rozdział 21

Olbrzymia habisfera NASA wyglądałaby dziwnie w dowolnym miejscu na Ziemi, ale tutaj, na arktycznym lodowcu, szczególnie trudno było pogodzić się z faktem jej istnienia.

Patrząc w górę na futurystyczną kopułę zbudowaną z białych trójkątnych poduszek, Rachel czuła się jak w kolosalnej izolatce. Ściany schodziły do lodowej podłogi otoczonej rzędami jasnych lamp halogenowych, które wypełniały całą komorę efemerycznym blaskiem.

Po lodowej podłodze, wśród roboczych stanowisk naukowców, wiły się czarne piankowe chodniki. Aparaturę obsługiwało trzydziestu lub czterdziestu ubranych na biało pracowników NASA, rozmawiających między sobą z podnieceniem. Rachel natychmiast zorientowała się, co wisi w powietrzu.

Entuzjazm towarzyszący nowemu odkryciu.

Gdy wraz z administratorem okrążała główną komorę, zauważyła zaskoczone, nieprzyjazne spojrzenia tych, którzy ją rozpoznali. Ich szepty niosły się wyraźnie dzięki pogłosowi.

Czy to córka senatora Sextona?

Do licha, co ona tu robi?

Wierzyć się nie chce, że Ekstrom z nią rozmawia!

Rachel niemal spodziewała się, że zobaczy rozwieszone wszędzie lalki wudu wyobrażające jej ojca. Ale wrogość nie była jedyną emocją. Wyraźnie wyczuwała zadowolenie — jak gdyby pracownicy NASA dobrze wiedzieli, kto będzie śmiał się ostatni.

Administrator prowadził ją w kierunku stołu, przy którym siedział mężczyzna. W odróżnieniu od jednakowo ubranych pracowników NASA, miał na sobie czarny golf, grube sztruksy i ciężkie buty. Siedział plecami do wszystkich.

Ekstrom poprosił ją, żeby zaczekała, a sam poszedł, by porozmawiać z nieznajomym. Po chwili mężczyzna w golfie przyjaźnie pokiwał głową i wyłączył komputer. Administrator wrócił.

— Pan Tolland zajmie się panią. Jest jednym z rekrutów prezydenta, więc powinniście się dogadać. Dołączę do was później.

— Dziękuję.

— Przypuszczam, że słyszała pani o Michaelu Tollandzie?

Rachel wzruszyła ramionami, wciąż skupiona na rozglądaniu się po tym niewiarygodnym pomieszczeniu.

— Nazwisko nic mi nie mówi.

Mężczyzna w golfie podszedł do nich z uśmiechem.

— Nic nie mówi? — Głos miał dźwięczny i życzliwy. — To najlepsza wiadomość dnia. Chociaż raz będę miał okazję zrobić pierwsze wrażenie.

Rachel popatrzyła na niego i wrosła w ziemię. W jednaj chwili rozpoznała przystojną twarz. Znali ją wszyscy w Ameryce.

— O rany — jęknęła i zarumieniła się, podając mężczyźnie rękę. — Ten Michael Tolland.

Kiedy prezydent powiedział, że w celu zweryfikowania odkrycia NASA zwerbował pierwszorzędnych naukowców, Rachel wyobraziła sobie pomarszczonych jajogłowych wyposażonych w kalkulatory z monogramami. Michael Tolland stanowił antytezę tego wyobrażenia. Będąc jedną z największych „medialnych sław naukowych" w Ameryce, prowadził cotygodniowy program dokumentalny *Niezwykły świat oceanów* i przybliżał telewidzom wiedzę o groźnych zjawiskach oceanicznych, takich jak erupcje podwodnych wulkanów czy zabójcze fale tsunami. Opowiadał także o interesującej faunie, na przykład trzymetrowych pierścienicach. Media nazywały Tollanda skrzyżowaniem Jacques'a Cousteau z Carlem Saganem, wychwalając jego erudycję, bezpretensjonalny entuzjazm, żądzę przygód oraz formułę, która wyniosła *Niezwykły świat* na szczyty oglądalności. Oczywiście, przyznawała większość krytyków, surowa męska uroda i nienarzucająca się charyzma prawdopodobnie nie szkodziły odbiorowi jego osoby przez żeńską część widowni.

— Panie Tolland... — powiedziała Rachel, lekko się zacinając — jestem Rachel Sexton.

Tolland miał miły, asymetryczny uśmiech.

— Cześć, Rachel. Mów mi Mike.

Rachel, co było dość nietypowe, nie mogła wykrztusić słowa. Za dużo wrażeń... habisfera, meteoryt, tajemnice, niespodziewane spotkanie z gwiazdą telewizyjną.

— Jestem zaskoczona — przyznała, próbując odzyskać równowagę. — Kiedy prezydent powiedział mi, że zwerbował niezależnych naukowców do uwierzytelnienia odkrycia NASA, spodziewałam się chyba... — Zawahała się.

— Naukowców z prawdziwego zdarzenia? — Tolland uśmiechnął się szeroko.

Rachel oblała się rumieńcem.

— Nie to miałam na myśli.

— Nie przejmuj się. Ciągle to słyszę, odkąd tu jestem.

Administrator przeprosił i odszedł, obiecując spotkać się z nimi później. Tolland z zaciekawieniem popatrzył na Rachel.

— Administrator powiedział, że jesteś córką senatora Sextona.

Przytaknęła. Niestety.

— Jego szpiegiem za liniami wroga?

— Front nie zawsze przebiega tam, gdzie się wydaje.

Zapadło krępujące milczenie. Rachel szybko je przerwała:

— Powiedz mi, co oceanograf o światowej sławie robi na lodowcu z gromadą speców rakietowych NASA?

Tolland zaśmiał się.

— Szczerze mówiąc, pewien facet ogromnie podobny do prezydenta poprosił mnie o przysługę. Już otworzyłem usta, żeby posłać go do diabła, ale zamiast tego wyrwało mi się: „Tak jest, oczywiście".

Rachel roześmiała się po raz pierwszy tego dnia.

— Witamy w klubie.

Choć większość znanych z telewizji sław w rzeczywistości była niższa niż na ekranie, Rachel pomyślała, że Michael Tolland wydaje się wyższy. Jego brązowe oczy były tak samo żywe i pełne pasji jak w telewizji, a w ciepłym głosie pobrzmiewał niekłamany entuzjazm. Ogorzały i wysportowany czterdziestopięciolatek, miał proste czarne włosy, które opadały niesforną grzywką na czoło. Jego zdecydowanie zarysowana szczęka i swobodne ruchy świadczyły o dużej pewności siebie. Kiedy wymieniali uścisk dłoni, szorstka, stwardniała ręka przypomniała Rachel, że Tolland nie jest typową „miękką" gwiazdą, lecz znakomitym żeglarzem i badaczem pracującym w terenie.

— Sądzę, że zostałem zwerbowany nie tyle z uwagi na wiedzę, ile na medialność — przyznał skromnie. — Prezydent poprosił, żebym nakręcił film dokumentalny.

— Film dokumentalny? O meteorycie? Przecież jesteś oceanografem.

— To samo mu powiedziałem! Odparł, że nie zna żadnych dokumentalistów meteorytowych, a mój udział pomoże uwiarygodnić odkrycie. Najwyraźniej zamierza pokazać dokument na dzisiejszej wielkiej konferencji prasowej.

Sławny rzecznik. Rachel rozgryzła sprytny polityczny manewr Zacha Herneya. NASA często była oskarżana o brak kontaktu ze społeczeństwem. Nie tym razem. Wciągnęli mistrza komunikatywności, zwerbowali osobę, którą Amerykanie znają i której ufają, gdy chodzi o naukę.

Tolland wskazał na drugą stronę kopuły, gdzie urządzono kącik telewizyjny z niebieskim dywanem, kamerami, światłami, długim stołem z kilkoma mikrofonami. W tle ktoś powiesił wielką amerykańską flagę.

— To na wieczór — wyjaśnił. — Administrator NASA i kilku czołowych naukowców połączy się przez satelitę z Białym Domem. W ten sposób będą mogli uczestniczyć w wieczornym wystąpieniu prezydenta.

I słusznie, pomyślała Rachel, zadowolona, że Zach Herney nie ma zamiaru pominąć NASA.

— W takim razie — powiedziała z westchnieniem — czy ktoś w końcu mnie oświeci, dlaczego ten meteoryt jest taki wyjątkowy?

Tolland uniósł brwi i uśmiechnął się tajemniczo.

— Prawdę mówiąc, lepiej zobaczyć to na własne oczy, niż słuchać wyjaśnień. — Poprowadził ją do sąsiedniego stanowiska roboczego. — Ten facet ma mnóstwo próbek, które może ci pokazać.

— Próbek? Naprawdę macie próbki?

— Jasne. Pobraliśmy ich całkiem sporo. To właśnie próbki rdzeniowe uświadomiły NASA znaczenie tego znaleziska.

Niepewna, czego się spodziewać, Rachel podeszła z Tollandem

do stanowiska. Nikogo przy nim nie było. Na biurku zarzuconym próbkami skał, suwmiarkami i sprzętem diagnostycznym stał kubek kawy. Kawa parowała.

— Marlinson! — zawołał Tolland, rozglądając się. Bez odpowiedzi. Westchnął i odwrócił się do Rachel. — Pewnie zabłądził, szukając śmietanki do kawy. Studiowałem z nim w Princeton. Mówię ci, ten facet potrafił zgubić się we własnym akademiku. Teraz ma medal za pracę naukową w dziedzinie astrofizyki, wyobrażasz sobie?

Rachel się zastanowiła.

— Marlinson? Nie chodzi ci przypadkiem o tego sławnego Corky'ego Marlinsona?

Tolland się roześmiał.

— W rzeczy samej.

— Corky Marlinson jest tutaj? — Rachel nie posiadała się ze zdumienia. Jego koncepcje dotyczące pól grawitacyjnych stały się legendą wśród inżynierów satelitarnych NRO. — Marlinson jest jednym z cywilnych rekrutów prezydenta?

— Tak, naukowcem z prawdziwego zdarzenia.

Trafne określenie, pomyślała. Corky Marlinson jest błyskotliwy i szanowany jak mało kto.

— Niesamowity paradoks w jego przypadku polega na tym — mówił Tolland — że może podać ci w milimetrach odległość do Alfa Centauri, ale nie umie zawiązać sobie krawata.

— Noszę przypinane! — burknął ktoś nosowym, dobrodusznym głosem. — Sprawność jest ważniejsza niż styl, Mike. Wy, hollywoodzkie typy, tego nie rozumiecie.

Odwrócili się. Zza wielkiej sterty sprzętu elektronicznego wyłonił się niski, łysiejący grubasek o wyłupiastych oczach mopsa. Na widok Rachel stanął jak wryty.

— Jezu Chryste, Mike! Ty nawet na pieprzonym biegunie potrafisz przygruchać sobie wystrzałową babkę! Wiedziałem, że powinienem iść do telewizji.

Michael Tolland był wyraźnie zakłopotany.

— Pani Sexton, proszę wybaczyć doktorowi Marlinsonowi. Braki w wychowaniu nadrabia przypadkowymi strzępami absolutnie bezużytecznej wiedzy o wszechświecie.

Corky podszedł do nich.

— Miło panią poznać. Nie dosłyszałem nazwiska.

— Sexton. Rachel Sexton.

— Sexton? — Corky westchnął żartobliwie. — Mam nadzieję, że nie jest pani spokrewniona z tym krótkowzrocznym zdemoralizowanym politykierem?

Tolland się skrzywił.

— Corky, senator Sexton jest ojcem Rachel.

Corky przestał się śmiać i oklapł jak przekłuty balon.

— Wiesz, Mike, nic dziwnego, że nie mam powodzenia u kobiet.

Rozdział 22

Sławny astrofizyk Corky Marlinson podprowadził Rachel i Tollanda do stołu. Zaczął przekładać narzędzia i próbki skał. Poruszał się jak mocno skręcona sprężyna, gotowa rozwinąć się w każdej chwili.

— No dobra — zaczął głosem drżącym z podniecenia. — Pani Sexton, zaraz wysłucha pani trzydziestosekundowego wykładu o meteorytach w wykonaniu Corky'ego Marlinsona.

Tolland mrugnął do Rachel, jakby chciał powiedzieć: „cierpliwości".

— Musisz to jakoś wytrzymać. Ten facet naprawdę chciał zostać aktorem.

— Tak, a Mike szanowanym naukowcem. — Corky pogrzebał w pudełku po butach, wyjął trzy niewielkie kawałki skał i ułożył je na biurku. — To trzy główne rodzaje meteorytów.

Rachel popatrzyła na próbki, nieregularne sferoidy wielkości piłek golfowych. Każda została przecięta na pół, żeby widać było przekrój.

— Meteoryty różnią się pod względem ilości stopów niklowo-żelazowych, krzemianów i siarczków — mówił Corky. — Klasyfikujemy je na podstawie stosunku metali do krzemianów.

Rachel przeczuwała, że wykład Corky'ego Marlinsona potrwa znacznie dłużej niż trzydzieści sekund.

— Ta pierwsza próbka... — Wskazał lśniący, czarny jak smoła kamień. — Meteoryt żelazny. Bardzo ciężki gość. Wylądował na Antarktyce kilka lat temu.

Rachel przyjrzała się meteorytowi. Zdecydowanie wyglądał na

obiekt nie z tego świata — gruda ciężkiego szarawego żelaza ze spaloną, poczerniałą powłoką.

— Ta osmalona zewnętrzna warstwa zwana jest skorupą obtopieniową — wyjaśnił Corky. — Powstaje wskutek działania wysokich temperatur, gdy meteor przechodzi przez atmosferę. Wszystkie meteoryty wykazują obecność takiego obtopienia. — Przeszedł do następnej próbki. — A tutaj mamy meteoryt żelazno-kamienny.

Rachel przyjrzała się próbce. Ta również była przyczerniona, miała jednak zielonkawe zabarwienie, a przekrój przypominał kalejdoskopową układankę z kolorowych, kanciastych kryształów.

— Ładne — mruknęła.

— Ładne? Olśniewające! — Corky mówił przez minutę o wysokiej zawartości oliwinu, który nadał meteorytowi zielonkawy połysk, a potem dramatycznym gestem sięgnął po trzecią próbkę.

Trzymała w dłoni ostatni meteoryt. Ten był szarawobrązowy, podobny do granitu, ale trochę cięższy. Jedynie ciemna skorupa obtopieniowa wskazywała, że nie jest zwyczajnym kamieniem.

— To meteoryt kamienny — wyjaśnił Corky. — Najpospolitszy rodzaj. Do tej kategorii należy ponad dziewięćdziesiąt procent meteorytów znajdowanych na Ziemi.

Rachel była zaskoczona. Zawsze myślała, że wszystkie meteoryty są podobne do pierwszej próbki — metaliczne, obłe grudy, obce już na pierwszy rzut oka. Kamień w jej ręku wcale nie wyglądał na przybysza z kosmosu. Pomijając spaloną powierzchnię, przypominał otoczaka, na którego mogłaby nastąpić na plaży.

Oczy Corky'ego zaokrągliły się z podniecenia.

— Meteoryt pogrzebany w Lodowcu Milne'a jest kamienny, podobny do tego, który pani trzyma. Kamienne meteoryty są niemal identyczne z ziemskimi skałami magmowymi, co sprawia, że trudno je wypatrzyć. Zwykle tworzy je mieszanina lekkich krzemianów — skalenie, oliwin, pirokseny. Nic ekscytującego.

Też tak sądzę, pomyślała Rachel, oddając mu próbkę.

— Wygląda jak kamień przypalony w palenisku.

Corky parsknął śmiechem.

— Nie byle jakim palenisku! Największy wielki piec zbudowany przez człowieka nawet w przybliżeniu nie wytwarza ciepła, które oddziałuje na meteoroidy wchodzące w naszą atmosferę. To dla nich piekło!

Tolland obdarzył Rachel współczującym uśmiechem.

— Teraz będzie najlepsze.

— Proszę sobie wyobrazić... — ciągnął Corky, biorąc próbkę z jej ręki — proszę sobie wyobrazić, że ten kamyk jest wielkości domu. — Podniósł próbkę nad głowę. — Dobra... jest w kosmosie... leci przez nasz Układ Słoneczny... schłodzony do minus stu stopni Celsjusza.

Tolland zaśmiał się pod nosem. Najwyraźniej już widział odtworzone przez Corky'ego przybycie meteorytu na Wyspę Ellesmere'a.

Corky zaczął opuszczać próbkę.

— Nasz meteor leci w kierunku Ziemi... ściąga go nasza grawitacja... przyspiesza... przyspiesza...

Rachel patrzyła, jak Corky zwiększa prędkość lotu próbki, naśladując przyspieszenie nadawane przez grawitację.

— Teraz pędzi naprawdę szybko! — krzyczał Corky. — Ponad piętnaście kilometrów na sekundę, niemal sześćdziesiąt tysięcy kilometrów na godzinę! Sto trzydzieści pięć kilometrów nad powierzchnią Ziemi wchodzi w atmosferę i podlega działaniu sił tarcia. — Mocno potrząsał próbką, opuszczając ją w kierunku lodu. — Na wysokości stu kilometrów zaczyna się żarzyć! Gęstość atmosfery wzrasta, tarcie jest niewiarygodne. Powietrze wokół meteoroidu rozjarza się, gdy ciepło topi powierzchnię. — Corky wzbogacił narrację o efekty dźwiękowe, sycząc i skwiercząc. — Mija wysokość osiemdziesięciu kilometrów, powierzchnia nagrzewa się do ponad tysiąca ośmiuset stopni Celsjusza!

Rachel patrzyła z niedowierzaniem, jak wybrany przez prezydenta, wyróżniony medalem astrofizyk jeszcze mocniej potrząsa meteorytem, radośnie posykując i parskając.

— Sześćdziesiąt kilometrów! — krzyknął. — Nasz meteoroid zderza się z murem atmosferycznym. Powietrze jest zbyt gęste! Gwałtownie o trzysta razy zmniejsza prędkość. — Corky zapiszczał jak hamujący samochód i dramatycznie spowolnił opadanie. — Meteor błyskawicznie stygnie i przestaje się żarzyć. Tracimy go z oczu. Powierzchnia twardnieje, płynny materiał zastyga w skorupę obtopieniową.

Rachel usłyszała jęk Tollanda, gdy Corky ukląkł na lodzie, żeby wykonać *coup de grâce* — zderzenie z powierzchnią Ziemi.

— Teraz nasz wielki meteoryt mknie przez dolną warstwę atmosfery... — Klęcząc, Corky opuszczał skałę ukosem. — Leci w stronę Oceanu Arktycznego... schodzi pod niewielkim kątem... opada... wygląda na to, że przeskoczy nad oceanem... opada... i... — Dotknął próbką lodu. — BUM!

Rachel podskoczyła.

— Zderzenie jest katastrofalne! Meteoryt eksploduje. Oderwane fragmenty koziołkują nad wodą. — Corky w zwolnionym tempie obracał próbkę, przenosząc ją nad niewidzialnym oceanem w kierunku stóp Rachel. — Jeden kawałek szybuje ku Wyspie Ellesmere'a... — Przysunął próbkę do jej nogi. — Przemyka nad oceanem, spada na ląd... — Przetoczył próbkę po czubku buta i wturlał na podbicie, blisko kostki. — Wreszcie spoczywa wysoko na Lodowcu Milne'a, gdzie szybko przykrywa go śnieg i lód, chroniąc przed erozją.

Rachel zaśmiała się z uznaniem.

— Doktorze Marlinson, wyjaśnienie było nadzwyczaj...

— Obrazowe? — podsunął Corky.

Uśmiechnęła się.

— Można tak powiedzieć.

Corky podał jej próbkę.

— Proszę spojrzeć na przekrój.

Rachel przez chwilę przyglądała się wnętrzu skały, nie widząc niczego niezwykłego.

— Nachyl w stronę światła — podpowiedział Tolland ciepłym, życzliwym głosem. — I przyjrzyj się z bliska.

Rachel podniosła skałę do oczu i nachyliła ją w stronę jaskrawych halogenów płonących pod sklepieniem. Zobaczyła tuziny maleńkich metalicznych kuleczek. Miały około milimetra średnicy i lśniły jak kropelki rtęci.

— Te małe bąbelki zwane są chondrami — wyjaśnił Corky. — Występują wyłącznie w meteorytach.

Rachel zmrużyła oczy, patrząc na kuleczki.

— Zgadza się, nigdy nie widziałam czegoś podobnego w ziemskich skałach.

— I pani nie zobaczy! — oświadczył Corky. — Te struktury geologiczne po prostu nie występują na Ziemi. Niektóre są wyjątkowo stare, być może zbudowane z pierwotnej materii kosmicznej. Inne są znacznie młodsze, jak te w pani ręku. Chondry w tym meteorycie mają tylko około stu dziewięćdziesięciu milionów lat.

— Tylko?

— Jasne! W kategoriach geologicznych powstały zaledwie wczoraj. Ale rzecz w tym, że obecność chondr jednoznacznie świadczy o tym, iż mamy do czynienia z meteorytem.

— W porządku, rozumiem. Chondry przesądzają sprawę.

— Na koniec — Corky westchnął — jeśli nie przekonała pani skorupa obtopieniowa i chondry, my, astronomowie, mamy prosty sposób na potwierdzenie pochodzenia próbki.

— Mianowicie?

Corky nonszalancko wzruszył ramionami.

— Używamy petrograficznego mikroskopu polaryzacyjnego, spektrometru rentgenofluorescencyjnego, analizatora aktywacji neutronowej albo spektrometru do zmierzenia proporcji ferromagnetyków.

Tolland jęknął.

— Teraz się popisuje. Chodzi mu po prostu o analizę składu chemicznego.

— Hej, gwiazdorze! Naukę zostaw naukowcom! — parsknął Corky. Do Rachel zaś powiedział: — Skały ziemskie charakteryzują się albo bardzo wysoką, albo bardzo niską zawartością mineralnego niklu. W meteorytach mamy wartości pośrednie. Tym samym, jeśli procentowy udział niklu mieści się w średnim przedziale, to analizowana próbka jest meteorytem, bez cienia wątpliwości.

Rachel zaczęła się irytować.

— W porządku, panowie, skorupa obtopieniowa, chondry i średnia zawartość niklu świadczą o pozaziemskim pochodzeniu próbki. Rozumiem. — Położyła meteoryt na stole. — Ale co z tego? I co ja tu robię?

Corky westchnął uroczyście.

— Chce pani zobaczyć próbkę meteorytu, który NASA znalazła w lodzie pod nami?

Błagam, zanim tu umrę.

Tym razem Corky sięgnął do kieszeni na piersi i wyjął niewielką kamienną tarczkę. Plasterek skały wielkości płyty CD miał nieco ponad centymetr grubości i pod względem budowy przypominał kamienny meteoryt, który przed chwilą oglądała.

— To fragment próbki rdzeniowej, którą wywierciliśmy wczoraj. — Corky podał jej dysk.

Zdecydowanie nie robił piorunującego wrażenia. Pomarańczowo-biała, ciężka skała, z jednej strony obtopiona i czarna. Najwyraźniej próbka pochodziła z powłoki meteorytu.

— Widzę skorupę obtopieniową — powiedziała Rachel.

Corky pokiwał głową.

— Tak, próbka została pobrana z zewnętrznej warstwy, dlatego jest trochę obtopiona.

Rachel przechyliła dysk do światła i zauważyła maleńkie metaliczne kuleczki.

— Widzę też chondry.

— Dobrze — pochwalił Corky głosem drżącym z podniecenia. — I mogę pani zdradzić, że badanie pod petrograficznym mikroskopem polaryzacyjnym wykazało średnią zawartość niklu, zupełnie inną niż w skałach ziemskich. Gratulacje, dowiodła pani, że skała, którą trzyma pani w dłoni, pochodzi z kosmosu.

Rachel podniosła głowę, skonsternowana.

— Doktorze Marlinson, to meteoryt. Powinien pochodzić z kosmosu. Czyżbym coś przeoczyła?

Corky i Tolland wymienili porozumiewawcze spojrzenia. Tolland położył rękę na jej ramieniu i szepnął:

— Przewróć na drugą stronę.

Rachel przekręciła tarczkę. Przez chwilę jej mózg przetwarzał informacje, jakich dostarczały oczy.

Prawda uderzyła ją jak rozpędzona ciężarówka.

Niemożliwe!, wykrzyknęła w duchu, wiedząc, że jej definicja „niemożliwego" zmieniła się raz na zawsze. W skale tkwiła forma, której obecność w ziemskich skałach nie jest niczym niezwykłym, ale w meteorycie była absolutnie nie do pomyślenia.

— To... — Rachel zająknęła się, nie mogąc wykrztusić słowa. — To... robak! Ten meteoryt zawiera skamielinę jakiegoś robaka!

Tolland i Corky błysnęli promiennymi uśmiechami.

— Witamy na pokładzie — mruknął Corky.

Emocje na chwilę odebrały jej mowę. Nawet w stanie oszołomienia, w jakim trwała, rozumiała, że skamieniałość bezsprzecznie była kiedyś organizmem żywym. Odcisk miał około siedmiu centymetrów długości i wyglądał na brzuszną stronę dużego żuka albo pełzającego owada. Siedem par wieloczłonowych odnóży skupiało się pod ochronnym szkieletem zewnętrznym, podzielonym na segmenty jak pancerz pancernika.

Zakręciło jej się w głowie.

— Owad z kosmosu...

— To równonóg — poprawił Corky. — Owady mają trzy pary odnóży, nie siedem.

Rachel ledwo go słyszała. Z niedowierzaniem przyglądała się skamieniałości.

— Wyraźnie widać — mówił Corky — że pancerz jest segmentowany jak u ziemskiego prosionka, ale dwa wydatne wyrostki na odwłoku upodabniają to stworzenie do psotówki.

Rachel nie słuchała wykładu Corky'ego. Klasyfikacja okazu nie miała absolutnie żadnego znaczenia. Kawałki układanki z hukiem wpadały na swoje miejsca — tajemniczość prezydenta, podekscytowanie NASA...

W meteorycie jest skamieniałość! Nie tylko ślad bakterii czy mikrobów, ale wysoko rozwinięty organizm! Dowód, że gdzieś we wszechświecie istnieje życie!

Rozdział 23

Po dziesięciu minutach debaty senator Sexton zaczął się zastanawiać, dlaczego w ogóle się przejmował. Marjorie Tench okazała się zdecydowanie przecenionym przeciwnikiem. Wbrew reputacji, bardziej przypominała jagnię ofiarne niż bezwzględnego adwersarza.

Zgadza się, na początku rozmowy zyskała przewagę, atakując jego stanowisko antyaborcyjne jako wyraz uprzedzenia do kobiet, ale niedługo potem, zamiast przyprzeć go do muru, popełniła niewybaczalny błąd. Wypytując, jak senator wyobraża sobie poprawienie sytuacji finansowej szkół bez podnoszenia podatków, złośliwie skomentowała jego skłonność do zrzucania winy za wszystko na NASA.

Sexton zamierzał poruszyć ten temat pod koniec debaty, ale Marjorie Tench sama otworzyła mu furtkę. Idiotka!

— Skoro o tym mowa — podchwycił jakby od niechcenia — czy może pani skomentować pogłoski, że NASA niedawno poniosła kolejną porażkę?

Marjorie Tench nawet nie mrugnęła.

— Niestety, nie słyszałam tych pogłosek. — Była nałogową palaczką i głos miała szorstki jak papier ścierny.

— W takim razie bez komentarza?

— Obawiam się, że tak.

Sexton triumfował. W świecie mediów stwierdzenie „bez komentarza" oznacza mniej więcej tyle, co „winny zarzucanych mu czynów".

— Rozumiem. A co z pogłoskami o potajemnym, nadzwyczajnym spotkaniu prezydenta z administratorem NASA?

Tym razem Tench zrobiła zdziwioną minę.

— Nie jestem pewna, do którego spotkania pan nawiązuje. Prezydent odbywa wiele spotkań.

— Oczywiście. — Sexton postanowił przypuścić atak bezpośredni. — Pani Tench, jest pani wielką zwolenniczką agencji kosmicznej, prawda?

Tench westchnęła, jakby zmęczona dyskusjami na temat jego ulubionej kwestii.

— Jestem zwolennikiem technologicznej przewagi Ameryki na świecie, przewagi wojskowej, przemysłowej, wywiadowczej, telekomunikacyjnej. NASA przyczynia się do realizacji tej wizji. Tak, popieram NASA.

Sexton widział, jak w pokoju reżyserskim Gabrielle oczami daje mu znak, żeby się wycofał, ale już czuł smak krwi.

— Jestem ciekaw, szanowna pani, czy to pod pani wpływem prezydent deklaruje poparcie dla tej wyraźnie niedołężniejącej agencji?

Tench pokręciła głową.

— Nie. Prezydent równie mocno jak ja wierzy w NASA. Sam podejmuje decyzje.

Sexton nie wierzył własnym uszom. Właśnie dał Marjorie Tench okazję do częściowego oczyszczenia prezydenta z zarzutów poprzez przyjęcie na siebie odpowiedzialności za finansowanie NASA. Zamiast z niej skorzystać, zrzuciła całą winę na Herneya. „Prezydent sam podejmuje decyzje". Wydawało się, że starszy doradca już próbuje odciąć się od pogrążonej w kłopotach kampanii Herneya. Nic dziwnego. Ostatecznie, kiedy sytuacja się wyklaruje, Marjorie Tench zostanie bez pracy.

Przez kilka minut fechtowali się na słowa. Tench podejmowała słabe próby zmiany tematu, podczas gdy Sexton uparcie drążył kwestię budżetu NASA.

— Senatorze, chce pan obciąć budżet NASA, ale czy ma pan pojęcie, ilu wysoko wykwalifikowanych specjalistów straci pracę?

Sexton o mało nie roześmiał jej się w twarz. Ta baba uchodzi za najmądrzejszą w Waszyngtonie? Najwyraźniej ma nikłe pojęcie o demografii w tym kraju. Paru specjalistów jest niczym w porównaniu z rzeszami ciężko pracujących robotników.

Zaatakował.

— Mówimy o oszczędnościach rzędu miliardów dolarów, Marjorie, i jeśli w konsekwencji gromada naukowców NASA będzie musiała wsiąść do swoich bmw i poszukać roboty gdzie indziej, niech tak będzie. Opowiadam się za poważnym ograniczeniem wydatków.

Marjorie Tench umilkła, jakby ogłuszona tym ostatnim ciosem.

Gospodarz programu nacisnął:

— Pani Tench? Słuchamy.

Starszy doradca odchrząknęła i powiedziała:

— Po prostu zastanawiam się, dlaczego pan Sexton z takim uporem usiłuje przedstawić się nam jako zagorzały przeciwnik NASA.

Sexton zmrużył oczy. Niezła próba, moja pani.

— Nie jestem przeciwnikiem NASA i nie podoba mi się takie zaszufladkowanie. Mówię tylko, że budżet NASA jest przykładem wymykających się spod kontroli wydatków, które aprobuje prezydent. NASA twierdziła, że może zbudować prom kosmiczny za pięć miliardów dolarów; prom kosztuje dwanaście. Twierdziła, że może zbudować stację kosmiczną za osiem miliardów; obecnie koszt wynosi sto miliardów.

— Amerykanie przodują w wielu dziedzinach, ponieważ wysoko stawiamy poprzeczkę i nie rezygnujemy z osiągnięcia celów nawet w ciężkich czasach — zripostowała Tench.

— Uderzanie w nutę dumy narodowej nie robi na mnie wrażenia. NASA w ciągu dwóch lat trzy razy przekroczyła limit i przypełzła do prezydenta z podkulonym ogonem, prosząc o więcej pieniędzy na naprawianie błędów. Czy to jest duma narodowa? Jeśli chce pani mówić o dumie narodowej, porozmawiajmy o dobrych szkołach. Porozmawiajmy o opiece zdrowotnej. Porozmawiajmy o dzieciach dorastających w kraju otwartych możliwości. To jest duma narodowa!

Tench spiorunowała go wzrokiem.

— Czy mogę zapytać o coś wprost, senatorze?

Sexton nie odpowiedział. Czekał.

Kobieta z namysłem wypowiadała słowa, w nagłym przypływie determinacji.

— Senatorze, gdybym powiedziała, że obniżenie budżetu agencji kosmicznej uniemożliwi eksplorację kosmosu, czy optowałby pan za jej likwidacją?

Pytanie uderzyło Sextona jak głaz. Może jednak Tench nie jest taka głupia? Zrobiła mu przykrą niespodziankę. Pytania tego typu mają na celu zmuszenie oponenta do opowiedzenia się po jednej ze stron i jednoznaczne przedstawienie swojego stanowiska.

Sexton odruchowo spróbował zrobić unik.

— Nie mam wątpliwości, że właściwie zarządzana NASA może badać przestrzeń kosmiczną za mniejsze pieniądze niż obecnie...

— Senatorze Sexton, proszę odpowiedzieć na pytanie. Eksploracja kosmosu jest przedsięwzięciem niebezpiecznym i kosztownym. Przypomina budowanie pasażerskiego odrzutowca. Można to robić albo dobrze, albo wcale. Półśrodki nie wchodzą w rachubę, bo ryzyko jest zbyt wielkie. Powtarzam pytanie: Jeśli zostanie pan prezydentem i stanie pan przed decyzją, czy utrzymać budżet NASA na obecnym poziomie, czy też spowodować zamknięcie amerykańskiego programu badań kosmicznych, co pan wybierze?

Cholera. Sexton popatrzył przez szybę na Gabrielle. Jej mina wyrażała to, co już wiedział. Zdeklarowałeś się. Idź dalej. Bez lania wody. Wysoko uniósł brodę.

— Tak... Gdybym miał podjąć taką decyzję, przeniósłbym obecny budżet NASA do systemu szkolnictwa. Postawiłbym nie na kosmos, lecz na przyszłość naszych dzieci.

Na twarzy Marjorie Tench odmalował się szok.

— Jestem wstrząśnięta. Czy dobrze usłyszałam? Jeśli zostanie pan prezydentem, spisze pan na straty narodowy program kosmiczny?

Sexton czuł, jak narasta w nim wrzący gniew. Tench wkładała w jego usta słowa, których nie powiedział. Próbował sparować cios, ale ona mówiła dalej:

— Dla jasności, senatorze, czy chce pan powiedzieć, że zlikwidowałby pan agencję, dzięki której człowiek stanął na Księżycu?

— Mówię, że wyścig kosmiczny dobiegł końca! Czasy się zmieniły. NASA przestała odgrywać ważną rolę w codziennym życiu Amerykanów, my jednak finansujemy ją tak, jakby nadal tak było.

— A zatem według pana kosmos nie jest przyszłością?

— Jest, jak najbardziej, ale NASA to dinozaur! Niech badaniami kosmosu zajmie się sektor prywatny. Amerykańscy podatnicy nie powinni otwierać portfeli za każdym razem, gdy jakiś inżynier z Waszyngtonu chce pstryknąć warte miliard dolarów zdjęcie Jowisza. Amerykanie są zmęczeni sprzedawaniem przyszłości swoich dzieci, żeby utrzymać anachroniczną agencję, która pochłania kolosalne sumy i niewiele daje w zamian!

Tench westchnęła dramatycznie.

— Niewiele? Może, z wyjątkiem programu SETI *, NASA przynosi ogromne zyski.

Sexton nie mógł wyjść ze zdumienia, że wspomniała o SETI. Poważny błąd. Dzięki za przypomnienie. Poszukiwanie inteligencji pozaziemskiej zawsze było finansową studnią bez dna. NASA próbowała poprawić wizerunek programu poprzez przemianowanie go na „Origins" i zmianę niektórych celów, ale to nie zmieniało faktu, że był z góry skazany na niepowodzenie.

Sexton skwapliwie skorzystał z okazji.

— Marjorie, zajmę się SETI wyłącznie dlatego, że pani o tym wspomniała.

Co dziwne, Tench miała niemal zadowoloną minę.

Sexton chrząknął.

— Większość ludzi nie zdaje sobie sprawy, że NASA szuka ET już od trzydziestu pięciu lat. A poszukiwania są bardzo drogie — szeregi anten satelitarnych, ogromne urządzenia nadawczo-odbiorcze, miliony dolarów na pensje dla naukowców, którzy siedzą w ciemności i słuchają pustych taśm. To karygodne marnowanie pieniędzy.

— Mówi pan, że tam w górze niczego nie ma?

— Mówię, że gdyby jakaś inna agencja rządowa w ciągu trzydziestu pięciu lat wydała miliardy dolarów i nie wykazała się żadnymi osiągnięciami, już dawno zostałaby zamknięta. — Sexton umilkł na chwilę dla podkreślenia powagi swojego stwierdzenia. — Myślę, że po trzydziestu pięciu latach bezowocnych poszukiwań dla wszystkich stało się jasne, iż nie znajdziemy życia pozaziemskiego.

— A jeśli się pan myli?

Sexton przewrócił oczami.

— Och, na miłość boską, pani Tench, prędzej mi kaktus na dłoni wyrośnie!

---

* Searching Extraterrestrial Inteligence

Marjorie Tench wbiła w niego żółtawe oczy.

— Zapamiętam, senatorze, co pan powiedział. — Uśmiechnęła się po raz pierwszy. — Myślę, że wszyscy będziemy to pamiętali.

W leżącym dziesięć kilometrów dalej Gabinecie Owalnym prezydent Zach Herney wyłączył telewizor i nalał sobie drinka. Stało się tak, jak obiecała Marjorie Tench: senator Sexton połknął przynętę — łącznie z żyłką i spławikiem.

Rozdział 24

Michael Tolland uśmiechał się ze zrozumieniem, gdy Rachel Sexton w milczeniu wpatrywała się w skamielinę. Na jej pięknej twarzy malowało się bezbrzeżne, niewinne zdumienie — jak u małej dziewczynki, która pierwszy raz zobaczyła Świętego Mikołaja.

Wiem, co czujesz, pomyślał.

Sam przeżył to samo zaledwie czterdzieści osiem godzin temu. Jemu także odjęło mowę. Nawet teraz naukowe i filozoficzne implikacje odkrycia wprawiały go w osłupienie, zmuszając do przemyślenia wszystkiego, co kiedykolwiek sądził o naturze.

W trakcie badań oceanograficznych sam odkrył kilka wcześniej nieznanych gatunków głębinowych, ale ten „kosmiczny robak" stanowił przełom zupełnie innego rodzaju. Na przekór hollywoodzkiej tendencji do przedstawiania istot pozaziemskich jako małych zielonych ludzików, astrobiolodzy i astronomowie amatorzy zgadzali się, że biorąc pod uwagę choćby tylko liczbę i zdolność adaptacyjną ziemskich owadów, życie pozaziemskie — o ile kiedykolwiek zostanie odkryte — prawdopodobnie będzie „robakopodobne".

Owady należą do typu stawonogów — stworzeń posiadających twardy szkielet zewnętrzny i odnóża złożone z członów połączonych stawami. Obejmują ponad milion dwieście pięćdziesiąt tysięcy opisanych gatunków, przy czym możliwe, że pół miliona jeszcze nie zostało sklasyfikowanych i przewyższają liczbą wszystkie inne zwierzęta razem wzięte. Stanowią dziewięćdziesiąt pięć procent gatunków występujących na Ziemi i aż czterdzieści procent biomasy planety.

Wrażenie robi nie tyle obfitość „robaków", ile ich odporność. Od antarktycznego lodowego żuka po pustynnego skorpiona z Doliny Śmierci, żyją one w regionach o skrajnie wysokich i niskich temperaturach, wilgotności, a nawet ciśnieniu. W nadzwyczajnym stopniu opanowały sztukę przetrwania i potrafią przeżyć oddziaływanie najbardziej zabójczej siły we wszechświecie — promieniowania. Po próbie jądrowej przeprowadzonej w 1945 roku oficerowie sił powietrznych włożyli kombinezony ochronne i zbadali punkt zerowy wybuchu. Znaleźli tam karaluchy i mrówki, które zachowywały się tak, jakby nic się nie stało. Astronomowie doszli do przekonania, że ochronny szkielet zewnętrzny czyni stawonoga idealnym kandydatem na mieszkańca niezliczonych planet o wysokim poziomie promieniowania, na których nie mogłoby żyć nic innego.

Wygląda na to, że astrobiolodzy mieli rację, pomyślał Tolland. ET jest stawonogiem.

Rachel miała nogi jak z waty.

— Nie mogę... uwierzyć — wydukała, obracając skamielinę w rękach. — Nigdy nie sądziłam...

— Przetrawiaj to powoli — poradził Tolland z uśmiechem. — Ja ochłonąłem po dwudziestu czterech godzinach.

— Widzę nową twarz — powiedział nietypowo wysoki Azjata, podchodząc do nich.

Wydawało się, że z Corky'ego i Tollanda w jednej chwili uszła para. Magiczna chwila przeminęła.

— Doktor Wailee Ming — przedstawił się przybysz. — Szef paleontologii na Uniwersytecie Kalifornijskim w Los Angeles.

Nosił się z pompatyczną wyniosłością renesansowego arystokraty, stale gładząc niedorzeczną muszkę. Ubrany był w długi do kolan płaszcz z wielbłądziej wełny. Wailee Ming należał do osób, które dbają o prezencję niezależnie od okoliczności.

— Rachel Sexton. — Ręka wciąż jej drżała, gdy potrząsała wypielęgnowaną dłonią mężczyzny. Ming musi być kolejnym cywilnym rekrutem prezydenta.

— Z przyjemnością, pani Sexton, powiem pani wszystko, co chce pani wiedzieć o tych skamielinach — oświadczył.

— I mnóstwo tego, czego nie chce pani wiedzieć — burknął Corky.

Ming musnął muszkę.

— Jako paleontolog specjalizuję się w badaniu wymarłych stawonogów i ptaszników. Najdziwniejszą cechą tego organizmu jest oczywiście to...

— ...że pochodzi z innej planety! — dokończył Corky.

Ming ściągnął brwi i chrząknął.

— Najdziwniejszą cechą tego organizmu jest to, że idealnie pasuje do darwinowskiego systemu taksonomii i klasyfikacji.

Rachel popatrzyła na niego. Mogą to sklasyfikować?

— Chodzi panu o królestwo, typ, gatunek i tak dalej?

— Jak najbardziej. Ten okaz, gdyby został znaleziony na Ziemi, zostałby zaliczony do typu równonogów i do rzędu, który obejmuje około dwóch tysięcy gatunków stonóg.

— Stonoga? — zdumiała się. — Taka duża?

— Taksonomia nie bierze pod uwagę wielkości. Domowe koty i tygrysy są zaliczane do jednej rodziny. Klasyfikacja opiera się między innymi na pokrewieństwie. Ten okaz zdecydowanie jest stonogą. Ma spłaszczone ciało, siedem par odnóży i komorę lęgową, identycznie jak stonoga murowa, psotówka, kulanka i prosionek. Inne skamieliny wykazują bardziej wyspecjalizowane...

— Inne skamieliny?

Ming popatrzył na Corky'ego i Tollanda.

— Ona nie wie?

Tolland pokręcił głową.

Twarz Minga pojaśniała.

— Pani Sexton, nie słyszała pani najlepszego.

— Jest więcej skamieniałości — wtrącił Corky, wyraźnie próbując odebrać Mingowi część poklasku. — Znacznie więcej. — Podniósł dużą szarą kopertę i wyjął złożoną kartkę. Rozłożył ją na biurku przed Rachel. — Po wywierceniu kilku otworów opuściliśmy na dół kamerę rentgenowską. Oto graficzny obraz przekroju.

Rachel spojrzała na wydruk i natychmiast usiadła. Wnętrze meteorytu było usiane tuzinami robaków.

— Skamieniałości paleolityczne zwykle występują w dużych skupiskach — wyjaśnił Ming. — Często zsuwy błotne zabijają organizmy *en masse*, przykrywając gniazda albo całe społeczności.

Corky uśmiechnął się szeroko.

— Uważamy, że kolekcja w meteorycie reprezentuje gniazdo. — Wskazał na wydruku jeden okaz. — To mamusia.

Rachel spojrzała i opadła jej szczęka. Wyglądało na to, że rzeczony okaz ma ponad pół metra długości.

— Wyrośnięta, no nie? — zaśmiał się Corky.

Powoli pokiwała głową. Osłupiała, gdy wyobraziła sobie, że po jakiejś dalekiej planecie wędrują stonogi wielkie jak bochenki chleba.

— Na Ziemi — podjął Ming — stawonogi pozostały stosunkowo małe z powodu grawitacji. Nie urosły większe, bo szkielet zewnętrzny zarywałby się pod własnym ciężarem. Na planecie o mniejszej sile ciążenia mogły osiągnąć znacznie większe rozmiary.

— Wyobraźcie sobie, że opędzacie się od komarów wielkości kondorów — zażartował Corky, biorąc próbkę rdzeniową z rąk Rachel i wsuwając ją do kieszeni.

Ming ściągnął brwi.

— Lepiej tego nie kradnij!

— Nie gorączkuj się — odparł astrofizyk. — Mamy tego osiem ton.

Analityczny umysł Rachel przetwarzał informacje.

— Ale jak życie z kosmosu może być tak bardzo podobne do ziemskiego? Mówicie, że ten okaz pasuje do darwinowskiej klasyfikacji?

— Idealnie — potwierdził Corky. — I niech pani wierzy albo nie, wielu astronomów przepowiedziało, że życie pozaziemskie będzie bardzo podobne do ziemskiego.

— Ale dlaczego? Przecież te organizmy żyły w zupełnie innym środowisku.

— Panspermia. — Corky uśmiechnął się szeroko.

— Słucham?

— Panspermia jest teorią, która mówi, że życie zostało przyniesione na Ziemię z innej planety.

Rachel wstała.

— Nie bardzo rozumiem.

Corky zwrócił się do Tollanda:

— Mike, ty jesteś specem od praoceanów.

Tolland z zadowoleniem przejął pałeczkę.

— Kiedyś na Ziemi nie było życia. Wybuchło nagle, jakby z dnia na dzień. Wielu biologów uważa, że eksplozja życia nastąpiła w wyniku idealnego zmieszania pierwiastków w praoceanie. Ponieważ nikt nie zdołał odtworzyć tego cudu w laboratorium, uczeni religijni przyjęli to za dowód istnienia Boga. Oświadczyli, że życie nie mogłoby zaistnieć, gdyby Bóg nie dotknął praoceanu i nie tchnął w niego życia.

— Ale astronomowie wysunęli inną hipotezę — dodał Corky.

— Panspermia — powtórzyła Rachel, teraz rozumiejąc, o czym mówią. Słyszała wcześniej o tej teorii, choć nie znała jej nazwy. — Teoria mówiąca, że do pierwotnej zupy wpadł meteoryt, przynosząc na Ziemię pierwsze nasiona życia drobnoustrojowego.

— Bingo! — wykrzyknął Corky. — Mikroorganizmy, które uległy perkolacji, w wodzie zbudziły się do życia.

— Jeśli to prawda, pochodzenie ziemskich i pozaziemskich form życia byłoby tożsame.

— Podwójne bingo.

Panspermia, pomyślała Rachel, nadal nie mogąc ogarnąć wszystkich implikacji odkrycia.

— Ta skamieniałość świadczy nie tylko o istnieniu życia gdzieś we wszechświecie, ale praktycznie potwierdza teorię panspermii... że życie na Ziemi pochodzi z kosmosu.

— Potrójne bingo. — Corky z entuzjazmem pokiwał głową. — Formalnie rzecz biorąc, wszyscy możemy być kosmitami. — Przyłożył palce do czoła jak dwie antenki, zrobił zeza i wystawił język.

Tolland uśmiechnął się z politowaniem i popatrzył na Rachel.

— A ten facet jest szczytowym osiągnięciem naszej ewolucji.

Rozdział 25

Rachel Sexton szła przez habisferę jak we śnie. U jej boku kroczył Michael Tolland. Corky i Ming maszerowali tuż za nimi.

— Dobrze się czujesz? — zapytał Tolland.

Rachel spojrzała na niego z nikłym uśmiechem.

— Dzięki, po prostu... za dużo naraz.

Wróciła myślami do niesławnej wpadki NASA z roku 1996. ALH84001, marsjański meteoryt, wedle twierdzeń agencji zawierał skamieniałe ślady życia bakteryjnego. Parę tygodni po triumfalnej konferencji prasowej kilku cywilnych naukowców dowiodło, że skalne „ślady życia" są niczym więcej, jak tylko kerogenem* wytworzonym przez ziemskie zanieczyszczenia. Wiarygodność NASA ogromnie ucierpiała z powodu tej gafy. „New York Times" skorzystał z okazji, żeby prześmiewczo zmienić akronim agencji: NASA — Nadmiernie Ambitne Stowarzyszenie Astronomów.

W tym samym numerze paleobiolog Stephen Jay Gould podsumował problemy z ALH84001 wykazując, że dowód miał charakter chemiczny i dedukcyjny, a nie „konkretny" w rodzaju niebudzącej wątpliwości kości czy muszli.

Teraz jednak Rachel zdała sobie sprawę, że NASA znalazła niezbity dowód. Żaden sceptyczny naukowiec nie mógł zakwestionować tych skamieniałości. Tym razem agencja nie przechwalała się niewyraźnymi powiększonymi zdjęciami rzekomych mikroskopijnych bakterii, lecz oferowała prawdziwe próbki meteorytowe,

* kerogen to substancja przypominająca smołę lub węgiel, znajdowana w postaci rozproszonych, małych wtrąceń w wielu różnych skałach osadowych

w których tkwiły organizmy widoczne gołym okiem. Półmetrowe stonogi!

Rachel uśmiechnęła się na myśl, że w dzieciństwie uwielbiała piosenkę Davida Bowie o „pająkach z Marsa". Nikt wtedy nie mógł nawet przypuszczać, jak bardzo androgyniczna gwiazda brytyjskiej muzyki pop zbliży się do przepowiedzenia największego przełomu w dziedzinie astrobiologii.

Słyszała w głowie dalekie tony piosenki, gdy podbiegł do niej Corky.

— Czy Mike już się pochwalił swoim dokumentem?

— Nie, ale posłucham z przyjemnością — odparła Rachel.

Corky poklepał Tollanda po plecach.

— Śmiało, chłopie. Powiedz jej, dlaczego prezydent uznał, że najważniejsze odkrycie w historii nauki powinno zostać zaprezentowane przez ziemno-wodną gwiazdę telewizyjną.

Tolland jęknął.

— Corky, czy mógłbyś...

— Jasne, zaraz wyjaśnię. — Astrofizyk wcisnął się między nich. — Jak zapewne pani wiadomo, prezydent dziś wieczorem na konferencji prasowej powie światu o meteorycie. Ponieważ ogromna większość populacji świata składa się z półgłówków, poprosił Mike'a o prezentację łopatologiczną.

— Dzięki, Corky — mruknął Tolland. — Ładnie to ująłeś. — Popatrzył na Rachel. — Corky chciał powiedzieć, że prezydent uznał, iż dzięki krótkiemu filmowi dokumentalnemu informacje staną się przystępne dla przeciętnych Amerykanów, z których wielu, co dziwne, nie ma stopni naukowych z astrofizyki.

— Wie pani — rzekł Corky konfidencjonalnie — niedawno się dowiedziałem, że prezydent naszego państwa jest cichym fanem *Niezwykłego świata oceanów.* — Pokręcił głową z udawanym niesmakiem. — Zach Herney, władca wolnego świata, każe swojej sekretarce nagrywać filmy Mike'a, bo dzięki nim odreagowuje po ciężkim dniu.

Tolland wzruszył ramionami.

— Gość ma gust, co ja na to poradzę?

Rachel zaczynała pojmować maestrię planu prezydenta. Polityka jest grą medialną; Rachel potrafiła wyobrazić sobie entuzjazm i wiarygodność, jaką wzbudzi widok twarzy Michaela Tollanda na ekranie w czasie konferencji prasowej. Zach Herney zwerbował idealnego człowieka do rozreklamowania odkrycia NASA. Sceptycy będą mieli kłopot z zakwestionowaniem jego słów, jeśli potwierdzi je naczelna sława naukowa kraju wraz z kilkoma innymi szanowanymi badaczami cywilnymi.

— Mike zarejestrował już na wideo zeznania wszystkich cywilów i większości czołowych specjalistów NASA. Stawiam swój medal, że pani jest następna na liście — powiedział Corky.

Rachel zmierzyła go wzrokiem.

— Ja? O czym pan mówi? Nie mam odpowiednich kwalifikacji. Jestem łącznikiem wywiadu.

— W takim razie dlaczego prezydent panią tu przysłał?

— Jeszcze mi nie powiedział.

Corky uśmiechnął się z rozbawieniem.

— Jest pani łącznikiem wywiadu z Białym Domem, zajmuje się pani analizowaniem i potwierdzaniem informacji, zgadza się?

— Tak, ale nie naukowych.

— I jest pani córką człowieka, który opiera swoją kampanię na krytykowaniu agencji trwoniącej pieniądze w kosmosie?

Rachel już wiedziała, co zaraz usłyszy.

— Musi pani przyznać — wtrącił Ming — że pani oświadczenie nada dokumentowi całkowicie nowy wymiar wiarygodności. Prezydent przysłał tu panią, więc na pewno chce, żeby w jakiś sposób wzięła pani udział w prezentacji.

Rachel wspomniała słowa Williama Pickeringa, który uprzedzał, że prezydent zechce ją wykorzystać.

Tolland spojrzał na zegarek.

— Zbierajmy się — powiedział, wskazując centrum habisfery. — Pewnie już się zbliża.

— Co? — zapytała Rachel.

— Czas wydobycia. NASA wyciąga meteoryt na powierzchnię. Powinien ukazać się lada chwila.

Rachel osłupiała.

— Naprawdę wyciągacie ośmiotonowy kamień spod lodu o grubości sześćdziesięciu metrów?

Corky zrobił triumfującą minę.

— Chyba pani nie sądziła, że NASA pozostawi to znalezisko pod lodem, prawda?

— Nie, ale... — Rachel nie dostrzegła w habisferze śladów

zakrojonych na szeroką skalę wykopalisk. — Do licha, jak NASA zamierza go wyciągnąć?

— To nie problem — parsknął Corky. — Jest pani wśród specjalistów od rakiet!

— Gadanie. — Ming spojrzał na Rachel. — Doktor Marlinson lubi się popisywać. Prawda jest taka, że nie mieliśmy pojęcia, jak wydobyć meteoryt. Autorem rozsądnego rozwiązania jest doktor Mangor.

— Nie znam.

— Glacjolog z uniwersytetu w New Hampshire — wyjaśnił Tolland. — Czwarty i ostatni niezależny naukowiec zwerbowany przez prezydenta. I Ming ma rację. To Mangor jest pomysłodawcą.

— W porządku. Co zaproponował ten facet?

— Facetka — poprawił Ming takim tonem, jakby się w niej durzył. — Doktor Mangor jest kobietą.

— To kwestia dyskusyjna — burknął Corky, patrząc na Rachel. — Nawiasem mówiąc, doktor Mangor od razu panią znienawidzi.

Tolland obrzucił go wściekłym spojrzeniem.

— A żebyś wiedział! — bronił się Corky. — Znienawidzi rywalkę.

Rachel poczuła się zagubiona.

— Słucham? Rywalkę?

— Nie zwracaj na niego uwagi — poradził Tolland. — Na nieszczęście fakt, że Corky jest kompletnym kretynem, jakimś cudem umknął Państwowej Komisji Nauki. Świetnie się dogadacie. Doktor Mangor jest profesjonalistką, jednym z najlepszych glacjologów na świecie. Na parę lat praktycznie przeprowadziła się na Antarktykę, żeby badać ruch lodowców.

— Dziwne — wtrącił Corky. — Słyszałem, że na uniwerku w New Hampshire skwapliwie zgarnęli dotacje i wysłali ją na biegun, żeby mieć trochę spokoju i ciszy w kampusie.

— Zdajesz sobie sprawę, że doktor Mangor omal tam nie zginęła? — warknął Ming, oburzony tym komentarzem. — Zabłądziła w czasie burzy i przez pięć tygodni żywiła się foczym sadłem, zanim ją znaleziono.

Corky szepnął do Rachel:

— Słyszałem, że nikt jej nie szukał.

Rozdział 26

Gabrielle Ashe jazda limuzyną ze studia CNN do biura Sextona bardzo się dłużyła. Senator siedział naprzeciwko niej, wyglądając przez okno, najwyraźniej zadowolony z przebiegu debaty.

— Wysłali Tench do popołudniowego programu w kablówce — powiedział, odwracając uśmiechniętą twarz. — Biały Dom zaczyna panikować.

Gabrielle niezobowiązująco pokiwała głową. Tuż przed odjazdem dostrzegła zadowolenie na twarzy Marjorie Tench. To ją zaniepokoiło.

Zadzwonił telefon komórkowy i Sexton sięgnął do kieszeni. Jak większość polityków, miał hierarchię numerów telefonicznych, pod którymi był dostępny w zależności od rangi tego, kto chciał się z nim skontaktować. Osoba telefonująca w tej chwili zajmowała miejsce na samym początku listy; dzwoniła na prywatny numer, z którego nie śmiała korzystać nawet Gabrielle.

— Senator Sedgewick Sexton — powiedział, akcentując melodyjne brzmienie ciągu słów.

W szumie silnika limuzyny Gabrielle nie słyszała, co mówi rozmówca. Sexton wysłuchał uważnie i odparł z entuzjazmem:

— Fantastycznie. Cieszę się, że pan zadzwonił. O szóstej? Doskonale. Mam apartament w mieście. Prywatny. Wygodny. Zna pan adres, prawda? W porządku. Czekam. Do zobaczenia wieczorem.

Rozłączył się. Wyglądał na zadowolonego z siebie.

— Nowy sympatyk Sextona? — zapytała Gabrielle.

— Mnożą się. Ten facet jest zawodnikiem wagi ciężkiej.

— Nie wątpię. Spotkasz się z nim w mieszkaniu? — Sexton zwykle bronił uświęconej prywatności swojego apartamentu jak lew, któremu pozostała tylko jedna kryjówka.

Wzruszył ramionami.

— Tak. Uznałem, że odrobina domowej atmosfery nie zaszkodzi. Ten facet może zwiększyć przyspieszenie mojej kampanii na ostatniej prostej.

Gabrielle pokiwała głową, wyciągając terminarz.

— Wpisać go?

— Nie ma potrzeby. I tak zamierzałem spędzić wieczór w domu.

Gabrielle znalazła odpowiednią stronę i zobaczyła wypisane przez Sextona wielkie litery „PW". Nikt nie miał pewności, co oznacza skrót — prywatny wieczór, prywatną wizytę czy może pieprzyć wszystkich. Od czasu do czasu senator rezerwował sobie wieczór, żeby zaszyć się w swoim apartamencie, wyłączyć telefony i robić to, co lubił najbardziej — sączyć brandy ze starymi kumplami i udawać, że zapomniał o polityce.

Gabrielle popatrzyła na niego ze zdziwieniem.

— Naprawdę pozwolisz, żeby interesy przeszkodziły ci w z góry zaplanowanym PW? Jestem pod wrażeniem.

— Facet przypadkiem złapał mnie akurat wtedy, kiedy mam trochę wolnego czasu. Poświęcę mu parę minut. Posłucham, co ma do powiedzenia.

Chciała zapytać, kim jest tajemniczy rozmówca, ale Sexton już mówił ogólnikowo. Gabrielle nauczyła się, kiedy nie należy być wścibską.

Gdy zjechali z obwodnicy i skręcili w kierunku senackiego biurowca, zerknęła na terminarz z zaznaczonym PW. Miała dziwne wrażenie, iż Sexton dobrze wiedział, że facet zadzwoni.

Rozdział 27

Na lodzie pośrodku habisfery NASA stał wysoki na pięć i pół metra trójnóg, który wyglądał jak skrzyżowanie wieży wiertniczej z nieudanym modelem wieży Eiffela. Rachel przyjrzała się konstrukcji, nie bardzo wiedząc, jak może zostać użyta do wydobycia ogromnego kamienia.

Pod wieżą, na stalowych płytach przymocowanych do lodu wielkimi bolcami, ustawiono kilka wyciągarek. Stalowe liny przechodziły przez serię bloczków na szczyt wieży, a stamtąd opadały pionowo w dół i nikły w wąskich otworach wywierconych w lodzie. Kilku rosłych pracowników NASA zmieniało się przy kołowrotach. Liny powoli wysuwały się z otworów, jakby ludzie podnosili kotwicę.

Najwyraźniej coś mnie ominęło, pomyślała Rachel, gdy wraz z innymi podeszła do miejsca wydobycia. Wydawało się, że ludzie wyciągają meteoryt bezpośrednio przez lód.

— Równo, do cholery! — W pobliżu rozległ się głos nacechowany wdziękiem piły łańcuchowej.

Rachel zobaczyła niską kobietę w jasnożółtym kombinezonie zabrudzonym smarem. Stała odwrócona plecami, lecz nietrudno było zgadnąć, że to ona dowodzi operacją. Z podkładką do pisania w ręku, chodziła w tę i z powrotem jak wściekły sierżant podczas musztry.

— Tylko mi nie mówcie, panienki, że bolą was rączki!

Corky zawołał:

— Hej, Noro, przestań się wyżywać na tych biednych chłopakach i chodź poflirtować ze mną!

Kobieta nawet się nie obejrzała.

— To ty, Marlinson? Wiedziałam, że skądś znam ten wątły głosik. Zgłoś się, jak wejdziesz w okres dojrzewania.

Corky odwrócił się do Rachel.

— Urok Nory zwala z nóg.

— Słyszałam, astrologu — warknęła doktor Mangor, nie przestając notować. — I jeśli już musisz czepiać się mojego tyłka, to wiedz, że te ciepłe portki dodają piętnaście kilo.

— Nie ma obawy! — krzyknął Corky. — Nie twój mamuci tyłek doprowadza mnie do szaleństwa, tylko ujmujący charakter.

— Spadaj.

Corky znów się roześmiał.

— Mam wspaniałe wieści, Noro. Wygląda na to, że nie jesteś jedyną kobietą zwerbowaną przez prezydenta.

— Nie chrzań. Zwerbował ciebie.

Docinki przerwał Tolland.

— Noro, znajdziesz chwilę, żeby kogoś poznać?

Na dźwięk głosu Tollanda Nora przestała notować i odwróciła się. Jej ton natychmiast złagodniał.

— Mike! — Podeszła do niego z uśmiechem. — Nie widziałam cię od kilku godzin.

— Montowałem dokument.

— Jak wypadłam?

— Mądrze i ślicznie.

— Użył efektów specjalnych — skomentował Corky.

Nora zignorowała tę uwagę, patrząc na Rachel z uprzejmym, choć pełnym rezerwy uśmiechem. Przeniosła spojrzenie na Tollanda.

Jego przystojna twarz zarumieniła się lekko, gdy dokonywał prezentacji.

— Noro, poznaj Rachel Sexton. Pani Sexton pracuje w wywiadzie NRO i przybyła tutaj na prośbę prezydenta. Jest córką senatora Sedgewicka Sextona.

Nora wyglądała na zmieszaną.

— Nie będę udawała, że rozumiem. — Nie zdejmując rękawic, bez entuzjazmu uścisnęła dłoń Rachel. — Witamy na końcu świata.

Rachel uśmiechnęła się.

— Dzięki. — Z zaskoczeniem stwierdziła, że na przekór szorstkiemu głosowi Nora Mangor ma miłą, wesołą twarz. Jej obcięte na chłopaka brązowe włosy przetykane były siwizną, a bystre, przenikliwe oczy przypominały dwa kryształy lodu. Emanująca z nich stalowa pewność siebie spodobała się Rachel.

— Noro, powiesz Rachel, co robisz? — zapytał Tolland.

Nora uniosła brwi.

— Już jesteście po imieniu?

Corky jęknął.

— A nie mówiłem, Mike?

Nora Mangor prowadziła Rachel wokół wieży, a mężczyźni szli za nimi, rozmawiając.

— Widzi pani te otwory pod trójnogiem? — zapytała Nora, wyciągając rękę. Już nie była nadąsaną damą, tylko naukowcem rozkochanym w swojej pracy.

Rachel pokiwała głową, patrząc na dziury w lodzie. Miały około trzydziestu centymetrów średnicy i w każdej z nich niknęła stalowa lina.

— Te dziury pozostały po odwiertach, gdy pobieraliśmy próbki i prześwietlaliśmy meteoryt. Użyliśmy ich do opuszczenia wkrętów z oczkami, które wkręciliśmy w meteoryt. Następnie opuściliśmy do otworów kilkadziesiąt metrów plecionej liny, zaczepiliśmy haki o oczka i teraz wyciągamy kamień na powierzchnię. Te panienki markują robotę od kilku godzin, ale jakoś idzie.

— Nie jestem pewna, czy nadążam — powiedziała Rachel. — Meteoryt jest przykryty tysiącami ton lodu. Jak go podnosicie?

Nora wskazała szczyt rusztowania, skąd spływał pionowo wąski promień czerwonego światła. Rachel zauważyła go wcześniej, ale założyła, że to po prostu wskaźnik znaczący położenie obiektu.

— To półprzewodnikowy laser arsenkowo-galowy.

Rachel przyjrzała się uważniej i zobaczyła, że wiązka światła wnika w głąb lodu przez wytopioną dziurkę.

— Wiązka jest bardzo gorąca — dodała Nora. — Podgrzewamy meteoryt w trakcie podnoszenia.

Rachel była pod wrażeniem, kiedy zrozumiała genialną prostotę planu. Nora po prostu wycelowała laser w dół, przetapiając warstwę lodu. Kamień, zbyt gęsty, by ulec stopieniu, zaczął chłonąć ciepło, aż w końcu rozgrzał się na tyle, że rozpuścił otaczający go lód. Gdy ludzie podciągali gorący meteoryt, lód topił się pod wpływem ciepła i nacisku. Woda spływała wokół kamienia, napełniając wytopiony szyb.

Jak krojenie gorącym nożem kostki zamarzniętego masła.

Nora wskazała obsługę wyciągarek.

— Generatory nie poradzą sobie z takim obciążeniem, więc używam siły ludzkich mięśni.

— Gówno prawda! — warknął jeden z robotników. — Używa siły ludzkich mięśni, bo lubi patrzeć, jak się pocimy!

— Wyluzuj się — odpaliła Nora. — Od dwóch dni narzekaliście na zimno. Znalazłam na to lekarstwo. Kręć, nie pyskuj.

Mężczyźni się roześmieli.

— A to do czego służy? — Rachel wskazała kilka pomarańczowych stożków drogowych stojących wokół wieży w pozornie przypadkowych miejscach. Widziała wiele podobnych w całej kopule.

— To niezwykle ważne narzędzia geologiczne — odparła Nora. — Nazywamy je STASK-ami. To skrót od „stań tutaj, a skręcisz kostkę". — Podniosła stożek, żeby pokazać okrągły otwór, który niczym bezdenna studnia schodził w głąb lodowca. — Lepiej tutaj nie stawać. — Odstawiła stożek. — Zrobiliśmy odwierty, żeby zbadać ciągłość strukturalną lodowca. Jak w archeologii: głębokość zalegania obiektu pomaga określić czas, jaki upłynął od chwili, gdy się tam znalazł. Im większa głębokość, tym dłuższy czas. W przypadku lodu pobieramy próbki rdzeniowe i badamy warstwy, które narosły od czasu zdeponowania. Aby zweryfikować datowanie, wykonujemy odwierty w wielu miejscach. Sprawdzamy, czy lodowiec jest jednolitą płytą, nienaruszoną przez trzęsienia ziemi, własny ruch, lawiny i tym podobne.

— Co może pani powiedzieć o tym lodowcu?

— Jest w idealnym stanie. Jednolita solidna płyta. Nie ma uskoków ani spękań. Ten meteoryt należy do tak zwanych obiektów statycznych. Leżał w lodzie nietknięty i nienaruszony od chwili upadku w roku tysiąc siedemset szesnastym.

— Zna pani dokładny rok? — zdumiała się Rachel.

Nora zrobiła zdziwioną minę.

— Tak, do licha. Dlatego mnie wezwali. Czytam w lodzie jak

w otwartej księdze. — Wskazała leżący niedaleko stos cylindrycznych bloków lodu. Wyglądały jak przezroczyste słupy telefoniczne oznaczone pomarańczowymi plakietkami. — Te rdzenie są zamrożoną dokumentacją geologiczną. — Podprowadziła Rachel do sterty. — Z bliska zobaczy pani warstwowanie.

Rachel przykucnęła i stwierdziła, że słupy składają się z lodowych warstw, różniących się nieznacznie pod względem jasności i przejrzystości. Jedne były cienkie jak papier, inne miały ponad pół centymetra grubości.

— Każda zima przynosi opady śniegu — mówiła Nora — a każda wiosna powoduje częściowe stopienie pokrywy. Co sezon przybywa nowa skompresowana warstwa. Zaczynamy od góry, od ostatniej zimy, i liczymy w dół.

— Jak słoje w pniu drzewa.

— To nie takie proste, pani Sexton. Proszę pamiętać, rdzenie mają łącznie dziesiątki metrów. Musimy odczytywać markery klimatyczne i przeprowadzać badania porównawcze w oparciu o dane dotyczące opadów, zanieczyszczeń atmosferycznych i tak dalej.

Podeszli mężczyźni. Tolland uśmiechnął się do Rachel.

— Sporo wie o lodzie, prawda?

Na jego widok ogarnęła ją dziwna radość.

— Tak, jest cudowna.

— I dla twojej informacji... — Tolland pokiwał głową — datowanie doktor Mangor jest poprawne. NASA podała ten sam rok jeszcze przed naszym przyjazdem. Doktor Mangor wywierciła rdzenie, przeprowadziła własne badania i potwierdziła wyniki NASA.

Rachel była pod wrażeniem.

— Tak się składa, że w tysiąc siedemset szesnastym badacze zauważyli jasną kulę na niebie nad północną Kanadą — dodała Nora. — Od nazwiska kierownika ekspedycji meteor został nazwany Jungersolem.

— Zgodność datowania rdzeniowego z danymi historycznymi jest niezbitym dowodem na to — wtrącił Corky — że patrzymy na fragment tego samego meteorytu, który Jungersol zaobserwował w tysiąc siedemset szesnastym.

— Doktor Mangor! — zawołał jeden z robotników. — Szef mówi, że coś widać!

— Koniec wycieczki, proszę państwa — oznajmiła Nora. — Nadeszła chwila prawdy. — Stanęła na składanym krzesełku i co sił w płucach krzyknęła: — Wyłoni się za pięć minut!

Wszyscy ludzie w kopule, niczym psy Pawłowa reagujące na dzwonek, porzucili dotychczasowe zajęcia i przybiegli do strefy wydobycia.

Nora Mangor podparła się pod boki i rozejrzała dokoła.

— Dobra, podnieśmy tego „Titanica”.

Rozdział 28

— Odsunąć się! — ryknęła Nora, przebijając się przez gęstniejący tłum. Ludzie się rozpierzchli. Nora przejęła kontrolę, z przesadną skrupulatnością sprawdzając kable i ich naprężenie.

— W górę! — wrzasnął jeden z pracowników NASA. Obsługa wyciągarek naprężyła muskuły i z otworów wysunęło się kolejne piętnaście centymetrów kabli.

Rachel czuła, jak tłum centymetr po centymetrze przesuwa się do przodu. Corky i Tolland mieli miny dzieci, które nie mogą się doczekać gwiazdkowych prezentów. Po drugiej stronie otworu stanął administrator NASA, potężnie zbudowany Lawrence Ekstrom.

— Już blisko! — zawołał ktoś. — Widać liny prowadzące!

Stalowe plecionki ustąpiły żółtym łańcuchom.

— Jeszcze metr osiemdziesiąt! Ciągnąć równo!

Wokół rusztowania zapadło pełne skupienia nabożne milczenie, jak na seansie spirytystycznym, gdy wszyscy czekają na pojawienie się ducha i każdy chce zobaczyć go pierwszy.

I Rachel zobaczyła.

Pod coraz cieńszą warstwą lodu zarysowała się mglista forma meteorytu. Cień był podłużny i ciemny, z początku rozmazany. Z każdą chwilą stawał się wyraźniejszy, gdy kamień wędrował w górę, wytapiając lód.

— Mocniej! — krzyknął technik. Robotnicy wytężyli ramiona, rusztowanie zaskrzypiało.

— Jeszcze półtora metra! Pilnować, żeby naprężenie było jednakowe!

Rachel zauważyła, że lód nad kamieniem pęcznieje jak brzuch ciężarnej bestii, która zaraz zacznie rodzić. Rozpuszczał się szybko wokół miejsca rozgrzanego promieniem lasera. Otwór stawał się coraz większy.

— Szyjka macicy się rozszerza! Rozwarcie na dziewięćdziesiąt centymetrów!

Ciszę zmącił nerwowy śmiech.

— Dobra, wyłączyć laser!

Ktoś pstryknął przełącznikiem i promień zgasł.

A potem się stało.

Wielka skała z sykiem przebiła powierzchnię, materializując się w kłębach pary niczym paleolityczny bóg. Obsługa wyciągarek nacisnęła mocniej i nieregularna bryła uwolniła się z lodowych okowów. Zawisła, gorąca i mokra, nad otwartym szybem wypełnionym wrzącą wodą.

Rachel patrzyła jak zahipnotyzowana.

Chropawa powierzchnia lśniła we fluorescencyjnych światłach, przyczerniona i pomarszczona jak ogromna skamieniała śliwka. Z jednej strony skała była gładka i zaokrąglona, najwyraźniej wygładzona przez tarcie w drodze przez atmosferę.

Patrząc na osmaloną skorupę obtopieniową, Rachel niemal widziała meteor mknący ku Ziemi we wściekłej kuli płomieni. Nie do wiary, zdarzyło się to setki lat temu. Dziś okiełznana bestia wisi na linach, ociekając wodą.

Polowanie dobiegło końca.

Dopiero teraz Rachel w pełni zrozumiała dramatyczną wymowę tego wydarzenia; wiszący przed nią obiekt pochodzi z innego świata, odległego zapewne o miliony kilometrów. I zawiera oznaki — nie, dowody — świadczące o tym, że człowiek nie jest sam we wszechświecie.

W jednej chwili wszystkich ogarnęła euforia. Wybuchły spontaniczne okrzyki, rozległy się brawa. Nawet administrator dał się porwać ogólnemu entuzjazmowi. Klepał swoich ludzi po plecach, składał im gratulacje. Rachel cieszyła się z sukcesu NASA. W przeszłości prześladował ich pech. Wreszcie los się odmienił. Zasłużyli na tę chwilę.

Otwór ziejący w lodzie wyglądał teraz jak mały basen głęboki na sześćdziesiąt metrów. Rozkołysana woda jeszcze przez chwilę biła w lodowe ściany. Lustro znajdowało się dobre metr dwadzieścia poniżej krawędzi; różnica wynikała z ubytku meteorytu i właściwości wody, której objętość w stanie ciekłym jest mniejsza niż w stanie stałym.

Nora Mangor natychmiast rozstawiła słupki STASK. Szyb był dobrze widoczny, ale w tym przypadku należało podjąć wszelkie środki ostrożności. Każdy, kto wpadłby do dziury, znalazłby się w poważnych tarapatach. Ściany szybu tworzył idealnie gładki lód i wydostanie się o własnych siłach nie byłoby możliwe.

Lawrence Ekstrom podszedł do Nory Mangor i mocno uścisnął jej rękę.

— Dobra robota, doktor Mangor.

— Spodziewam się pochwał na piśmie — odparła.

— Załatwione. — Administrator odwrócił się do Rachel. Na jego uszczęśliwionej twarzy malowała się ogromna ulga. — I co, pani Sexton, profesjonalny niedowiarek jest przekonany?

Rachel musiała się uśmiechnąć.

— Oszołomiony, to lepsze słowo.

— Dobrze. Proszę ze mną.

Rachel podeszła z administratorem do wielkiej metalowej skrzyni, która przypominała przemysłowy kontener transportowy. Na boku pomalowanym w barwy kamuflujące widniały wypisane z użyciem szablonu litery: PSC *.

— Stąd zadzwoni pani do prezydenta — powiedział Ekstrom.

Przenośny system bezpiecznej łączności, pomyślała Rachel. Takie „budki telefoniczne" były standardowym elementem wyposażenia na polu bitwy, ale nie spodziewała się, że zobaczy jedną z nich w czasie pokojowej misji NASA. Z drugiej strony, za administratorem Ekstromem stoi Pentagon, więc NASA ma dostęp do takich zabawek. Surowe twarze dwóch uzbrojonych strażników świadczyły o tym, że kontakt ze światem zewnętrznym odbywa się wyłącznie za zgodą administratora.

Wygląda na to, że nie tylko ja jestem poza zasięgiem.

Ekstrom zamienił parę słów ze strażnikiem i wrócił do niej.

— Powodzenia — rzucił i odszedł.

---

* Portable Secure Comm

Strażnik zapukał do drzwi. Technik otworzył je od środka i gestem zaprosił Rachel. Weszła za nim do przyczepy.

Wewnątrz było ciemno i duszno. W niebieskawym świetle samotnego monitora dostrzegła półki z aparaturą telefoniczną, radiową i sprzętem łączności satelitarnej. Ciasnota pomieszczenia mogła wpędzić w klaustrofobię. Było zimno jak w piwnicy w środku zimy.

— Proszę usiąść, pani Sexton. — Technik wysunął stołek na kółkach i ustawił go przed ekranem komputera. Gdy usiadła, przysunął mikrofon do jej ust i założył jej na głowę duże słuchawki. Sprawdził hasła w książce kodów i na stojącym w pobliżu urządzeniu wystukał długi ciąg znaków. Na ekranie pojawił się zegar.

00:60 SEKUND.

Technik z zadowoleniem pokiwał głową, gdy zegar zaczął odliczać sekundy.

— Jedna minuta do połączenia. — Odwrócił się i wyszedł, zamykając za sobą drzwi. Rachel usłyszała szczęk zamka.

Cudownie.

Czekając w ciemności i patrząc, jak zegar powoli odlicza sekundy, uświadomiła sobie, że to jej pierwsze chwile prywatności od wczesnego ranka. Obudziła się bez cienia przeczucia, że wydarzy się coś niezwykłego. Życie pozaziemskie. Tego dnia najpopularniejszy mit wszech czasów przestał być mitem.

Rachel zaczęła sobie uświadamiać destrukcyjny wpływ odkrycia meteorytu na kampanię ojca. Choć pod względem politycznym kwestia funduszy NASA nie mogła równać się z prawem do przerywania ciąży czy też opieką socjalną i zdrowotną, ojciec nadał jej taką rangę. A teraz gorzko tego pożałuje.

Za kilka godzin Amerykanie znów poczują dreszcz emocji związany z triumfem NASA. Marzyciele będą płakali z radości, a naukowcy rozdziawią usta ze zdumienia. Dziecięce marzenia się spełnią. Kwestie dolarów i centów zbledną w blasku tej doniosłej chwili. Prezydent odrodzi się niczym Feniks z popiołów i stanie się bohaterem, a w środku tej powszechnej radości atakujący go senator wyda się małostkowym liczykrupą bez krzty amerykańskiego ducha przygody.

Komputer zapiszczał. Rachel podniosła głowę.

00:05 SEKUND.

Ekran zamrugał, ukazało się rozmazane godło Białego Domu. Po chwili jego miejsce zajęła znajoma twarz.

— Cześć, Rachel — powiedział prezydent Herney z figlarnym błyskiem w oku. — Przypuszczam, że miałaś interesujące popołudnie.

Rozdział 29

Biuro senatora Sedgewicka Sextona mieściło się w senackim biurowcu Philipa A. Harta, stojącym przy C Street na północny wschód od Kapitolu. Zdaniem krytyków gmach, złożony z białych prostokątnych brył, bardziej przypominał więzienie niż biurowiec. Wiele pracujących tam osób podzielało tę opnię.

Na drugim piętrze Gabrielle Ashe spacerowała szybko przed terminalem komputerowym. Na ekranie widniała wiadomość. Nie była pewna, co oznacza.

Pierwsze dwie linijki brzmiały zwyczajnie:

SEDGEWICK ZROBIŁ WRAŻENIE W CNN.
MAM DLA CIEBIE WIĘCEJ INFORMACJI.

Gabrielle otrzymywała podobne e-maile od kilku tygodni. Adres nadawcy był fikcyjny, choć zdołała wytropić domenę whitehouse.gov. Wyglądało na to, że tajemniczy informator pochodzi z Białego Domu. Kimkolwiek jest, stał się źródłem wszystkich cennych politycznie informacji, łącznie z tą o tajnym spotkaniu prezydenta z administratorem NASA.

Gabrielle z początku odnosiła się nieufnie do tych e-maili, ale ze zdumieniem stwierdziła, że są prawdziwe i pomocne — tajne informacje dotyczące ogromnych wydatków NASA i kosztów przyszłych misji, dane wskazujące, że program poszukiwania życia pozaziemskiego jest poważnie przeinwestowany i żałośnie bezowocny, a nawet wewnętrzne sondaże przestrzegające, że poruszenie kwestii NASA odbierze głosy prezydentowi.

Aby podnieść swoją wartość w oczach senatora, nie powiadomiła go, że otrzymuje bezinteresowną e-mailową pomoc z Białego Domu. Po prostu przekazywała mu informacje „z pewnego źródła". Sexton okazywał wdzięczność i był zbyt mądry, żeby wypytywać, skąd pochodzą. Wiedziała, że podejrzewa ją o świadczenie usług seksualnych. Jak na złość wydawało się, że wcale go to nie martwi.

Gabrielle przestała spacerować i jeszcze raz popatrzyła na nową wiadomość. Konotacje wszystkich e-maili były jasne: ktoś w Białym Domu chce, żeby senator Sexton wygrał wybory, i pomaga mu poprzez wskazywanie słabych stron NASA.

Ale kto? I dlaczego?

Szczur z tonącego okrętu, osądziła. W Waszyngtonie nie było niczym nadzwyczajnym, gdy przewidujący zmianę władzy pracownik Białego Domu po cichu oferował swoje usługi oczywistemu następcy w nadziei na zachowanie posady. Wyglądało na to, że ktoś postawił na zwycięstwo Sextona i wcześnie kupuje akcje.

Wiadomość widoczna na ekranie działała jej na nerwy. Różniła się od poprzednich. Dwie pierwsze linijki nie budziły zastrzeżeń, ale dwie ostatnie mocno ją strapiły.

WSCHODNIA BRAMA WIZYT, 16:30
PRZYJDŹ SAMA

Informator pierwszy raz poprosił o spotkanie — i to gdzie! Gabrielle spodziewałaby się bardziej dyskretnego miejsca na spotkanie twarzą w twarz. Wschodnia Brama Wizyt? O ile wiedziała, w Waszyngtonie jest tylko jedna taka brama. Przy Białym Domu? Czy to żart?

Nie mogła odpowiedzieć pocztą elektroniczną; jej wiadomości zawsze wracały jako nieodebrane. Konto korespondenta było anonimowe. Nic dziwnego.

Czy mam naradzić się z Sextonem? Szybko zadecydowała, że nie może tego zrobić. Senator jest na zebraniu. Ponadto, gdyby powiedziała mu o tym e-mailu, musiałaby wspomnieć o poprzednich. Uznała, że informator zaproponował jej spotkanie w publicznym miejscu w biały dzień, żeby czuła się bezpiecznie. Pomaga jej od dwóch tygodni. Musi być przyjacielem.

Przeczytała e-mail jeszcze raz i spojrzała na zegarek. Ma godzinę.

Rozdział 30

Administrator NASA uspokoił się, gdy meteoryt został wydobyty z lodu. Wszystko idzie jak z płatka, mówił sobie w drodze do stanowiska Michaela Tollanda. Teraz nic nas nie powstrzyma.

— Jak robota? — zapytał, stając przy naukowcu.

Tolland oderwał oczy od ekranu komputera. Był zmęczony, ale pełen entuzjazmu.

— Montaż prawie skończony. Właśnie wklejam materiał z wydobycia, nakręcony przez pańskich ludzi. Zaraz będzie gotowe.

— To dobrze. — Prezydent prosił o jak najszybsze przesłanie filmu do Białego Domu.

Ekstrom sceptycznie podchodził do udziału Michaela Tollanda w projekcie, ale obrobione z grubsza fragmenty dokumentu, które widział wcześniej, skłoniły go do zmiany zdania. Pełna werwy narracja gwiazdy telewizyjnej w połączeniu z wypowiedziami niezależnych naukowców tworzyła emocjonujący i zrozumiały piętnastominutowy program popularnonaukowy. Tolland bez wysiłku osiągnął to, co często nie udawało się NASA — przedstawił naukowe odkrycie w sposób zrozumiały dla przeciętnie inteligentnego Amerykanina, i to bez nutki protekcjonalności.

— Kiedy pan skończy — powiedział Ekstrom — proszę przynieść film do studia telewizyjnego. Każę przesłać cyfrową kopię do Białego Domu.

— Dobrze. — Tolland wrócił do pracy.

Ekstrom poszedł dalej. Kiedy zjawił się przy północnej ścianie, stwierdził, że „studio telewizyjne" habisfery prezentuje się bardzo ładnie. Na lodzie leżał wielki niebieski dywan, pośrodku stał długi konferencyjny stół z kilkoma mikrofonami, a w tle wisiał emblemat NASA i duża amerykańska flaga. Uwieńczeniem efektu dramatycznego był meteoryt, przyciągnięty na czymś w rodzaju sań i ustawiony na honorowym miejscu, tuż przed stołem.

Ekstrom z zadowoleniem stwierdził, że w studiu panuje radosny nastrój. Jego ludzie tłoczyli się wokół meteorytu jak obozowicze wokół ogniska, przykładając ręce do ciepłego jeszcze kamienia.

Uznał, że to właściwa chwila. Podszedł do tekturowych pudeł stojących na lodzie za studiem. Dziś rano kazał sprowadzić je z Grenlandii.

— Ja stawiam! — ryknął, podając puszki piwa uradowanemu personelowi.

— Hej, szefie! — krzyknął ktoś. — Dzięki! Nawet schłodzone!

Ekstrom błysnął nieczęstym uśmiechem.

— Trzymałem je na lodzie.

Wszyscy się roześmiali.

— Chwileczkę! — zawołał ktoś, łypiąc na swoją puszkę. — To kanadyjskie! Gdzie pański patriotyzm?

— Mamy ograniczone możliwości finansowe, ludzie. To najtańszy browar, jaki mogłem znaleźć.

Przez kopułę przetoczyła się następna fala śmiechu.

— Uwaga, kupujący! — ryknął przez megafon pracownik ekipy telewizyjnej NASA. — Zaraz przechodzimy na oświetlenie studyjne. Możecie doznać czasowej ślepoty.

— Tylko nie całować się po ciemku — wrzasnął ktoś. — To program familijny!

Ekstrom zaśmiał się, zadowolony z tych żartów. Jego ekipa wprowadzała ostatnie poprawki w ustawieniu lamp i reflektorów punktowych.

— Zmiana oświetlenia za pięć, cztery, trzy, dwie...

Gdy gasły halogeny, wnętrze kopuły zaczęło pogrążać się w mroku. Po paru sekundach nie paliła się ani jedna lampa. Zapadły nieprzeniknione ciemności.

Ktoś wrzasnął, udając przerażenie.

— Kto uszczypnął mnie w tyłek? — ryknął inny ze śmiechem.

Po chwili rozbłysły jaskrawe światła. Wszyscy zmrużyli oczy. Przemiana zakończona; północny kwadrant habisfery NASA przeobraził się w prawdziwe studio telewizyjne. Pozostała część kopuły wyglądała teraz jak otwarta na oścież stodoła, oświetlona jedynie przez nikły odblask reflektorów pod stropem. Puste stanowiska robocze rzucały długie cienie.

Ekstrom cofnął się w mrok, zadowolony, że jego zespół nie odstępuje oświetlonego meteorytu. Czuł się jak ojciec, który w Boże Narodzenie patrzy na dzieci bawiące się wokół choinki.

Bóg świadkiem, że na to zasłużyli, pomyślał, nie podejrzewając, jaka katastrofa ich czeka.

Rozdział 31

Pogoda się zmieniała.

Niczym żałobny zwiastun zbliżającej się wojny, wiatr zawył przeraźliwie i zatrząsł mocno schronieniem Delta Force. Delta Jeden skończył mocować dodatkowy tropik i wrócił do swoich partnerów. Przeżyli załamanie pogody już wcześniej. Burza nie powinna trwać długo.

Delta Dwa oglądał przekaz nadawany na żywo przez mikrobota.

— Popatrz na to — mruknął.

Delta Jeden przysunął się. Wnętrze habisfery spowijały ciemności, tylko w północnej części płonęły światła. Cała reszta była ledwo widoczna.

— To nic takiego. Wypróbowują telewizyjne oświetlenie na wieczór.

— Nie chodzi o światło. — Delta Dwa wskazał ciemną plamę na lodzie, wypełniony wodą szyb, z którego wydobyto meteor. — Tutaj jest problem.

Delta Jeden przyjrzał się otworowi. Otaczały go pachołki, powierzchnia wody wyglądała spokojnie.

— Nic nie widzę.

— Spójrz jeszcze raz. — Żołnierz pomanipulował joystickiem, przesuwając mikrobota w kierunku tafli wody.

Gdy Delta Jeden uważniej przyjrzał się ciemnej sadzawce, zobaczył coś, co sprawiło, że się wzdrygnął.

— Co do...

Delta Trzy przysunął się, żeby popatrzeć. On też był wstrząśnięty.

— Mój Boże. To szyb? Czy woda miała się tak zachowywać?

— Nie — odparł Delta Jeden. — Jasne jak słońce, że nie.

Rozdział 32

Choć Rachel Sexton siedziała w wielkim metalowym pudle pięć tysięcy kilometrów od Waszyngtonu, denerwowała się jak przed osobistą wizytą w Białym Domu. Obraz na ekranie wideofonu był krystalicznie czysty. Prezydent Zach Herney siedział w pokoju łączności przed prezydenckim godłem. Cyfrowe połączenie spisywało się idealnie i gdyby nie ledwo dostrzegalne opóźnienie w przekazie, można by sądzić, że rozmówca siedzi w sąsiednim pomieszczeniu.

Rozmowa miała optymistyczny, bezpośredni charakter. Prezydent nie był ani trochę zaskoczony i sprawiał wrażenie zadowolonego z pozytywnej oceny Rachel oraz wyboru zniewalająco przystojnego Michaela Tollanda na prezentera odkrycia NASA. Był w dobrodusznym, żartobliwym nastroju.

— Jestem pewna, że się ze mną zgodzisz — powiedział, poważniejąc. — W idealnym świecie konsekwencje tego odkrycia miałyby charakter wyłącznie naukowy. — Umilkł i pochylił się. Jego twarz wypełniła ekran. — Niestety, nie żyjemy w idealnym świecie i triumf NASA stanie się elementem politycznej gry w chwili, w której go ogłoszę.

— Biorąc pod uwagę dowody i status ludzi je weryfikujących, nie wyobrażam sobie, żeby społeczeństwo czy pańscy przeciwnicy mogli zrobić cokolwiek poza uznaniem odkrycia za fakt.

Herney zaśmiał się smutno.

— Moi polityczni oponenci wierzą w to, co widzą, Rachel. A obawiam się, że to, co zobaczą, wcale im się nie spodoba.

Rachel zwróciła uwagę na ostrożność prezydenta, który ani razu nie wspomniał o jej ojcu. Używał określeń „opozycja” i „przeciwnicy polityczni”.

— Myśli pan, że z powodów politycznych opozycja zacznie krzyczeć o spisku?

— Taka jest natura gry. Wystarczy rzucić cień wątpliwości, wystarczy zasugerować, że odkrycie jest politycznym oszustwem obmyślonym przez NASA i Biały Dom, a stanę przed komisją śledczą. Media zapomną, że NASA znalazła dowód na istnienie życia pozaziemskiego, i skoncentrują się na szukaniu dowodów spisku. Każda insynuacja dotycząca odkrycia będzie niekorzystna dla nauki, niekorzystna dla Białego Domu, niekorzystna dla NASA i nie oszukujmy się, niekorzystna dla kraju.

— Dlatego wstrzymał się pan z ogłoszeniem odkrycia do czasu uzyskania potwierdzenia ze strony szanowanych niezależnych naukowców?

— Moim celem jest zaprezentowanie dowodów w sposób niebudzący wątpliwości i zduszenie w zarodku wszelkiego sceptycyzmu. Chcę, żeby to odkrycie potraktowano z szacunkiem, na jaki zasługuje. Na jaki zasługuje NASA.

Rachel siedziała jak na szpilkach. A czego chce ode mnie?

— Zajmujesz wyjątkową pozycję — kontynuował. — Z racji pracy zawodowej i oczywistych związków z moim przeciwnikiem masz ogromną wiarygodność.

Poczuła się rozczarowana. Zamierza mnie wykorzystać... dokładnie tak, jak powiedział Pickering!

— Dlatego chciałbym, żebyś osobiście potwierdziła to odkrycie, jako łącznik wywiadu Białego Domu... i jako córka mojego przeciwnika.

Stało się. Odkrył karty.

Herney chce, żebym opowiedziała się po jego stronie.

Naprawdę myślała, że Zach Herney nie zniży się do polityki takiego rodzaju. Udzielenie przez nią publicznego poparcia sprawi, że odkrycie stanie się dla jej ojca sprawą osobistą; kwestionując wiarygodność odkrycia, senator podważyłby wiarygodność rodzonej córki, a to oznaczałoby wyrok śmierci dla człowieka prowadzącego kampanię pod hasłem „rodzina na pierwszym miejscu”.

— Szczerze mówiąc, panie prezydencie — powiedziała, patrząc w monitor — jestem zdumiona pańską prośbą.

Prezydent wyglądał na zaskoczonego.

— Sądziłem, że pomożesz mi z przyjemnością.

— Z przyjemnością? Panie prezydencie, niezależnie od różnicy zdań między mną a ojcem ta prośba stawia mnie w trudnym położeniu. Mamy dość problemów bez ścierania się w pojedynku na śmierć i życie. Nie kryję swojej niechęci do tego człowieka, lecz on jest moim ojcem. Wystawianie mnie przeciwko niemu na forum publicznym naprawdę wydaje się posunięciem nielicującym z pańską godnością.

— Chwileczkę! — Herney podniósł ręce w geście kapitulacji. — Kto mówi o forum publicznym?

— Zakładam, że chciałby pan, abym dołączyła do administratora NASA w czasie wieczornej konferencji prasowej.

W głośnikach zadudniło parsknięcie.

— Rachel, za kogo ty mnie uważasz? Naprawdę sądziłaś, że poproszę cię o wbijanie ojcu noża w plecy na oczach milionów telewidzów?

— Przecież powiedział pan...

— I czy myślisz, że każę administratorowi NASA dzielić się poklaskiem z córką mojego arcywroga? Bez urazy, Rachel, ale ta konferencja prasowa będzie prezentacją naukową. Nie jestem pewien, czy twoja wiedza o meteorytach, skamieniałościach lub strukturach lodu przyczyniłaby się do zwiększenia jej wiarygodności.

Rachel zarumieniła się.

— Wobec tego... jaką pomoc miał pan na myśli?

— Odpowiednią do twojej pozycji.

— To znaczy?

— Jesteś łącznikiem wywiadu z Białym Domem. Wprowadzisz mój personel w kwestie wagi państwowej.

— Mam przekonać pański personel?

Herney wciąż był rozbawiony nieporozumieniem.

— Tak. Sceptycyzm, jakiemu stawię czoło na zewnątrz Białego Domu, jest niczym w porównaniu z tym, z czym spotykam się wewnątrz. Mam tutaj do czynienia z najprawdziwszym buntem. Straciłem wiarygodność. Moi współpracownicy błagali, żebym przestał finansować NASA. Zignorowałem ich prośby, co było politycznym samobójstwem.

— Do tej chwili.

— Otóż to. Jak mówiłem dziś rano, moment odkrycia wzbudzi

podejrzenia politycznych sceptyków, a obecnie nikt nie jest bardziej sceptyczny od mojego personelu. Dlatego chciałbym, żeby informacja została podana przez...

— Nie powiedział pan swoim ludziom o meteorycie?

— Tylko najbliższym doradcom. Zachowanie odkrycia w tajemnicy było sprawą najwyższej wagi.

Rachel osłupiała. Nic dziwnego, że doszło do buntu.

— To nie moja dziedzina. Trudno uważać meteoryt za skrót powiązany z wywiadem.

— Nie w tradycyjnym rozumieniu. Lecz nie ulega wątpliwości, że z odkryciem wiążą się wszystkie aspekty twojej pracy. Masz dane, które należy przeanalizować, poważne konsekwencje polityczne...

— Nie jestem specjalistką od meteorytów, panie prezydencie. Czy to nie administrator NASA powinien wprowadzić pański personel?

— Chyba żartujesz! Wszyscy go nienawidzą. Z punktu widzenia mojego personelu, Ekstrom jest szarlatanem, który wciąga mnie w kolejne szalbierstwa.

Rachel rozumiała jego racje.

— A Corky Marlinson? Dostał medal za pracę naukową. Jest znacznie bardziej wiarygodny.

— Mój sztab składa się z polityków, Rachel, nie z naukowców. Poznałaś doktora Marlinsona. Jest wspaniały, ale jeśli postawię astrofizyka przed moim zespołem oszołomów, skończy się ogólnym paraliżem i wytrzeszczaniem oczu. Potrzebuję kogoś... zwyczajnego. Ciebie, Rachel. Moi ludzie znają twoją pracę i biorąc pod uwagę nazwisko, jesteś idealnie bezstronnym rzecznikiem, którego wysłuchają bez zastrzeżeń.

Podawane życzliwym tonem argumenty zaczęły trafiać jej do przekonania.

— A więc przyznaje pan, że ta prośba ma coś wspólnego z moim pokrewieństwem z pańskim przeciwnikiem.

Prezydent zaśmiał się z zakłopotaniem.

— Oczywiście. Ale, jak z pewnością zdajesz sobie sprawę, mój personel zostanie zaznajomiony z odkryciem w taki czy inny sposób, niezależnie od twojej decyzji. Nie jesteś jedyna, Rachel, lecz w tej chwili najlepsza. Masz odpowiednie kwalifikacje i tak się składa, że jesteś córką człowieka, który w następnej kadencji chce wykopać mój personel z Białego Domu. To podwaja twoją wiarygodność.

— Powinien pan zajmować się sprzedażą bezpośrednią.

— W zasadzie tak właśnie jest. To samo odnosi się do twojego ojca. I szczerze mówiąc, dla odmiany chciałbym sfinalizować transakcję. — Prezydent zdjął okulary i spojrzał jej w oczy. Rachel wyczuwała w nim siłę swojego ojca. — Proszę o przysługę, Rachel, również dlatego, że jestem przekonany, iż jej wyświadczenie nie wykracza poza zakres twoich obowiązków. Jak brzmi twoja odpowiedź? Tak czy nie? Wprowadzisz mój personel w tę sprawę?

Rachel czuła się w przyczepie jak w pułapce. Nie ma jak jasne postawienie sprawy. Prezydent był oddalony o pięć tysięcy kilometrów, ale miała wrażenie, że z ekranu emanuje siła jego woli. Wiedziała również, że prośba Herneya jest jak najbardziej uzasadniona, czy jej się to podoba, czy nie.

— Mam warunki.

Herney uniósł brwi.

— Jakie?

— Porozmawiam z pańskim personelem nieoficjalnie. Bez reporterów. To będzie prywatne spotkanie, a nie publiczne wystąpienie.

— Masz moje słowo. Spotkanie odbędzie się w bardzo prywatnym miejscu.

Rachel westchnęła.

— W takim razie zgoda.

Prezydent pojaśniał.

— Doskonale.

Rachel spojrzała za zegarek i zaskoczona stwierdziła, że już minęła czwarta.

— Chwileczkę — powiedziała, zaintrygowana — jeśli zamierza pan wystąpić o ósmej, nie mamy czasu. Nawet gdybym miała lecieć tym strasznym odrzutowcem, który mnie tu przywiózł, nie zdążę do Waszyngtonu na czas. Nie mogę wyruszyć wcześniej niż za parę godzin. Muszę przygotować notatki i...

Prezydent pokręcił głową.

— Obawiam się, że nie wyraziłem się jasno. Odbędziesz wideokonferencję z miejsca, w którym jesteś.

— Aha. — Rachel zawahała się. — A jaką porę ma pan na myśli?

— Może zaraz? — odparł Herney z uśmiechem. — Wszyscy już czekają, wpatrując się w wielki, pusty ekran telewizora. Czekają na ciebie.

Rachel poczuła, jak napinają się jej mięśnie.

— Panie prezydencie, jestem zupełnie nieprzygotowana. Nie mogę...

— Po prostu powiedz prawdę. Czy to trudne?

— Ale...

— Rachel... — Prezydent pochylił się w stronę kamery — zarabiasz na życie kompilowaniem i przekazywaniem informacji. I właśnie to masz zrobić. Opowiedz, co się tam dzieje, to wszystko. — Wyciągnął rękę, żeby przerwać połączenie, ale znieruchomiał na chwilę. — Myślę, że będziesz zadowolona, gdy stwierdzisz, że przemawiasz z pozycji władzy.

Rachel nie zrozumiała, o co mu chodzi, ale było za późno na pytania. Prezydent przerwał połączenie.

Ekran na chwilę ściemniał, a kiedy znów się rozjaśnił, Rachel ujrzała jeden z najbardziej szokujących widoków w swoim życiu. Przed sobą miała Gabinet Owalny. Pękał w szwach, zostały tylko miejsca stojące. Wydawało się, że są tam wszyscy pracownicy Białego Domu. I wszyscy patrzyli na nią. Zrozumiała, że kamera stoi na biurku prezydenta.

„Przemawiasz z pozycji władzy". Rachel zaczęła się pocić.

Sądząc z min, zebrani również byli zaskoczeni jej widokiem.

— Pani Sexton? — zabrzmiał szorstki głos.

Rachel przeszukała morze twarzy i zobaczyła, kto się odezwał. Była to chuda kobieta, zajmująca miejsce w pierwszym rzędzie. Marjorie Tench. Jej charakterystyczna powierzchowność nawet w tłumie rzucała się w oczy.

— Dziękuję, pani Sexton, że dołączyła pani do nas — powiedziała Marjorie Tench z zadowoleniem. — Prezydent uprzedził, że ma pani do przekazania interesujące wieści.

Rozdział 33

Zadowolony z mroku panującego w kopule, paleontolog Wailee Ming siedział samotnie przy swoim stanowisku pracy. Już żył myślą o wieczornym wydarzeniu. Niedługo zostanę najsłynniejszym paleontologiem świata. Miał nadzieję, że Michael Tolland okazał się wspaniałomyślny i umieścił w dokumencie wszystkie jego wypowiedzi.

Gdy Ming rozkoszował się nadchodzącą sławą, lodem pod jego stopami wstrząsnęło lekkie drżenie. Skoczył na równe nogi. Mieszkanie w Los Angeles uwrażliwiło go na trzęsienia ziemi i reagował nawet na najsłabszy ruch podłoża. W tej chwili jednak poczuł się głupio, bo uświadomił sobie, że wibracja jest najzupełniej normalna. Lodowiec się cieli, przypomniał sobie, z ulgą wypuszczając powietrze. Jeszcze do tego nie przywykł. Co parę godzin z oddali napływało dudnienie, gdy od czoła lodowca odrywał się ogromny blok i spadał do morza. Nora Mangor ładnie to określiła: „Rodzi się nowa góra lodowa".

Ming przeciągnął się, omiatając wzrokiem habisferę. W blasku telewizyjnych reflektorów trwało przyjęcie. Nie bawiły go takie imprezy, dlatego skierował się w przeciwną stronę.

Labirynt pustych stanowisk roboczych przypominał wymarłe miasto, a cała kopuła przywodziła na myśl grobowiec. Wielki metalowy trójnóg został złożony i otoczona pachołkami sadzawka wyglądała jak dziura na jakimś wielkim lodowym parkingu. Ming podszedł do otworu i stanął w bezpiecznej odległości, żeby zajrzeć w głęboką na sześćdziesiąt metrów studnię. Woda niebawem zamarznie, zacierając wszelkie ślady ludzkiej działalności.

Pomyślał, że sadzawka wygląda pięknie. Nawet w ciemności.

Zwłaszcza w ciemności.

Zawahał się. Przemyślał swoje stwierdzenie.

Coś jest nie w porządku.

Gdy uważniej przyjrzał się wodzie, zadowolenie ustąpiło konsternacji. Zamrugał, spojrzał jeszcze raz, a potem szybko odwrócił się i rozejrzał po kopule. Pięćdziesiąt metrów dalej ludzie świętowali w studiu telewizyjnym. Wiedział, że nie mogą zobaczyć go w ciemności.

Czy mam komuś o tym powiedzieć?

Znowu popatrzył na wodę, zastanawiając się, co miałby powiedzieć. Co to jest? Złudzenie optyczne? Jakieś dziwne refleksy?

Niepewnie wszedł za stożki i przykucnął na brzegu otworu. Lustro wody znajdowało się sto dwadzieścia centymetrów poniżej krawędzi, dlatego pochylił się, żeby lepiej widzieć. Tak, zdecydowanie patrzył na coś dziwnego. Nie sposób było tego nie zauważyć, a jednak stało się widoczne dopiero wtedy, gdy w kopule zgasły światła.

Ming się wyprostował. Ktoś musi o tym usłyszeć. Ruszył szybko w kierunku studia, ale przystanął po przejściu paru kroków. Dobry Boże! Zawrócił w stronę szybu, szeroko otwierając oczy. Właśnie go olśniło.

— Niemożliwe! — szepnął.

A jednak wiedział, że to jedyne wyjaśnienie. Nie wyciągaj pochopnych wniosków, przestrzegł się w duchu. Musi istnieć bardziej racjonalna przyczyna. Ale im dłużej rozmyślał, tym bardziej był pewny słuszności swojego wniosku. Nie ma innego wyjaśnienia! Nie mógł uwierzyć, że NASA i Corky Marlinson nie zauważyli tego niewiarygodnego zjawiska, ale nie miał powodów do narzekań.

Teraz będzie to odkrycie Wailee Minga!

Drżąc z podniecenia, pobiegł do pobliskiego stanowiska i znalazł zlewkę. Potrzebuje tylko próbki wody. Nikt nie da temu wiary!

Rozdział 34

— Moje obowiązki jako łącznika wywiadu z Białym Domem — mówiła Rachel Sexton do tłumu widocznego na ekranie, starając się panować nad głosem — obejmują wyjazdy do politycznych punktów zapalnych na kuli ziemskiej, analizowanie sytuacji grożących konfliktami oraz składanie raportów prezydentowi i pracownikom Białego Domu.

Otarła kropelki potu z czoła, w duchu przeklinając prezydenta za obarczenie jej tym zadaniem.

— Nigdy wcześniej obowiązki nie zaniosły mnie do tak egzotycznego miejsca. — Ruchem ręki omiotła wnętrze ciasnej przyczepy. — Wierzcie albo nie, przemawiam do was zza koła podbiegunowego, z lodowca o grubości niemal stu metrów.

Widziała zdziwienie i ciekawość na twarzach zebranych. Zdawali sobie sprawę, że gniotą się w Gabinecie Owalnym nie bez powodu, ale na pewno nikt nie przypuszczał, że zebranie ma coś wspólnego z wydarzeniami rozgrywającymi się za kręgiem polarnym.

Znów poczuła na czole pot. Podaj to jak na talerzu, Rachel. Przecież tym się zajmujesz.

— Jestem zaszczycona, dumna i... przede wszystkim podekscytowana, zwracając się do państwa w takiej chwili.

Odpowiedziały jej puste spojrzenia.

Pieprzyć to, pomyślała, ze złością wycierając kropelki potu. Ja się tu nie pchałam. Wiedziała, co usłyszałaby od matki: „Kiedy masz wątpliwości, wypluj je!". Stare jankeskie przysłowie ilustrowało jedno z podstawowych przekonań Katherine: wszystkim wyzwaniom można podołać, mówiąc prawdę, niezależnie od wyniku.

Biorąc głęboki oddech, Rachel wyprostowała ramiona i popatrzyła w kamerę.

— Przepraszam, jeśli zastanawiacie się, jakim cudem oblewam się potem za kręgiem polarnym... Cóż, jestem trochę zdenerwowana.

Twarze przed nią jakby się cofnęły. Rozległ się nerwowy śmiech.

— W dodatku — podjęła — wasz szef powiadomił mnie dziesięć sekund temu, że będę przemawiała do całego personelu. Ten chrzest bojowy nie jest rzeczą, jaka przyszłaby mi na myśl w czasie fantazjowania o pierwszej wizycie w Gabinecie Owalnym.

Tym razem roześmiało się więcej osób.

— I na pewno nie wyobrażałam sobie — popatrzyła na dolną część ekranu — że będę siedziała za prezydenckim biurkiem... a tym bardziej na nim!

Odpowiedział jej głośny śmiech i kilka szerokich uśmiechów. Zaczęła się rozluźniać. Wal prosto z mostu.

— Oto jak wygląda sytuacja. — Nareszcie jej głos brzmiał normalnie. — Prezydent Herney w ubiegłym tygodniu unikał mediów nie z powodu braku zainteresowania swoją kampanią, ale dlatego, że pochłonęła go inna sprawa. Sprawa, którą uznał za znacznie ważniejszą.

Umilkła, nawiązując kontakt wzrokowy ze słuchaczami.

— Na Arktyce na Lodowcu Szelfowym Milne'a dokonano doniosłego odkrycia naukowego. Prezydent poinformuje o nim świat na konferencji prasowej, która odbędzie się dziś wieczorem o ósmej. Odkrycia dokonała grupa ciężko pracujących Amerykanów, których ostatnio prześladował pech i którzy szczerze zasłużyli na uśmiech losu. Mówię o NASA. Możecie być dumni, że wasz prezydent z przenikliwością jasnowidza postanowił popierać agencję na dobre i na złe. Wydaje się, że jego lojalna postawa została nagrodzona.

Dopiero w tej chwili uświadomiła sobie, że to historyczna chwila. Wzruszenie ścisnęło jej gardło.

— Jako oficer wywiadu specjalizujący się w analizie i weryfikacji danych — ciągnęła z pewnym trudem — zostałam poproszona przez prezydenta o ocenę wiarygodności odkrycia NASA. Sprawdziłam dane osobiście, zostały one również potwierdzone przez kilku specjalistów rządowych oraz cywilnych, mających odpowiednie kompetencje i niepodlegających wpływom politycznym. Jako analityk powiem, że informacje, które zaraz przekażę, są bezstronne i oparte na faktach. Jako osoba prywatna dodam, że prezydent wykazał się godną podziwu ostrożnością, dla dobra swojego urzędu i całego narodu zwlekając z ich ogłoszeniem, choć wiem, że z przyjemnością zrobiłby to w ubiegłym tygodniu.

Rachel widziała, jak ludzie wymieniają zaintrygowane spojrzenia. Po chwili znów wszyscy popatrzyli na nią. Wiedziała, że skupia niepodzielną uwagę.

— Proszę państwa, zaraz usłyszycie coś, co z pewnością uznacie za jedną z najbardziej ekscytujących rewelacji ogłoszonych w tym gabinecie.

Rozdział 35

Widok przesyłany przez mikrobota krążącego w habisferze mógłby zdobyć nagrodę na awangardowym festiwalu filmowym — przyćmione oświetlenie, lśniący szyb i leżący na lodzie elegancko ubrany Azjata, w płaszczu z wielbłądziej wełny rozpostartym niczym ogromne skrzydła. Najwyraźniej Ming zamierza pobrać próbkę wody.

— Musimy go powstrzymać — powiedział Delta Trzy.

Delta Jeden przyznał mu rację. Lodowiec Milne'a skrywa tajemnice, które jego zespół miał prawo chronić z użyciem siły.

— Jak? — zapytał Delta Dwa, wciąż trzymając manipulator. — Mikroboty nie są uzbrojone.

Delta Jeden ściągnął brwi. Mikrobot krążący w habisferze był modelem zwiadowczym, odciążonym do granic możliwości, żeby jak najdłużej unosił się w powietrzu. Nie był groźniejszy od muchy.

— Powinniśmy skontaktować się z kontrolerem — oświadczył Delta Trzy.

Delta Jeden wpatrywał się uważnie w samotnego Wailee Minga, leżącego ryzykownie na krawędzi dołu. W pobliżu nie było nikogo, a zimna woda ogranicza zdolność człowieka do krzyku.

— Daj mi joystick.

— Co chcesz zrobić?

— To, do czego zostaliśmy wyszkoleni — warknął Delta Jeden. — Będę improwizował.

Rozdział 36

Wailee Ming leżał na brzuchu przy szybie i wyciągał rękę, żeby zaczerpnąć wody. Oczy go nie zwodziły; niespełna metr od lustra wody widział wszystko dokładnie.

To nie do uwierzenia!

Przesuwał zlewkę w palcach, próbując dosięgnąć wody. Jeszcze tylko kilka centymetrów.

Nie mogąc bardziej wyciągnąć ręki, przysunął się do otworu. Przycisnął noski butów do lodu, a lewą ręką mocno oparł się o krawędź. Ponownie wyciągnął prawą rękę. Prawie. Przesunął się jeszcze kawałek. Tak! Brzeg zlewki musnął powierzchnię. Gdy płyn wlewał się do naczynia, Ming z niedowierzaniem szeroko otwierał oczy.

Nagle zdarzyło się coś zupełnie niewytłumaczalnego. Z ciemności, jak kula z pistoletu, wypadła drobina metalu. Ming widział ją tylko przez ułamek sekundy, zanim uderzyła go w prawą gałkę oczną.

Instynkt ochrony oczu jest tak silny, że Wailee Ming postąpił wbrew ostrzeżeniom mózgu, iż każdy gwałtowny ruch zakłóci jego równowagę. Zareagował gwałtownie, bardziej z zaskoczenia niż z bólu. Odruchowo poderwał lewą rękę, bliższą twarzy. Ręka jeszcze nie dotarła do celu, gdy zrozumiał, że popełnił błąd. Wychylony głęboko do przodu, nie mając podparcia, zaczął ześlizgiwać się z krawędzi. Puścił zlewkę, próbując przytrzymać się gładkiego lodu. Po chwili wpadł do ciemnego szybu.

Różnica poziomów wynosiła tylko sto dwadzieścia centymetrów, jednak w chwili zderzenia głowy z lodowatą wodą miał wrażenie, że upadł twarzą na chodnik z prędkością osiemdziesięciu kilometrów na godzinę. Woda była tak zimna, że paliła niczym kwas. Natychmiast wpadł w panikę.

Wisząc w ciemności głową w dół, przez chwilę był zdezorientowany. Nie wiedział, w którą stronę się odwrócić, żeby wypłynąć na powierzchnię. Ciężki płaszcz chronił go przed zimnem — przez parę sekund. Wreszcie zdołał się przekręcić i wypłynąć w chwili, gdy woda znalazła drogę do jego torsu, ściskając płuca w miażdżącym imadle zimna.

— Pomooo... cy... — chciał krzyknąć, ale nie mógł zaczerpnąć tchu. Z jego ust popłynął tylko szept.

— Pomooo... cy! — Nawet on nie słyszał krzyku. Przysunął się do ściany dołu i spróbował się wyciągnąć, ale tworzył ją gładki lód i Ming nie miał się czego przytrzymać. Machał nogami, bezskutecznie szukając oparcia. Wyciągał ręce w górę, usiłując dosięgnąć krawędzi. Brakowało tylko trzydziestu centymetrów.

Mięśnie zaczynały odmawiać posłuszeństwa. Mocniej wierzgnął nogami, chcąc podnieść się na tyle wysoko, żeby złapać krawędź. Ciało wydawało się ciężkie niczym ołów, płuca skurczyły się jak w uścisku pytona. Nasiąknięty wodą płaszcz z sekundy na sekundę stawał się coraz cięższy, ciągnąc go w dół. Chciał zrzucić go z ramion, ale gruby materiał stawiał opór.

— Pomocy!

Strach wezbrał w nim jak rzeka.

Kiedyś czytał, że utonięcie jest najstraszliwszym rodzajem śmierci. Nigdy nawet przez myśl mu nie przeszło, że kiedyś doświadczy tego na własnej skórze. Mięśnie przestały współpracować z mózgiem i walczył już tylko o utrzymanie głowy nad powierzchnią. Przemoczone ubranie ciążyło, gdy zdrętwiałymi palcami skrobał lodowe ściany szybu.

Wrzaski brzmiały teraz tylko w jego głowie.

A potem się stało.

Poszedł pod wodę. Poczuł grozę, gdy uświadomił sobie, że czeka go rychła śmierć. Nie wyobrażał sobie, że los zgotuje mu taki koniec. A jednak... Wailee Ming opadał powoli w dół głębokiej na sześćdziesiąt metrów studni. Przed jego oczami przemykały setki obrazów. Chwile z dzieciństwa, z pracy naukowej. Zastanowił się, czy ktoś go znajdzie. Może po prostu opadnie na dno i zamarznie... pogrzebany w lodowcu na wieki.

Płuca domagały się tlenu. Ming wstrzymywał oddech, wciąż starając się wypłynąć na powierzchnię. Oddychaj! Zwalczył odruch, zaciskając pozbawione czucia usta. Oddychaj! Na próżno próbował płynąć do góry. Oddychaj! W tej chwili, w tej beznadziejnej walce odruchu z rozsądkiem, instynkt oddychania wziął górę nad nakazem zaciskania ust.

Wailee Ming odetchnął.

Woda zalała delikatną tkankę płucną niczym wrzący olej. Miał wrażenie, że płonie od środka. Na nieszczęście woda nie zabija od razu. Przez kilka koszmarnych sekund oddychał lodowatą wodą, przy czym każdy kolejny wdech był bardziej bolesny od poprzedniego i żaden nie dawał tego, czego tak rozpaczliwie potrzebowało jego ciało.

Wreszcie Ming osunął się w lodowatą ciemność. Wiedział, że traci przytomność. Z radością powitał to wyzwolenie. Wszędzie wokół niego jarzyły się maleńkie światełka. Była to najpiękniejsza rzecz, jaką kiedykolwiek widział.

Rozdział 37

Wschodnia Brama Wizyt Białego Domu stoi na East Executive Avenue pomiędzy Departamentem Skarbu a Wschodnim Trawnikiem. Wzmocnione ogrodzenie i betonowe słupki zainstalowane po ataku na koszary piechoty morskiej w Bejrucie sprawiają, że nie wygląda zachęcająco.

Coraz bardziej zdenerwowana Gabrielle Ashe po raz kolejny spojrzała na zegarek. Była za kwadrans piąta, a nikt nie nawiązał z nią jeszcze kontaktu.

WSCHODNIA BRAMA WIZYT, 16:30. PRZYJDŹ SAMA.

Jestem, pomyślała. A gdzie ty jesteś?

Wodziła wzrokiem po twarzach turystów, czekając, aż ktoś podchwyci jej spojrzenie. Kilku mężczyzn popatrzyło na nią, żaden jednak się nie zatrzymał. Gabrielle zaczęła się zastanawiać, czy to był dobry pomysł. Czuła, że agent służb specjalnych w budce wartowniczej ma ją na oku. Uznała, że jej informator stchórzył. Spojrzała jeszcze raz przez ogrodzenie w kierunku Białego Domu, westchnęła i odwróciła się, by odejść.

— Gabrielle Ashe? — zawołał za nią agent.

Okręciła się na pięcie, czując przyspieszone bicie serca. Tak?

Mężczyzna w budce, poważny chudzielec, skinął na nią ręką.

— Osoba, z którą jest pani umówiona, jest gotowa na spotkanie. — Otworzył bramę i gestem kazał jej wejść.

Gabrielle wrosła w ziemię.

— Do środka?

Agent pokiwał głową.

— Kazano mi przeprosić panią za to, że musiała pani czekać.

Popatrzyła na otwarte wejście. Wciąż nie mogła się ruszyć. Co jest grane? Nie tego się spodziewała.

— Pani nazywa się Gabrielle Ashe, prawda? — zapytał strażnik niecierpliwie.

— Tak, ale...

— W takim razie proponuję, żeby poszła pani ze mną.

Gabrielle ruszyła niepewnie. Brama zatrzasnęła się za jej plecami.

Rozdział 38

Dwa dni bez światła słonecznego rozregulowały biologiczny zegar Michaela Tollanda. Choć według zegarka było późne popołudnie, ciało upierało się, że jest środek nocy. Po wprowadzeniu ostatnich poprawek do filmu Michael Tolland przegrał cały plik na płytę DVD i ruszył przez zaciemnioną kopułę. W oświetlonym studiu przekazał dysk technikowi NASA odpowiedzialnemu za przebieg prezentacji.

— Dzięki, Mike — powiedział technik i mrugnął, podnosząc płytę. — Film z cyklu „po porostu musisz to zobaczyć", co?

Tolland zaśmiał się ze zmęczeniem.

— Mam nadzieję, że spodoba się prezydentowi.

— Bez wątpienia. W każdym razie, twoja rola dobiegła końca. Siadaj i ciesz się przedstawieniem.

— Dzięki. — Tolland stanął w jasno oświetlonym studiu i popatrzył na personel NASA wznoszący toasty kanadyjskim piwem. Choć sam też miał ochotę uczcić znalezienie meteorytu, był na to zbyt zmęczony, emocjonalnie wypalony. Rozejrzał się w poszukiwaniu Rachel Sexton, ale najwyraźniej wciąż rozmawiała z prezydentem.

Chce, żeby wzięła udział w programie, pomyślał. Nie miał o to pretensji. Rachel wspaniale uzupełni gremium naukowców wypowiadających się na temat meteorytu. Poza urodą wyróżnia się naturalnością i pewnością siebie, cechami nieczęsto spotykanymi u znanych mu kobiet. Z drugiej strony, większość znanych mu kobiet pracuje w telewizji — są to albo bezwzględne karierowiczki, albo mizdrzące się gwiazdki, którym brakuje jednego bądź drugiego.

Tolland opuścił świętującą gromadę i szedł labiryntem ścieżek przez kopułę, zastanawiając się, gdzie podziewają się cywilni naukowcy. Jeśli są równie wyczerpani jak on, to pewnie śpią w sekcji sypialnej, zbierając siły przed wielką chwilą. W oddali widział pachołki STASK otaczające szyb. Pusta kopuła nad jego głową zdawała się rozbrzmiewać echami dalekich wspomnień. Próbował nie dopuścić ich do siebie.

Zapomnij o duchach, powiedział sobie. Często nawiedzały go w chwilach, kiedy był zmęczony albo sam — w chwilach osobistego triumfu, w chwilach godnych uczczenia. Powinna być teraz z tobą, szepnął głos. Sam w ciemności, czuł, jak pogrąża się w otchłani wspomnień.

W Celii Birch zakochał się na studiach podyplomowych. Pewnego razu w walentynki zaprosił ją do jej ulubionej restauracji. Kelner przyniósł deser — różę i pierścionek z brylantem. Celia natychmiast zrozumiała. Ze łzami w oczach wypowiedziała jedno słowo, które sprawiło, że Michael Tolland był szczęśliwy jak nigdy w życiu.

— Tak.

Przepełnieni oczekiwaniem, kupili nieduży dom w pobliżu Pasadeny. Zarabiali niewiele, ale na początek musiało wystarczyć. Celia pracowała w szkole, ucząc przedmiotów ścisłych. Tolland znalazł zatrudnienie w Instytucie Oceanograficznym Scrippa w San Diego i pracował tak, jak sobie wymarzył — na pokładzie geologicznego statku badawczego. Praca oznaczała kilkudniowe rozłąki z żoną, ale gdy znów się spotykali, Celia zawsze była namiętna i pociągająca.

Tolland zaczął kręcić dla niej krótkie filmy, dokumentujące pracę na statku. Z pewnego rejsu wrócił z ziarnistym nagraniem wideo, które zrobił przez okno batyskafu — były to pierwsze zdjęcia dziwnej chemotropicznej mątwy, której istnienia nikt dotąd nie podejrzewał. Komentując odkrycie na pokładzie statku, Tolland nie posiadał się z radości.

„W głębinach żyją tysiące nieznanych gatunków! — opowiadał z entuzjazmem. — Ledwie musnęliśmy powierzchnię! Tutaj na dole kryją się tajemnice, jakich nikt z nas nie jest w stanie sobie wyobrazić!".

Celia była zauroczona żywiołowością męża i zwięzłym fachowym komentarzem. Niewiele myśląc, pokazała nagranie klasie i film natychmiast zrobił furorę. Inni nauczyciele prosili o pożyczenie kasety, rodzice chcieli zrobić kopie. Wydawało się, że wszyscy z niecierpliwością czekają na kolejne dokonania Michaela. Celia wpadła na pewien pomysł. Zadzwoniła do kolegi, który pracował w NBC, i posłała mu kasetę.

Dwa miesiące później Michael Tolland zaprosił ją na spacer po plaży w Kingman. Było to ich wyjątkowe miejsce, gdzie dzielili się nadziejami i marzeniami.

— Chcę ci coś powiedzieć — oznajmił.

Celia zatrzymała się, biorąc go za ręce. Fale pluskały u ich stóp. Rozsadzała go duma.

— W zeszłym tygodniu dostałem telefon z telewizji NBC. Uważają, że powinienem poprowadzić cykl programów dokumentalnych. Chcą, żebym w przyszłym roku nakręcił pilota! Możesz w to uwierzyć?

Celia pocałowała go i uśmiechnęła się promiennie.

— Wierzę. Będziesz wielki.

Sześć miesięcy później żeglowali w pobliżu Cataliny, kiedy Celia zaczęła skarżyć się na ból w boku. Ignorowała problem przez parę tygodni, ale w końcu ból stał się nie do zniesienia. Poszła na badania.

W jednej chwili wyśnione życie przemieniło się w koszmar. Celia była chora. Bardzo chora.

— Zaawansowany chłoniak — oświadczyli lekarze. — Rzadki u osoby w jej wieku, ale się zdarza.

Celia i Tolland odwiedzili niezliczone kliniki i szpitale, konsultując się ze specjalistami. Odpowiedź zawsze brzmiała tak samo. Choroba nieuleczalna.

Nie pogodzę się z tym! Tolland natychmiast zrezygnował z pracy w Instytucie Scrippa, zapomniał o filmie dokumentalnym dla NBC. Całą energię i miłość skupił na niesieniu pomocy Celii. Walczyła twardo, dzielnie znosząc ból, za co kochał ją jeszcze bardziej. Zabierał ją na długie spacery po plaży, przyrządzał zdrowe posiłki i opowiadał, co zrobią, kiedy poczuje się lepiej.

Ale poprawa nie nastąpiła.

Zaledwie siedem miesięcy po zdiagnozowaniu choroby Michael Tolland siedział w sterylnej szpitalnej sali przy umierającej żonie. Już nie rozpoznawał jej twarzy. Brutalność chemioterapii dorównywała zajadłości, z jaką rak wyniszczał jej organizm. Celia wyglądała jak szkielet. Ostatnie godziny były najtrudniejsze.

— Michael — wyszeptała chrapliwie — czas odejść.

— Nie... — Tolland miał łzy w oczach.

— Dasz sobie radę. Musisz. Obiecaj, że znajdziesz inną miłość.

— Nigdy nie zechcę żadnej innej. — Naprawdę tak uważał.

— Będziesz musiał nauczyć się chcieć.

Celia zmarła w krystalicznie czysty czerwcowy niedzielny poranek. Michael Tolland czuł się jak statek zerwany z kotwicy, ze strzaskanym kompasem, rzucony na szalejące morze. Na wiele tygodni stracił kontrolę nad własnym życiem. Przyjaciele oferowali pomoc, ale odrzucał ich w swojej dumie, nie chcąc niczyjej litości.

Musisz dokonać wyboru, uświadomił sobie w końcu. Praca albo śmierć.

Podjąwszy decyzję, rzucił się w wir pracy przy realizacji *Niezwykłego świata oceanów*. Program, który niemal dosłownie uratował mu życie, w ciągu czterech lat stał się przebojem. W tym czasie przyjaciele próbowali go wyswatać, ale Tolland wytrzymał tylko kilka randek. Wszystkie okazały się niewypałami, więc machnął ręką i winę za brak życia towarzyskiego zrzucił na wiążącą się z częstymi wyjazdami pracę. Przyjaciele znali prawdziwą przyczynę — Michael Tolland po prostu nie był gotowy.

Bolesne rozpamiętywania przerwał widok otworu po wydobytym meteorycie. Otrząsnął się z chłodu wspomnień i podszedł do szybu. Woda była surrealistycznie, magicznie piękna. Powierzchnia lśniła jak staw w poświacie księżyca. Jego uwagę przyciągnęły drobiny światła. Wyglądały tak, jakby ktoś rozpylił w wodzie niebieskozielone iskierki. Przez długą chwilę patrzył, jak się mienią.

Wydało mu się to dziwne.

Z początku pomyślał, że woda odbija blask reflektorów z kopuły. Po chwili zrozumiał, że nie w tym rzecz. Iskierki miały zielonkawy odcień i pulsowały rytmicznie, jakby powierzchnia wody była żywa, rozświetlona od środka.

Zaintrygowany, wszedł za pachołki, żeby spojrzeć z bliska.

Po drugiej stronie habisfery Rachel Sexton wyszła z przyczepy PSC. Stała przez chwilę, zdezorientowana panującym mrokiem. Habisfera przemieniła się w wielką grotę, oświetloną tylko przez poblask reflektorów płonących pod północną ścianą. Rachel skierowała się ku oświetlonemu studiu.

Była zadowolona z przebiegu spotkania z pracownikami Białego Domu. Kiedy już oswoiła się z sytuacją, gładko przekazała wszystko, co wiedziała o meteorycie. Obserwowała, jak niedowierzanie na twarzach słuchaczy zmienia się w chęć dania jej wiary i wreszcie w pełną podziwu akceptację.

— Życie pozaziemskie? — zawołał któryś z pracowników. — Czy wiecie, co to oznacza?

— Tak — odparł inny. — Wygramy wybory!

Zbliżając się do efektownie oświetlonego studia telewizyjnego, Rachel wyobraziła sobie wystąpienie Hernaya. Zastanawiała się, czy jej ojciec rzeczywiście zasługuje na rozjechanie przez ten prezydencki walec drogowy.

Odpowiedź oczywiście brzmiała twierdząco.

Niekiedy zdarzało się, że myślała o ojcu z sympatią, ale wszelkie przyjazne uczucia znikały, gdy tylko wspomniała matkę. Ból i wstyd, na jaki naraził ją Sedgewick Sexton, wołały o pomstę do nieba. Te wszystkie jego późne powroty do domu, gdy zjawiał się z zadowoloną miną, spowity zapachem perfum... Ta fałszywa religijność, za którą skrywał kłamstwa i zdrady... Bezczelność wynikająca ze świadomości, że Katherine nigdy go nie zostawi.

Tak, zadecydowała Rachel, senator Sexton dostanie dokładnie to, na co zasłużył.

Ludzie w studiu świętowali, wymachując puszkami piwa. Rachel szła przez tłum, czując się jak studentka na imprezie bractwa. Zastanowiła się, gdzie jest Michael Tolland.

Przy jej boku wyrósł Corky Marlinson.

— Szuka pani Mike'a?

Rachel drgnęła.

— No... nie... tak jakby.

Corky, zdegustowany, pokręcił głową.

— Wiedziałem. Mike niedawno sobie poszedł. Chyba miał zamiar się zdrzemnąć. — Rozejrzał się po zaciemnionej kopule. — Chociaż wygląda na to, że wciąż można go złapać. — Uśmiechnął się szelmowsko i wyciągnął rękę. — Mike wpada w trans za każdym razem, gdy widzi wodę.

Rachel spojrzała we wskazanym kierunku. Pośrodku kopuły rysowała się sylwetka Michaela Tollanda, stojącego na brzegu szybu.

— Co on robi? — zapytała. — Tam jest niebezpiecznie.

Corky wyszczerzył zęby.
— Pewnie sika. Chodźmy go popchnąć.
Ruszyli w kierunku otworu. Gdy podeszli bliżej, Corky zawołał:
— Hej, wodniku! Zapomniałeś kąpielówek?!
Tolland się odwrócił. Nawet w mroku Rachel spostrzegła, że ma poważną minę. Jego twarz była dziwnie oświetlona, jakby od dołu.
— Wszystko w porządku, Mike? — zapytała.
— Niezupełnie. — Tolland wskazał wodę.
Corky minął pachołki i stanął obok niego na krawędzi szybu. Jego dobry humor wyparował w chwili, gdy spojrzał w dół. Rachel podeszła i również zajrzała do otworu. Zaskoczona, zobaczyła błyszczące niebiesko-zielone cętki. Wyglądały pięknie, jak pływające neonowe światełka.
Tolland podniósł kawałek lodu i wrzucił go do wody. Wokół miejsca, w którym zniknął, rozbłysnął zielony blask.
— Mike, czy wiesz, co to takiego? — zapytał Corky z niepokojem.
Tolland zmarszczył czoło.
— Wiem. Pytanie, co, do cholery, to tutaj robi.

Rozdział 39

— Wiciowce — stwierdził Tolland, patrząc w fosforyzującą wodę.

— Widzi owce? — Corky ściągnął brwi. — Jeden widzi owce, drugi widzimisię.

Rachel odgadła, że Michael Tolland nie jest w nastroju do żartów.

— Nie wiem, jak do tego doszło — dodał — ale w wodzie są bioluminescencyjne *dinoflagellata*.

— Bioluminescencyjne co? — zapytała Rachel. Mów po ludzku.

— Jednokomórkowy plankton zdolny do enzymatycznego utleniania katalizatora zwanego lucyferyną.

To ma być po ludzku?

Tolland wypuścił powietrze i odwrócił się do przyjaciela.

— Corky, czy jest szansa, żeby na meteorycie, który niedawno wyciągnęliśmy, znajdowały się żywe organizmy?

Corky wybuchnął śmiechem.

— Mike, nie żartuj!

— Nie żartuję.

— Absolutnie żadnych szans! Wierz mi, gdyby faceci z NASA podejrzewali, że na tej skale mogą się gnieździć jakieś pozaziemskie organizmy, nigdy nie wyciągnęliby jej na otwarte powietrze.

Tolland poczuł tylko nieznaczną ulgę, bo tajemnica wciąż pozostawała niewyjaśniona.

— Bez mikroskopu nie mogę być pewien — powiedział — ale to mi wygląda na bioluminescencyjny plankton typu *Pyrrophyta*, co znaczy „ognista roślina". W Oceanie Arktycznym jest tego pełno.

Corky wzruszył ramionami.

— W takim razie dlaczego zapytałeś, czy nie pochodzi z kosmosu?

— Ponieważ meteoryt spoczywał w lodzie lodowcowym, złożonym z wody słodkiej pochodzącej z opadów śniegu. Woda w tym szybie została wytopiona z lodowca i była zamarznięta przez trzysta lat. Skąd się w niej wzięły organizmy morskie?

Po tym pytaniu zapadła długa cisza.

Rachel stała na skraju otworu i próbowała zrozumieć, na co patrzy. Plankton bioluminescencyjny w szybie, z którego wyciągnięto meteoryt. Co to oznacza?

— Gdzieś na dole musi być szczelina — odezwał się w końcu Tolland. — To jedyne wytłumaczenie. Plankton dostał się do szybu razem z wodą morską, która wsączyła się przez pęknięcie w lodzie.

Rachel nie zrozumiała.

— Wsączyła się? Skąd? — Przypomniała sobie długą jazdę iceroverem znad oceanu. — Wybrzeże leży dobre trzy kilometry stąd.

Corky i Tolland popatrzyli na nią dziwnie.

— Prawdę mówiąc, ocean znajduje się bezpośrednio pod nami — odparł Corky. — Ta płyta lodu pływa.

Rachel spojrzała na nich z konsternacją.

— Pływa? Przecież... jesteśmy na lodowcu.

— Tak, na lodowcu — przyznał Tolland — ale nie na lądzie. Lodowce czasami spływają z lądu do morza. Ponieważ lód jest lżejszy od wody, lodowiec po prostu unosi się na powierzchni niczym ogromna lodowa tratwa. To definicja lodowca szelfowego... unosząca się na wodzie część lodowca. — Po chwili dodał: — W tej chwili stoimy jakieś półtora kilometra od brzegu.

Rachel, wstrząśnięta, natychmiast stała się czujna. Myśl, że pod nią jest lodowata woda, przyprawiła ją o dreszcz strachu.

Tolland chyba wyczuł jej zaniepokojenie, bo tupnął nogą w lód, żeby ją uspokoić.

— Nie ma powodu do obaw. Ten lód ma dziewięćdziesiąt metrów grubości, z czego sześćdziesiąt unosi się poniżej poziomu morza jak kostka lodu w szklance. Dzięki temu płyta jest bardzo stabilna. Mogłabyś postawić na niej drapacz chmur.

Rachel niepewnie pokiwała głową, nie do końca przekonana.

Odsuwając od siebie złe przeczucia, teraz zrozumiała teorię pochodzenia planktonu. Tolland sądzi, że w lodzie jest szczelina, przez którą plankton wpłynął do szybu. Wyjaśnienie brzmiało wiarygodnie, ale zastanowił ją pewien paradoks. Nora Mangor, która wykonała szereg wierceń i dokładnie zbadała rdzenie, powiedziała jasno, że lodowiec jest jednolity.

Popatrzyła na Tollanda.

— Myślałam, że integralność lodowca stanowiła podstawę określenia wieku. Czy doktor Mangor nie mówiła, że w lodowcu nie ma żadnych szczelin ani uskoków?

Corky uniósł brwi.

— Wygląda na to, że królowa lodu się pomyliła.

Nie tak głośno, pomyślała Rachel, bo zarobisz czekanem w plecy.

Tolland gładził się po brodzie, patrząc na fosforyzujące mikroorganizmy.

— Po prostu nie ma innego wytłumaczenia. Gdzieś tam w dole musi być szczelina. Ciężar lodu unoszącego się w oceanie wpycha bogatą w plankton wodę do szybu.

Nie byle jaka ta szczelina, pomyślała Rachel. Skoro lód ma dziewięćdziesiąt metrów grubości, a szyb sześćdziesiąt głębokości, hipotetyczna szczelina musi przebijać trzydzieści metrów solidnego lodu. Próby rdzeniowe Nory Mangor nie wykazały żadnego pęknięcia.

— Zrób coś dla mnie — Tolland zwrócił się do Corky'ego. — Znajdź Norę. Miejmy nadzieję, że wie o tym lodowcu coś, czym się z nami nie podzieliła. Przyprowadź też Minga. Może on nam powie, czym są te świecące stworzonka.

Corky odszedł.

— Lepiej się pospiesz! — zawołał za nim Tolland, już odwracając się w stronę szybu. — Mógłbym przysiąc, że bioluminescencja gaśnie.

Rachel zajrzała do studni. Tak, zieleń nie była już taka jaskrawa.

Tolland zdjął skafander i położył się na lodzie.

Rachel popatrzyła na niego zdziwiona.

— Mike?

— Chcę sprawdzić, czy do szybu wpływa słona woda.

— Kładąc się na lodzie bez kurtki?

— Aha. — Tolland podczołgał się na skraj otworu. Trzymając skafander za jeden rękaw, drugi spuścił do szybu, aż mankiet zanurzył się w wodzie. — To nadzwyczaj dokładne badanie zasolenia, stosowane przez oceanografów światowej klasy. Nazywa się „lizanie mokrej kurtki".

Na lodowcu Delta Jeden manipulował urządzeniem sterującym, próbując utrzymać uszkodzonego mikrobota nad grupą skupioną przy szybie. Z rozmowy wynikało, że sytuacja się komplikuje.

— Dzwoń do kontrolera — powiedział. — Mamy poważny problem.

Rozdział 40

W młodości Gabrielle Ashe wiele razy zwiedzała Biały Dom, marząc skrycie, że pewnego dnia dostanie pracę w rezydencji prezydenta i wejdzie w skład elitarnego zespołu, który kreśli przyszłość narodu. W tej chwili wolałaby być zupełnie gdzie indziej.

Gdy agent wprowadził ją do bogato urządzonego holu, zastanowiła się, co, do diabła, próbuje udowodnić jej informator. Zapraszanie jej do Białego Domu to szaleństwo. A jeśli ktoś mnie zobaczy? Ostatnio często występowała w mediach jako prawa ręka senatora Sextona. Na pewno ktoś ją rozpozna.

— Pani Ashe?

Podniosła głowę. Sympatyczny strażnik witał ją uśmiechem.

— Proszę tam spojrzeć — wskazał.

Zrobiła to i oślepił ją błysk flesza.

— Dziękuję pani. — Strażnik zaprowadził ją do biurka i podał pióro. — Proszę wpisać się w książce wejść. — Położył przed nią ciężki, oprawiony w skórę tom.

Gabrielle popatrzyła na księgę. Stronica była pusta. Kiedyś słyszała, że wszyscy goście w Białym Domu wpisują się na pustych stronach, co ma chronić ich prywatność. Wpisała swoje nazwisko.

I tyle jeśli chodzi o potajemne spotkanie.

Przeszła przez bramkę wykrywacza metalu i została poddana pobieżnej rewizji.

Strażnik uśmiechnął się.

— Miłej wizyty, pani Ashe.

Eskortowana przez agenta, pokonała długi na piętnaście metrów, wyłożony płytkami korytarz i stanęła przed drugim stanowiskiem ochrony. Tutaj inny strażnik obsługiwał maszynę do laminowania. Wziął przepustkę, która wysunęła się ze szczeliny, wybił w niej dziurkę, przeciągnął sznurek i założył go na szyję Gabrielle. Plastik był jeszcze ciepły. Zdjęcie na identyfikatorze zostało zrobione piętnaście sekund wcześniej w holu.

Gabrielle była pod wrażeniem. Kto mówi, że rząd jest nieudolny?

Agent prowadził ją w głąb kompleksu Białego Domu. Gabrielle z każdym krokiem odczuwała coraz większy niepokój. Temu, kto wystosował tajemnicze zaproszenie, z pewnością nie zależało na zachowaniu tajemnicy. Gabrielle otrzymała oficjalną przepustkę, wpisała się do księgi gości, a teraz przemierza parter Białego Domu, mijając wycieczki.

— To Pokój Chiński — mówił przewodnik do grupy turystów — a w nim kosztująca dziewięćset pięćdziesiąt dwa dolary porcelanowa zastawa Nancy Reagan, która uświetniała debatę na temat rozrzutności w tysiąc dziewięćset osiemdziesiątym pierwszym.

Agent prowadził ją w kierunku wielkich marmurowych schodów, po których wchodziła następna wycieczka.

— Zaraz wejdziemy do Pokoju Wschodniego o powierzchni trzystu metrów kwadratowych — informował przewodnik — w którym Abigail Adams rozwiesiła kiedyś pranie Johna Adamsa. Następnie przejdziemy do Pokoju Czerwonego. Tam Dolley Madison upijała szefów państw przed negocjacjami z Jamesem Madisonem.

Turyści wybuchnęli śmiechem.

Gabrielle minęła schody. Po pokonaniu labiryntu linek i barierek znalazła się w bardziej prywatnej części gmachu. Weszli do pokoju, który znała tylko z książek i telewizji. Zaparło jej dech w piersi.

— Mój Boże, to Pokój Map!

Tutaj wycieczki nie miały wstępu. Wyłożone boazerią ściany pokoju można było odchylać, odsłaniając kolejne mapy świata. W tym pokoju Roosevelt decydował o przebiegu drugiej wojny światowej. W tym pokoju Clinton przyznał się do romansu z Moniką Lewinsky. Gabrielle odpędziła tę myśl. Co ważniejsze przez Pokój Map wiodło przejście do Zachodniego Skrzydła, gdzie prawdziwe szare eminencje rozdawały polityczne karty. Było to ostatnie miejsce, do którego spodziewała się trafić. Wyobrażała sobie, że e-maile przysyłał jakiś przedsiębiorczy młody stażysta albo sekretarz pracujący w jednym z mniej ważnych biur kompleksu. Najwyraźniej było inaczej.

Idę do Zachodniego Skrzydła.

Agent zaprowadził ją na sam koniec wyłożonego dywanem korytarza i zatrzymał się przed drzwiami bez żadnej tabliczki. Zapukał. Gabrielle słyszała bicie własnego serca.

— Proszę! — krzyknął ktoś wewnątrz.

Mężczyzna otworzył drzwi i ruchem ręki kazał jej wejść.

Gabrielle weszła. Rolety były opuszczone, w pokoju panował półmrok. Ledwo widziała sylwetkę osoby siedzącej za biurkiem.

— Pani Ashe? — Głos płynął zza chmury tytoniowego dymu. — Witam.

Gdy oczy Gabrielle przyzwyczaiły się do nikłego oświetlenia, rozpoznała niepokojąco znajomą twarz i zesztywniała zaskoczona. To ONA przysyłała mi e-maile?

— Dziękuję za przybycie — powiedziała chłodno Marjorie Tench.

— Pani... Tench? — wyjąkała Gabrielle, nagle nie mogąc złapać tchu.

— Mów mi Marjorie. — Brzydka kobieta wstała, buchając dymem z nosa niczym smok. — Zostaniemy przyjaciółkami.

Rozdział 41

Nora Mangor stała z Tollandem, Rachel i Corkym, patrząc w głąb czarnej jak smoła jamy.

— Mike, jesteś bystry, ale stuknięty. Tu nie ma żadnej bioluminescencji.

Tolland żałował, że nie zarejestrował tego na wideo; podczas gdy Corky szukał Nory i Minga, bioluminescencja szybko zaczęła przygasać. W ciągu paru minut mruganie się skończyło.

Wrzucił do wody drugi okruch lodu, ale nic się nie stało. Tym razem zielony rozbłysk się nie pojawił.

— Gdzie się podziały? — zapytał Corky.

Tolland wiedział. Bioluminescencja — jeden z najbardziej pomysłowych mechanizmów obronnych w przyrodzie — stanowi naturalną reakcję planktonu na zagrożenie. Wyczuwając wrogie organizmy, plankton zaczyna błyskać w nadziei, że przyciągnie większych drapieżców, które je przepłoszą. W tym wypadku plankton nagle znalazł się w środowisku o bardzo niskim zasoleniu i świecił w panice, powoli zabijany przez słodką wodę.

— Myślę, że nie żyją.

— Zostały zamordowane — parsknęła Nora. — Pożarł je wielkanocny króliczek.

Corky spiorunował ją wzrokiem.

— Ja też widziałem luminescencję, Noro.

— Przed czy po zażyciu LSD?

— Dlaczego mielibyśmy kłamać? — zapytał Corky.

— Faceci zawsze kłamią.

— Tak, gdy chodzi o sypianie z innymi kobietami, ale nigdy w kwestii bioluminescencyjnego planktonu.

Tolland westchnął.

— Noro, przecież musisz wiedzieć, że plankton żyje w oceanach pod lodem.

— Mike, nie ucz ojca dzieci robić — parsknęła ze złością. — Dla twojej informacji, pod arktycznym lodem szelfowym żyje ponad dwieście gatunków okrzemek, czternaście gatunków autotroficznego nanoplanktonu, dwadzieścia heterotroficznych wiciowców, czterdzieści heterotroficznych bruzdnic oraz kilka gatunków wielokomórkowców, w tym wieloszczety, obunogi, widłonogi, eufazje i ryby. Jakieś pytania?

Tolland ściągnął brwi.

— Wiesz o arktycznej faunie więcej niż ja i zgadzasz się, że pod nami tętni życie. Dlaczego więc nie chcesz uwierzyć, że widzieliśmy bioluminescencję?

— Ponieważ, Mike, ten szyb jest szczelny. Stanowi zamknięte środowisko słodkowodne. Plankton oceaniczny po prostu nie mógł się tu dostać!

— Czułem w wodzie smak soli. Słaby, ale wyraźny. Słona woda jakoś się tu dostaje.

— Pewnie — mruknęła Nora sceptycznie. — Czułeś sól. Polizałeś rękaw starego przepoconego skafandra i stwierdziłeś, że skany gęstości PODS i wyniki badań piętnastu odrębnych próbek rdzeniowych są niedokładne.

Tolland podniósł na dowód mokry rękaw skafandra.

— Mike, nie będę lizała twojej cholernej kurtki. — Nora zajrzała do szybu. — Mogę spytać, z jakiego powodu stada rzekomego planktonu miałyby wpływać przez tę rzekomą szczelinę?

— Ciepło? — zasugerował Tolland. — Ciepło przyciąga mnóstwo morskich stworzeń. Meteoryt był ogrzewany w trakcie wyciągania. Być może plankton instynktownie przypłynął do cieplejszego środowiska w szybie.

Corky pokiwał głową.

— Brzmi logicznie.

— Logicznie? — Nora przewróciła oczami. — Wiecie co? Jak na nagrodzonego fizyka i światowej sławy oceanografa tworzycie dość tępy duet. Czy nie przyszło wam do głowy, że nawet jeśli gdzieś w dole jest szczelina — a zapewniam, że nie ma — to wpłynięcie słonej wody do tego szybu jest fizycznie niemożliwe? — Popatrzyła na nich z politowaniem.

— Ale, Noro... — zaczął Corky.

— Panowie! Stoimy powyżej poziomu morza. — Tupnęła nogą w lód. — Halo? Powierzchnia tego lodu znajduje się trzydzieści metrów nad wodą. Może pamiętacie to wielkie urwisko na końcu szelfu? Stoimy powyżej oceanu. Jeśli w szybie jest szczelina, woda powinna wypływać, a nie wpływać. To się nazywa grawitacja.

Tolland i Corky wymienili spojrzenia.

— Cholera — zaklął Corky. — Nie pomyślałem.

Nora wskazała szyb.

— Może zauważyliście też, że poziom wody nie ulega zmianie?

Tolland czuł się jak idiota. Nora miała absolutną rację. Gdyby była jakaś szczelina, woda uciekałaby z szybu. Stał w milczeniu przez długą chwilę, zastanawiając się, co robić.

— W porządku — westchnął. — Najwyraźniej teoria szczeliny nie ma sensu. Ale widzieliśmy bioluminescencję. Jedyny wniosek jest taki, że to wcale nie jest środowisko zamknięte. Zdaję sobie sprawę, że swoje datowanie oparłaś na założeniu, iż lodowiec jest litym blokiem, ale...

— Na założeniu? — obruszyła się Nora. — Pamiętaj, Mike, wierciłam w lodzie. Badania NASA potwierdziły moje wyniki. Wszyscy orzekliśmy, że lodowiec jest jednolity. Żadnych pęknięć.

Tolland popatrzył w stronę tłumu zgromadzonego wokół studia telewizyjnego.

— Cokolwiek się tu dzieje, powinniśmy poinformować Ekstroma i...

— Bzdura! — syknęła Nora. — Mówię ci, lodowiec jest w idealnym stanie. Nie życzę sobie, żeby kwestionowano moje wyniki w oparciu o lizanie soli i jakieś niedorzeczne halucynacje. — Popędziła do pobliskiego magazynku i zaczęła przekładać narzędzia. — Pobiorę próbkę i udowodnię, że woda nie zawiera słonowodnego planktonu, żywego ani martwego!

Rachel, Mike i Corky patrzyli, jak Nora opuszcza na lince sterylną pipetę, żeby pobrać próbkę wody z szybu. Po jej wyciągnięciu wpuściła kilka kropel do urządzenia, które przypominało miniaturowy teleskop. Spojrzała przez okular, kierując instrument w stronę światła płynącego z drugiej strony kopuły. Po paru sekundach zaklęła.

— Do cholery! — Potrząsnęła przyrządem i spojrzała jeszcze raz. — Chryste, co jest z tym refraktometrem?

— Zaszkodziła mu słona woda? — podsunął Corky.

Nora zmarszczyła czoło.

— W istocie. Wykazuje zasolenie rzędu trzech procent, co jest absolutnie niemożliwe. Ten lodowiec powstał ze śniegu, z czystej wody słodkiej. Nie powinno być soli. — Zabrała próbkę i zbadała ją pod mikroskopem. Jęknęła.

— Plankton? — zapytał Tolland.

— *G. polyhedra* — odparła cicho. — To plankton pospolicie występujący w oceanach pod lodem szelfowym. — Popatrzyła na Tollanda. — Organizmy są martwe. Nie przeżyły w środowisku o trzyprocentowym zasoleniu.

Cała czwórka stała w milczeniu przy głębokim szybie.

Rachel zastanawiała się nad znaczeniem tej informacji dla samego odkrycia meteorytu. W porównaniu ze skalą odkrycia problem wydawał się niewielki, ale podczas swojej pracy niejeden raz widziała, jak całe teorie rozsypywały się w pył z jeszcze błahszych powodów.

— Co tu się dzieje? — Głos brzmiał jak niski łoskot.

Wszyscy podnieśli głowy. Z mroku wyłoniła się niedźwiedzia sylwetka administratora NASA.

— Drobny kłopot z wodą w szybie — wyjaśnił Tolland. — Próbujemy dojść z tym do ładu.

— Dane Nory są do luftu — powiedział niemal wesoło Corky.

— Goń się — syknęła Nora.

Ekstrom zbliżył się, ściągając krzaczaste brwi.

— Co z nimi nie w porządku?

Tolland westchnął niepewnie.

— W szybie meteorytowym mamy roztwór o trzyprocentowym zasoleniu, co jest sprzeczne z raportem glacjologicznym, który mówi, że meteoryt leżał w nienaruszonym lodowcu zbudowanym z wody słodkiej. — Po chwili dodał: — Jest również plankton.

Ekstrom nie wyglądał na przejętego.

— To niemożliwe. W lodowcu nie ma szczelin. Wykazały to skany PODS. Meteoryt spoczywał w nienaruszonym lodzie — powiedział.

Rachel wiedziała, że Ekstrom ma rację. Ze skanów gęstości wynikało, iż pokrywa lodowa jest solidna niczym lita skała. Meteoryt ze wszystkich stron otaczały dziesiątki metrów lodu bez śladu pęknięć. A jednak, gdy wyobraziła sobie, jak robione były skany gęstości, przyszła jej do głowy dziwna myśl...

— Co zresztą potwierdziły próbki rdzeniowe doktor Mangor — dokończył Ekstrom.

— No właśnie! — podchwyciła Nora, rzucając refraktometr na biurko. — Podwójne potwierdzenie. W lodzie nie ma śladu uskoków. Ale jak w takim razie wyjaśnić obecność soli i planktonu?

— Prawdę mówiąc... — Rachel była zaskoczona swoją śmiałością — jest inna możliwość. — Pomysł, który wpadł jej do głowy, miał źródło we wspomnieniach.

Wszyscy popatrzyli na nią z nieskrywanym powątpiewaniem.

Rachel uśmiechnęła się.

— Istnieje racjonalne wyjaśnienie obecności soli i planktonu. — Spojrzała kpiąco na Tollanda. — Naprawdę, Mike, dziwię się, że nie przyszło ci to do głowy.

Rozdział 42

— Plankton zamarzł w lodowcu? — Corky Marlinson nie wyglądał na przekonanego. — Nie chciałbym się czepiać, ale zwykle kiedy coś żywego zamarza, to umiera. A te małe robaczki mrugały do nas, pamięta pani?

— W gruncie rzeczy ona może mieć rację — powiedział Tolland, patrząc na Rachel z podziwem. — Wiele gatunków wchodzi w stan śmierci pozornej, kiedy wymuszają to warunki środowiskowe. Zrobiłem kiedyś odcinek poświęcony temu fenomenowi.

Rachel pokiwała głową.

— Pokazałeś szczupaki z północy, zamarzające w jeziorach i czekające do roztopów, żeby znowu pływać. Mówiłeś też o pustynnych mikroorganizmach zwanych nosiwodami, które po dziesięcioleciach zupełnego odwodnienia odżywają z pierwszym deszczem.

Tolland zaśmiał się.

— Naprawdę oglądasz mój program?

Rachel z lekkim zakłopotaniem wzruszyła ramionami.

— Do czego pani zmierza, pani Sexton? — zapytała Nora.

— Do tego, co powinno zaświtać mi wcześniej — odparł Tolland. — Jednym z gatunków wspomnianych przeze mnie w tym programie był plankton, który każdej zimy zamarza w polarnej pokrywie lodowej, hibernuje w lodzie i wypływa latem, kiedy lód się topi. — Milczał przez chwilę. — Zgoda, ten gatunek jest inny, ale być może mamy do czynienia z podobnym zjawiskiem.

— Zamarznięty plankton mógłby wyjaśnić wszystko, co tu widzimy. — Rachel była podekscytowana entuzjazmem, z jakim

Michael Tolland podchwycił jej pomysł. — Kiedyś w przeszłości w tym lodowcu mogły powstać szczeliny, które wypełniły się bogatą w plankton morską wodą, a następnie zamarzły. A jeśli w tym lodowcu były kieszenie zamarzniętej wody morskiej zawierającej zamarznięty plankton? Załóżmy, że w czasie podnoszenia rozgrzany meteoryt trafił na taką kieszeń. Lód stopił się, uwalniając hibernujący plankton i zasalając słodką wodę.

— Och, na miłość boską! — warknęła Nora. — Nagle wszyscy stali się glacjologami!

Corky też był sceptyczny.

— Ale czy PODS nie wykryłby kieszeni słonego lodu, kiedy robił skany gęstości? Ostatecznie woda słona i słodka mają różną gęstość.

— Różnica jest niewielka — zaznaczyła Rachel.

— Cztery procent to wcale niemało — zaoponowała Nora.

— Tak, w laboratorium. Ale PODS robi pomiary z wysokości dwustu kilometrów. Komputery wykrywają oczywiste różnice, na przykład pomiędzy lodem a śryżem *, granitem a wapieniem. — Rachel zwróciła się do administratora: — Czy słusznie zakładam, że PODS, mierzący gęstość z kosmosu, ma za małą rozdzielczość, żeby odróżnić lód słony od słodkowodnego?

Administrator pokiwał głową.

— Słusznie. Różnica czterech procent jest poniżej progu tolerancji PODS. Satelita nie rozróżnia lodu z wody słonej i słodkiej.

Tolland był wyraźnie zaintrygowany.

— Roztopienie kieszeni wyjaśniałoby również stały poziom wody w szybie. — Popatrzył na Norę. — Mówiłaś, że ten gatunek planktonu, który widzieliśmy, nazywa się...

— *G. polyhedra.* Zastanawiasz się pewnie, czy *G. polyhedra* jest zdolna do hibernowania w lodzie. Z przyjemnością usłyszysz, że tak. Zdecydowanie tak. *G. polyhedra* występuje obficie wokół lodu szelfowego, ma zdolność bioluminescencji i może hibernować w lodzie. Są pytania?

Wszyscy wymienili spojrzenia. Z tonu Nory jasno wynikało, że jest jakieś „ale", choć na pozór potwierdziła teorię Rachel.

— W takim razie to możliwe, prawda? — upewnił się Tolland. — Ta teoria ma sens?

---

* śryż — niewielkie kryształki pływającego swobodnie lodu

— Jasne — odparła Nora — dla niedouczonych debili.

Rachel popatrzyła na nią ze złością.

— Słucham?

Nora Mangor spojrzała jej w oczy.

— Domyślam się, że w pani zawodzie niedostateczna wiedza bywa groźniejsza od braku wiedzy. Cóż, proszę mi wierzyć, ta sama prawda odnosi się do glacjologii. — Powiodła wzrokiem po twarzach czwórki ludzi. — Pozwólcie mi wyjaśnić to raz na zawsze. Zdarza się, że w lodowcu występuje zamarznięta słona woda, ale nie w postaci kieszeni, tylko silnie rozgałęzionej sieci grubości ludzkiego włosa. Meteoryt musiałby przejść przez piekielnie gęstą siatkę, żeby po wytopieniu słonej wody zasolenie w studni o tej głębokości wynosiło trzy procent.

Ekstrom ściągnął brwi.

— Jest to więc możliwe czy nie?

— Niemożliwe — odparła Nora stanowczo. — Absolutnie wykluczone. Wykryłabym obecność słonego lodu w trakcie badania próbek rdzeniowych.

— Próbki pobiera się z przypadkowych miejsc, prawda? — zapytała Rachel. — Czy jest możliwość, że odwierty za sprawą czystego przypadku ominęły kieszeń morskiego lodu?

— Wierciłam bezpośrednio nad meteorytem oraz w odległości paru metrów ze wszystkich stron. Bliżej nie można.

— Tylko pytam.

— Zresztą to nieistotne. Słona woda występuje jedynie w lodzie sezonowym, czyli w takim, którzy narasta i topi się zgodnie z porami roku. Lodowiec Szelfowy Milne'a jest lodem trwałym, który tworzy się w górach i nie topnieje w trakcie spływania do strefy cielenia. Zamarznięty plankton byłby wygodnym wyjaśnieniem tego małego tajemniczego fenomenu, ale gwarantuję, że w tym lodowcu nie ma zamarzniętego planktonu.

Zapadło milczenie.

Rachel, przyzwyczajona do systematycznego analizowania danych, nie chciała pogodzić się z odrzuceniem teorii zamarzniętego planktonu. Czuła, że takie wyjaśnienie jest najprostsze. Prawo brzytwy Ockhama, pomyślała. Instruktorzy NRO zadbali, żeby stale miała je w pamięci. Kiedy istnieje wiele wyjaśnień, zwykle poprawne jest to najprostsze.

Nora Mangor straciłaby wiele, gdyby jej datowanie rdzeniowe

okazało się błędne. Może po zobaczeniu planktonu zrozumiała, że popełniła błąd, twierdząc, iż lodowiec jest jednolity, i teraz po prostu idzie w zaparte?

Ciszę przerwała Rachel.

— Wiem tylko, że niedawno przedstawiłam sytuację personelowi Białego Domu. Oznajmiłam, iż meteoryt został znaleziony w nienaruszonym lodzie, w którym spoczywał, nie będąc narażony na wpływy zewnętrzne, od roku tysiąc siedemset szesnastego, kiedy to oderwał się od słynnego Jungersola. Teraz wydaje się, że to wcale nie jest takie pewne.

Administrator NASA milczał z poważną miną.

Tolland chrząknął.

— Muszę zgodzić się z Rachel. W studni znajduje się słona woda z planktonem. Niezależnie od przyczyny, szyb nie jest środowiskiem zamkniętym. Temu nie możemy zaprzeczyć.

Corky był wyraźnie zakłopotany.

— Uch, ludzie, nie chcę tu mówić jak astrofizyk, ale w mojej dziedzinie, kiedy popełniamy błąd, zwykle mylimy się o miliardy lat. Czy ta odrobina planktonu i słonej wody naprawdę jest taka ważna? Chodzi mi o to, że przecież stan lodu otaczającego meteoryt nijak nie wpływa na sam meteoryt, prawda? Mamy skamieliny. Nikt nie kwestionuje ich autentyczności. Jeśli okaże się, że popełniliśmy błąd w datowaniu rdzeniowym, nikogo nie będzie to obchodziło. Najważniejsze, że znaleźliśmy dowód istnienia życia na innej planecie.

— Przepraszam, doktorze Marlinson — przerwała mu Rachel — jako osoba, która zarabia na życie analizowaniem danych, nie mogę się z panem zgodzić. Nawet najmniejsza nieścisłość w informacjach, jakie NASA zaprezentuje dziś wieczorem, może rzucić cień wątpliwości na całe odkrycie. Łącznie z autentycznością skamielin.

Corky rozdziawił usta.

— O czym pani mówi? Skamieliny są prawdziwe!

— Ja to wiem. Pan to wie. Ale jeśli ludzie zorientują się, że NASA świadomie przedstawiła wątpliwe dane, natychmiast zaczną się zastanawiać, w czym jeszcze zostali okłamani.

Nora z błyskiem w oczach wysunęła się do przodu.

— Moje dane nie budzą wątpliwości. — Zwróciła się do administratora: — Mogę udowodnić, że w tym lodzie nie ma uwięzionego słonego lodu!

Administrator patrzył na nią przez długą chwilę.

— Jak?

Nakreśliła swój plan. Rachel musiała przyznać, że pomysł jest rozsądny.

Ekstrom nie wyglądał na przekonanego.

— I wyniki będą rozstrzygające?

— Na sto procent — zapewniła Nora. — Jeśli gdzieś w pobliżu tego szybu jest choć jeden mililitr zamarzniętej słonej wody, to go zobaczycie. Wystarczy kilka kropel, a mój sprzęt rozbłyśnie jak choinka w Boże Narodzenie.

— Mamy niewiele czasu. Konferencja prasowa rozpocznie się za kilka godzin — przypomniał Ekstrom, marszcząc czoło pod obciętymi po wojskowemu włosami.

— Mogę wrócić za dwadzieścia minut.

— Jak daleko będzie pani musiała odejść?

— Niedaleko. Dwieście metrów powinno wystarczyć.

— Jest pani pewna, że to bezpieczne?

— Wezmę flary. I pójdzie ze mną Mike.

Tolland podniósł głowę.

— Ja?

— Jak najbardziej, Mike. Zwiążemy się liną. Będę wdzięczna za parę silnych rąk tam, gdzie wieje silny wiatr.

— Ale...

— Ona ma rację — powiedział administrator do Tollanda. — Nie może pójść sama. Wysłałbym z nią moich ludzi, ale szczerze mówiąc, wolę nie rozgłaszać tej sprawy z planktonem, dopóki nie ocenimy wagi problemu.

Tolland niechętnie pokiwał głową.

— Ja też chciałabym pójść — oświadczyła Rachel.

Nora sprężyła się jak kobra.

— Nie ma mowy.

— Będę spokojniejszy, jeśli pójdzie standardowy zespół czteroosobowy — powiedział administrator w taki sposób, jakby ten pomysł właśnie przyszedł mu do głowy. — Jeśli pójdziecie we dwójkę i Mike wpadnie do szczeliny, pani go nie utrzyma. Cztery osoby są znacznie bezpieczniejsze niż dwie. — Popatrzył na Corky'ego. — Albo pan, albo doktor Ming. — Rozejrzał się po habisferze. — A gdzie on jest?

— Nie widziałem go od dłuższego czasu — odparł Tolland. — Może ucina sobie drzemkę.

Ekstrom zwrócił się do Corky'ego:

— Doktorze Marlinson, nie mogę żądać, żeby pan z nimi poszedł, ale...

— Po kiego licha? — parsknął Corky. — Jak dotąd każdy dobrze sobie radził.

— Nie! — krzyknęła Nora. — Cztery osoby tylko nas spowolnią. Mike mi wystarczy.

— Nie pójdziecie sami. — Ton administratora brzmiał kategorycznie. — Zestawy asekuracyjne nie bez powodu przystosowane są dla czterech osób. Musimy zagwarantować maksymalne bezpieczeństwo. Ostatnią rzeczą, jakiej potrzebuję, jest wypadek na kilka godzin przed najważniejszą konferencją prasową w dziejach NASA.

Rozdział 43

Ogromnie zdenerwowana Gabrielle Ashe siedziała w zadymionym biurze Marjorie Tench. Czego ta kobieta ode mnie chce? Tench odchyliła się na krześle. Z jej brzydkiej twarzy biło zadowolenie ze skrępowania gościa.

— Przeszkadza pani dym? — zapytała, wyjmując z paczki nowego papierosa.

— Nie — skłamała Gabrielle.

Tench i tak już zdążyła zapalić.

— Pani kandydat w czasie kampanii ogromnie zainteresował się NASA.

— To prawda — warknęła Gabrielle, nie próbując ukryć złości. — Dzięki pewnym pomysłowym podpowiedziom. Chętnie wysłucham wyjaśnień.

Tench niewinnie wydęła usta.

— Chce pani wiedzieć, dlaczego wysyłałam tę e-mailową pożywkę do waszych ataków na NASA?

— Informacje, które pani przysłała, godzą w prezydenta.

— Tak, na krótką metę.

Złowieszcze brzmienie głosu Tench sprawiło, że Gabrielle zaniepokoiła się jeszcze bardziej.

— Co to ma znaczyć?

— Niech się pani odpręży, Gabrielle. Te e-maile niewiele zmieniły. Senator Sexton rozpoczął nagonkę na NASA na długo przed moją interwencją. Ja tylko pomogłam mu zdefiniować przesłanie. Utwardzić stanowisko.

— Utwardzić stanowisko?

— Właśnie. — Tench uśmiechnęła się, pokazując żółte od nikotyny zęby. — Trzeba przyznać, zrobił to dziś całkiem dobrze w CNN.

Gabrielle przypomniała sobie reakcję senatora na jej pytanie. Tak, będę dążył do zlikwidowania NASA. Sexton dał się przyprzeć do muru, ale wyszedł obronną ręką. Zrobił właściwy ruch. Na pewno? Widząc zadowoloną minę Tench, Gabrielle miała wrażenie, że coś przeoczyła.

Tench wstała nagle, a jej chuda sylwetka dominowała w niewielkim pomieszczeniu. Z papierosem zwisającym z ust podeszła do sejfu, wyjęła grubą szarą kopertę i wróciła na miejsce.

Gabrielle podejrzliwie popatrzyła na opasły pakunek.

Tench uśmiechała się, przytulając kopertę do piersi niczym pokerzysta, który dostał królewskiego pokera. Pstrykała czubkiem żółtawego palca w róg koperty, jakby bawiło ją budowanie napięcia.

Gabrielle wiedziała, że jej lęk bierze się z poczucia winy, ale przestraszyła się, że koperta zawiera jakiś dowód jej seksualnego związku z senatorem. To absurd, pomyślała. Spotkanie odbyło się po godzinach w zamkniętym gabinecie Sextona. Poza tym, gdyby Biały Dom rzeczywiście miał jakieś dowody, już by je podał do publicznej wiadomości.

Mogą coś podejrzewać, pomyślała, ale nie mają dowodu.

Tench zgasiła papierosa.

— Nie wiem, czy zdaje pani sobie sprawę, że trafiła pani w środek bitwy, która toczy się za zamkniętymi drzwiami w Waszyngtonie od roku dziewięćdziesiątego szóstego.

Gabrielle nie spodziewała się takiego otwarcia.

— Słucham?

Tench zapaliła następnego papierosa. Jej cienkie wargi zacisnęły się wokół filtra i żar rozbłysł w półmroku.

— Co pani wie o ustawie zwanej Aktem Promocji Komercjalizacji Kosmosu?

Nigdy o niej nie słyszała. Zagubiona, wzruszyła ramionami.

— Poważnie? — zdumiała się Tench. — To mnie dziwi, biorąc pod uwagę platformę pani kandydata. Projekt ustawy został zgłoszony w dziewięćdziesiątym szóstym przez senatora Walkera. Jego istota sprowadza się do stwierdzenia, że NASA nie dokonała niczego interesującego od czasu wysłania człowieka na Księżyc. Postuluje prywatyzację NASA przez natychmiastowe sprzedanie majątku przedsiębiorcom prywatnym oraz otwarcie kosmosu dla systemu wolnorynkowego, który przyczyni się do bardziej efektywnej eksploracji i zdejmie z podatników brzemię narzucane przez NASA.

Gabrielle słyszała, że krytycy zalecają prywatyzację jako lekarstwo na bolączki NASA, ale nie miała pojęcia, że pomysł już miał formę oficjalnego projektu ustawy.

— Projekt komercjalizacji został przedstawiony Kongresowi cztery razy — ciągnęła Tench. — Jest podobny do ustaw, które zapoczątkowały pomyślną prywatyzację państwowych gałęzi przemysłu, takich jak produkcja uranu. Kongres przyjmował go za każdym razem, ale na szczęście Biały Dom nieodmiennie zgłaszał weto. Zachary Herney wetował dwa razy.

— Do czego pani zmierza?

— Do tego, że senator Sexton na pewno poprze projekt tej ustawy, jeśli zostanie prezydentem. Mam powody wierzyć, że nie będzie miał skrupułów wobec sprzedaży majątku NASA prywatnym przedsiębiorcom i że zgodzi się na to przy pierwszej nadarzającej się okazji. Krótko mówiąc, pani kandydat przedłoży prywatyzację nad finansowanie badań kosmosu za pieniądze podatników.

— O ile wiem, senator nigdy nie wyraził publicznie swojego stanowiska wobec projektu ustawy o komercjalizacji kosmosu.

— Prawda. A jednak znając jego politykę, zakładam, że nie byłaby pani zaskoczona, gdyby ją popierał.

— Systemy wolnorynkowe z założenia zwiększają efektywność.

— Przyjmuję to za „tak". — Tench przeszyła ją spojrzeniem. — Niestety, prywatyzacja NASA jest okropnym pomysłem. Projekt ustawy był torpedowany przez kolejne administracje nie bez powodu.

— Słyszałam argumenty przemawiające przeciwko prywatyzacji kosmosu — przyznała Gabrielle. — Rozumiem pani obawy.

— Naprawdę? — Tench pochyliła się w jej stronę. — Jakie argumenty?

Gabrielle poruszyła się niespokojnie.

— Najpoważniejszym jest obniżenie poziomu naukowego. W powszechnym mniemaniu obecne dążenie do poszerzania wiedzy o kosmosie zostanie szybko zarzucone na rzecz bardziej dochodowych przedsięwzięć.

— Otóż to. Astronautyka jako nauka umarłaby w mgnieniu oka. Zamiast wydawać pieniądze na prawdziwe badanie wszechświata, prywatne firmy kosmiczne eksploatowałyby asteroidy, budowały w kosmosie hotele, oferowały usługi wystrzeliwania satelitów. W imię czego prywaciarze mieliby zadawać sobie trud badania przestrzeni kosmicznej, skoro to kosztuje miliardy i nie przynosi zysków?

— To prawda — przyznała Gabrielle. — Ale z pewnością można by powołać jakąś krajową fundację badań kosmicznych, żeby finansować misje naukowe.

— Już ją mamy. Nazywa się NASA.

Gabrielle milczała.

— Zarzucenie nauki dla zysków jest kwestią poboczną — mówiła Tench. — Mało istotną w porównaniu z chaosem, jaki byłby wynikiem samowoli sektora prywatnego w kosmosie. Mielibyśmy nowy Dziki Zachód. Pionierów oznaczających palikami działki na Księżycu i na asteroidach, i broniących ich siłą. Słyszałam o petycjach firm, które chcą budować neonowe billboardy mrugające na nocnym niebie, a także hotele i atrakcje turystyczne na orbicie. Ich działalność obejmowałaby wyrzucanie śmieci w przestrzeń kosmiczną i tworzenie orbitalnych wysypisk. Ledwie wczoraj czytałam o propozycji pewnego przedsiębiorstwa, które chciałoby przekształcić kosmos w mauzoleum, wystrzeliwując zmarłych na orbitę. Wyobraża sobie pani satelity telekomunikacyjne zderzające się z nieboszczykami? W zeszłym tygodniu przyjęłam w biurze pewnego miliardera, któremu marzy się wysłanie misji na pobliską asteroidę, przyciągnięcie jej bliżej Ziemi i wydobywanie cennych minerałów. Naprawdę musiałam mu uświadomić, że takie przedsięwzięcie pociągnęłoby za sobą ryzyko globalnej katastrofy! Pani Ashe, zapewniam, jeśli projekt tej ustawy zostanie przyjęty, ludzie przypuszczający szturm na kosmos nie będą naukowcami. Będą biznesmenami o głębokich kieszeniach i płytkich umysłach.

— Argumenty brzmią przekonująco i jestem pewna, że jeśli senator zamieszka w Białym Domu, potraktuje tę kwestię z nadzwyczajną rozwagą. — Mogę zapytać, co to ma wspólnego ze mną?

Tench zmrużyła oczy nad papierosem.

— Wielu ludzi chciałoby zbić fortunę na kosmosie, a polityczne lobby naciska na usunięcie wszelkich ograniczeń i otworzenie kosmosu dla wszystkich chętnych. Prezydenckie prawo weta jest ostatnią barierą chroniącą nas przed prywatyzacją, przed totalnym chaosem w kosmosie.

— W takim razie pochwalam Zacha Herneya za wetowanie projektu ustawy.

— Obawiam się, że pani kandydat nie będzie równie rozsądny, jeśli zwycięży w wyborach.

— Powtarzam, senator sumiennie rozpatrzy wszystkie za i przeciw, jeśli kiedykolwiek będzie władny wyrokować w tej sprawie.

Tench nie wyglądała na przekonaną.

— Wie pani, ile senator Sexton wydaje na reklamy w mediach?

Pytanie było co najmniej dziwne.

— Te liczby są powszechnie znane.

— Ponad trzy miliony miesięcznie.

Gabrielle wzruszyła ramionami. Tench niewiele się pomyliła.

— Skoro pani tak mówi...

— Wydaje mnóstwo pieniędzy.

— Ma mnóstwo pieniędzy.

— Tak, dobrze to zaplanował. A raczej dobrze się ożenił. — Tench wydmuchnęła dym. — To smutne, co spotkało jego żonę, Katherine. Jej śmierć musiała być dla niego wielkim ciosem. — Dramatyczne westchnienie było wyraźnie nieszczere. — Zginęła nie tak dawno temu, prawda?

— Proszę przejść do rzeczy, w przeciwnym wypadku zaraz wyjdę.

Tench zaniosła się długim kaszlem. Gdy atak minął, otworzyła pękatą kopertę. Wyjęła plik spiętych zszywkami kartek i podała je nad biurkiem.

— Dokumenty finansowe Sextona.

Gabrielle ze zdumieniem przejrzała dokumenty. Obejmowały kilka ostatnich lat. Nie była wtajemniczona w wewnętrzne finanse Sextona, ale przypuszczała, że są autentyczne — wyciągi bankowe, zestawienia transakcji z kart kredytowych, kredyty, kapitał w akcjach i nieruchomościach, wykazy długów, zysków i strat.

— To prywatne dane. Skąd pani je ma?

— Moje źródło nie powinno pani interesować. Ale jeśli poświęci pani trochę czasu tym liczbom, stanie się jasne, że senator Sexton nie ma takich pieniędzy, jakie wydaje. Po śmierci Katherine roztrwonił znaczną część spadku na nietrafione inwestycje, przyjemności i kupienie sobie czegoś, co wygląda na pewne zwycięstwo w prawyborach. Sześć miesięcy temu pani kandydat był bez grosza.

Gabrielle domyśliła się, że Tench blefuje. Nic nie wskazywało na to, że Sexton jest spłukany. Z tygodnia na tydzień kupował coraz większe bloki czasu reklamowego.

— Obecnie wydaje na kampanię cztery razy więcej niż prezydent — kontynuowała Tench. — A nie ma majątku osobistego.

— Otrzymujemy wiele dotacji.

— Tak, niektóre są nawet legalne.

Gabrielle podniosła głowę.

— Słucham?

Poczuła przesiąknięty nikotyną oddech, gdy Tench pochyliła się nad biurkiem.

— Gabrielle Ashe, zadam pani pytanie i proponuję, żeby przed udzieleniem odpowiedzi dobrze ją pani przemyślała. Odpowiedź może zadecydować, czy następnych kilka lat spędzi pani w więzieniu, czy nie. Czy jest pani świadoma, że senator Sexton przyjmuje ogromne łapówki od firm lotniczych i kosmonautycznych, które mogą zarobić miliardy na prywatyzacji NASA?

Gabrielle wytrzeszczyła oczy.

— To niedorzeczne oskarżenie!

— Mówi pani, że nic jej o tym nie wiadomo?

— Wiedziałabym, gdyby senator przyjmował łapówki, wysokie łapówki, jak pani sugeruje.

Tench uśmiechnęła się zimno.

— Gabrielle, rozumiem, że senator Sexton pokazał się pani nagi, ale to wcale nie znaczy, że nie ma nic do ukrycia.

Gabrielle wstała.

— Spotkanie dobiegło końca.

— Przeciwnie. — Tench wyłożyła na biurko resztę zawartości koperty. — Spotkanie dopiero się zaczyna.

Rozdział 44

Rachel Sexton czuła się jak astronauta, gdy w „garderobie" habisfery NASA zakładała czarny mikroklimatyzowany kombinezon Mark IX z kapturem, przypominający nadmuchiwaną piankę do nurkowania. W dwuwarstwowej tkaninie z pamięcią kształtu znajdowały się kanaliki, w które wpompowywano gęsty żel, pozwalający zachować odpowiednią temperaturę ciała zarówno w gorącym, jak i zimnym środowisku.

Rachel naciągnęła na głowę obcisły kaptur, a gdy się odwróciła, zobaczyła administratora NASA. Stał w drzwiach niczym milczący strażnik, wyraźnie niezadowolony z konieczności zorganizowania tej małej wyprawy.

Nora Mangor przeklinała pod nosem, każąc wszystkim się ubrać.

— Ten jest najszerszy — powiedziała, rzucając kombinezon Corky'emu.

Kiedy Rachel zapięła kombinezon, Nora znalazła zawór i podłączyła do niego przewód owinięty wokół srebrnego pojemnika, który przypominał wielką butlę do nurkowania.

— Wdech — poleciła, odkręcając zawór.

Rachel usłyszała syk i poczuła, jak żel wpływa do kombinezonu. Pianka napęczniała i kombinezon szczelnie otulił jej ciało, przyciskając warstwy odzieży. Wrażenie przypominało to, jakie towarzyszy wkładaniu do wody ręki w gumowej rękawicy. Kaptur przylgnął do głowy i ucisnął uszy. Wszystkie dźwięki stały się przytłumione.

Jestem w kokonie.

— Najlepsza w tych kombinezonach jest amortyzacja — powiedziała Nora. — Można klapnąć na tyłek i nic się nie poczuje.

Rachel uwierzyła na słowo. Czuła się jak uwięziona w materacu. Nora podała jej sprzęt — czekan, pętle i karabinki, które przypięła do jej uprzęży.

— Aż tyle tego? — zdziwiła się Rachel. — Żeby przejść dwieście metrów?

Nora zmrużyła oczy.

— Chce pani iść czy nie?

Tolland uspokajająco pokiwał głową.

— Nora po prostu jest przezorna.

Corky podłączył się do zbiornika i z rozbawioną miną napompował kombinezon.

— Jak w wielkim kondomie.

Nora prychnęła lekceważąco.

— Chciałbyś wiedzieć, jak to jest, prawiczku.

Tolland usiadł obok Rachel. Uśmiechał się lekko, gdy sznurowała podwójne plastikowe buty i raki.

— Na pewno chcesz iść? — W jego oczach widać było troskę.

Rachel z przekonaniem pokiwała głową. Miała nadzieję, że nie widać po niej narastającego niepokoju. Dwieście metrów to całkiem niedaleko.

— A ty myślałeś, że tylko wzburzone morze jest emocjonujące. — Tolland zaśmiał się, zakładając raki.

— Uznałem, że bardziej lubię wodę w stanie ciekłym niż stałym.

— Nigdy nie przepadałam ani za jednym, ani za drugim. W dzieciństwie wpadłam pod lód. Od tej pory widok otwartej wody przyprawia mnie o ciarki.

Tolland popatrzył na nią ze współczuciem.

— Przykro mi to słyszeć. Kiedy będzie po wszystkim, musisz odwiedzić mnie na „Goyi". Zmienisz zdanie na temat wody. Obiecuję.

Zaskoczyło ją zaproszenie. „Goya" był statkiem badawczym Tollanda — rozsławionym przez *Niezwykły świat oceanów* i uchodzącym za jeden z najdziwniejszych wśród wszystkich jednostek pływających. Choć pobyt na morzu mógł być denerwujący, Rachel wiedziała, że nie zrezygnuje z wizyty na „Goyi".

— W tej chwili kotwiczy dwanaście mil od brzegów New Jersey — mówił Tolland, walcząc z paskami raków.

— Niezbyt ciekawe miejsce.

— Przeciwnie. Wybrzeże Atlantyku jest niesłychanie interesujące. Szykowałem się do nakręcenia nowego filmu, kiedy brutalnie przeszkodził mi prezydent.

Rachel się roześmiała.

— Filmu poświęconego...

— *Sphyrna mokarran* i megawirom hydrotermalnym.

Rachel ściągnęła brwi.

— Cieszę się, że spytałam.

Tolland zapiął paski raków i podniósł głowę.

— Słuchaj, mówię poważnie. Będę tam przez kilka tygodni. Waszyngton leży niedaleko wybrzeża Jersey. Przyjedź, kiedy już będziemy wolni. Nie ma powodu, żebyś przez całe życie bała się wody. Moja załoga przyjmie cię ze wszystkimi szykanami.

Nora Mangor ryknęła:

— Idziecie, czy mam wam zamówić świece i szampana?!

Rozdział 45

Gabrielle Ashe nie miała pojęcia, co sądzić o dokumentach rozłożonych przed nią na biurku przez Marjorie Tench. Plik, składający się z fotokopii listów, faksów i bilingów, zdawał się potwierdzać tezę, że senator Sexton prowadzi potajemny dialog z prywatnymi firmami kosmicznymi.

Tench przesunęła w jej stronę kilka czarno-białych zdjęć.

— Przypuszczam, że to dla pani nowość, prawda?

Gabrielle popatrzyła na zdjęcia. Pierwsze, zrobione z ukrycia, przedstawiało Sextona wysiadającego z taksówki w jakimś podziemnym garażu. Sexton nigdy nie jeździ taksówkami. Spojrzała na drugie zdjęcie, zrobione przez teleobiektyw. Sexton wsiada do białego minivana. W kabinie siedzi starszy mężczyzna.

— Kto to jest? — zapytała, podejrzewając, że zdjęcie może być fotomontażem.

— Gruba ryba z SFF? *

Gabrielle okazała niedowierzanie.

— Z Fundacji „Otwarty Kosmos"?

SFF pełniła rolę „związku zawodowego" prywatnych firm kosmicznych. Reprezentowała kontrahentów, biznesmenów, inwestorów dostarczających kapitał wysokiego ryzyka — wszystkich, którzy chcieli prowadzić działalność w kosmosie. Ludzie ci na ogół krytykowali NASA i dowodzili, że agencja stosuje nieuczciwe metody, nie chcąc dopuścić do interesu prywatnych przedsiębiorców.

---

* Space Frontier Foundation

— Obecnie SFF reprezentuje ponad sto wielkich korporacji — powiedziała Tench. — Te najbogatsze wprost nie mogą się doczekać ratyfikacji ustawy o komercjalizacji kosmosu.

Gabrielle przemyślała jej słowa. Z oczywistych powodów członkowie SFF głośno popierali kampanię Sextona, choć ostrożny senator wolał nie zbliżać się do nich za bardzo z powodu ich kontrowersyjnej taktyki lobbingu. Ostatnio SFF nazwała NASA „nielegalnym monopolistą", który mimo ponoszonych strat utrzymuje się w biznesie, stanowiąc nieuczciwą konkurencję dla prywatnych firm. Według SFF, ilekroć AT&T zgłaszało zapotrzebowanie na satelitę telekomunikacyjnego, prywatne firmy kosmiczne proponowały budowę urządzenia za rozsądną cenę pięćdziesięciu milionów dolarów. NASA za każdym razem składała kontrofertę, wyceniając swoje usługi na dwadzieścia pięć milionów, choć w rzeczywistości ponosiła koszty pięć razy większe. „NASA utrzymuje się w biznesie wyłącznie dzięki prowadzeniu działalności ze stratą, grzmieli prawnicy SFF. A podatnicy płacą".

— To zdjęcie dowodzi, że pani kandydat potajemnie spotyka się z osobą, która reprezentuje prywatne przedsiębiorstwa kosmiczne. — Marjorie Tench wkazała kilka innych dokumentów. — Mamy również wewnętrzne notatki SFF nakazujące zebranie wielkich sum od firm członkowskich — sum proporcjonalnych do wartości aktywów netto — i przekazanie ich na konta kontrolowane przez senatora Sextona. W rzeczywistości prywatne agencje kosmiczne płacą za posadzenie Sextona w prezydenckim fotelu. Mogę tylko przypuszczać, że senator obiecał im podpisanie ustawy o komercjalizacji i sprywatyzowaniu NASA, jeśli wygra wybory.

Gabrielle popatrzyła sceptycznie na stos papierów.

— Spodziewa się pani, że uwierzę, iż Biały Dom ma dowody świadczące o nielegalnym finansowaniu kampanii kontrkandydata, a jednak z jakiegoś powodu trzyma je w sekrecie?

— A w co pani wierzy?

Gabrielle spojrzała na nią ze złością.

— Biorąc pod uwagę pani talent do manipulowania, bardziej logiczne wydaje się inne wyjaśnienie. Zasypuje mnie pani fałszywymi dokumentami i zdjęciami sfabrykowanymi przez jakiegoś pracownika Białego Domu, obdarzonego inicjatywą i małą poligrafią komputerową.

— To możliwe, przyznaję. Ale niezgodne z prawdą.

— Nie? W takim razie skąd pani ma te wszystkie wewnętrzne dokumenty różnych korporacji? Nie sądzę, by Biały Dom dysponował środkami umożliwiającymi wykradnięcie tych rzekomych dowodów z tak wielu firm.

— Ma pani rację. Dostaliśmy je w prezencie.

Gabrielle była zdezorientowana.

— Dostajemy dużo prezentów. Prezydent ma wielu potężnych politycznych sprzymierzeńców, którzy chcą, żeby pozostał na dotychczasowym stanowisku. Proszę pamiętać, pani kandydat sugeruje poważne cięcia, w tym wiele w Waszyngtonie. Senator Sexton bez skrupułów podaje rozdęty budżet FBI jako przykład rozrzutności rządu. Przypuścił też parę ataków na urząd skarbowy. Może ktoś z biura albo ze skarbówki trochę się zirytował.

Gabrielle zrozumiała implikacje. Ludzie z FBI i skarbówki mogli zdobyć tego rodzaju informacje. Mogli przesłać je w prezencie do Białego Domu, żeby przyczynić się do reelekcji prezydenta. Tak, to możliwe, nie mogła jednak uwierzyć, że senator Sexton nielegalnie finansuje swoją kampanię.

— Jeśli te informacje są zgodne z prawdą, w co wątpię, dlaczego nie podano ich do publicznej wiadomości? — zapytała.

— A jak pani sądzi?

— Ponieważ zostały zdobyte niezgodnie z prawem.

— To, jak je zdobyliśmy, nie ma najmniejszego znaczenia.

— Oczywiście, że ma. Nie zostałyby dopuszczone jako dowody na przesłuchaniu.

— A kto mówi o przesłuchaniu? Wystarczy przeciek do prasy. Gazety puszczą to jako historię „z wiarygodnego źródła" ze zdjęciami i dokumentacją. Sexton będzie winny, dopóki nie udowodni swojej niewinności. Jego zaciekłe ataki na NASA staną się wirtualnym dowodem brania łapówek.

Gabrielle wiedziała, że to prawda.

— Świetnie — parsknęła wyzywająco. — Dlaczego więc jeszcze tego nie zrobiliście?

— Bo jest negatywne. Prezydent obiecał, że nie będzie prowadzić kampanii negatywnej i chce pozostać wierny danemu słowu.

Aha, akurat!

— Mówi pani, że prezydent w swej szlachetności nie godzi się na ujawnienie informacji, bo ludzie uznaliby to za negatywne?

— To jest negatywne dla kraju. Wplątuje dziesiątki prywatnych firm, w których pracuje wielu uczciwych ludzi. Rzuca cień na amerykański senat i wywiera zły wpływ na morale narodu. Jeden nieuczciwy polityk psuje opinię wszystkim politykom. Amerykanie muszą ufać swoim przywódcom. Śledztwo byłoby bardzo nieprzyjemne i najprawdopodobniej zakończyłoby się wysłaniem do więzienia senatora wraz z wieloma członkami zarządów zamieszanych firm.

Choć wywód brzmiał sensownie, Gabrielle wciąż powątpiewała w prawdziwość zarzutów.

— Co to ma wspólnego ze mną?

— Krótko mówiąc, pani Ashe, jeśli ujawnimy te dokumenty, pani kandydat zostanie oskarżony o nielegalne finansowanie swojej kampanii, straci miejsce w senacie i prawdopodobnie trafi za kratki. — Tench zrobiła pauzę. — Chyba że...

Gabrielle dostrzegła w jej oczach wężowy błysk.

— Chyba że co?

Tench głęboko zaciągnęła się dymem.

— Chyba że postanowi pani nam pomóc.

W pokoju zapadła głucha cisza.

Tench zakaszlała chrapliwie.

— Gabrielle, proszę posłuchać, postanowiłam podzielić się z panią tymi nieszczęsnymi informacjami z trzech powodów. Po pierwsze, aby pokazać, że Zach Herney jest przyzwoitym człowiekiem, który przedkłada dobro państwa nad korzyści osobiste. Po drugie, aby poinformować, że pani kandydat wcale nie jest taki wiarygodny, jak może się wydawać. I po trzecie, aby nakłonić panią do przyjęcia propozycji, którą zamierzam przedstawić.

— Jakiej propozycji?

— Chcę dać pani szansę na zrobienie tego, co słuszne. Co patriotyczne. Proszę mi wierzyć lub nie, ale może pani uratować Waszyngton przed wielkim skandalem. Jeśli spełni pani moją prośbę, być może zasłuży pani nawet na miejsce w ekipie urzędującego prezydenta.

Miejsce w ekipie prezydenta? Gabrielle nie wierzyła własnym uszom.

— Pani Tench, nie wiem, o co pani chodzi, ale nie podoba mi się szantaż, zmuszanie ani namolne przekonywanie. Pracuję dla senatora, ponieważ wierzę w słuszność jego polityki. I jeśli pani postawa jest jakimś wyznacznikiem wykorzystywania wpływów politycznych przez Zacha Herneya, to nie chcę mieć z nim nic wspólnego! Jeśli macie coś na senatora Sextona, proponuję przeciek do prasy. Naprawdę uważam, że ta sprawa to jedna wielka lipa.

Tench westchnęła dramatycznie.

— Gabrielle, nielegalne fundusze pani kandydata są faktem. Przykro mi. Wiem, że pani mu ufa. — Ściszyła głos. — Proszę posłuchać, o co chodzi. Prezydent ujawni kwestię finansowania, jeśli będzie musiał, ale wówczas wybuchnie wielki skandal. Afera dotycząca łamania prawa przez kilka poważnych amerykańskich korporacji. Ucierpi wielu niewinnych ludzi. — Zaciągnęła się głęboko i wypuściła dym. — Oboje z prezydentem mamy nadzieję, że jest inny sposób na zdyskredytowanie senatora. Sposób, którego skutki będą bardziej ograniczone... sposób, który nie skrzywdzi niewinnych. — Tench odłożyła papierosa i splotła ręce na piersi. — Krótko mówiąc, chcielibyśmy, żeby publicznie przyznała się pani do romansu z senatorem.

Gabrielle zesztywniała. Tench mówiła z niebywałą pewnością siebie. To niemożliwe. Nie ma dowodu. Kochali się tylko raz, za zamkniętymi drzwiami w senackim biurze Sextona. Tench nic nie ma. Strzela w ciemno. Starając się panować nad głosem, powiedziała:

— Lubi pani snuć domysły, pani Tench.

— Domysły? Na temat romansu z senatorem czy odstąpienia od udziału w jego kampanii?

— Jednego i drugiego.

Tench uśmiechnęła się zimno i wstała.

— Ustalmy, że przynajmniej jeden z tych domysłów jest faktem, dobrze? — Podeszła do sejfu i wróciła z czerwoną kopertą z godłem Białego Domu. Otworzyła ją i wysypała zawartość na biurko.

Patrząc na tuziny kolorowych zdjęć, Gabrielle zrozumiała, że jej kariera wali się w gruzy.

Rozdział 46

Wiatr ryczący na zewnątrz habisfery w niczym nie przypominał poziomych ruchów powietrza, do jakich Tolland był przyzwyczajony. Na oceanie wiatr dmie ze zmienną siłą, będąc funkcją pływów i ciśnienia. Ten był niewolnikiem prostych praw fizyki — ciężkie, zimne powietrze pędziło w dół lodowca jak fala przypływu. Tolland nigdy dotąd nie spotkał się z równie monotonną wichurą. Gdyby dęła z prędkością dwudziestu węzłów, byłaby marzeniem żeglarza, ale przy osiemdziesięciu mogła stać się koszmarem nawet dla tych, którzy stoją na solidnym gruncie. Tolland przypuszczał, że gdyby się odwrócił i wyprostował, wiatr bez trudu zwaliłby go z nóg.

Sytuację pogarszał fakt, że rwąca rzeka powietrza spływała w dół lodu, który nachylał się lekko w kierunku odległego o trzy kilometry oceanu. Nawet w rakach Tolland miał nieprzyjemne uczucie, że wystarczy jeden fałszywy krok, a zostanie porwany przez wiatr i zjedzie po lodowym stoku. Dwuminutowy kurs Nory Mangor poświęcony zachowaniu bezpieczeństwa na lodowcu wydawał się przerażająco niewystarczający.

„Czekan Pirania, powiedziała w habisferze, przypinając im sprzęt do uprzęży. Stylisko, głowica, ostrze i łopatka. Jeśli ktoś się ześlizgnie albo zostanie porwany przez wiatr, niech chwyci jedną ręką za głowicę, drugą za stylisko, wbije ostrze w lód i położy się na nim na brzuchu, unosząc nogi do góry".

Z tymi krzepiącymi słowami Nora Mangor pomogła im zapiąć uprzęże. Wszyscy założyli gogle i wyszli w popołudniową ciemność.

Teraz maszerowali gęsiego w dół lodowca, oddzieleni dziesięciometrowymi odcinkami liny. Prowadziła Nora, za nią szedł Corky, Rachel, a na końcu Tolland, pełniący rolę kotwicy.

W miarę oddalania się od habisfery ogarniał go coraz większy niepokój. Napompowany kombinezon chronił przed zimnem, ale czuł się w nim jak kosmiczny podróżnik zabłąkany na dalekiej planecie. Księżyc zniknął za grubą, skłębioną warstwą burzowych chmur i lodowiec tonął w nieprzeniknionym mroku. Wydawało się, że wiatr z minuty na minutę przybiera na sile, coraz mocniej napierając na ich plecy. Tolland wytężał wzrok, próbując omieść wzrokiem otaczającą ich pustkę. Zaczynał rozumieć, na czym polega prawdziwe niebezpieczeństwo tego miejsca. Podjęli nadzwyczajne środki ostrożności, ale mimo to był zdziwiony, że Ekstrom zgodził się zaryzykować życie czterech osób, w tym córki senatora oraz sławnego astrofizyka. Sam nie był zaskoczony swoją troską o Corky'ego i Rachel. Jako człowiek dowodzący statkiem, przywykł do odpowiedzialności za ludzi.

— Trzymać się za mną! — krzyknęła Nora, a wiatr porwał jej słowa. — Niech sanki prowadzą!

Aluminiowe sanie, na których przewoziła swój używany od kilku dni sprzęt, wyglądały jak powiększony model zwykłych dziecięcych sanek. Aparatura pomiarowa i osprzęt, łącznie z akumulatorem, flarami sygnalizacyjnymi i potężnym reflektorem, leżały pod plastikową plandeką. Mimo ciężkiego ładunku sanie sunęły lekko na długich, prostych płozach, wykorzystując nawet najłagodniejszy spadek. Nora tylko trzymała linkę, pozwalając, żeby same wybierały drogę.

Świadom powiększającej się odległości między nimi a habisferą, Tolland obejrzał się przez ramię. Krzywizna bladej kopuły, odległa zaledwie o pięćdziesiąt metrów, już znikała w wietrznej ciemności.

— Jak znajdziemy drogę powrotną?! — wrzasnął. — Habisfery prawie nie wi...

Jego słowa zagłuszył głośny syk flary. Jaskrawy czerwono-biały blask oświetlił krąg o promieniu dziesięciu metrów. Nora wykopała butem niewielkie zagłębienie w śniegu pokrywającym lód i spiętrzyła ochronny kopczyk po nawietrznej stronie jamy, po czym wbiła flarę w zagłębienie.

— Nowoczesne okruszki chleba! — krzyknęła.

— Okruszki chleba? — zapytała Rachel, osłaniając oczy od światła.

— Z bajki o Jasiu i Małgosi. Te flary palą się przez godzinę. Mnóstwo czasu na znalezienie drogi powrotnej — wyjaśniła Nora.

Ruszyła dalej, prowadząc ich w dół lodowca, w ciemność.

Rozdział 47

Gabrielle Ashe wypadła z gabinetu Marjorie Tench jak burza, o mało nie przewracając sekretarki. Potwornie zażenowana, przed oczami miała tylko to, co przedstawiały zdjęcia — splecione ręce i nogi, twarze z wyrazem ekstatycznego uniesienia.

Nie miała pojęcia, jak je zrobiono, ale aż nazbyt dobrze wiedziała, że są prawdziwe. Zostały zrobione w gabinecie senatora Sextona, z góry, może z ukrytej kamery. Boże, dopomóż. Na jednym uprawiali seks na biurku, na rozrzuconych dokumentach.

Marjorie Tench dopędziła ją przed Pokojem Map. Niosła czerwoną kopertę ze zdjęciami.

— Z pani reakcji wnoszę, że uważa pani zdjęcia za autentyczne. — Miała taką minę, jakby dobrze się bawiła. — Mam nadzieję, że przekonają panią, iż pozostałe informacje, jakie posiadamy, są równie prawdziwe. Pochodzą z tego samego źródła.

Gabrielle czuła, że czerwieni się od stóp do głów. Do cholery, gdzie jest wyjście?

Obdarzona szczudłowatymi nogami Tench bez trudu dotrzymywała jej kroku.

— Senator Sexton przysiągł przed całym światem, że wasza znajomość ma charakter platoniczny. Jego telewizyjne oświadczenie naprawdę wypadło bardzo przekonująco. — Tench wskazała kciukiem przez ramię. — Mam nagranie w gabinecie, gdyby chciała pani odświeżyć pamięć.

Gabrielle nie potrzebowała odświeżania. Doskonale pamiętała tę konferencję prasową. Zaprzeczenie Sextona brzmiało stanowczo i szczerze.

— Przykra sprawa — mówiła Tench bez cienia współczucia. — Senator Sexton patrzył Amerykanom w oczy i kłamał jak z nut. Społeczeństwo ma prawo wiedzieć. I będzie wiedziało. Osobiście tego dopilnuję. Pytanie, jak ludzie to przyjmą. Jesteśmy zdania, że będzie najlepiej, gdy prawda padnie z pani ust.

Gabrielle osłupiała.

— Naprawdę sądzi pani, że przyłożę rękę do zlinczowania własnego kandydata?

Twarz Tench stężała.

— Próbuję odwołać się do pani sumienia, Gabrielle. Daję pani szansę na oszczędzenie wszystkim wielkiego wstydu poprzez wyznanie prawdy z podniesionym czołem. Wystarczy pisemne oświadczenie, w którym przyzna się pani do romansu.

Gabrielle stanęła jak wryta.

— Czy dobrze usłyszałam?

— Oczywiście. Podpisane oświadczenie umożliwi nam załatwienie sprawy po cichu, bez robienia paskudnego bałaganu. Moja propozycja jest prosta: podpisze pani oświadczenie, a zdjęcia nigdy nie ujrzą światła dziennego.

— Mam napisać oświadczenie?

— Formalnie rzecz biorąc, wolałabym oświadczenie złożone pod przysięgą, ale nie mamy tutaj notariusza, który...

— Pani zwariowała. — Gabrielle ruszyła do wyjścia.

Tench szła za nią i mówiła ze złością:

— Senator Sexton w taki czy inny sposób pójdzie na dno, Gabrielle, a ja daję ci szansę na wykaraskanie się bez oglądania własnej gołej dupy w porannych gazetach! Prezydent jest przyzwoitym człowiekiem i nie chce, żeby zdjęcia zostały opublikowane. Jeśli złożysz oświadczenie i przyznasz się do romansu, wszyscy zachowamy choć trochę godności.

— Nie jestem na sprzedaż.

— W przeciwieństwie do twojego kandydata. Jest niebezpiecznym człowiekiem i łamie prawo.

— On łamie prawo? To wy włamujecie się do biur i robicie nielegalne zdjęcia! Słyszała pani o Watergate?

— Nie mieliśmy nic wspólnego ze zbieraniem tych brudów. Zdjęcia pochodzą z tego samego źródła, co informacje na temat finansowania kampanii przez SFF. Ktoś przyglądał się wam bardzo uważnie.

Gabrielle przemknęła obok biurka, przy którym dostała identyfikator. Zerwała go z szyi i rzuciła zdumionemu strażnikowi. Tench wciąż deptała jej po piętach.

— Musisz szybko pojąć decyzję — powiedziała, gdy zbliżyły się do wyjścia. — Albo przyniesiesz oświadczenie, że spałaś z senatorem, albo dzisiaj o ósmej wieczorem prezydent będzie zmuszony wszystko ujawnić — machlojki finansowe Sextona, wasze zdjęcia, wszystko, co będzie trzeba. I wierz mi, kiedy społeczeństwo zobaczy, że nie kiwnęłaś palcem, gdy Sexton kłamał w sprawie waszego związku, pójdziesz na dno razem z nim.

Gabrielle skręciła do drzwi.

— Na moim biurku przed ósmą, Gabrielle. Bądź rozsądna. — Tench podała jej kopertę ze zdjęciami. — Zachowaj je, moja droga. Mamy ich znacznie więcej.

Rozdział 48

Rachel Sexton czuła narastający wewnętrzny chłód, gdy szła po lodowcu w gęstniejącą noc. W jej głowie wirowały niepokojące obrazy i myśli — meteoryt, fosforyzujący plankton, implikacje pomyłki Nory Mangor w ocenie próbek rdzeniowych.

„Solidna płyta słodkowodnego lodu", dowodziła Nora. Przypomniała im, że pobrała próbki z odwiertów wokół meteorytu i znad samego kamienia. Twierdziła, że gdyby w lodowcu były szczeliny wypełnione słoną wodą z planktonem, musiałaby je wykryć. Na pewno? Mimo jej argumentów Rachel intuicyjnie wracała do najprostszego wyjaśnienia.

W lodowcu jest zamarznięty plankton.

Dziesięć minut i cztery flary później, gdy oddalili się mniej więcej na dwieście pięćdziesiąt metrów od habisfery, Nora niespodziewanie przystanęła.

— Tutaj! — krzyknęła niczym różdżkarz, który sobie tylko znanym sposobem znalazł idealne miejsce na wiercenie studni.

Rachel odwróciła się i popatrzyła w górę stoku. Habisfera już dawno zniknęła w mroku bezksiężycowej nocy, lecz światła odznaczały się wyraźnie, a najdalsze mrugało krzepiąco jak nikła gwiazda. Flary płonęły w idealnie prostej linii, jak na starannie wytyczonym pasie startowym. Umiejętności Nory robiły duże wrażenie.

— Puściliśmy sanie przodem również dlatego — zawołała Nora, kiedy zobaczyła, że Rachel patrzy z podziwem na sznur flar — że płozy są proste. Jeśli pozwolimy sile ciężkości prowadzić sanie i nie będziemy przeszkadzali, mamy zagwarantowaną podróż w linii prostej.

— Niezła sztuczka — pochwalił Tolland. — Szkoda, że nie można zastosować jej na pełnym morzu.

To jest pełne morze, pomyślała Rachel, wyobrażając sobie ocean pod lodem. Na ułamek sekundy jej uwagę przyciągnął najdalszy płomień. Zniknął, jakby przysłoniła go przechodząca postać. Chwilę później znowu się pojawił. Nagle poczuła niepokój.

— Noro! — wrzasnęła, przekrzykując wiatr. — Czy tutaj są niedźwiedzie?!

Glacjolog przygotowywała ostatnią flarę i albo nie usłyszała pytania, albo je zignorowała.

— Niedźwiedzie polarne żywią się fokami — wyjaśnił Tolland. — Ludzi atakują tylko wtedy, gdy zostanie naruszone ich terytorium.

— Ale to kraina niedźwiedzi polarnych, prawda? — Rachel nigdy nie mogła zapamiętać, na którym biegunie żyją niedźwiedzie, a na którym pingwiny.

— Tak! — odkrzyknął Tolland. — Od nich pochodzi nazwa Arktyki. *Arktos* to po grecku niedźwiedź.

Cudownie. Rachel nerwowo wpatrywała się w ciemność.

— Na Antarktyce nie ma niedźwiedzi polarnych — mówił Tolland. — Dlatego nazywa się *Anti-arktos*.

— Dzięki, Mike. Wystarczy tego gadania o niedźwiedziach — ucięła.

Roześmiał się.

— Racja. Przepraszam.

Nora wbiła w śnieg ostatnią flarę. Jak wcześniej, czerwonawy blask zalał pękate czarne sylwetki. Poza kręgiem światła płynącego z flary, reszta świata była zupełnie niewidoczna.

Rachel i mężczyźni patrzyli, jak Nora staje pewnie na nogach i ostrożnie przyciąga sanie do siebie. Mocno trzymając linkę, przykucnęła i zwolniła hamulce — cztery ustawione pod skosem kolce, które wbiły się w lód. Wyprostowała się i otrzepała. Linka przy jej uprzęży, do której przypięte były sanie, zwisała swobodnie.

— W porządku, do roboty.

Podeszła do drugiego końca sań i zaczęła odpinać zaciski przytrzymujące plandekę. Rachel doszła do wniosku, że była dla niej trochę niesprawiedliwa, dlatego postanowiła jej pomóc. Zaczęła odpinać płachtę z drugiej strony.

— O Jezu, nie! — wrzasnęła Nora, podrywając głowę. — Nigdy tego nie rób!

Rachel odskoczyła, skonsternowana.

— Nie wolno odpinać od nawietrznej! — wyjaśniła Nora. — Powstanie rękaw powietrzny! Sanie poleciałyby na wietrze jak parasol w tunelu aerodynamicznym!

Rachel cofnęła się.

— Przepraszam. Nie...

Nora spiorunowała ją wzrokiem.

— Nie powinno was tu być, pani i tego astronoma od siedmiu boleści.

Nikogo nie powinno tu być, pomyślała Rachel.

Amatorzy, zżymała się Nora, przeklinając Ekstroma, który uparł się wysłać na lód Corky'ego i tę Sexton. Przez tych baranów ktoś może zginąć. Ostatnią rzeczą, o jakiej marzyła, była zabawa w niańkę.

— Mike — rzuciła — pomóż mi zdjąć GPR * z sań.

Tolland pomógł jej rozpakować radar do penetracji gruntu i ustawić go na lodzie. Aparat wyglądał jak trzy miniaturowe lemiesze pługu śnieżnego, przymocowane równolegle do aluminiowej ramy. Miał nie więcej niż metr długości i był połączony kablami ze stabilizatorem napięcia i wodoodpornymi akumulatorami na saniach.

— To radar? — zapytał Corky, przekrzykując wiatr.

Nora w milczeniu pokiwała głową. W porównaniu z PODS to urządzenie było znacznie lepiej przystosowane do wykrywania lodu słonego. Nadajnik GPR wysyła impulsy elektromagnetyczne, które w różny sposób odbijają się od substancji o różnej strukturze krystalicznej. Zamarznięta czysta woda słodka tworzy płaską, dachówkowatą koronkę. Struktura zamarzniętej wody słonej z powodu zawartości sodu jest bardziej nieregularna, co sprawia, że impulsy GPR rozpraszają się i odbicie jest znacznie słabsze.

Nora włączyła urządzenie.

— Zrobię swego rodzaju echolokacyjne zdjęcie lodu wokół szybu! — wrzasnęła. — Komputer przetworzy dane, a następnie wydrukuje obraz. Lód morski będzie widoczny jako ciemne plamy.

---

* Ground Penetrating Radar

— Wydrukuje? — zapytał Tolland zdziwiony. — Tutaj?

Nora wskazała przewód łączący GPR z urządzeniem wciąż osłoniętym plandeką.

— Nie ma innego wyboru. Ekrany komputerów zużywają zbyt dużo cennej energii, dlatego glacjolodzy terenowi drukują dane na drukarkach termicznych. Są monochromatyczne, ale lepsze od laserowych. Toner nie sprawdza się w temperaturach poniżej minus dwudziestu stopni. Przekonałam się o tym w bolesny sposób na Alasce.

Nora kazała wszystkim stanąć na stoku poniżej GPR, a sama zajęła się ustawianiem nadajnika w taki sposób, żeby przeskanował otoczenie szybu o powierzchni trzech boisk futbolowych. Kiedy jednak spojrzała w stronę habisfery, zobaczyła tylko ciemność.

— Mike, muszę wycelować w szyb, ale ta flara mnie oślepia. Przeniosę się wyżej, żeby wyjść z kręgu światła. Będę trzymała ręce w jednej linii z flarami, a ty ustawisz GPR.

Tolland pokiwał głową, klękając obok radaru.

Nora wbiła raki w lód i pochylona walczyła z wiatrem, idąc w górę stoku w kierunku habisfery. Wiało mocniej, niż sądziła. Wyczuwała nadciągającą burzę. To nie miało znaczenia. Uwiną się w parę minut. Muszą zobaczyć, że mam rację. Pokonała dziesięć metrów i dotarła na skraj ciemności, gdy linka się napięła.

Spojrzała w górę lodowca. Gdy jej oczy przyzwyczaiły się do mroku, kilkanaście stopni w lewo zobaczyła flary. Przesunęła się, żeby stanąć z nimi w jednej linii i rozpostarła ręce, wskazując kierunek niczym igła kompasu.

— Stoję w jednej linii! — krzyknęła.

Tolland ustawił GPR i pomachał ręką.

— Gotowe!

Nora jeszcze raz spojrzała w górę stoku, zadowolona, że oświetliła drogę do kopuły. Nagle stało się coś dziwnego. Jedno ze świateł zgasło. Zanim zdążyła się zmartwić, rozbłysło na nowo. Gdyby nie wiedziała, że to niemożliwe, założyłaby, iż ktoś przeszedł pomiędzy nią a flarą. Ale przecież nikogo tam nie ma... Chyba że administratora zaczęło gryźć sumienie i wysłał za nimi ekipę NASA. Jednak wątpiła w to. Pewnie podmuch wiatru na chwilę przygasił płomień, pomyślała.

Wróciła do GPR.

— Ustawiony?

Tolland wzruszył ramionami.

— Chyba tak.

Nora podeszła do sań i wcisnęła klawisz na pulpicie sterującym. Z urządzenia popłynęło ostre, krótkie brzęczenie.

— W porządku — rzuciła. — Zrobione.

— Już? — zdziwił się Corky.

— Cała praca odbywa się w komputerze. Strzał trwa tylko sekundę.

Drukarka termiczna, zamknięta w przezroczystej plastikowej osłonie, już zaczęła mruczeć i klikać. Nora zaczekała, aż ucichnie, sięgnęła pod osłonę i wyjęła arkusz grubego papieru. Zobaczą, pomyślała, niosąc wydruk do flary. Nie będzie śladu słonej wody.

Wszyscy skupili się wokół niej, gdy z kartką w ręku stanęła przy flarze. Odetchnęła głęboko i rozwinęła rulon. To, co zobaczyła, sprawiło, że skuliła się z przerażenia.

— O Boże! — szepnęła, nie wierząc własnym oczom. Zgodnie z oczekiwaniami na wydruku widniał przekrój wypełnionego wodą szybu. Nora nie spodziewała się jednak, że w połowie głębokości zobaczy mglistoszarą sylwetkę. — O Boże... tam jest ciało.

Wszyscy patrzyli w milczeniu.

Upiorna sylwetka wisiała głową w dół w wąskim szybie. Otaczała ją jaśniejsza mgiełka, przywodząca na myśl całun. Nora zrozumiała, czym jest ta niesamowita aura. GPR uchwycił słaby ślad płaszcza, który mógł być tylko znajomym, długim, ciężkim paltem z wielbłądziej wełny.

— To... Ming — szepnęła. — Musiał się ześlizgnąć...

Nie przypuszczała, że czeka ją drugi szok, większy od tego, jaki wywołał widok ciała. Gdy jej wzrok przesunął się w dół szybu, zobaczyła coś innego.

Lód pod szybem...

Pilnie wpatrzyła się w wydruk. Najpierw pomyślała, że coś jest nie w porządku ze skanem. Potem, gdy uważniej przyjrzała się obrazowi, zaczęło w niej narastać niepokojące zrozumienie. Brzegi kartki załopotały dziko na wietrze, gdy odwróciła się do światła i z jeszcze większą uwagą popatrzyła na wydruk.

Przecież... to niemożliwe!

Prawda uderzyła w nią z siłą lawiny. Miała wrażenie, że zaraz upadnie pod jej ciężarem. Myśli o Mingu zupełnie wyleciały jej z głowy.

Teraz rozumiała. Słona woda w szybie! Osunęła się na kolana na śnieg przy flarze. Z trudem oddychała. Dygotała, ściskając papier w rękach.

Mój Boże... nigdy w życiu nie przyszłoby mi to na myśl.

Z nagłym wybuchem gniewu odwróciła głowę w kierunku habisfery NASA.

— Dranie! — wrzasnęła głosem rwanym przez wiatr. — Wy cholerne dranie!

W ciemności, zaledwie pięćdziesiąt metrów dalej, Delta Jeden podniósł do ust szyfrujące urządzenie łączności i powiedział do kontrolera tylko jedno słowo:

— Wiedzą.

Rozdział 49

Nora Mangor wciąż klęczała na lodzie, kiedy zdumiony Michael Tolland wyjął wydruk z jej drżących rąk. Wstrząśnięty widokiem pływających zwłok Minga, próbował pozbierać myśli i rozszyfrować znaczenie obrazu, który miał przed oczami.

Widział przekrój szybu schodzącego na głębokość sześćdziesięciu metrów. Widział unoszące się w szybie ciało Minga. Przesunął wzrok niżej i poczuł, że coś jest nie w porządku. Bezpośrednio pod szybem widniała ciemna kolumna lodu morskiego, sięgająca do samego oceanu. Pionowy słup miał tę samą średnicę co szyb.

— Mój Boże! — krzyknęła Rachel, spoglądając nad jego ramieniem. — Wygląda na to, że szyb schodzi przez lód do oceanu!

Tolland stał jak sparaliżowany, jego mózg nie był w stanie zaakceptować tego, co, jak wiedział, jest jedynym logicznym wyjaśnieniem. Corky miał równie przerażoną minę.

— Ktoś wwiercił się od dołu! — stwierdziła Nora. Oczy miała rozszerzone z wściekłości. — Ktoś celowo umieścił tę skałę od spodniej strony lodu!

Choć Tolland-idealista chciał odrzucić jej słowa, naukowiec wiedział, że Nora może mieć rację. Lodowiec Szelfowy Milne'a unosił się na tyle wysoko nad dnem, że z łatwością mogła wpłynąć pod niego łódź podwodna. Ponieważ pod wodą wszystko waży znacznie mniej, nawet jednostka nie większa od jego jednoosobowego badawczego „Trytona" mogłaby bez trudu przetransportować meteoryt w chwytakach. Statek mógł podejść od strony oceanu, dostać się pod lód i wywiercić szyb, a następnie ramieniem albo za pomocą nadmuchiwanych balonów wepchnąć meteoryt do szybu. Po umieszczeniu kamienia na miejscu wystarczyło zaczekać, aż woda oceaniczna zacznie zamarzać. Gdy szyb zamknął się na tyle, że meteoryt nie mógł opaść, statek cofnął ramię i odpłynął, pozostawiając matce naturze zapieczętowanie pozostałej części tunelu i zatarcie wszystkich śladów oszustwa.

— Ale dlaczego? — zapytała Rachel, przypatrując się wydrukowi, który wyjęła z ręki Tollanda. — Dlaczego ktoś miałby to robić? Jest pani pewna, że GPR działa jak trzeba?

— Oczywiście! Poza tym to, co widzimy, wyjaśnia obecność bioluminescencyjnego planktonu!

Tolland musiał przyznać, że to logiczne. Posłuszne instynktowi fosforyzujące wiciowce popłynęły w górę szybu, zostały uwięzione pod meteorytem i zamarzły w lodzie. Później, kiedy Nora podgrzała kamień, leżący bezpośrednio pod nim lód stopił się, uwalniając plankton. Wiciowce znowu popłynęły w górę, tym razem docierając na powierzchnię, gdzie zginęły z braku słonej wody.

— To istny obłęd! — wykrzyknął Corky. — Skoro ci z NASA znaleźli meteoryt z pozaziemskimi skamieniałościami, dlaczego mieliby chcieć znaleźć go w innym miejscu? Dlaczego zadali sobie trud pogrzebania go w lodzie szelfowym?

— Licho wie — mruknęła Nora. — Ale wydruk z GPR nie kłamie. Zostaliśmy oszukani. Ten meteoryt nie jest częścią Jungersola. Został umieszczony w lodzie niedawno. W zeszłym roku. Inaczej plankton byłby martwy! — Zaczęła pakować GPR na sanie. — Musimy wrócić i kogoś powiadomić! Prezydent przedstawi światu fałszywe informacje! NASA go oszukała!

— Chwileczkę! — wtrąciła się Rachel. — Powinniśmy zrobić przynajmniej jeszcze jeden skan, żeby mieć absolutną pewność. Przecież to nie ma sensu. Kto nam uwierzy?

— Wszyscy — odparła Nora, mocując plandekę. — Kiedy wrócę do habisfery, wywiercę kolejną próbkę rdzeniową z dna szybu. Będzie to lód słony, więc gwarantuję, że wszyscy uwierzą!

Nora zwolniła hamulce sań, odwróciła je w stronę habisfery i pomaszerowała w górę zbocza, wbijając raki w lód i ciągnąc ładunek ze zdumiewającą łatwością. Miała misję do wypełnienia.

— Ruszać się! — krzyknęła, pociągając związaną liną grupę w ciemność za oświetlonym kręgiem. — Nie mam pojęcia, do czego zmierza NASA, ale jestem absolutnie pewna, że nie podoba mi się rola pionka w ich...

Jej głowa odchyliła się do tyłu, jakby niewidzialna ręka mocno uderzyła ją w czoło. Nora Mangor zacharczała, zachwiała się i upadła na lód. Prawie w tej samej chwili Corky krzyknął i okręcił się dokoła, jakby ktoś pchnął go w ramię. Runął na lód, wijąc się z bólu.

Rachel natychmiast zapomniała o wydruku, Mingu, meteorycie i dziwnym tunelu pod lodem. Poczuła, jak mały pocisk muska jej ucho, o włos mijając skroń. Instynktownie opadła na kolana, pociągając za sobą Tollanda.

— Co się dzieje?! — wrzasnął Tolland.

Pierwsze, co przyszło jej na myśl, to grad — lodowe kulki niesione przez wiatr w dół lodowca. Ale skoro zdołały powalić Corky'ego i Norę, musiały pędzić z prędkością setek kilometrów na godzinę. Co dziwniejsze grad wielkości szklanych kulek do gry skupiał się na nich, łomocząc dokoła i wzbijając pióropusze eksplodującego lodu. Rachel padła na brzuch i wbijając w lód przednie zęby raków, poczołgała się w kierunku jedynej osłony, sań. Chwilę później z krzykiem przypadł do niej Tolland.

Popatrzył na Norę i Corky'ego, leżących na otwartej przestrzeni.

— Ściągnijmy ich za linę! — ryknął.

Lecz lina okręciła się wokół sań.

Rachel wepchnęła wydruk do zapinanej na rzepy kieszeni kombinezonu i na czworakach przysunęła się do sań, żeby odplątać linę z płóz. Tolland trzymał się tuż za nią.

Grad nagle zabębnił w sanie, jakby matka natura zrezygnowała z ataku na Corky'ego i Norę, a zamiast tego wzięła na cel ich dwoje. Jeden z pocisków odbił się od plandeki i wylądował na rękawie Rachel.

Rachel zamarła. W jednaj chwili oszołomienie przemieniło się w grozę. Grad był sztuczny. Idealną sferoidę wielkości dużej czereśni, wypolerowaną i gładką, szpecił lekko wybrzuszony szew na obwodzie. Lodowy pocisk przypominał wyciśniętą w prasie staroświecką ołowianą kulę muszkietową. Kuliste grudki lodu zdecydowanie nie były tworem naturalnym.

To kule...

Mając dostęp do informacji wojskowych, Rachel dobrze znała nową eksperymentalną broń typu IM*, czyli improwizowana amunicja — karabiny śnieżne zbijające śnieg w lodowe pociski, karabiny pustynne topiące piasek w pociski szklane, broń strzelająca impulsami wody z taką siłą, że mogła połamać kości. Broń typu IM miała ogromną przewagę nad konwencjonalną, ponieważ korzystała z dostępnych materiałów i wytwarzała amunicję dosłownie na miejscu, zapewniając żołnierzom nieograniczone ilości pocisków bez konieczności noszenia ich ze sobą. Wiedziała, że lodowe kule, którymi do nich strzelano, zostały sprasowane „na żądanie" ze śniegu ładowanego do kolby.

Jak to często bywa w świecie wywiadu, im więcej się wie, tym bardziej przerażający staje się scenariusz. Ta chwila nie była wyjątkiem od reguły. Rachel wolałaby błogosławioną ignorancję, ale wiedza o istnieniu broni IM natychmiast doprowadziła ją do mrożącego krew w żyłach wniosku: zostali zaatakowani przez jednostkę amerykańskich sił specjalnych, które jako jedyne w kraju miały zezwolenie na używanie eksperymentalnej broni typu IM w terenie.

Z obecności wojskowej jednostki specjalnej wynikał drugi, jeszcze gorszy wniosek: prawdopodobieństwo przeżycia ataku jest bliskie zeru.

Makabryczne rozmyślania Rachel urwały się nagle, gdy jeden z lodowych pocisków znalazł sobie drogę wśród sprzętu spiętrzonego na saniach i z wyciem trafił ją w brzuch. Nawet w grubym kombinezonie poczuła się tak, jakby niewidzialny bokser uderzył ją w żołądek. Gwiazdy zatańczyły jej przed oczami i zatoczyła się do tyłu, próbując przytrzymać się sań. Michael Tolland puścił linę i skoczył na pomoc, ale było za późno. Rachel upadła, wywracając sanie. Oboje potoczyli się po lodzie wraz z całą aparaturą.

— To... kule... — wyszeptała Rachel z trudem, bo uderzenie wycisnęło jej powietrze z płuc. — Uciekaj!

---

* Improvised Munitions

Rozdział 50

Waszyngtońska kolejka podziemna ruszająca ze stacji Federal Triangle była szybka, ale nie dość szybka dla Gabrielle Ashe, która chciała jak najprędzej oddalić się od Białego Domu. Siedziała sztywno w kącie pustego wagonu, a za oknami przyciemnione kształty zlewały się w jednolitą smugę. Duża czerwona koperta od Marjorie Tench naciskała na jej uda niczym dziesięciotonowy ciężar.

Muszę porozmawiać z Sextonem! — pomyślała, gdy pociąg przyspieszał, zmierzając w stronę senackiego biurowca. Natychmiast!

W słabym, mrugającym świetle wagonu Gabrielle czuła się, jakby była pod działaniem halucynogenów. Lampy błyskały niczym spowolnione dyskotekowe stroboskopy. Tunel napierał ze wszystkich stron jak ściany coraz głębszego kanionu.

Powiedz, że to się nie dzieje naprawdę.

Popatrzyła na kopertę leżącą na kolanach. Otworzyła ją, wyjęła jedno zdjęcie. Światła rozbłysły na chwilę, jaskrawy blask oświetlił szokujący obraz — nagi, zaspokojony Sedgewick Sexton zwraca rozanieloną twarz prosto w stronę obiektywu aparatu, a obok niego leży ona, też naga.

Zadrżała, schowała zdjęcie i niezdarnie zamknęła kopertę.

To koniec.

Gdy tylko pociąg wyjechał z tunelu i wspiął się na nadziemny tor w pobliżu L'Enfant Plaza, zadzwoniła na prywatną komórkę senatora. Zgłosiła się poczta głosowa. Zaintrygowana, zatelefonowała do biura. Odebrała sekretarka.

— Tu Gabrielle. Jest?

Głos sekretarki zdradzał złość.

— Gdzie byłaś? Szukał cię.

— Spotkanie się przeciągnęło. Muszę natychmiast z nim porozmawiać.

— Będziesz musiała zaczekać do rana. Jest w Westbrooke.

Tam właśnie Sexton miał mieszkanie.

— Nie odbiera telefonu — powiedziała Gabrielle.

— Zarezerwował dzisiejszy wieczór jako PW — przypomniała sekretarka. — Wyszedł wcześnie.

Gabrielle spochmurniała jeszcze bardziej. Prywatny wieczór. Ze zdenerwowania zapomniała o planach Sextona. Senator jasno dał do zrozumienia, że nie życzy sobie, aby mu przeszkadzano w czasie PW. „Pukać do moich drzwi tylko w razie pożaru, mawiał. W przeciwnym wypadku sprawa może zaczekać do rana". Gabrielle zadecydowała, że dom Sextona stoi w ogniu.

— Musisz się z nim skontaktować.

— To niemożliwe.

— To poważna sprawa, ja naprawdę...

— Nie, to po prostu niemożliwe. Zostawił swój pager na moim biurku i powiedział, że nie wolno mu przeszkadzać przez całą noc. Pod żadnym pozorem. — Po chwili dodała: — Był bardziej stanowczy niż zwykle.

Cholera.

— Dobra, dzięki. — Gabrielle się rozłączyła.

„L'Enfant Plaza — rozległo się z głośników. — Połączenie do wszystkich stacji".

Gabrielle zamknęła oczy i spróbowała rozważyć sytuację na spokojnie, ale natychmiast napłynęły koszmarne obrazy... zdjęcia przedstawiające ją i senatora... stos dokumentów świadczących o tym, że Sexton bierze łapówki. Wciąż słyszała chrapliwy głos Tench. „Zrób, co trzeba. Podpisz oświadczenie. Przyznaj się do romansu".

Gdy pociąg zwalniał przed stacją, zmusiła się do zastanowienia, co zrobiłby senator, gdyby zdjęcia trafiły do prasy. Pierwsza myśl, jaka wpadła jej do głowy, zaszokowała ją i zawstydziła.

Skłamałby.

Czy rzeczywiście taka była jej intuicyjna ocena reakcji Sextona? Tak. Skłamałby... bezczelnie i inteligentnie.

Jeśli zdjęcia trafią do mediów, a ona nie przyzna się do romansu, senator po prostu oświadczy, że dowody są sfałszowane. W epoce fotografii cyfrowej fotomontaż jest dziecinnie łatwy; każdy, kto kiedykolwiek zaglądał do sieci, widział zdjęcia głów sławnych ludzi idealnie stopione z ciałami innych osób, częstokroć gwiazd porno. Gabrielle już widziała, jak senator przekonująco kłamał przed kamerami na temat ich związku, i nie wątpiła, że zdołałby przekonać świat, iż zdjęcia te są kiepską próbą złamania jego kariery. Płonąłby świętym oburzeniem, może nawet insynuował, że mistyfikację zlecił sam prezydent.

Nic dziwnego, że Biały Dom nie opublikował zdjęć. Uświadomiła sobie, że mogły przynieść odwrotny skutek, podobnie jak tamta pierwsza rozpuszczona plotka. Były sugestywne, ale zupełnie nieprzekonujące.

Gabrielle dostrzegła iskierkę nadziei.

Biały Dom nie może udowodnić, że są prawdziwe!

Tench postawiła ją przed brutalnie prostym wyborem: przyznaj się do romansu albo patrz, jak Sexton idzie do więzienia. Nagle wszystko nabrało sensu. Biały Dom potrzebuje jej oświadczenia, bo bez niego zdjęcia nie mają żadnej wartości. Narastające przeświadczenie, że ma rację, poprawiło jej nastrój.

Gdy pociąg stanął i drzwi się rozsunęły, Gabrielle poczuła, że w jej umyśle też otwierają się drzwi, odsłaniając niespodziewaną i podnoszącą na duchu możliwość.

Być może kłamstwem jest również wszystko to, co Tench powiedziała o korupcji.

Zastanowiła się, co naprawdę widziała w jej gabinecie. Czy kilka kserokopii dokumentów bankowych i ziarniste zdjęcia Sextona w jakimś garażu można uznać za rozstrzygające dowody? Jedno i drugie mogło zostać podrobione. Przebiegła Tench pokazała jej fałszywe dokumenty razem z kompromitującymi zdjęciami z gabinetu senatora w nadziei, że wszystko razem zostanie uznane za prawdziwe. Sztuczka nazywana „uwierzytelnieniem przez skojarzenie" jest powszechnie stosowana przez polityków, którym zależy na sprzedaniu wątpliwych koncepcji.

Sexton jest niewinny, powiedziała sobie Gabrielle. Biały Dom znalazł się w rozpaczliwej sytuacji; ludzie odpowiedzialni za kampanię prezydencką postanowili zagrać na jej strachu i zmusić ją do ujawnienia romansu. Chcieli doprowadzić do tego, żeby publicznie, w atmosferze skandalu, odwróciła się do Sextona plecami. „Uciekaj, póki możesz, powiedziała jej Tench. Masz czas do ósmej wieczorem". Wóz albo przewóz. Wszystko pasuje, pomyślała.

Z wyjątkiem jednej rzeczy...

Jedynym niepokojącym elementem układanki były wymierzone w NASA e-maile przysyłane przez Tench. Sugerowały, że agencji kosmicznej naprawdę zależy na jednoznacznie wrogiej deklaracji ze strony Sextona, aby następnie wykorzystać ją przeciwko niemu. Na pewno? Gabrielle uświadomiła sobie, że nawet to można logicznie wyjaśnić.

A jeśli wiadomości nie pochodziły od Tench?

Możliwe, że Tench przyłapała zdrajcę na gorącym uczynku, wyrzuciła go, zajęła jego miejsce i sama wysłała ostatni e-mail, zapraszając ją na spotkanie. Mogła udawać, że celowo przekazała wszystkie informacje dotyczące NASA, żeby mnie wrobić.

Hydraulika zasyczała, drzwi zaraz miały się zamknąć.

Gabrielle patrzyła na peron L'Enfant Plaza, zastanawiając się gorączkowo. Nie miała pojęcia, czy jej podejrzenia rzeczywiście mają sens, czy są tylko pobożnym życzeniem. Wiedziała, że musi natychmiast porozmawiać z senatorem — bez względu na PW.

Z kopertą w ręku w ostatniej chwili wyskoczyła z pociągu, a drzwi z sykiem zamknęły się za jej plecami. Miała nowy cel podróży.

Apartamentowiec Westbrooke Place.

Rozdział 51

Walcz albo uciekaj.

Będąc biologiem, Tolland wiedział, jakie zmiany fizjologiczne zachodzą w organizmie w obliczu zagrożenia. Adrenalina zalewa korę mózgową, przyspieszając bicie serca oraz nakazując mózgowi podjęcie najstarszej i najbardziej intuicyjnej ze wszystkich biologicznych decyzji — walczyć czy uciekać.

Instynkt nakazywał Tollandowi ucieczkę, ale rozsądek przypominał, że wciąż jest związany liną z Norą Mangor. Poza tym i tak nie miał dokąd uciec. Jedyną kryjówką w promieniu wielu kilometrów była habisfera, a napastnicy, kimkolwiek byli, znajdowali się powyżej nich na lodowcu i odcinali im drogę. Z drugiej strony szeroka płyta lodu tworzyła długą na trzy kilometry otwartą równinę, która kończyła się urwiskiem opadającym stromo do lodowatego morza. Odwrót w tym kierunku oznaczałby śmierć z wyziębienia. Zresztą gdyby nawet ucieczka miała szanse powodzenia, Tolland wiedział, że nie mógłby zostawić swoich towarzyszy. Nora i Corky leżeli niczym nie osłonięci, połączeni liną z nim i z Rachel.

Tolland kulił się w pobliżu Rachel, gdy lodowe pociski uderzały w przewrócone sanie. Przetrząsał rozsypany sprzęt, szukając broni, rakietnicy, radia... czegokolwiek.

— Uciekaj! — wrzasnęła Rachel zduszonym głosem.

Nagle, co dziwne, grad lodowych kul ustał. Choć wciąż wiał silny wiatr, noc wydała się spokojna... jakby burza niespodziewanie przeminęła.

Wtedy, wyglądając ostrożnie zza sań, Toland ujrzał jeden z najbardziej przerażających widoków w swoim życiu.

Z ciemności, spoza kręgu światła, wyłoniły się trzy osoby, bez wysiłku sunące na nartach. Były ubrane w białe kombinezony. Nie miały kijków narciarskich, tylko długie karabiny, niepodobne do żadnej znanej mu broni. Ich krótkie narty też wyglądały dziwacznie, bardziej podobne do wydłużonych łyżworolek niż klasycznych desek.

Spokojnie, jakby wiedzieli, że już wygrali bitwę, przybysze zatrzymali się przy najbliższej ofierze — nieprzytomnej Norze Mangor. Tolland, drżąc, podniósł się na kolana i spojrzał ponad saniami. Napastnicy odwzajemnili spojrzenie, patrząc na niego przez dziwne elektroniczne gogle. Wyglądało na to, że nie są nim zainteresowani.

Przynajmniej nie w tej chwili.

Delta Jeden nie miał wyrzutów sumienia, gdy patrzył na nieprzytomną kobietę leżącą na śniegu. Został wyszkolony do wykonywania, nie do kwestionowania rozkazów.

Kobieta była ubrana w gruby czarny termoaktywny kombinezon. Oddychała urywanie i z wysiłkiem, a na jej policzku widniała pręga. Jeden z lodowych pocisków odnalazł cel i pozbawił ją przytomności.

Nadszedł czas na dokończenie roboty.

Gdy Delta Jeden ukląkł obok nieprzytomnej kobiety, jego koledzy wymierzyli w pozostałe cele — jeden w leżącego w pobliżu niewysokiego mężczyznę, a drugi w przewrócone sanie, za którymi ukrywały się jeszcze dwie osoby. Mogliby wkroczyć do akcji i wykonać robotę za jednym zamachem, ale przecież ofiary nie były uzbrojone i nie miały dokąd uciec. Jednoczesne eliminowanie wszystkich celów jest nierozważne. „Nigdy nie rozpraszać uwagi, o ile nie jest to absolutnie konieczne. Stawiać czoło jednemu przeciwnikowi naraz". Żołnierze Delta Force mieli zabić tych ludzi dokładnie tak, jak zostali wyszkoleni — po kolei. Sztuka polegała na tym, żeby nie zostawić śladów wskazujących na zabójstwo.

Delta Jeden przykucnął obok nieprzytomnej Nory Mangor, zdjął rękawice i nabrał garść śniegu. Otworzył jej usta i zaczął wpychać w nie śnieg, jak najgłębiej, do gardła i do tchawicy. Kobieta miała umrzeć w ciągu trzech minut.

Metodę tę, wymyśloną przez rosyjską mafię, nazywano *biełaja smiert'*. Ofiara dusiła się na długo przed stopieniem się śniegu w gardle, ale martwe ciało zachowywało ciepło przez czas wystarczający do rozpuszczenia blokady. Nawet gdy podejrzewano brudną robotę, brakowało broni użytej do spowodowania śmierci i dowodów użycia przemocy. W tym przypadku być może ktoś dojdzie, co się stało, ale na pewno nie nastąpi to prędko. Lodowe kule wtopią się w otoczenie, zagrzebane w śniegu, a pręga na głowie kobiety będzie wyglądać na skutek nieszczęśliwego upadku na lód — co w tych warunkach pogodowych nikogo nie zdziwi.

Pozostali zostaną obezwładnieni i zlikwidowani w podobny sposób. Potem Delta Jeden załaduje wszystkich na sanie, przeciągnie kilkaset metrów dalej, przypnie liny i ułoży ciała na śniegu. Zostaną znalezione po kilku godzinach, zamarznięte, jakby cała czwórka padła ofiarą hipotermii. Ci, którzy ich odkryją, będą się zastanawiali, dlaczego zboczyli z kursu, ale nikt nie będzie zdziwiony, że nie żyją. Flary się wypaliły, wiał huraganowy wiatr, a zabłądzenie na lodowcu może skończyć się śmiercią.

Delta Jeden skończył upychać śnieg w gardle kobiety. Przed zajęciem się pozostałymi odpiął jej linę. Ludzie ukryci za saniami mogli wpaść na pomysł, żeby przeciągnąć ją w bezpieczne miejsce, a on w tej chwili nie życzył sobie żadnych komplikacji.

Na oczach Michaela Tollanda dokonano morderswa w sposób, jakiego nie byłaby w stanie wymyślić najbardziej mroczna część jego umysłu. Po odpięciu liny Nory Mangor trzej napastnicy odwrócili się w stronę Corky'ego.

Muszę coś zrobić!

Corky odzyskiwał przytomność i jęczał, próbując usiąść. Jeden z mężczyzn pchnął go z powrotem na śnieg, usiadł na nim okrakiem i kolanami przycisnął jego ręce do lodu. Wiatr porwał głośny krzyk bólu.

Zdjęty paniką Tolland zaczął przerzucać rzeczy, które spadły z przewróconych sań. Musi tu coś być! Broń! Cokolwiek! Widział tylko aparaturę badawczą, w większości rozbitą przez lodowe kule. Obok niego Rachel podnosiła się ze śniegu, pomagając sobie czekanem.

— Uciekaj... Mike...

Tolland popatrzył na trzymany przez nią czekan. Może użyć go jako broni. Zastanowił się, jakie będzie miał szanse, gdy rzuci się z nim na trzech ludzi.

To samobójstwo.

Gdy Rachel usiadła, Tolland dostrzegł za jej plecami pękaty winylowy worek. Modląc się, żeby zawierał rakietnicę albo radio, przyciągnął go do siebie. Wewnątrz znalazł dużą, schludnie złożoną płachtę. Bezwartościowa. Miał coś podobnego na swoim statku badawczym. Był to niewielki balon meteorologiczny, przeznaczony do wynoszenia obserwacyjnego sprzętu meteorologicznego, niewiele cięższego od komputera osobistego. Balon Nory nie na wiele się przyda, zwłaszcza bez butli z helem.

Corky bronił się, odgłosy szamotaniny były coraz głośniejsze. Tolland słuchał ich, czując największą od wielu lat bezradność. Czarną rozpacz. Całkowitą dezorientację. Jak na filmie życia, który przewija się przed oczami umierającego, niespodziewanie ujrzał dawno zapomniane obrazy z dzieciństwa. Przez chwilę żeglował w San Pedro, oddając się starej jak świat rozrywce żeglarzy: latał na spinakerze, ze śmiechem wznosząc się i opadając nad falami niczym dzieciak uczepiony sznura w dzwonnicy, zdany na łaskę wydętego żagla i kaprysu oceanicznego wiatru.

Tolland natychmiast skierował oczy na balon Nory, uświadamiając sobie, że umysł się nie poddał, tylko próbował podsunąć mu pomysł. Latanie na spinakerze!

Otworzył worek, wciąż słysząc odgłosy walki Corky'ego. Nie miał złudzeń — jego plan był niczym więcej, jak tylko grą w ciemno, ale wiedział, że pozostanie tutaj oznacza pewną śmierć dla nich wszystkich. Wyciągnął złożoną płachtę. Napis na uchwycie przestrzegał: UWAGA: NIE UŻYWAĆ NA WIETRZE POWYŻEJ 10 WĘZŁÓW.

Do diabła z tym! Trzymając mocno balon, żeby się nie rozwinął, Tolland przysunął się do Rachel. Zobaczył konsternację w jej oczach, gdy wrzasnął:

— Trzymaj!

Podał jej złożony materiał, a potem karabinkiem połączył swoją uprząż z uchwytem balonu. Położył się na boku i przypiął uprząż, którą miał na sobie, do uprzęży Rachel.

Teraz tworzyli jedność.

Jak zrośnięte biodrami bliźnięta syjamskie.

Pomiędzy nimi luźna lina wiła się po śniegu do szamoczącego się Corky'ego... a dziesięć metrów dalej urywała się przy Norze Mangor.

Nora już nie żyje, powiedział sobie Tolland. Nic nie można zrobić.

Napastnicy kucali nad wijącym się Corkym. Już ubijali śnieg, żeby upchnąć go w jego gardle. Tolland wiedział, że nie ma czasu.

Wyrwał złożony balon z rąk Rachel. Materiał był lekki jak bibułka i praktycznie niezniszczalny. Będzie, co ma być.

— Trzymaj się!

— Mike? — zapytała Rachel. — Co...

Tolland wyrzucił w powietrze zwinięty balon. Wyjący wiatr porwał materiał i rozpostarł go jak spadochron. Powłoka wypełniła się w jednej chwili, otwierając się z głośnym trzaskiem.

Tolland poczuł potężne szarpnięcie i w jednej chwili zrozumiał, że nie docenił siły katabatycznego wiatru. W ułamku sekundy oboje ruszyli w dół lodowca, na wpół uniesieni w powietrze. Chwilę później nastąpiło drugie szarpnięcie, gdy napięła się lina łącząca ich z Corkym Marlinsonem. Przerażony astrofizyk został wyrwany z rąk napastników, przewracając jednego z nich na plecy. Wystartował ze ścinającym krew w żyłach wrzaskiem, o włos mijając wywrócone sanie, i mknął za balonem, miotany na boki. Za nim wlokła się druga część liny... lina Nory Mangor.

Nic nie można zrobić, powtórzył Tolland w duchu.

Sunęli po lodowcu jak splątane ludzkie marionetki. Wokół nich gwizdały lodowe kule, ale Tolland wiedział, że napastnicy zaprzepaścili okazję. Sylwetki ubranych na biało żołnierzy malały, kurcząc się w plamki oświetlone przez flarę.

Tolland czuł, jak lód przemyka pod grubym kombinezonem z coraz większą prędkością, i jego radość z ucieczki szybko przygasła. Niespełna trzy kilometry przed nimi Lodowiec Szelfowy Milne'a kończy się stromym urwiskiem, które opada do leżącego trzydzieści metrów niżej Oceanu Arktycznego.

Rozdział 52

Marjorie Tench uśmiechała się, idąc do skomputeryzowanego pokoju łączności Białego Domu, z którego nadawano komunikaty prasowe opracowywane na górze w dziale łączności. Spotkanie z Gabrielle Ashe poszło dobrze. Nie wiadomo, czy przestraszyła się na tyle, żeby na piśmie przyznać się do romansu, ale z pewnością warto było spróbować.

Gabrielle jest dość mądra, żeby go zostawić, pomyślała Tench. Biedna dziewczyna nie ma pojęcia, jak bolesny będzie upadek Sextona.

Za parę godzin prezydencka konferencja prasowa zwali go z nóg. To pewne jak w banku. Gabrielle Ashe, jeśli zgodzi się współpracować, zada druzgocący cios, który sprawi, że Sexton spali się ze wstydu. Tench zadecydowała, że rano podeśle prasie jej oświadczenie wraz z nagraniem, na którym Sexton wypiera się romansu.

Krótka, szybka seria.

W polityce wygranie wyborów jest nie celem, lecz środkiem, który umożliwia nabranie impetu na drodze do ostatecznego zwycięstwa — realizacji wizji. Historia uczy, że każdy prezydent, który obejmował urząd dzięki niewielkiej przewadze głosów nad rywalem, miał niewielkie osiągnięcia; startował ze słabej pozycji i Kongres nie pozwalał mu o tym zapomnieć.

Byłoby idealnie, gdyby kampania senatora Sextona legła w gruzach pod wpływem ataku z dwóch stron — ataku wymierzonego w jego politykę i postawę moralną. Strategia ta została zapożyczona ze sztuki prowadzenia działań wojennych. Zmuś wroga do walki na dwóch frontach. Kiedy kandydat posiada negatywną informację na temat swojego oponenta, często czeka na zdobycie drugiej i ogłasza obie jednocześnie. Atak dwustronny zawsze jest bardziej skuteczny niż pojedynczy strzał, zwłaszcza kiedy dotyczy odrębnych aspektów — jeden cios wymierzony w politykę rywala, drugi w jego charakter. Odparcie ataku politycznego wymaga logiki, a osobistego — pasji; w takim przypadku skuteczna obrona graniczy z cudem.

Dzisiejszego wieczoru senator Sexton pogrąży się w politycznym koszmarze, jakim będzie dla niego oszałamiający triumf NASA. Jego sytuacja znacznie się pogorszy, jeśli zostanie zmuszony do obrony swojego stanowiska politycznego w chwili, gdy bliska współpracowniczka publicznie nazwie go kłamcą.

Przed drzwiami biura łączności poczuła przyjemny dreszczyk emocji. Polityka jest wojną. Tench zaczerpnęła powietrza i spojrzała na zegarek. Kwadrans po szóstej. Pora oddać pierwszy strzał.

Weszła.

Biuro łączności było niewielkie nie z braku miejsca, ale z braku potrzeby zajmowania większej przestrzeni. Choć zaliczało się do najbardziej sprawnych ośrodków telekomunikacyjnych na świecie, do jego obsługi wystarczało tylko pięć osób. W tej chwili wszyscy pracownicy stali przy rzędach sprzętu elektronicznego; wyglądali jak pływacy czekający na wystrzał pistoletu startowego.

Są gotowi. Tench poznała to po ich niecierpliwych spojrzeniach.

Zawsze zdumiewało ją, że to maleńkie biuro w ciągu zaledwie dwóch godzin może nawiązać kontakt z ponad jedną trzecią mieszkańców cywilizowanego świata. Wystarczy dotknięcie paru klawiszy, żeby dzięki łączom elektronicznym połączyć się z dziesiątkami tysięcy agencji informacyjnych — od największych sieci telewizyjnych po najmniejsze gazety lokalne — i za ich pośrednictwem przemówić do świata.

Komputery wysyłają komunikaty prasowe na konta poczty elektronicznej radia, telewizji, prasy i portali internetowych od Maine po Moskwę. Zalew e-maili niemal paraliżuje sieć. Telefoniczne autodialery łączą się z tysiącami redakcji i odtwarzają nagrane oświadczenia. Strona internetowa jest stale aktualizowana, dostarczając najnowszych informacji. Agencje informacyjne — CNN, NBC, ABC, CBS, koncerny zagraniczne — zostaną zaatakowane ze wszystkich stron, z gwarancją swobodnego odbioru na żywo.

Nadawane przez nie programy zostaną przerwane na czas nadzwyczajnego oświadczenia prezydenta Stanów Zjednoczonych.

Pełna penetracja.

Jak generał dokonujący inspekcji oddziałów, Tench w milczeniu podeszła do biurka i podniosła wydrukowany komunikat, który czekał na wysłanie, załadowany do wszystkich urządzeń nadawczych niczym naboje do strzelby.

Tench przeczytała komunikat i zaśmiała się cicho. Zgodnie z przyjętymi normami był lakoniczny — bardziej przypominał ogłoszenie niż oświadczenie — ale prezydent polecił sformułować go nadzwyczaj ostrożnie. Pracownicy biura łączności stanęli na wysokości zadania. Tekst był doskonały — krótki, ale bogaty w słowa kluczowe. Zabójcza kombinacja. Teleksy używające programów do wyszukiwania słów kluczowych w celu sortowania nadchodzących informacji nadadzą temu komunikatowi wysoki priorytet.

Nawet te agencje, które używają programów do odsiewania spamu, dostaną kilka e-maili:

> Od: Biuro łączności Białego Domu
> Temat: Nadzwyczajne oświadczenie prezydenckie
>
> *Prezydent Stanów Zjednoczonych* dziś wieczorem o godzinie dwudziestej czasu urzędowego wschodnioamerykańskiego odbędzie zwołaną w trybie *pilnym* konferencję prasową w pokoju konferencyjnym Białego Domu. Temat oświadczenia obecnie pozostaje *tajny.* Odbiór transmisji na żywo będzie dostępny poprzez zwyczajne kanały.

Marjorie Tench odłożyła kartkę na biurko, rozejrzała się po biurze łączności i z uznaniem pokiwała głową. Pracownicy patrzyli na nią z przejęciem.

Zapaliła papierosa i paliła przez chwilę, pozwalając narastać napięciu. Wreszcie uśmiechnęła się szeroko.

— Proszę państwa, zapuszczajcie silniki.

Rozdział 53

Logika wyparowała z umysłu Rachel Sexton. Nie myślała o meteorycie, tajemniczym wydruku z GPR w kieszeni, Mingu, przerażającym ataku na lodzie. Liczyło się tylko jedno.

Przeżyć.

Lód rozmywał się w smugę jak nieskończona śliska autostrada. Nie wiedziała, czy sparaliżował ją strach, czy też chronił gruby kombinezon, ale nie czuła bólu. W ogóle niczego nie czuła.

Na razie.

Sunęła w ciemności, leżąc na boku, spięta z Tollandem, zwrócona przodem do niego. Gdzieś przed nimi wydymał się balon wypełniony wiatrem, zataczający się dziko jak naczepa ciągnika, nad którym kierowca stracił panowanie. Flara znacząca miejsce, gdzie zostali zaatakowani, zniknęła w oddali.

Syk nylonowych kombinezonów stawał się coraz wyższy w miarę, jak przyspieszali. Rachel nie miała pojęcia, jak szybko się poruszają, ale prędkość wiatru musiała wynosić co najmniej sto kilometrów na godzinę. Gładki pas startowy, po którym sunęli, przemykał coraz szybciej z każdą upływającą sekundą. Nieprzepuszczalny balon nie miał zamiaru ani się podrzeć, ani zerwać.

Musimy się uwolnić, pomyślała. Z jednego niebezpieczeństwa zmierzali prosto w drugie. Mniej niż półtora kilometra dzieli nas od oceanu! Myśl o lodowatej wodzie przywołała okropne wspomnienia.

Wiatr dmuchnął mocniej, znowu przyspieszyli. Gdzieś za nimi Corky wrzeszczał z przerażenia. Rachel wiedziała, że za parę minut balon przeciągnie ich nad urwiskiem i spadną do lodowatego morza.

Tolland musiał myśleć o tym samym, bo sięgnął do zaczepu balonu przypiętego do ich uprzęży.

— Nie mogę odpiąć! — zawył. — Lina jest za bardzo naprężona!

Rachel miała nadzieję, że wiatr na chwilę przycichnie, zapewniając im swobodę manewru, ale dął z niesłabnącą siłą. Przekręciła się i zaczęła orać rakami lód, wyrzucając w powietrze fontannę odłamków lodu. Trochę zwolnili.

— Teraz! — wrzasnęła, podnosząc nogi.

Linka balonu zwiotczała. Tolland szarpnął, próbując wykorzystać tę chwilę na odkręcenie zamka karabinka. Nie dał rady.

— Jeszcze raz! — ryknął.

Tym razem oboje przekręcili się i wbili raki w lód, wzbijając podwójny pióropusz śniegu. Balon wyraźnie zwolnił.

— Teraz!

Na znak Tollanda oboje poderwali nogi. Gdy balon znów wyrywał do przodu, Tolland odkręcił kciukiem karabinek. Tym razem mało brakowało, ale wciąż potrzebował większego luzu. Według Nory karabinki były niezawodne, zakręcane, co uniemożliwiało otworzenie ich w momencie, gdy podlegały nawet najmniejszemu obciążeniu.

Zabici przez sprzęt asekuracyjny, pomyślała Rachel z gorzką ironią.

— Jeszcze raz! — zawył Tolland.

Zbierając całą energię, Rachel wykręciła się i z desperacją wbiła w lód oba raki. Wygięła plecy w łuk, starając się wspierać cały ciężar ciała na przednich zębach raków. Tolland wziął z niej przykład i teraz oboje prężyli się, wzajemnie napinając uprzęże. Tolland wbił raki i Rachel wygięła się jeszcze bardziej. Fala wibracji przenikała jej nogi. Miała wrażenie, że zaraz pękną jej kostki.

— Trzymaj... trzymaj... — Tolland wykrzywił się, żeby odpiąć karabinek, gdy zmniejszyli prędkość. — Zaraz...

Nagle paski raków Rachel pękły. Raki odpadły od butów i pokoziołkowały w noc, przeskakując nad Corkym. Balon natychmiast szarpnął do przodu i zarzucił ich na bok, wciąż hamowany z jednej strony. Karabinek wymknął się z rąk Tollanda.

— Cholera!

Balon, jakby rozgniewany chwilowym ograniczeniem swobody,

gwałtownie przyspieszył, wlokąc ich w dół lodowca, w kierunku morza. Zbliżali się do urwiska, lecz Rachel wiedziała, że niebezpieczeństwo czyha na nich jeszcze przed trzydziestometrową przepaścią. Drogę do Oceanu Arktycznego przegradzały trzy wielkie wały śnieżne. Kombinezony amortyzowały uderzenia, ale myśl o wyrzuceniu z dużą prędkością w górę i locie nad hałdami śniegu przepełniała ją grozą.

Desperacko zmagając się z uprzężą, Rachel próbowała wymyślić jakiś sposób na odczepienie balonu. Wtedy usłyszała rytmiczne stukanie — szybkie staccato, gdy lekki metal uderzał w lód.

Czekan.

Zupełnie zapomniała o czekanie. Lekkie tytanowe narzędzie podskakiwało obok jej nogi. Popatrzyła na linkę balonu. Gruby, ciasno spleciony nylon. Namacała czekan podskakujący na pętli na nadgarstku. Złapała stylisko, podniosła ręce nad głowę i przyłożyła zębate ostrze do grubej liny. Niezdarnie zaczęła piłować napięty kabel.

— Dobrze! — wrzasnął Tolland, sięgając po swój czekan.

Sunąc na boku z rękami wyciągniętymi przed siebie, Rachel zdwoiła wysiłki. Linka była mocna i pojedyncze włókna nylonu strzępiły się powoli. Tolland chwycił czekan, przekręcił się, uniósł ręce nad głowę i próbował piłować w tym samym miejscu od spodu. Zgięte ostrza zderzały się, gdy pracowali jak tracze. Lina strzępiła się teraz z obu stron.

Uda się, pomyślała Rachel. Pęknie!

Nagle srebrny bąbel balonu poderwał się w górę, jakby porwał go prąd wstępujący. Rachel ze grozą uświadomiła sobie, że balon naśladuje ukształtowanie terenu.

Dotarli do wałów.

Widzieli ścianę bieli tylko przez moment. Po chwili uderzenie w bok wycisnęło Rachel powietrze z płuc i wyrwało jej czekan z ręki. Jak narciarz wodny zaplątany w linki w czasie skoku, prześlizgnęła się po stromym zboczu i wyleciała w powietrze. Oboje z Tollandem szybowali jak wystrzeleni z katapulty. Daleko pod nimi rozciągał się rów obrzeżony wysokimi hałdami śniegu. Wystrzępiony nylonowy kabel ciągnął ich w górę, przenosząc nad pierwszym rowem. Przez chwilę Rachel widziała, co znajduje się przed nimi. Dwa wały, krótki płaskowyż, a za nim morze.

Oniemiała ze grozy, ale przeraźliwy wrzask, który nagle zawibrował w powietrzu, wyraził jej uczucia. Gdzieś za nimi Corky Marlinson żeglował nad pierwszym wałem. Teraz wszyscy troje byli w powietrzu, a balon rwał w górę niczym dzikie zwierzę pragnące zerwać się z uwięzi.

Nagle nad ich głowami rozległ się trzask, ostry jak strzał z karabinu. Nadwątlona linka w końcu pękła i wystrzępiony koniec uderzył Rachel w twarz. Spadali. Wysoko nad nimi balon wydął się... i poszybował nad morze.

Spięci karabinkami, zaplątani w linę, Rachel i Tolland koziołkowali w locie ku ziemi. Gdy wyrósł przed nimi biały garb drugiego wału, Rachel przygotowała się na zderzenie. Przelecieli nad szczytem i wylądowali po drugiej stronie; kombinezony i stok częściowo zamortyzowały upadek. Gdy świat wokół nich ograniczył się do rozmytej plątaniny rąk, nóg i śniegu, Rachel poczuła, że pędzi dnem środkowego koryta. Instynktownie rozpostarła ręce i nogi, próbując zwolnić przed uderzeniem w następny wał. Zwalniali, ale nieznacznie. Wydawało się, że zaledwie parę sekund po wylądowaniu zaczęli wjeżdżać na następne zbocze. Na szczycie znowu oderwali się od podłoża, a po chwili Rachel z przerażaniem stwierdziła, że zsuwają się po drugiej stronie na wąski płaskowyż... ostatnie dwadzieścia pięć metrów lodowca.

Gdy sunęli w kierunku krawędzi, czuła opór stawiany przez Corky'ego i wiedziała, że zwalniają. Wiedziała także, że trochę za późno. Koniec lodowca pędził im na spotkanie. Krzyknęła bezradnie.

A potem się stało.

Skraj lodu usunął się spod nich. Ostatnią rzeczą, jaką zapamiętała, było spadanie.

Rozdział 54

Apartamentowiec Westbrooke Place na N Street NW pod numerem 2201 ma opinię jednego z niewielu bezsprzecznie poprawnych adresów w Waszyngtonie. Gabrielle pchnęła złocone obrotowe drzwi i wbiegła do marmurowego holu, w którym głośno szumiała kaskada.

Portier popatrzył na nią ze zdziwieniem.

— Pani Ashe? Nie wiedziałem, że ma pani dziś przyjść.

— Jestem spóźniona. — Gabrielle szybko wpisała się do książki. Ścienny zegar wskazywał 18:22.

Portier podrapał się po głowie.

— Senator zostawił mi listę, ale pani nie...

— Tacy jak on zawsze zapominają o ludziach, którzy robią dla nich najwięcej. — Posłała mu pełen udręki uśmiech i ruszyła w kierunku wind.

Portier miał zaniepokojoną minę.

— Lepiej zadzwonię na górę.

— Dzięki! — krzyknęła, już wchodząc do kabiny. Senator ma wyłączony telefon.

Wysiadła na ósmym piętrze i skręciła w elegancko urządzony korytarz. Na końcu, przed drzwiami apartamentu Sextona, siedział członek jego osławionej obstawy. Wyglądał na znudzonego. Gabrielle zdziwiła się na jego widok, ale nie tak jak on, kiedy ją zobaczył. Poderwał się z krzesła.

— Wiem, wiem! — zawołała w połowie korytarza. — Ma wieczór PW. Nie chce, żeby mu przeszkadzano.

Ochroniarz energicznie pokiwał głową.

— Wydał ścisłe instrukcje, żeby nie wpuszczać żadnych gości...

— To wyjątkowa sytuacja.

Mężczyzna zastąpił jej drogę.

— Ma prywatne spotkanie.

— Co ty powiesz? — Gabrielle podniosła czerwoną kopertę i podsunęła mu pod nos godło Białego Domu. — Niedawno byłam w Gabinecie Owalnym. Muszę przekazać senatorowi ważne informacje. Niezależnie, z kim ucina sobie pogawędkę, może zrobić parominutową przerwę. Przepuść mnie.

Ochroniarz cofnął się na widok godła Białego Domu.

Tylko nie każ mi tego otwierać, pomyślała.

— Proszę dać mi kopertę — powiedział. — Przekażę mu.

— Do diabła, spełniam polecenie Białego Domu. Mam to dostarczyć do rąk własnych. Jeśli natychmiast z nim nie porozmawiam, jutro rano wszyscy możemy zacząć szukać pracy. Rozumiesz?

Gabrielle widziała, że ochroniarzem targają sprzeczne emocje. Tego dnia Sexton rzeczywiście musiał wydać surowe rozporządzenia. Sięgnęła po broń ciężkiego kalibru. Podnosząc wysoko kopertę, zniżyła głos do szeptu i wypowiedziała trzy słowa, których obawiali się wszyscy pracownicy ochrony w Waszyngtonie:

— Nie rozumiesz sytuacji.

Ochroniarze polityków nigdy nie rozumieli sytuacji i serdecznie nie cierpieli tego stanu rzeczy. Byli gorylami do wynajęcia, niedoinformowanymi, niemającymi pojęcia, czy skrupulatnie wypełniać rozkazy, czy zaryzykować utratę pracy przez uparte ignorowanie oznak jakiegoś oczywistego kryzysu.

Ochroniarz głośno przełknął ślinę, patrząc na czerwoną kopertę.

— Dobra, ale powiem senatorowi, że zrobiłem to na pani żądanie.

Otworzył drzwi. Gabrielle szybko przemknęła obok niego, żeby przypadkiem nie zmienił zdania. Weszła do apartamentu i zamknęła za sobą drzwi.

W holu usłyszała stłumione głosy, które dochodziły z salonu — męskie głosy. A zatem wbrew temu, co sugerowała wcześniejsza rozmowa telefoniczna Sextona, dzisiejszy wieczór nie był przeznaczony na spotkanie z jedną osobą.

W drodze do salonu Gabrielle minęła otwartą szafę, w której wisiało sześć drogich męskich płaszczy, wełnianych i tweedowych.

Na podłodze stało kilka aktówek. Najwyraźniej goście zostawili pracę w korytarzu. Gabrielle już miała ruszyć dalej, gdy jedna teczka przyciągnęła jej uwagę. Na tabliczce widniało charakterystyczne logo, jasnoczerwona rakieta.

Zatrzymała się, przyklękła i przeczytała:

SPACE AMERICA, INC.

Zaskoczona, spojrzała na inne aktówki.

BEAL AEROSPACE. MICROCOSM, INC. ROTARY ROCKET COMPANY. KISTLER AEROSPACE.

W jej głowie zabrzmiał chrapliwy głos Marjorie Tench: „Czy wiesz, że Sexton bierze łapówki od prywatnych firm lotniczych i kosmicznych?".

Przyśpieszył jej puls, gdy spojrzała w kierunku sklepionego wejścia do salonu. Wiedziała, że powinna się odezwać, oznajmić swoje przybycie, ale zamiast tego przesuwała się po cichu i powoli. Zbliżyła się do wejścia i zastygła w cieniu... słuchając rozmowy.

Rozdział 55

Delta Trzy został, żeby zabrać zwłoki Nory Mangor i sanie, a pozostali dwaj żołnierze popędzili w dół lodowca za swoimi ofiarami.

Na nogach mieli motonarty. Były to w gruncie rzeczy zwykłe krótkie deski, ale wyposażone w miniaturowe gąsienice — jak zakładane na nogi skutery śnieżne. Użytkownik regulował prędkość palcem wskazującym i kciukiem, ściskając ciśnieniowy regulator we wnętrzu prawej rękawicy. Zamontowane wokół stóp potężne baterie żelowe pełniły również rolę tłumików wyciszających pracę napędu. Energia kinetyczna wytwarzana przez gąsienice w czasie swobodnej jazdy w dół stoku była wykorzystywana do ładowania baterii do jazdy pod górę.

Mając wiatr w plecy, skulony Delta Jeden mknął w stronę morza, omiatając wzrokiem lodowiec. Jego noktowizor w niczym nie przypominał modelu Patriot używanego przez piechotę morską. Delta Jeden patrzył przez gogle wyposażone w obiektywy sześcioelementowe 40 × 90 mm, trzyelementowy wzmacniacz obrazu oraz czujnik podczerwieni o bardzo dużym zasięgu. Widział otoczenie w odcieniach chłodnego błękitu, a nie zwyczajnej zieleni — barwa została dobrana specjalnie do terenów o wysokim współczynniku odbicia, takich jak Arktyka.

Delta Jeden zbliżył się do pierwszego wału i zobaczył kilka jasnych bruzd świeżo poruszonego śniegu, odcinających się od stoku jak neonowe strzały. A zatem trzej uciekinierzy nie pomyśleli o odpięciu swojego prowizorycznego żagla albo też nie byli w stanie tego zrobić. Tak czy inaczej, jeśli nie uwolnili się przed ostatnim wałem, teraz kąpią się w lodowatej wodzie. Delta Jeden wiedział, że ochronne stroje przedłużą im życie, ale prądy wyniosą ich na morze, gdzie prędzej czy później utoną.

Delta Jeden był jednak nauczony, żeby nie przyjmować niczego na wiarę. Musi zobaczyć ciała. Przykucnął, złączył palce i popędził w górę pierwszego stoku.

Michael Tolland leżał bez ruchu, przeprowadzając bilans obrażeń. Był potłuczony, ale chyba nie złamał żadnej kości. Nie wątpił, że wypełniony żelem kombinezon uchronił go przed poważnymi uszkodzeniami ciała. Gdy otworzył oczy, miał kłopoty ze skupieniem myśli. Wszystko wydawało się bardziej miękkie... cichsze. Wiatr wciąż wył, lecz mniej wściekle.

Przelecieliśmy nad krawędzią... na pewno?

Tolland skoncentrował się i stwierdził, że leży na Rachel Sexton, prawie na krzyż, połączony z nią pętlą i karabinkiem. Czuł, jak ona oddycha, ale nie widział jej twarzy. Stoczył się z niej, choć mięśnie ledwo chciały go słuchać,

— Rachel...? — Nie był pewien, czy z jego ust wydobył się jakiś dźwięk.

Przypomniał sobie ostatnie sekundy koszmarnej jazdy — poderwanie przez balon w górę, pęknięcie linki, upadek na stoku drugiego wału, wjazd na ostatnią hałdę, kończący się lód. Oboje spadli z krawędzi, lecz lot trwał dziwnie krótko. Zamiast w morzu, wylądowali na leżącej zaledwie trzy metry niżej płycie lodu, prześliznęli się kawałek i znieruchomieli, zatrzymani przez ciężar wleczonego z tyłu Corky'ego.

Tolland podniósł głowę i popatrzył w stronę morza. Niezbyt daleko od niego lód kończył się urwiskiem, za którym huczał ocean. Odwrócił się w kierunku lodowca i wytężył wzrok. Dwadzieścia metrów dalej zobaczył pionową ścianę lodu. Wtedy zrozumiał, co się stało. Zsunęli się z głównego lodowca na niższy taras lodu. Ta część była płaska, wielka jak lodowisko i częściowo oberwana — gotowa spaść do oceanu.

Lodowiec się cieli, pomyślał, omiatając wzrokiem szeroką płytę, na której leżeli. Wisiała jak kolosalny balkon, z trzech stron otoczona przepaściami. Od strony lodowca ciągnęła się szeroka na ponad metr szczelina. Grawitacja była na dobrej drodze, żeby wygrać tę bitwę.

Tolland zmartwiał, ale jeszcze bardziej przeraził go widok nieruchomego ciała. Corky Marlinson leżał dziesięć metrów dalej, na końcu napiętej liny.

Tolland chciał się podnieść, ale wciąż był przypięty do Rachel. Zmienił pozycję i zaczął odkręcać zamek karabinka.

Rachel spróbowała usiąść. Była bardzo osłabiona.

— Nie... spadliśmy? — W jej głosie brzmiało zdumienie.

— Spadliśmy na niższy blok lodu — odparł, wreszcie odpinając karabinek. — Muszę pomóc Corky'emu.

Obolały, spróbował wstać, ale nogi odmówiły mu posłuszeństwa. Złapał linę i pociągnął. Corky zaczął sunąć po lodzie. Po kilkunastu pociągnięciach znalazł się obok nich.

Wyglądał okropnie. Zgubił gogle, policzek miał głęboko rozcięty, z nosa płynęła krew. Tolland przestraszył się, że przyjaciel nie żyje, ale nagle Corky przekręcił się na bok i popatrzył na niego ze złością.

— Jezusie — wyjąkał. — Cholera, coś ty wykombinował?

Tollanda zalała fala ulgi.

Rachel usiadła, krzywiąc się z bólu. Rozejrzała się dokoła.

— Musimy... musimy uciekać. Ten blok lodu wygląda, jakby lada chwila miał spaść.

Tolland z całego serca przyznał jej rację. Pytanie tylko, jak tego dokonać.

Nie mieli czasu na wymyślenie odpowiedzi. Z lodowca dobiegł znajomy wysoki warkot. Tolland podniósł głowę i zobaczył dwie ubrane na biało postacie, które zatrzymały się na krawędzi. Dwaj mężczyźni stali przez chwilę, patrząc na poobijane ofiary wzrokiem szachistów, którzy rozkoszują się chwilą przed daniem mata.

Delta Jeden zdziwił się, gdy zobaczył, że uciekinierzy żyją. Wiedział jednak, iż jest to stan chwilowy. Spadli na oberwaną część lodowca, która przystanęła na jakiś czas w drodze do morza. Mogą zostać obezwładnieni i zlikwidowani w taki sam sposób, jak tamta kobieta, ale skoro okazja sama się nadarzyła... Takie rozwiązanie jest znacznie czystsze, a poza tym gwarantuje, że ciała nigdy nie zostaną znalezione.

Spoglądając w dół ponad krawędzią, Delta Jeden skupił wzrok na szczelinie, która wnikała jak klin pomiędzy czoło lodowca a naderwany blok. Ta część lodu, na której wylądowało troje uciekinierów, trzyma się na słowo honoru, gotowa spaść do oceanu lada dzień.

Dlaczego nie dziś...

Lodowcem co parę godzin wstrząsało głuche dudnienie, gdy lód odrywał się od czoła i spadał do morza. Czy ktoś zwróci uwagę na dodatkowy hałas?

Czując znajomy gorący potok adrenaliny, który zawsze poprzedzał zadanie ostatecznego ciosu, Delta Jeden wyjął z plecaka ciężki przedmiot w kształcie cytryny. Granat typu „światło i dźwięk", wchodzący w skład standardowego wyposażenia wojskowych oddziałów szturmowych, czasowo dezorientuje nieprzyjaciela, wytwarzając oślepiający błysk i ogłuszający huk. Delta Jeden wiedział, że dziś nie skończy się na dezorientacji.

Stanął blisko krawędzi i zastanowił się, jak głęboko sięga szczelina. Pięć metrów? Piętnaście? Wiedział, że to nie ma znaczenia. Jego plan okaże się skuteczny niezależnie od jej głębokości.

Ze spokojem nabytym podczas wykonania niezliczonych egzekucji Delta Jeden nastawił na tarczy dziesięciosekundowe opóźnienie, wyciągnął zawleczkę i rzucił granat w rozpadlinę. Pocisk zniknął w ciemności.

Delta Jeden i jego partner wjechali na szczyt wału i czekali. Widok miał być spektakularny.

Rachel Sexton, choć półprzytomna, dobrze wiedziała, co wpadło do szczeliny. Nie miała pojęcia, czy Michael Tolland też to wie, czy może odgadł prawdę z łez w jej oczach, ale zbladł i patrzył z przerażeniem na wielką lodową płytę. Był świadom, że zaraz nastąpi nieuchronne.

Lód pod nimi pojaśniał jak chmura burzowa rozświetlona od środka przez błyskawicę. We wszystkie strony strzelił niesamowity blask. W promieniu stu metrów wokół nich lodowiec rozbłysnął bielą. Potem nastąpił wstrząs, nie jak w czasie trzęsienia ziemi, tylko coś w rodzaju ogłuszającej fali siły. Rachel czuła, jak przenika przez lód do jej ciała i skręca wnętrzności.

W jednej chwili, jak odłupany klinem, blok lodu z przyprawiającym o mdłości jękiem oderwał się od czoła lodowca. Przerażona Rachel spojrzała w oczy Tollanda. Corky wrzasnął przeraźliwie.

Płyta opadła.

Rachel przez chwilę czuła się jak w stanie nieważkości, unosząc się nad ważącym wiele tysięcy ton blokiem lodu. Potem pojechali na górze lodowej w dół — do lodowatego morza.

Rozdział 56

Przeraźliwy zgrzyt lodu rozdzierał uszy, gdy masywna płyta zsuwała się po czole Lodowca Szelfowego Milne'a, wzbijając w powietrze ogromne pióropusze lodowych drobin. Nagle zwolniła i Rachel, przed chwilą nieważka, upadła na lód. Tolland i Corky wylądowali w pobliżu.

Gdy rozpędzony blok zanurzał się w morzu, Rachel widziała, jak spieniona powierzchnia przybliża się z przewrotnie malejącą prędkością niczym ziemia pod skoczkiem bungee, którego lina okazała się o kilkadziesiąt centymetrów za długa. Woda wznosiła się... wznosiła się coraz wolniej... ale w końcu zakryła lód. Koszmar z dzieciństwa powrócił. Lód... woda... ciemność. Sparaliżował ją niemal pierwotny strach.

Szczyt płyty zniknął w lodowatym Oceanie Arktycznym. Woda wdarła się ze wszystkich stron jednocześnie. Rachel poczuła, że potężna siła zasysa ją w dół. Skóra na jej twarzy napięła się i zapiekła w kontakcie z morską wodą. Blok lodu zniknął, a ona wypływała na powierzchnię, unoszona przez żel w kombinezonie. Nabrała w usta słonej wody i zakrztusiła się, wynurzając głowę. W pobliżu zobaczyła swoich towarzyszy. Wszyscy troje byli zaplątani w linę. W chwili, gdy zdołała się uwolnić, Tolland wrzasnął:

— Wraca!

Kiedy krzyk przebrzmiał, Rachel poczuła pod sobą dziwne parcie wody. Jak wielka lokomotywa zmieniająca kierunek jazdy, lodowa płyta z jękiem zatrzymała się na głębokości wielu metrów, a zaraz potem zaczęła się podnosić. W wodzie niosło się niskie dudnienie, gdy kolosalna płyta pięła się przy samym czole lodowca.

Blok lodu podnosił się szybko, coraz szybciej, wreszcie wychynął z ciemności. Rachel czuła, że także się wznosi. Lód zetknął się z jej ciałem, ocean zawrzał. Bezskutecznie próbowała zachować równowagę, gdy płyta niosła ją ku niebu wraz z milionami litrów wody. Ogromna bryła podskakiwała i kołysała się na powierzchni, szukając środka ciężkości. Rachel gramoliła się po pas w wodzie, która już odpływała. Prąd znosił ją w kierunku krawędzi. Ześlizgiwała się, leżąc płasko na brzuchu. Widziała zbliżającą się krawędź.

Trzymaj się! Głos jej matki brzmiał tak samo jak wtedy, gdy była dzieckiem miotającym się pod lodem na stawie. Trzymaj się! Nie schodź pod wodę!

Szarpnięcie za uprząż pozbawiło ją tchu i okręciło dokoła. Zatrzymała się niespełna dziesięć metrów od krawędzi. Po drugiej stronie, w takiej samej odległości, spoczywało bezwładne ciało Corky'ego, z którym była związana liną. Woda unosiła ich w przeciwnych kierunkach i jego pęd ją zatrzymał. Niedaleko Corky'ego majaczyła druga ciemna postać. Podparta na rękach i kolanach, trzymała linę Corky'ego i wymiotowała morską wodą.

Michael Tolland.

Kiedy resztki wody spływały z góry lodowej, Rachel leżała w milczeniu, z przerażeniem słuchając szumu oceanu. Czując ogarniające ją zimno, podniosła się na ręce i kolana. Góra lodowa ciągle podskakiwała pod nią jak ogromna kostka lodu. Półprzytomna i obolała, poczołgała się w kierunku towarzyszy.

Stojąc wysoko na krawędzi lodowca, Delta Jeden patrzył przez gogle noktowizyjne na wodę burzącą się wokół najnowszej góry lodowej na Oceanie Arktycznym. Nie dostrzegł ciał, ale to go nie zdziwiło. Ocean był ciemny, a jego ofiary miały czarne kombinezony i kaptury.

Gdy skierował gogle na powierzchnię ogromnej pływającej płyty, miał kłopoty z nastawieniem ostrości. Góra lodowa oddalała się szybko, niesiona w morze przez silne prądy przybrzeżnie. Już miał ponownie spojrzeć na morze, gdy jego uwagę przykuło coś dziwnego. Trzy plamki na lodzie. Czy to ciała? Wytężył wzrok.

— Widzisz coś? — zapytał Delta Dwa.

Delta Jeden nie odpowiedział, powiększając obraz. Osłupiał,

gdy na jasnym tle lodu zobaczył leżące bez ruchu postacie. Nie miał pojęcia, czy uciekinierzy żyją, ale to nie miało znaczenia. Jeśli nawet, umrą w ciągu godziny mimo kombinezonów; są przemoczeni, nadciąga sztorm, góra lodowa wypływa na jeden z najgroźniejszych oceanów na kuli ziemskiej. Ich ciała nigdy nie zostaną znalezione.

— Tylko cienie — mruknął, odwracając się plecami do urwiska. — Wracajmy do bazy.

Rozdział 57

Senator Sedgewick Sexton postawił kieliszek courvoisiera na kominku i chcąc zebrać myśli, przez chwilę poprawiał polana w palenisku. Sześciu mężczyzn czekało w milczeniu. Luźna pogawędka dobiegła końca. Nadeszła pora na jego ruch. Oni to wiedzieli. On to wiedział.

Polityka to transakcja.

Zdobądź ich zaufanie. Pokaż, że rozumiesz ich problemy.

— Jak być może wiecie, panowie... — zaczął, odwracając się do gości — od kilku miesięcy spotykam się z wieloma osobami znajdującymi się w podobnej sytuacji. — Uśmiechnął się i usiadł, nie chcąc nad nimi górować. — Jesteście jedynymi, których zaprosiłem do swojego domu. Jesteście wyjątkowymi ludźmi i czuję się zaszczycony, że mogłem was poznać.

Skrzyżował ręce na piersi i powiódł wzrokiem po ich twarzach, nawiązując osobisty kontakt. Następnie skupił spojrzenie na pierwszym celu, grubym mężczyźnie w kowbojskim kapeluszu.

— Space Industries z Houston — powiedział. — Miło mi, że pan przybył.

Teksańczyk chrząknął.

— Nie cierpię tego miasta.

— Wcale się nie dziwię. Waszyngton był nieuczciwy wobec pana.

Teksańczyk łypnął na niego spod ronda kapelusza.

— Dwanaście lat temu — mówił Sexton — złożył pan rządowi USA ofertę. Zaproponował pan zbudowanie stacji kosmicznej za zaledwie pięć miliardów dolarów.

— Tak, w istocie. Wciąż mam kopie dokumentów.

— A jednak NASA przekonała rząd, że amerykańska stacja kosmiczna powinna być jej projektem.

— Owszem. NASA rozpoczęła budowę prawie dziesięć lat temu.

— Dziesięć lat. I nie dość, że stacja kosmiczna jeszcze nie jest w pełni sprawna, to na dodatek kosztowała dwadzieścia razy więcej, niż proponował pan w swojej ofercie. Jako amerykański podatnik jestem oburzony tym stanem rzeczy.

W pokoju rozległ się pomruk aprobaty. Sexton spoglądał na twarze gości, zacieśniając więź.

— Wiem dobrze — podjął, zwracając się teraz do wszystkich — że kilka waszych firm proponowało wysyłanie w kosmos prywatnych promów zaledwie za pięćdziesiąt milionów dolarów za lot.

Pokiwali głowami.

— A jednak NASA torpeduje te propozycje, wyceniając jeden lot na trzydzieści osiem milionów dolarów... choć koszt rzeczywisty wynosi ponad sto pięćdziesiąt milionów!

— W taki właśnie sposób nie dopuszczają nas do kosmosu — odezwał się jeden z mężczyzn. — Sektor prywatny nie może konkurować z agencją, która obsługuje loty ze stratą rzędu czterystu procent, lecz mimo to nadal utrzymuje się w interesie.

— Nie może ani nie powinien konkurować — oświadczył Sexton.

Wszyscy przytaknęli.

Senator zwrócił się do siedzącego obok niego poważnego mężczyzny, którego akta przeczytał z dużym zainteresowaniem. Podobnie jak wielu innych przedsiębiorców finansujących jego kampanię, był to były inżynier wojskowy. Zniechęcony niskimi zarobkami oraz rządową biurokracją, postanowił rozstać się z armią, żeby szukać szczęścia w przemyśle lotniczym i kosmonautycznym.

— Kistler Aerospace. — Senator z ubolewaniem pokręcił głową. — Pańska firma zaprojektowała i wyprodukowała rakietę, która może wynieść na orbitę kilogram ładunku za cztery tysiące dolarów, podczas gdy koszty NASA wynoszą dwadzieścia tysięcy. — Sexton zrobił pauzę dla większego efektu. — A jednak nie ma pan klientów.

— A skąd mam mieć? — żachnął się mężczyzna. — W zeszłym tygodniu NASA zgodziła się umieścić na orbicie satelitę telekomunikacyjnego Motoroli, biorąc tysiąc sześćset dolarów za kilo. Rząd wystrzelił tego satelitę ze stratą rzędu dziewięciuset procent!

Sexton pokiwał głową. Podatnicy nieświadomie subsydiują agencję, która jest dziesięć razy mniej dochodowa niż konkurencja.

— Stało się boleśnie jasne — podjął ponurym tonem — że NASA dokłada wszelkich starań, żeby wykosić konkurencję w kosmosie. Wypiera naszych prywatnych przedsiębiorców, świadcząc usługi za cenę znacznie niższą od ich wartości rynkowej.

— To walmartowanie kosmosu — burknął Teksańczyk.

Cholernie dobre porównanie, pomyślał Sexton. Muszę je zapamiętać. Sieć sklepów Wal-Mart słynie z tego, że po wejściu na nowy teren sprzedaje towary poniżej wartości rynkowej, wykańczając w ten sposób lokalną konkurencję.

— Mam tego dość! — zaperzył się Teksańczyk. — Płacę miliony dolarów podatku obrotowego, a Wuj Sam wykorzystuje moje pieniądze do wyrugowania mnie z interesu!

— Doskonale pana rozumiem — zapewnił Sexton.

— Rotary Rocket pada z powodu braku sponsora — oświadczył mężczyzna w eleganckim garniturze. — Prawa zakazujące sponsoringu są karygodne!

— Całkowicie się z panem zgadzam. — Swego czasu Sexton był zaszokowany, kiedy dowiedział się, że NASA okopuje się na swojej monopolistycznej pozycji poprzez wydawanie federalnych zarządzeń zakazujących umieszczania reklam na pojazdach kosmicznych. Nikt nie zabrania prywatnym firmom kosmicznym szukać sponsorów, ale — w przeciwieństwie na przykład do zawodowych rajdowców — nie mogą umieszczać ich logo i reklam na swoich pojazdach. Na burtach wahadłowców i rakiet mogą widnieć wyłącznie litery USA i nazwa firmy. W kraju, w którym rocznie wydaje się sto osiemdziesiąt pięć miliardów na reklamy, ani jeden dolar nie trafia do kasy prywatnych kompanii kosmonautycznych.

— To rozbój — warknął inny gość. — Mam nadzieję, że moja firma utrzyma się do maja przyszłego roku, kiedy to wystrzelimy prototyp promu turystycznego. Spodziewamy się ogromnego zainteresowania prasy. Nike Corp. zaoferowała nam siedem milionów dolarów za wymalowanie logo i sloganu „Po prostu to zrób" na burcie wahadłowca. Pepsi daje dwa razy tyle za slogan: „Pepsi — wybór nowego pokolenia". Niestety, według prawa federalnego, jeśli na naszym promie znajdzie się reklama, zakażą nam jego wystrzelenia!

— To prawda — przyznał Sexton. — Ale jeśli zostanę wybrany, dołożę wszelkich starań, żeby to dyskryminujące prawo zostało zniesione. Obiecuję. Kosmos powinien być otwarty na reklamy w taki sam sposób, w jaki można w tym celu wykorzystywać każdy centymetr kwadratowy na Ziemi.

Patrząc w oczy słuchaczy, z coraz większą powagą mówił:

— Wszyscy musimy być jednak świadomi, że największą przeszkodą w prywatyzacji NASA jest nie prawo, lecz opinia publiczna. Większość Amerykanów wciąż ma sentyment do amerykańskiego programu kosmicznego. Ci ludzie nadal wierzą, że NASA jest niezbędną agencją rządową.

— To przez te cholerne hollywoodzkie filmy! — krzyknął jeden z mężczyzn. — Na miłość boską, ile można nakręcić filmów z cyklu „NASA ratuje świat przed zabójczą asteroidą"? To propaganda!

Sexton wiedział, że produkcja filmów o NASA jest wynikiem prostego rachunku ekonomicznego. Po szalenie popularnym filmie *Top Gun* z Tomem Cruise'em w roli przebojowego pilota odrzutowca — filmie będącym dwugodzinną reklamą marynarki wojennej Stanów Zjednoczonych — NASA zrozumiała, jaki potencjał ma Hollywood. Po cichu zaczęła oferować wytwórniom filmowym darmowy dostęp do swoich spektakularnych obiektów — wyrzutni rakietowych, centrów kontroli misji, ośrodków szkoleniowych. Producenci, przyzwyczajeni do ogromnych opłat licencyjnych za zdjęcia w każdym innym miejscu, natychmiast zwietrzyli okazję zaoszczędzenia milionów dolarów poprzez kręcenie thrillerów na „darmowych" planach NASA. Oczywiście Hollywood miał do nich dostęp tylko wtedy, gdy agencja zaaprobowała scenariusz.

— Publiczne pranie mózgu — burknął Latynos. — Filmy nawet w połowie nie są dla nas tak niekorzystne, jak chwyty reklamowe. Najpierw emeryt w kosmosie, potem załoga złożona z samych kobiet... Wszystko dla reklamy!

Sexton westchnął dramatycznie.

— Prawda. Wiem, że nie muszę wam przypominać, co się stało w latach osiemdziesiątych, kiedy Ministerstwo Oświaty znalazło się na krawędzi bankructwa i wskazało NASA jako przykład instytucji marnotrawiącej miliony, które mogłyby zostać wydane na edukację. Wtedy spece od public relations postanowili pokazać, że NASA jest przyjazna szkolnictwu. Wysłali w kosmos nauczycielkę ze szkoły publicznej. — Umilkł na chwilę. — Wszyscy pamiętamy Christę McAuliffe.

W pokoju zapadła cisza.

— Panowie — podjął Sexton, stając w efektownej pozie przed kominkiem. — Wierzę, że nadszedł czas, by Amerykanie poznali prawdę, dla dobra przyszłości nas wszystkich. Czas, by nasi rodacy rozumieli, iż NASA nie uchyla nam nieba, tylko tłamsi eksplorację kosmosu. Przemysł kosmonautyczny nie różni się od innych i ograniczanie swobody działania sektora prywatnego zakrawa na przestępstwo. Weźmy przemysł komputerowy, w którym doszło do takiej eksplozji postępu, że mamy kłopoty z nadążeniem za kolejnymi nowinkami! A dlaczego? Ponieważ przemysł komputerowy działa w systemie wolnorynkowym: nagradza efektywność i wizję zyskami. Wyobrażacie sobie, co by było, gdyby przemysł komputerowy podlegał rządowi? Wciąż tkwilibyśmy w średniowieczu. W dziedzinie kosmonautyki panuje stagnacja. Powinniśmy przekazać badania kosmosu w ręce sektora prywatnego, gdzie jest ich miejsce. Amerykanie będą oszołomieni rozwojem, ilością miejsc pracy i spełnionymi marzeniami. Wierzę, że powinniśmy pozwolić, aby system wolnorynkowy wyniósł nas na wyżyny w kosmosie. Jeśli wygram wybory, otworzenie tej ostatniej granicy, otworzenie jej na oścież, stanie się moją osobistą misją.

Sexton sięgnął po kieliszek z koniakiem.

— Przyjaciele, przybyliście tutaj, żeby zadecydować, czy jestem godzien waszego zaufania. Mam nadzieję, że jestem na dobrej drodze, aby na nie zasłużyć. Założenie firmy wymaga inwestorów, i ta sama prawda odnosi się do urzędu prezydenta. Jak udziałowcy firmy spodziewają się zysków, tak wy, jako polityczni inwestorzy, możecie na nie liczyć. Moje dzisiejsze przesłanie jest proste: zainwestujcie we mnie, a nigdy o was nie zapomnę. Nigdy. Przyświeca nam wspólny cel.

Wzniósł toast.

— Z waszą pomocą, przyjaciele, niebawem zamieszkam w Białym Domu... a wówczas spełnią się i wasze marzenia.

Pięć metrów dalej Gabrielle Ashe stała jak sparaliżowana. Z salonu dobiegł harmonijny brzęk kryształowych kieliszków, na chwilę zagłuszając trzaskanie ognia.

Rozdział 58

Przez habisferę pędził spanikowany młody technik NASA. Stało się coś strasznego! Znalazł Ekstoma niedaleko studia.

— Panie administratorze — wydyszał — wypadek!

Ekstrom odwrócił się z roztargnioną miną, jakby już coś go trapiło.

— Co takiego? Wypadek? Gdzie?

— W szybie. Ciało właśnie wypłynęło. Doktor Wailee Ming.

Na twarzy Esktroma odmalowała się konsternacja.

— Doktor Ming? Przecież...

— Wyciągnęliśmy go, ale było za późno. Nie żyje.

— Na miłość boską, jak długo tam przebywał?

— Sądzimy, że około godziny. Wygląda na to, że ześlizgnął się do szybu i utonął.

Rumiana twarz administratora zrobiła się purpurowa.

— Cholera jasna! Kto jeszcze o tym wie?

— Nikt, tylko my dwaj. Wyłowiliśmy go, ale pomyśleliśmy, że lepiej powiemy panu, zanim...

— Postąpiliście właściwie. — Ekstrom westchnął głęboko. — Natychmiast ukryjcie zwłoki doktora Minga. Nic nikomu nie mówcie.

Technik speszył się.

— Ale, panie administratorze...

Ekstrom położył wielką dłoń na jego ramieniu.

— Posłuchaj mnie uważnie. To tragiczny wypadek i jest mi ogromnie przykro. Oczywiście zajmę się wszystkim jak trzeba... w swoim czasie. Teraz pora nie jest najlepsza.

— Każe nam pan ukryć ciało?

Zimne nordyckie oczy Ekstroma spojrzały przenikliwie.

— Pomyśl o tym. Możemy wszystkim powiedzieć, ale co z tego wyniknie? Za godzinę rozpoczyna się konferencja prasowa. Ogłoszenie, że mieliśmy śmiertelny wypadek, przyćmi odkrycie i wywrze destrukcyjny wpływ na morale. Nie mam zamiaru dopuszczać do tego, żeby NASA płaciła za brak wyobraźni doktora Minga. Ci niezależni naukowcy mieli już swoje pięć minut. Nie pozwolę, żeby czyjś błąd rzucił cień na naszą chwilę chwały. Wypadek doktora Minga pozostanie w sekrecie do czasu zakończenia konferencji prasowej. Rozumiesz?

Blady mężczyzna pokiwał głową.

— Ukryję ciało.

Rozdział 59

Michael Tolland znał morze, więc dobrze wiedział, że pochłania swoje ofiary bez skrupułów i wahania. Leżąc wyczerpany na szerokiej lodowej płycie, patrzył na malejący w dali upiorny zarys lodowca. Wiedział, że potężny prąd arktyczny płynący od Wysp Królowej Elżbiety zatacza ogromną pętlę wokół polarnej pokrywy lodowej i dociera do lądu w północnej Rosji. To nie ma znaczenia. Ich góra lodowa dotrze tam dopiero za kilka miesięcy.

My mamy może dwa kwadranse... najwyżej trzy.

Wiedział, że gdyby nie wypełnione żelem kombinezony, już byliby martwi. Uchroniły ich one przed zamoczeniem, a tym samym przed błyskawicznym wyziębieniem i śmiercią. Termoaktywny żel wokół ich ciał nie tylko zamortyzował upadek, ale też pomagał zachować ciepło.

Mimo wszystko niebawem dopadnie ich hipotermia. Zacznie się od drętwienia kończyn, gdy odpłynie z nich krew, żeby chronić narządy wewnętrzne. Później, gdy puls i oddech zwolnią, pozbawiając mózg tlenu, pojawią halucynacje. Potem organizm podejmie ostatni wysiłek, mający na celu zachowanie resztek ciepła: wyłączy wszystkie funkcje poza pracą serca i oddychaniem. Nastąpi utrata przytomności. W końcu serce i ośrodki oddechowe w mózgu przestaną funkcjonować.

Tolland popatrzył na Rachel, żałując, że nie może zrobić nic, by ją uratować.

Odrętwienie ogarniające ciało było mniej bolesne, niż Rachel się spodziewała. Niosło prawie upragnione znieczulenie. Morfina natury. W czasie upadku zgubiła gogle i teraz miała kłopoty z otwieraniem oczu na mrozie.

Widziała Tollanda i Corky'ego. Spojrzenie Mike'a przepełniał żal. Corky poruszał się, ale widać było, że cierpi. Prawy policzek miał stłuczony i zakrwawiony.

Rachel dygotała, szukając odpowiedzi. Kto? Dlaczego? Myślała coraz wolniej, coraz bardziej ociężale. Nic nie miało sensu. Czuła, jak jej ciało powoli przestaje funkcjonować, kołysane do snu przez jakąś niewidzialną siłę. Zwalczyła jednak senność. Zapłonął w niej gniew i próbowała podsycić płomienie.

Chcieli nas zabić! Popatrzyła na groźne morze i doszła do wniosku, iż napastnicy osiągnęli cel. Już jesteśmy martwi. Wiedziała, że najprawdopodobniej nie przeżyje i nie pozna całej prawdy o zabójczej grze prowadzonej na lodowcu, ale chyba zna winnego.

Najwięcej do zyskania miał administrator Ekstrom. To on wysłał ich na lód. Jest powiązany z Pentagonem i wydziałem operacji specjalnych. Ale co zyskał przez umieszczanie meteorytu pod lodem? Co ktokolwiek mógł na tym zyskać?

Rachel wspomniała Zacha Herneya i zastanowiła się, czy prezydent był współspiskowcem, czy też niczego nieświadomym pionkiem. Herney nic nie wie. Jest niewinny. Został nabrany przez NASA. Tylko godzina dzieli go od wygłoszenia oświadczenia. Ma je zilustrować filmem dokumentalnym, który zawiera wypowiedzi czterech niezależnych naukowców.

Czterech martwych niezależnych naukowców.

Rachel nie mogła w żaden sposób zapobiec konferencji prasowej, ale przysięgła sobie, że zrobi wszystko, by osoba odpowiedzialna za atak poniosła konsekwencje.

Zbierając siły, spróbowała usiąść. Jej kończyny ciążyły jak granit, stawy niemal krzyczały z bólu, gdy zginała ręce i nogi. Powoli podniosła się na kolana, usiłując nie stracić równowagi na gładkim lodzie. Kręciło jej się w głowie. Wokół wrzał ocean. Tolland leżał w pobliżu, patrząc na nią pytająco. Rachel odgadła, że prawdopodobnie myśli, iż uklękła w modlitwie. Nie, oczywiście, że nie, choć w tej sytuacji wznoszenie modłów miało prawdopodobnie więcej sensu niż to, co zamierzała zrobić.

Podniosła rękę i namacała czekan wciąż wiszący na pętli na nadgarstku. Zacisnęła zgrabiałe palce na stylisku. Odwróciła czekan, stawiając go jak odwróconą literę T, a potem z całej siły uderzyła w lód. Łup. Jeszcze raz. Łup. Miała wrażenie, że w jej żyłach płynie nie krew, ale zimna melasa. Łup. Tolland patrzył na nią zdumiony. Jeszcze raz opuściła czekan. Łup.

Tolland dźwignął się na łokciu.

— Ra... chel?

Nie odpowiedziała. Potrzebowała całej energii. Łup. Łup.

— Nie sądzę... — powiedział — że SAA * usłyszy... tak daleko na północy...

Odwróciła się, zaskoczona. Zapomniała, że Tolland jest oceanografem i może mieć jakieś pojęcie o tym, co ona robi. Dobry pomysł... ale nie nadaję do SAA.

Waliła dalej.

SAA, czyli podmorska sieć akustyczna, jest reliktem z czasów zimnej wojny, obecnie używanym przez oceanografów na całym świecie do podsłuchiwania wielorybów. Ponieważ pod wodą dźwięk rozchodzi się na setki kilometrów, pięćdziesiąt dziewięć podwodnych mikrofonów obejmuje zdumiewająco duży procent powierzchni oceanów. Na nieszczęście ta odległa część Arktyki nie wchodzi w skład tego obszaru. Rachel jednak wiedziała, że są inni, którzy słuchają oceanu — inni, o istnieniu których wie niewielu ludzi na Ziemi. Waliła dalej. Jej wiadomość była prosta i jasna.

ŁUP. ŁUP. ŁUP.

ŁUP... ŁUP... ŁUP...

ŁUP. ŁUP. ŁUP.

Rachel nie miała złudzeń, że takie poczynania uratują im życie; już czuła lodowate skurcze ściskające ciało. Wątpiła, czy pozostało jej choćby pół godziny życia. Na ratunek nie było najmniejszych szans. Ale jej nie chodziło o ratunek.

ŁUP. ŁUP. ŁUP.

ŁUP... ŁUP... ŁUP...

ŁUP. ŁUP. ŁUP.

— Nie ma... czasu... — wyjąkał Tolland.

Nie chodzi o nas, pomyślała. Chodzi o informacje w mojej kieszeni. Wyobraziła sobie obciążający wydruk z GPR, jaki miała przy sobie. Ta kartka musi trafić w ręce NRO... i to szybko.

---

* Suboceanic Acoustic Array

Była pewna, że jej wiadomość zostanie odebrana. W połowie lat osiemdziesiątych NRO zastąpiła sieć SAA trzydziestokrotnie czulszymi urządzeniami nasłuchowymi, obejmującymi swoim zasięgiem cały ocean światowy. Classic Wizard jest wartym 12 milionów dolarów uchem NRO na dnie oceanu. Za parę godzin superkomputery Cray na posterunkach nasłuchowych NRO/NSA w Menwith Hill w Anglii wykryją nietypową sekwencję odebraną przez jeden z arktycznych hydrofonów, rozszyfrują ją jako SOS i metodą triangulacyjną wyznaczą współrzędne, a wówczas z bazy sił powietrznych Thule na Grenlandii wystartuje samolot ratowniczy. I znajdzie na górze lodowej trzy ciała. Zamarznięte. Martwe. Jedną z ofiar będzie pracownica NRO... z dziwnym kawałkiem papieru, pochodzącym z drukarki termicznej w kieszeni.

Wydruk z GPR.

Testament Nory Mangor.

Kiedy ratownicy obejrzą wydruk, istnienie tajemniczego tunelu pod meteorytem wyjdzie na jaw. Rachel nie miała pojęcia, co stanie się później, ale przynajmniej tajemnica nie umrze wraz z nimi na lodzie.

Rozdział 60

Każda zmiana władzy w Białym Domu łączy się z prywatną wycieczką do trzech pilnie strzeżonych magazynów, które zawierają bezcenną kolekcję sprzętów. Są tam biurka, srebra stołowe, sekretarzyki, łóżka i inne przedmioty używane przez dawnych prezydentów od czasów Jerzego Waszyngtona. Prezydent elekt wybiera sobie z tej spuścimy to, co mu się podoba, i rzeczy te stanowią wyposażenie Białego Domu w czasie jego kadencji. Stałym elementem jest tylko łóżko w Sypialni Lincolna. Jak na ironię, Lincoln nigdy w nim nie spał.

Biurko, przy którym Zach Herney siedział w Gabinecie Owalnym, należało niegdyś do jego idola, Harry'ego Trumana. Według dzisiejszych standardów było małe, ale codziennie przypominało mu o dokonaniach poprzednika i uświadamiało, że to prezydent ponosi całkowitą odpowiedzialność za wszystkie niedociągnięcia swojej administracji. Zach Herney uważał tę odpowiedzialność za zaszczyt i robił, co w jego mocy, żeby zaszczepić swojemu personelowi motywację do porządnego wykonywania roboty.

— Panie prezydencie? — zawołała sekretarka, zaglądając do gabinetu. — Rozmowa.

Herney machnął ręką.

— Dziękuję.

Sięgnął po telefon. Wolałby rozmawiać na osobności, ale w tej chwili nie miał wyboru. Dwaj specjaliści od makijażu krążyli wokół niego jak komary, „poprawiając" jego twarz i układając włosy. Tuż przed biurkiem rozlokowała się ekipa telewizyjna, a po gabinecie kręcili się niezliczeni doradcy i ludzie od public relations, z podnieceniem omawiając strategię.

Jeszcze godzina...

Herney wcisnął podświetlony guzik prywatnego telefonu.

— Lawrence? Jesteś tam?

— Jestem. — Głos administratora NASA wydawał się daleki i udręczony.

— Wszystko w porządku?

— Nadciąga burza, ale moi ludzie mówią, że nie wpłynie na łączność satelitarną. Jesteśmy gotowi. Jedna godzina, zaczynamy odliczanie.

— Doskonale. Mam nadzieję, że humory dopisują.

— Jak najbardziej. Wszyscy jesteśmy ogromnie podekscytowani. Szczerze mówiąc, niedawno raczyliśmy się piwem.

Herney się roześmiał.

— Miło mi to słyszeć. Słuchaj, dzwonię, żeby ci podziękować. Zapowiada się cudowny wieczór.

Administrator milczał przez długą chwilę, okazując nietypowy brak pewności siebie.

— Oczywiście, panie prezydencie. Czekaliśmy na to od tak dawna...

Herney zawahał się.

— Sprawiasz wrażenie zmęczonego.

— Potrzebuję trochę słońca i prawdziwego łóżka.

— Jeszcze godzina. Uśmiechaj się do kamer i ciesz chwilą, a potem wyślemy samolot, żeby przywiózł cię do stolicy.

— Nie mogę się doczekać. — Rozmówca znowu umilkł.

Jako utalentowany negocjator, Herney umiał słuchać również tego, co zostało powiedziane między wierszami. W głosie administratora brzmiała jakaś fałszywa nuta.

— Jesteś pewny, że wszystko w porządku?

— Absolutnie. Wszystkie systemy sprawne. — Wydawało się, że administrator chce zmienić temat. — Widział pan ostateczną wersję filmu Michaela Tollanda?

— Przed chwilą. Wykonał fantastyczną robotę.

— Tak. Miał pan dobry pomysł, żeby go wciągnąć.

— Nadal jesteś zły, że zaangażowano cywilów?

— Do licha, tak. — Warknął dobrodusznie administrator, a jego głos odzyskał dawną moc.

Herney od razu poczuł się lepiej. Ekstrom jest w świetnej formie, tylko trochę zmęczony.

— W porządku, zobaczymy się za godzinę via satelita. Damy światu temat do rozmowy.

— Zgadza się.

— Hej, Lawrence? — Głos Herneya stał się cichy i poważny. — Dokonałeś wielkiego dzieła. Nigdy o tym nie zapomnę.

Delta Trzy zmagał się z porywistym wiatrem, ustawiając wywrócone sanie Nory Mangor. Po zapakowaniu sprzętu przymocował winylową płachtę, a na czubku sterty przywiązał ciało kobiety. Już miał ruszyć, gdy nadjechali jego partnerzy.

— Zmiana planów! — zawołał Delta Jeden. — Pozostała trójka spadła z krawędzi.

Delta Trzy nie był zaskoczony. Wiedział również, co to oznacza. Plan zainscenizowania wypadku przez ułożenie czterech ciał na lodzie już nie wchodził w rachubę. Pozostawienie samotnego ciała wywołałoby więcej pytań niż odpowiedzi.

— Sprzątanie? — zapytał.

Delta Jeden pokiwał głową.

— Pozbieram flary, a wy pozbądźcie się sań.

Kiedy Delta Jeden ostrożnie zawrócił po śladach naukowców, zbierając wszystkie dowody ich obecności, Delta Trzy i jego partner poszli w dół lodowca z obładowanymi saniami. Przeciągnęli je przez wały i dotarli do przepaści. Pchnęli sanie. Nora Mangor wraz ze swoim sprzętem zsunęła się z krawędzi i spadła do Oceanu Arktycznego.

Posprzątane, pomyślał Delta Trzy.

W drodze powrotnej do bazy ucieszył się, gdy zobaczył, że wiatr zaciera ślady ich nart.

Rozdział 61

Atomowy okręt podwodny „Charlotte" przebywał na Oceanie Arktycznym od pięciu dni. Jego obecność była ściśle tajna.

Należąca do klasy Los Angeles jednostka „słucha i nie jest słyszana". Ważące po czterdzieści dwie tony silniki turbinowe wiszą na sprężynach, które łagodzą wytwarzane przez nie wibracje. Choć jest przeznaczona do prowadzenia tajnych operacji, ma jeden z największych wykresów pokrycia spośród podwodnych okrętów zwiadowczych. Gdyby umieścić ją na boisku futbolowym, kadłub mający ponad 100 metrów od dziobu do rufy zmiażdżyłby słupki obu bramek i sięgał jeszcze trochę dalej. Siedmiokrotnie przekraczając długość pierwszego okrętu sił morskich Stanów Zjednoczonych klasy Holland, „Charlotte" w pełnym zanurzeniu wypiera 6927 ton wody i może przemieszczać się z zawrotną prędkością trzydziestu pięciu węzłów.

Normalnie pływa w zanurzeniu tuż poniżej termokliny, czyli warstwy spadku temperatury, która zniekształca echo sonaru od góry i sprawia, że okręt podwodny jest niewidoczny dla radaru na powierzchni. Ze stu czterdziestoma ośmioma osobami załogi i maksymalną głębokością zanurzenia wynoszącą ponad 450 metrów, okręt jest supernowoczesną jednostką i oceanicznym wołem roboczym marynarki wojennej Stanów Zjednoczonych. Dzięki niezawodnemu systemowi regeneracji powietrza, dwóm reaktorom jądrowym i logistycznemu przygotowaniu może bez wynurzenia dwadzieścia jeden razy okrążyć kulę ziemską. Ludzkie odchody, podobnie jak na większości statków wycieczkowych, kompresowane są w trzykilogramowe bloki i wyrzucane do oceanu — wielkie cegły fekaliów żartobliwie nazywane „wielorybimi bobkami".

Technik siedzący przed monitorem w kabinie sonaru należał do najlepszych na świecie. Miał w głowie katalog dźwięków i kształtów fali. Potrafił odróżnić odgłosy kilkudziesięciu śrub rosyjskich okrętów podwodnych oraz setek zwierząt morskich, a nawet precyzyjnie określić wybuchy podwodnych wulkanów w rejonie Wysp Japońskich.

W tej chwili słuchał stłumionego, powtarzającego się echa. Dźwięk, choć łatwy do rozpoznania, był zupełnie niespodziewany.

— Nie uwierzysz, co odbieram przez gary — powiedział do swojego asystenta, podając mu słuchawki.

Asystent założył słuchawki i na jego twarzy odmalowało się niedowierzanie.

— Mój Boże. Jasne jak słońce. Co robimy?

Operator sonaru już dzwonił do kapitana.

Kiedy przybył kapitan okrętu, technik przełączył dźwięk na głośniki.

Kapitan słuchał bez emocji.

ŁUP. ŁUP. ŁUP.

ŁUP... ŁUP... ŁUP...

Wolniej. Coraz wolniej. Sekwencja zaczynała się rwać, stawała się coraz cichsza.

— Jakie są współrzędne? — zapytał kapitan.

Technik chrząknął.

— Panie kapitanie, dźwięki dochodzą z powierzchni, około trzech mil od sterburty.

Rozdział 62

Gabrielle Ashe stała na drżących nogach w ciemnym korytarzu przed salonem senatora Sextona. Trzęsła się nie z wysiłku, jakiego wymagało stanie bez ruchu, ale z powodu rozgoryczenia. Rozmowa wciąż się toczyła, lecz ona nie musiała słyszeć ani słowa więcej. Prawda wydawała się boleśnie oczywista.

Senator Sexton bierze w łapę od prywatnych agencji kosmicznych. Marjorie Tench mówiła prawdę.

Źródłem narastającego w niej niesmaku było poczucie zdrady. Wierzyła Sextonowi. Walczyła dla niego. Jak on może to robić? Gabrielle widziała, jak senator od czasu do czasu kłamie publicznie, by chronić swoje życie prywatne, ale to była polityka. Tutaj dopuszczał się łamania prawa.

Jeszcze nie został wybrany, a już kupczy Białym Domem!

Gabrielle wiedziała, że nie może dłużej go wspierać. Obietnica poparcia dla ustawy o prywatyzacji NASA mogła zostać złożona tylko z pogardliwym lekceważeniem prawa i demokracji. Nawet gdyby senator wierzył, że taka decyzja leży w najlepszym interesie wszystkich obywateli, sprzedawanie jej już teraz, z wyprzedzeniem, oznaczało wyłączenie mechanizmów gwarantujących zachowanie równowagi politycznej poprzez ignorowanie potencjalnie przekonujących argumentów Kongresu, doradców, elektoratu i lobbystów. Co ważniejsze, obiecując prywatyzację NASA, Sexton torował drogę nieskończonym nadużyciom w tej zaawansowanej dziedzinie. Najbardziej powszechne było nielegalne wykupywanie akcji w oparciu o poufne informacje firmy. Rażąco faworyzowano bogatą wewnętrzną kadrę kosztem uczciwych inwestorów publicznych.

Walcząc z mdłościami, Gabrielle zastanawiała się, co powinna zrobić.

Nagle za jej plecami zadzwonił telefon, mącąc ciszę panującą w korytarzu. Odwróciła się, przestraszona. Dźwięk dochodził z szafy w holu — komórka w kieszeni płaszcza któregoś z gości.

— Przepraszam, panowie — powiedział mężczyzna z teksańskim akcentem. — To do mnie.

Gabrielle słyszała, jak wstaje. Idzie tutaj! Okręciła się na pięcie i pobiegła po dywanie w stronę wyjścia. W połowie korytarza skręciła w lewo i znikła w ciemnej kuchni, w chwili gdy Teksańczyk wyszedł z salonu. Zastygła w cieniu.

Teksańczyk minął ją, nie zauważając.

Przez głośne bicie serca Gabrielle słyszała, jak szpera w szafie. Wreszcie odebrał.

— Taa?... Kiedy?... Poważnie? Będziemy oglądali. Dzięki. — Schował komórkę i wrócił do pokoju, wołając: — Hej, włączcie telewizor. Wygląda na to, że Zach Herney zwołał nadzwyczajną konferencję prasową. O ósmej. Na wszystkich kanałach. Albo wypowiadamy wojnę Chinom, albo Międzynarodowa Stacja Kosmiczna spadła do oceanu.

— Za to warto wypić! — zawołał ktoś.

Wszyscy się roześmieli.

Gabrielle czuła, jak kuchnia wiruje wokół niej. Konferencja prasowa o ósmej? Wygląda na to, że Tench nie blefowała. Dała jej czas do ósmej na przyznanie się do romansu. „Odetnij się od senatora, zanim będzie za późno", powiedziała. Gabrielle założyła, że ostateczny termin wiąże się z przekazaniem informacji do porannych gazet, ale teraz wydaje się, że Biały Dom sam zamierza ujawnić zarzuty.

Nadzwyczajna konferencja prasowa? Im dłużej o tym myślała, tym dziwniejsze się to wydawało. Herney zamierza rozgłosić ten skandal? Osobiście?

W salonie włączono telewizor. Na cały regulator. Głos prezentera rwał się z emocji.

— Biały Dom nie zdradził tematu dzisiejszego niespodziewanego wystąpienia prezydenta, dlatego mnożą się spekulacje. Niektórzy analitycy polityczni sądzą, że po niedawnej nieobecności na trasie kampanii Zach Herney być może przygotowuje oświadczenie, iż nie będzie starał się o reelekcję.

Z pokoju dobiegły radosne wiwaty.

Absurd, pomyślała Gabrielle. Z całym tym brudem, jaki Biały Dom ma na Sextona, rzucenie ręcznika przez prezydenta nie wchodzi w rachubę. Ta konferencja prasowa dotyczy czegoś innego. Miała nieprzyjemne uczucie, że została uprzedzona czego.

Z narastającą niecierpliwością spojrzała na zegarek. Niespełna godzina. Musi podjąć decyzję i dokładnie wie, z kim powinna porozmawiać. Ściskając pod pachą kopertę ze zdjęciami, szybko opuściła apartament.

Ochroniarz w korytarzu odetchnął z ulgą.

— Słyszałem wiwaty. Wygląda na to, że zrobiła pani furorę.

Gabrielle uśmiechnęła się niezobowiązująco i skręciła do windy.

Zapadająca noc wydawała się niezwykle zimna. Zatrzymała taksówkę i spróbowała utwierdzić się w przekonaniu, że dokładnie wie, co robi.

— Studia telewizyjne ABC — poleciła taksówkarzowi. — Szybko.

Rozdział 63

Michael Tolland leżał na lodzie, opierając głowę na wyciągniętej ręce, której już nie czuł. Choć ciążyły mu powieki, walczył z pragnieniem zamknięcia oczu. Z tej pozycji patrzył na dziwnie przekrzywione ostatnie obrazy swojego świata — morze i lód. Były odpowiednim tłem dla zakończenia dnia, w którym nic nie było takie, na jakie wyglądało.

Na pływającej lodowej tratwie panowała niesamowita cisza. Rachel i Corky milczeli, łomotanie ustało. Im bardziej oddalali się od lodowca, tym słabszy stawał się wiatr. Tolland słyszał, jak cichnie też jego ciało. Mając na uszach obcisły kaptur, słyszał wyraźnie własny oddech. Stawał się coraz wolniejszy... coraz płytszy. Ciało już nie walczyło z wrażeniem ściskania, które towarzyszyło przepływowi krwi, uciekającej jak załoga z tonącego okrętu z kończyn do narządów wewnętrznych w ostatnim rozpaczliwym wysiłku utrzymania go w stanie przytomności.

Wiedział to. Bitwa przegrana.

Co dziwne, nie czuł bólu. Ten etap miał już za sobą. Teraz opadło go uczucie, że został nadmuchany jak ponton. Był odrętwiały. Gdy zaczął zanikać pierwszy z odruchów bezwarunkowych — mruganie — przestał wyraźnie widzieć. Ciecz wodnista, która krąży między rogówką a soczewkami, co chwilę zamarzała. Tolland spojrzał w kierunku lodowca, teraz niewyraźnej białej linii w mglistej poświacie księżyca.

Czuł, że w głębi duszy godzi się z przegraną. Balansując na granicy obecności i nieobecności, patrzył na dalekie fale oceanu. Wokół niego gwizdał wiatr.

Wtedy zaczęły się halucynacje. Dziwne, w ostatnich sekundach przed utratą świadomości nie majaczył o ratunku. Nie majaczył o cieple i bezpieczeństwie. Jego ostatnie urojenia były koszmarne.

Kolos wyłonił się z wody obok góry lodowej, przebijając powierzchnię ze złowieszczym sykiem. Przybył niczym jakiś mityczny potwór morski, śliski, czarny i niezwykle groźny, otoczony wieńcem piany. Tolland zmusił się, żeby zamrugać. Obraz trochę pojaśniał. Bestia była blisko, waliła w lód niczym wielki rekin w łódkę. Piętrzyła się przed nim, masywna, lśniąca i ociekająca wodą.

Gdy oczy odmówiły posłuszeństwa, pozostały tylko dźwięki. Zgrzyt metalu o metal. Zęby wgryzające się w lód. Coraz bliżej. Szmer wleczonych ciał.

Rachel...

Tolland poczuł, że został brutalnie podniesiony.

A potem zapadła ciemność.

Rozdział 64

Gabrielle Ashe wbiegła do działu ABC News na drugim piętrze, lecz mimo to poruszała się wolniej niż wszyscy inni. Tutaj zawsze pracowano na wysokich obrotach przez dwadzieścia cztery godziny na dobę, ale w tej chwili podzielone na boksy pomieszczenie przypominało giełdę w momencie szczytu aktywności. Redaktorzy z obłędem w oczach wrzeszczeli jeden do drugiego ponad ściankami działowymi, reporterzy wymachiwali faksami, biegając od boksu do boksu i porównując notatki, a rozgorączkowani stażyści pospiesznie pochłaniali batoniki pomiędzy jednym zadaniem a drugim.

Gabrielle przyszła do ABC, żeby zobaczyć się z Yolandą Cole. Zwykle Yolandę można było znaleźć w sektorze produkcji — w jednym z przeszklonych prywatnych biur zarezerwowanych dla decydentów, którzy naprawdę potrzebowali trochę ciszy, żeby móc myśleć. Dziś jednak Yolanda była tutaj, w samym środku zamieszania. Na widok Gabrielle jak zwykle wrzasnęła z radości.

— Gabs! — Nosiła okulary w szylkretowej oprawie i suknię z batiku. Jak zawsze była obwieszona kilkoma kilogramami krzykliwej biżuterii. Sunęła w stronę gościa, machając rękami. — Buziaczki!

Yolanda Cole, piegowata, pulchna Polka o przerzedzonych włosach, od szesnastu lat była redaktorem wiadomości ABC News w Waszyngtonie. Wszyscy nazywali ją z czule „Mateczką", ale jej macierzyński wygląd i dobry humor maskowały otrzaskanie, inteligencję oraz bezwzględność w tropieniu tematów. Gabrielle poznała ją na seminarium „Kobiety w polityce", w którym uczestniczyła zaraz po przyjeździe do Waszyngtonu. Rozmawiały o jej pochodzeniu, o wyzwaniach stojących przed kobietą w stolicy, wreszcie o Elvisie Presleyu — pasji, którą obie dzieliły. Yolanda wzięła ją pod swoje skrzydła i pomogła nawiązać znajomości. Gabrielle mniej więcej raz w miesiącu wpadała do niej na pogawędkę.

Uściskała mocno Yolandę, której entuzjazm już podniósł ją na duchu.

Yolanda odsunęła się i zlustrowała ją od stóp do głów.

— Wyglądasz, jakby przybyło ci ze sto lat, dziewczyno! Co się stało?

Gabrielle ściszyła głos.

— Mam kłopot, Yolando.

— Co ty powiesz? Przecież twój szef pnie się coraz wyżej.

— Możemy porozmawiać gdzieś na osobności?

— Wybrałaś złą chwilę, skarbie. Za pół godziny zaczyna się konferencja prasowa, a my wciąż nie mamy pojęcia, czego będzie dotyczyć. Muszę przygotować tekst i poszukać odpowiednich komentatorów, lecz na razie działam po omacku.

— Wiem, co będzie tematem konferencji.

Yolanda zsunęła okulary i popatrzyła na nią z niedowierzaniem.

— Gabrielle, nasz korespondent w Białym Domu tego nie wie. Mówisz, że Sexton dowiedział się z wyprzedzeniem?

— Nie, ja dowiedziałam się z wyprzedzeniem. Daj mi pięć minut, a wszystko ci opowiem.

Yolanda zerknęła na czerwoną kopertę z emblematem Białego Domu.

— To papeteria Białego Domu. Skąd to masz?

— Dostałam dziś po południu na prywatnym spotkaniu z Marjorie Tench.

Yolanda patrzyła na nią przez długą chwilę.

— Chodź.

W zaciszu przeszklonego biura Gabrielle opowiedziała przyjaciółce o wszystkim. Przyznała się do jednodniowego romansu z Sextonem i zdradziła, że Tench ma dowody w postaci zdjęć.

Yolanda ze śmiechem pokręciła głową. Parała się waszyngtońskim dziennikarstwem tak długo, że już nic nie mogło nią wstrząsnąć.

— Och, Gabs, miałam przeczucie, że kręciłaś z Sextonem. Nic

dziwnego. Ma reputację kobieciarza, a ty jesteś śliczna. Paskudna sprawa z tymi zdjęciami, ja jednak bym się nie przejmowała.

Mam się nie przejmować?

Gabrielle wyjaśniła, że Tench oskarżyła Sextona o branie łapówek od firm kosmonautycznych i że sama niedawno podsłuchała rozmowę Sextona z członkami SFF, potwierdzającą tę rewelację. Yolanda nie okazała zaskoczenia ani przejęcia, dopóki Gabrielle nie powiedziała jej, co zamierza zrobić w tej sprawie.

Wtedy się strapiła.

— Gabrielle, jeśli chcesz napisać oświadczenie, że spałaś z amerykańskim senatorem i stałaś przy nim, gdy publicznie kłamał na ten temat, to twoja sprawa. Ale powiem ci, że to bardzo zły ruch. Zastanów się długo i głęboko nad konsekwencjami.

— Nie słuchasz. Nie mam czasu!

— Słucham, kochanie. Niezależnie od tego, że czas ucieka, pewnych rzeczy po prostu nie wolno ci zrobić. Nie wplątuje się amerykańskiego senatora w skandal seksualny. To samobójstwo. Mówię ci, dziewczyno, jeśli pogrążysz kandydata na prezydenta, lepiej wsiadaj do samochodu i uciekaj jak najdalej stąd. Znajdziesz się na celowniku. Mnóstwo ludzi wydało mnóstwo forsy, żeby ich kandydaci znaleźli się na topie. Stawką są wielkie finanse i władza — władza, za jaką ludzie gotowi są zabić.

Gabrielle milczała.

— Uważam — ciągnęła Yolanda — że Tench nacisnęła na ciebie w nadziei, że spanikujesz i zrobisz coś głupiego, na przykład porzucisz swojego kandydata i przyznasz się do romansu. — Wskazała czerwoną kopertę. — Te fotki nie mają znaczenia, dopóki ty albo Sexton nie potwierdzicie ich prawdziwości. Biały Dom wie, że jeśli podeśle je prasie, Sexton po prostu stwierdzi, iż zostały sfałszowane i rzuci je prezydentowi w twarz.

— Myślałam o tym, ale kwestia nielegalnego finansowania kampanii...

— Skarbie, pomyśl. Skoro Biały Dom jeszcze nie wysunął publicznie oskarżeń o korupcję, to prawdopodobnie nie zamierza tego zrobić. Prezydent jak najbardziej serio podchodzi do tego, żeby nie prowadzić kampanii negatywnej. Przypuszczam, że postanowił nie ujawniać afery w przemyśle kosmonautycznym, dlatego wysłał do ciebie Tench, która blefowała w nadziei, że cię przestraszy i skłoni do ujawnienia romansu. Liczył, że wbijesz swojemu kandydatowi nóż w plecy.

Gabrielle rozważyła jej słowa. Brzmiały sensownie, a jednak coś nie dawało jej spokoju. Wskazała przez szybę na gorączkową krzątaninę w dziale informacyjnym.

— Yolando, twoi ludzie szykują się do wielkiej konferencji prasowej. Jeśli prezydent nie zamierza poruszyć sprawy korupcji albo seksu, to co będzie jej tematem?

Yolanda zdębiała.

— Chwileczkę, skarbie. Czy ty naprawdę myślisz, że konferencja będzie poświęcona tobie i Sextonowi?

— Albo korupcji. Albo jednemu i drugiemu. Tench powiedziała mi, że mam czas do ósmej wieczorem na podpisanie zeznania. Jeśli tego nie zrobię, prezydent ogłosi...

Śmiech Yolandy wstrząsnął całym biurem.

— No nie! Czekaj! Litości!

Gabrielle nie była w nastroju do żartów.

— O co ci chodzi?

— Gabs, posłuchaj — wykrztusiła Yolanda — zaufaj mi. Mam do czynienia z Białym Domem od szesnastu lat. Wykluczone, żeby Zach Herney wezwał dziennikarzy z całego świata, aby powiedzieć im, że podejrzewa, iż senator Sexton nielegalnie finansuje kampanię wyborczą albo z tobą sypia. Takie rewelacje możesz ujawnić ty, ale przecież nie on. Prezydent nie zyskałby na popularności, gdyby wprowadził zamęt w ramówce tylko po to, żeby użalać się i pomstować na ekscesy seksualne kontrkandydata czy rzekome naruszanie zasad finansowania kampanii.

— Rzekome? — warknęła Gabrielle. — Przecież obiecał poprzeć ustawę w zamian za pieniądze na reklamę!

— A czy jesteś pewna tego, co on robi? — Głos Yolandy stał się surowy. — Jesteś na tyle pewna, żeby się obnażać w publicznej telewizji? Zastanów się. W dzisiejszych czasach osiągnięcie czegokolwiek wymaga ogromnego poparcia, a finansowanie kampanii to skomplikowana sprawa. Może za spotkaniem Sextona z facetami z SFF nie kryje się nic nielegalnego.

— On łamie prawo — zauważyła Gabrielle. Na pewno?

— Albo tak ci wmówiła Marjorie Tench. Kandydaci stale przyjmują po cichu dotacje od wielkich korporacji. Może to niezbyt ładne, lecz niekoniecznie nielegalne. W gruncie rzeczy większość kwestii prawnych wiąże się nie z pochodzeniem pieniędzy, ale z tym, jak kandydat je wydaje.

Gabrielle zawahała się, mniej pewna swego.

— Gabs, Biały Dom zagrał tobą jak pionkiem. Próbowali zwrócić cię przeciwko twojemu kandydatowi, a ty kupiłaś ich blef. Gdyby chodziło o mnie, myślę, że naradziłabym się z Sextonem, zanim skoczyłabym za burtę, podpuszczona przez osobę pokroju Marjorie Tench.

Zadzwonił telefon. Yolanda odebrała, kiwając głową, pomrukując i robiąc notatki.

— Ciekawe — powiedziała w końcu. — Zaraz tam będę. Dzięki.

Odłożyła słuchawkę i odwróciła się z uniesionymi brwiami.

— Gabs, wygląda na to, że nie masz się czym przejmować. Dokładnie tak, jak mówiłam.

— Co się dzieje?

— Jeszcze nie znam szczegółów, ale mogę ci powiedzieć, że konferencja prasowa nie będzie miała nic wspólnego ze skandalami seksualnymi czy finansowaniem kampanii.

Gabrielle dostrzegła iskierkę nadziei i bardzo pragnęła ją rozdmuchać.

— Skąd wiesz?

— Ktoś właśnie dał mi cynk, że konferencja ma związek z NASA.

Gabrielle usiadła.

— Z NASA?

Yolanda puściła do niej oko.

— To może być twoja szczęśliwa noc. Założę się, że przyciśnięty przez Sextona do muru prezydent Herney uznał, iż Biały Dom nie ma innego wyboru, jak tylko przykręcić kurek i obciąć budżet Międzynarodowej Stacji Kosmicznej. To wyjaśnia zaproszenie zagranicznych mediów.

Herney zwołał konferencję prasową, bo chce zamknąć stację kosmiczną? Gabrielle nie mogła sobie tego wyobrazić.

Yolanda wstała.

— Ten dzisiejszy atak Tench to zapewne ostatnia rozpaczliwa próba uzyskania przewagi nad Sextonem, zanim prezydent ogłosi złe wieści. Nic tak dobrze nie odwraca uwagi od innych wpadek jak skandal seksualny. Tak czy siak, Gabs, muszę wracać do pracy. Dam ci radę — przynieś sobie kubek kawy, posiedź tutaj, włącz telewizor i przetrzymaj to jak my wszyscy. Mamy dwadzieścia minut do rozpoczęcia przedstawienia. Mówię ci, nie ma mowy, aby prezydent grzebał w cudzych brudach. Dziś wystąpi przed całym światem. Cokolwiek ma do powiedzenia, będzie to nadzwyczaj poważne. A teraz daj mi kopertę.

— Co?

Yolanda wyciągnęła rękę.

— Zamknę te zdjęcia w biurku i oddam ci dopiero wtedy, gdy będzie po wszystkim. Chcę mieć pewność, że nie zrobisz jakiegoś głupstwa.

Gabrielle niechętnie podała jej kopertę.

Yolanda pieczołowicie zamknęła zdjęcia w szufladzie i schowała klucze do kieszeni.

— Będziesz mi dziękowała, Gabs. Obiecuję. — W drodze do drzwi żartobliwie zmierzwiła jej włosy. — Siedź sobie tutaj i czekaj. Myślę, że dobre wieści są już w drodze.

Gabrielle została sama w przeszklonym boksie. Chciała, żeby optymizm Yolandy poprawił jej nastrój, mogła jednak myśleć tylko o uśmieszku satysfakcji na ustach Marjorie Tench. Nie miała pojęcia, co prezydent zamierza obwieścić światu, ale zdecydowanie nie będą to dobre wieści dla senatora Sextona.

Rozdział 65

Rachel Sexton czuła, że płonie żywcem.

Z nieba spada ogień!

Otworzyła oczy, ale zdołała zobaczyć tylko zamglone kształty i oślepiające światła. Padał na nią parzący, gorący deszcz. Siekł jej gołą skórę. Leżała na boku na gorących płytkach. Skuliła się jeszcze bardziej, do pozycji płodowej, próbując osłonić się przed parzącymi strugami. Czuła zapach środków chemicznych. Może chloru. Spróbowała się odczołgać, ale nie mogła. Silne ręce trzymały ją za ramiona, przyciskały do podłogi.

Puśćcie mnie! Palę się!

Chciała uciekać, lecz znów powstrzymały ją silne ręce.

— Nie ruszaj się — powiedział jakiś mężczyzna. Głos miał rzeczowy, mówił z amerykańskim akcentem. — Niedługo koniec.

Czego?, zastanowiła się. Bólu? Mojego życia? Spróbowała skupić wzrok. Światła raziły. Wyczuła, że pomieszczenie jest niewielkie. Zatłoczone. Niski sufit.

— Palę się! — Jej wrzask był szeptem.

— Nic ci nie będzie — zapewnił mężczyzna. — Woda jest letnia, możesz mi wierzyć.

Rachel zdała sobie sprawę, że ma na sobie tylko bieliznę. Nie była tym speszona; w jej głowie kłębiło się mnóstwo pytań.

Wspomnienia napływały jak potok. Lodowiec. GPR. Atak. Kto? Gdzie ja jestem? Próbowała to wszystko poskładać, ale umysł miała otumaniony, jakby zardzewiały, pracujący na zwolnionych obrotach. Z chaosu wypłynęła jedna myśl: Michael i Corky... gdzie oni są?

Otworzyła szerzej zapuchnięte oczy, ale zobaczyła tylko stojących nad nią nieznajomych mężczyzn. Wszyscy byli ubrani w jednakowe niebieskie dresy. Spróbowała się odezwać, lecz jej usta nie chciały wypowiedzieć nawet jednego słowa. Pieczenie skóry ustępowało teraz ostrym, głębokim falom bólu, które przelewały się przez mięśnie niczym sejsmiczne wstrząsy.

— To nic takiego — uspokajał mężczyzna. — Krew wraca do tkanki mięśniowej. — Mówił jak lekarz. — Spróbuj poruszyć rękami i nogami, na ile tylko zdołasz.

Ból rozdzierał jej ciało, miała wrażenie, że niezliczone młoty tłuką we wszystkie mięśnie. Czuła skurcz w piersi, ledwo mogła oddychać. Leżała nieruchomo na kafelkach.

— Porusz rękami i nogami — nalegał mężczyzna. — Nie zwracaj uwagi na ból.

Rachel spróbowała. W stawy wbiły się noże bólu. Woda znów stała się gorąca. Parzenie powróciło. Dokładnie w chwili, w której pomyślała, że już dłużej tego nie zniesie, ktoś zrobił jej zastrzyk. Ból słabł, stawał się coraz mniej dojmujący. Drżenie mięśni łagodniało. Znowu mogła oddychać.

Po ciele rozchodziło się nowe wrażenie, jakby ukłucia szpilek i igieł, z każdą chwilą coraz mocniejsze. Najmniejszy ruch rozpalał miliony maleńkich ognisk bólu. Nie chciała się ruszać, ale wciąż biły w nią strugi wody, a mężczyzna poruszał jej ramionami.

Boże, jak to boli! Rachel była zbyt słaba, by walczyć. Po jej twarzy spływały łzy zmęczenia i cierpienia. Mocno zacisnęła powieki, próbując odciąć się od świata.

Wreszcie szpilki i igły stały się mniej liczne. Deszcz przestał padać. Rachel otworzyła oczy i stwierdziła, że już nie patrzy przez mgłę.

Wtedy ich zobaczyła.

Obok leżeli Corky i Tolland, trzęsąc się, półnadzy i mokrzy. Widząc ich wykrzywione twarze, zrozumiała, że przechodzą podobną kurację. Oczy Michaela Tollanda były przekrwione i szkliste. Kiedy zauważył, że na niego patrzy, uniósł kąciki drżących, sinych ust w nikłym uśmiechu.

Rachel dźwignęła się na łokciu i rozejrzała. Leżeli we trójkę, drżący i prawie nadzy, na podłodze maleńkiej łaźni.

Rozdział 66

Podniosły ją silne ramiona.

Nieznajomi mężczyźni wytarli ją i owinęli w koc, po czym położyli na łóżku i energicznie masowali jej ręce, nogi i stopy. Dostała następny zastrzyk w ramię.

— Adrenalina — powiedział któryś z nich.

Rachel czuła, jak lek płynie w jej żyłach niczym życiodajna siła, ożywiając mięśnie. Krew wracała do kończyn, choć wrażenie lodowatej pustki w trzewiach jeszcze nie chciało ustąpić.

Zmartwychwstanie.

Próbowała skupić wzrok. Obok niej Tolland i Corky trzęśli się pod kocami, a ludzie nacierali ich i robili im zastrzyki. Rachel nie wątpiła, że tajemniczy nieznajomi uratowali im życie. Niektórzy byli mokrzy; zapewne weszli pod prysznic, żeby nieść im pomoc. Odpowiedź na pytanie, kim są i jak do nich dotarli, wykraczała poza jej możliwości. W tej chwili to nie miało znaczenia. Żyjemy.

— Gdzie... jesteśmy? — wykrztusiła, a prosta czynność mówienia przyprawiła ją o koszmarny ból głowy.

Mężczyzna, który ją masował, odparł:

— Na pokładzie okrętu klasy Los Angeles...

— Kapitan w pomieszczeniu! — zawołał ktoś nagle.

Rachel zauważyła zamieszanie i spróbowała usiąść. Jeden z mężczyzn podparł ją i otulił kocem. Przetarła oczy i zobaczyła, że ktoś wchodzi do kabiny.

Przybysz był potężnie zbudowanym Afroamerykaninem, przystojnym i autorytatywnym, ubranym w mundur khaki.

— Proszę się nie denerwować — powiedział, stając obok niej

i kierując na nią przenikliwe czarne oczy. — Harold Brown — przedstawił się niskim, władczym głosem. — Kapitan USS „Charlotte". Z kim mam przyjemność?

USS „Charlotte", powtórzyła w myślach Rachel. Nazwa wydawała się jakby znajoma.

— Sexton... Nazywam się Rachel Sexton.

Zdumiony mężczyzna podszedł bliżej i przyjrzał jej się uważnie.

— Niech mnie licho. To rzeczywiście pani.

Rachel była zdezorientowana. Zna mnie? Miała pewność, że nigdy go nie widziała, ale gdy przesunęła spojrzenie z jego twarzy na naszywkę na piersi, zobaczyła znajomy emblemat: orzeł z kotwicą w szponach, otoczony przez słowa MARYNARKA WOJENNA STANÓW ZJEDNOCZONYCH.

To wyjaśniało, skąd zna nazwę „Charlotte".

— Witamy na pokładzie, pani Sexton. Opracowywała pani wiele raportów wywiadowczych z tego okrętu. Wiem, kim pani jest.

— Ale co robicie na tych wodach? — wykrztusiła.

Jego rysy stwardniały.

— Szczerze mówiąc, pani Sexton, chciałbym zadać pani to samo pytanie.

Tolland usiadł powoli, otwierając usta. Rachel uciszyła go kategorycznym ruchem głowy. Nie tutaj. Nie teraz. Nie wątpiła, że Tolland i Corky będą chcieli opowiedzieć o meteorycie i ataku, ale zdecydowanie nie był to temat do omawiania w obecności załogi. W świecie wywiadu, niezależnie od kryzysu, królują względy bezpieczeństwa i sprawa meteorytu musi pozostać ściśle tajna.

— Chcę porozmawiać z dyrektorem NRO Williamem Pickeringiem — powiedziała. — Prywatnie, natychmiast.

Kapitan uniósł brwi, wyraźnie nienawykły do przyjmowania rozkazów na pokładzie własnego statku.

— Mam do przekazania tajne informacje.

Kapitan przyglądał jej się przez długą chwilę.

— Gdy odzyska pani normalną temperaturę ciała, umożliwię pani kontakt z dyrektorem NRO.

— To pilne, panie kapitanie. Ja... — Rachel urwała. Spojrzała na zegar wiszący nad szafką z lekarstwami.

19:51.

Zamrugała energicznie.

— Czy... czy ten zegar dobrze chodzi?

— Jest pani na okręcie wojennym, szanowna pani. Nasze zegary dokładnie wskazują czas.

— A ten... pokazuje czas wschodni?

— Dziewiętnasta pięćdziesiąt jeden czasu wschodnioamerykańskiego. Jesteśmy z Norfolk.

Mój Boże! Dopiero za dziewięć ósma? Miała wrażenie, że od chwili utraty przytomności minęły godziny. Jeszcze nie minęła ósma? Prezydent nie może ogłosić odkrycia meteorytu! Jeszcze mogę go powstrzymać! Natychmiast zsunęła się z łóżka i okręciła kocem. Nogi jej drżały.

— Muszę natychmiast porozmawiać z prezydentem.

Kapitan był wyraźnie zmieszany.

— Z prezydentem czego?

— Stanów Zjednoczonych!

— Sądziłem, że chce pani skontaktować się z Williamem Pickeringiem.

— Nie ma na to czasu. Muszę rozmawiać z prezydentem.

Kapitan nie poruszył się, zagradzając jej drogę.

— O ile wiem, prezydent zaraz wystąpi na bardzo ważnej konferencji prasowej. Wątpię, czy odbiera prywatne telefony.

Rachel stanęła niepewnie na drżących nogach i wbiła w niego wzrok.

— Panie kapitanie, nie mogę wyjaśnić panu sytuacji, ale prezydent za parę minut popełni straszliwy błąd. Posiadam informacje, które musi usłyszeć. Natychmiast. Proszę mi zaufać.

Kapitan patrzył na nią przez długą chwilę.

— Dziewięć minut? Nie jestem w stanie zapewnić bezpiecznego połączenia z Białym Domem w tak krótkim czasie. Mogę tylko zaproponować rozmowę przez radiotelefon. To otwarta linia. Musimy podnieść się na głębokość peryskopową, co zajmie parę...

— Proszę to zrobić! Natychmiast!

Rozdział 67

W centrali telefonicznej Białego Domu mieszczącej się na dolnym poziomie Wschodniego Skrzydła dyżur pełniło zawsze trzech operatorów. W tej chwili przy pulpitach siedziały tylko dwie telefonistki. Trzecia pędziła w kierunku sali konferencyjnej z telefonem bezprzewodowym w ręku. Próbowała przełączyć rozmowę do Gabinetu Owalnego, ale prezydent już był w drodze na konferencję prasową. Chciała zadzwonić na komórki jego współpracowników, lecz przed relacjami telewizyjnymi wyłączano wszystkie telefony komórkowe w sali konferencyjnej i w pobliżu, żeby nie zakłócać przebiegu spotkania.

Zawracanie prezydentowi głowy w takiej chwili mogło wydawać się co najmniej kontrowersyjne, ale ponieważ łącznik NRO z Białym Domem twierdził, że ma pilną wiadomość, której prezydent musi wysłuchać przed wystąpieniem przed kamerami, telefonistka nie zastanawiała się ani chwili. Pytanie tylko, czy zdąży na czas.

W małym ambulatorium na pokładzie USS „Charlotte" Rachel Sexton przyciskała słuchawkę do ucha i czekała na rozmowę z prezydentem. Tolland i Corky siedzieli w pobliżu, wciąż roztrzęsieni. Corky miał na policzku siniaka i pięć szwów. Wszyscy troje założyli ciepłą bieliznę przeciwpotną, grube marynarskie kombinezony, wielkie wełniane skarpety i buty pokładowe. Trzymając w ręku gorący kubek zwietrzałej kawy, Rachel zaczynała czuć się jak człowiek.

— Co się dzieje? — zapytał Tolland. — Za cztery ósma!

Rachel nie miała pojęcia. Bez problemu połączyła się z centralą Białego Domu, przedstawiła się i powiedziała, że chodzi o sprawę najwyższej wagi. Telefonistka okazała zrozumienie, kazała czekać i teraz zapewne robi wszystko, co w jej mocy, żeby umożliwić rozmowę z prezydentem.

Cztery minuty, pomyślała. Pospiesz się!

Zamknęła oczy, próbując zebrać myśli. To był koszmarny dzień. Jestem na atomowym okręcie podwodnym. Wiedziała, że ma niesamowite szczęście, iż w ogóle gdzieś jest. Według kapitana, „Charlotte" dwa dni temu odbywała rutynowy patrol na Morzu Beringa i wychwyciła nietypowe podwodne dźwięki płynące od strony Lodowca Szelfowego Milne'a — wiercenie, warkot silników odrzutowych, mnóstwo szyfrowanych rozmów radiowych. Otrzymali nowe rozkazy, więc przyczaili się w pobliżu podejrzanej strefy i nasłuchiwali. Mniej więcej przed godziną usłyszeli wybuch na lodowcu i podpłynęli, żeby sprawdzić, co się dzieje. Wtedy usłyszeli SOS.

— Zostały trzy minuty! — Głos Tollanda zdradzał zdenerwowanie.

Rachel też była zaniepokojona. Dlaczego to trwa tak długo? Dlaczego prezydent nie odbiera? Jeśli Zach Herney ogłosi publicznie odkrycie...

Odpędziła tę myśl i potrząsnęła słuchawką. Odbierz!

Biegnąc w kierunku sali konferencyjnej, telefonistka napotykała coraz więcej ludzi. Wszyscy rozmawiali z ożywieniem, zajęci ostatnimi przygotowaniami. Widziała, jak dwadzieścia metrów dalej prezydent czeka na wejście na antenę. Specjaliści od makijażu jeszcze teraz robili ostatnie poprawki.

— Rozmowa! — zawołała telefonistka, próbując przebić się przez tłum. — Telefon do prezydenta. Przepraszam. Rozmowa!

— Wejście za dwie minuty! — krzyknął koordynator.

Podnosząc w górę słuchawkę, telefonistka przeciskała się w stronę prezydenta.

— Telefon do prezydenta! — wołała. — Rozmowa!

Na jej drodze wyrosła strzelista przeszkoda. Marjorie Tench. Twarz starszego doradcy skrzywiła się z dezaprobatą.

— Co się dzieje?

— Pilna sprawa! — Telefonistce brakowało tchu. — Telefon do prezydenta.

Tench popatrzyła na nią z niedowierzaniem.

— Nie teraz!

— Dzwoni Rachel Sexton. Mówi, że to pilne.

Grymas, jaki wykrzywił twarz starszego doradcy, wyrażał bardziej zaciekawienie niż złość. Tench przeniosła spojrzenie na telefon.

— To zwykła linia. Nie jest zabezpieczona.

— Nie, proszę pani. Ale rozmowa też jest otwarta. Pani Sexton korzysta z radiotelefonu. Chce natychmiast rozmawiać z prezydentem.

— Wejście za dziewięćdziesiąt sekund! — oznajmił koordynator.

Tench zmrużyła zimne oczy i wyciągnęła chudą jak patyk rękę.

— Proszę dać mi telefon.

Telefonistce serce tłukło się w piersi.

— Pani Sexton chce rozmawiać z prezydentem Herneyem. Kazała mi opóźnić konferencję prasową, dopóki z nim nie porozmawia. Zapewniłam...

Tench podeszła do niej, jej głos zniżył się do złowieszczego szeptu.

— Powiem ci, jak to działa. Nie przyjmujesz rozkazów od córki przeciwnika prezydenta, tylko ode mnie. Zapewniam cię, że dopóki się nie dowiem, o co chodzi, nawet o jeden krok nie zbliżysz się do prezydenta.

Telefonistka popatrzyła w stronę Herneya, otoczonego przez techników, stylistów i kilku współpracowników, którzy omawiali z nim ostatnie szczegóły wystąpienia.

— Sześćdziesiąt sekund! — krzyknął koordynator.

Rachel Sexton krążyła niespokojnie po małym pomieszczeniu, gdy wreszcie usłyszała trzask na linii.

Rozbrzmiał chrapliwy głos.

— Słucham?

— Prezydent Herney?

— Marjorie Tench. Jestem starszym doradcą prezydenta. Kimkolwiek pani jest, uprzedzam, że bezzasadne telefonowanie do Białego Domu stanowi naruszenie...

Na miłość boską!

— To nie kawał! Mówi Rachel Sexton. Jestem waszym łącznikiem z NRO i...

— Wiem, kim jest Rachel Sexton, proszę pani. I wątpię, żeby to była ona. Dzwoni pani do Białego Domu przez niezabezpieczoną linię i mówi mi, żebym przerwała ważne wystąpienie prezydenta. To mało racjonalny sposób postępowania, jak na kogoś z...

— Proszę posłuchać — warknęła Rachel. — Kilka godzin temu przedstawiłam waszemu personelowi informacje na temat meteorytu. Pani zajmowała miejsce w pierwszym rzędzie. Oglądała mnie pani w telewizorze stojącym na biurku prezydenta! Jakieś pytania?

Tench milczała przez chwilę.

— Pani Sexton, o co chodzi?

— O to, że musi pani powstrzymać prezydenta! Informacje dotyczące meteorytu są nieprawdziwe! Właśnie dowiedzieliśmy się, że meteoryt został umieszczony w lodzie od spodu. Nie wiem przez kogo i nie wiem dlaczego! Ale tutaj nie wszystko jest takie, na jakie wygląda! Prezydent zaraz przedstawi nieprawdziwe dane, dlatego radzę...

— Chwileczkę, do cholery! — Tench zniżyła głos. — Czy pani wie, co mówi?

— Tak! Podejrzewam, że administrator NASA zaaranżował jakieś oszustwo na wielką skalę, a prezydent Herney za chwilę zostanie w nie wplątany. Musi pani opóźnić rozpoczęcie konferencji przynajmniej o dziesięć minut, żebym mogła mu wyjaśnić, co się tutaj dzieje. Ktoś próbował mnie zabić, na litość boską!

Głos Tench przemienił się w lód.

— Pani Sexton, ostrzegam. Jeśli zmieniła pani zdanie na temat swojego udziału w kampanii Białego Domu, to wielka szkoda, że nie zrobiła pani tego na długo przed osobistym zweryfikowaniem danych na prośbę prezydenta.

— Co takiego? — Czy ona mnie słucha?

— Pani postępowanie budzi we mnie niesmak. Korzystanie z niezabezpieczonej linii jest tanim chwytem. Jak można sugerować, że dane dotyczące meteorytu zostały spreparowane? Jakie biura wywiadowcze używają radiotelefonu, żeby dzwonić do Białego Domu i rozmawiać o tajnych informacjach? Najwyraźniej pomaga pani komuś przechwycić tę wiadomość.

— Nora Mangor została zamordowana! Doktor Ming również nie żyje. Musi pani ostrzec...

— Dość tego! Nie wiem, jaką grę pani prowadzi, ale przypomnę pani i każdemu, kto przypadkiem słucha tej rozmowy, że Biały Dom ma nagrane oświadczenie wybitnych naukowców NASA, kilku sławnych naukowców niezależnych oraz pani, pani Sexton. Wszyscy potwierdziliście prawdziwość faktów dotyczących odkrycia meteorytu. Mogę się tylko domyślać, dlaczego nagle robi pani zwrot o sto osiemdziesiąt stopni. Ale niezależnie od tego, czym się pani kieruje, proszę uważać się za zwolnioną ze stanowiska łącznika Białego Domu. Jeśli spróbuje pani wysuwać dalsze absurdalne zarzuty o prowadzenie nieczystej gry, zapewniam panią, Biały Dom wraz z NASA dopilnuje, by została pani oskarżona o zniesławienie tak szybko, że nie zdąży pani spakować walizki przed pójściem do więzienia.

Rachel otworzyła usta, ale nie padło z nich nawet jedno słowo.

— Zach Herney był dla pani zbyt wspaniałomyślny — warknęła Tench — a ta sztuczka naprawdę pachnie tanim reklamowym zagraniem Sextona. Proszę przestać, w przeciwnym wypadku wniesiemy oskarżenie. Obiecuję.

Rozłączyła się.

Rachel wciąż miała otwarte usta, kiedy kapitan zapukał do drzwi.

— Pani Sexton? — Kapitan zajrzał do środka. — Odbieramy słaby sygnał z radia kanadyjskiego. Prezydent Zach Herney właśnie rozpoczął konferencję prasową.

Rozdział 68

Stojąc na podium w sali konferencyjnej, Zach Herney czuł żar lamp i wiedział, że patrzy na niego cały świat. Szeroko zakrojona kampania biura prasowego Białego Domu spowodowała bezprecedensowy szum w mediach. Ci, którzy nie dowiedzieli się o wystąpieniu z telewizji, radia czy Internetu, usłyszeli o nim od sąsiadów, współpracowników i bliskich. O ósmej wieczorem wszyscy, którzy nie mieszkali w jaskiniach, zastanawiali się, czego będzie dotyczyć oświadczenie prezydenta. W barach i mieszkaniach na całym świecie miliony ludzi z ciekawością spoglądały na ekrany telewizorów.

W czasie takich chwil, występując przed całym światem, Zach Herney naprawdę czuł ciężar swojego urzędu. Każdy, kto twierdził, że władza nie uzależnia, nigdy naprawdę jej nie sprawował. Ale rozpoczynając wystąpienie, Zach Herney czuł, że coś jest nie w porządku. Nie był człowiekiem mającym skłonności do tremy, dlatego przestraszyło go narastające mrowienie lęku.

To ogrom widowni, powtarzał sobie w duchu. A jednak wiedział, że przyczyną jest coś innego. Instynkt. Coś, co widział.

Był to drobiazg, a jednak...

Kazał dać sobie z tym spokój. To nic ważnego. Mimo wszystko nie potrafił tego zbagatelizować.

Tench.

Przed chwilą, gdy przygotowywał się do wejścia na scenę, widział Marjorie Tench w korytarzu. Rozmawiała przez telefon bezprzewodowy. Już to było dziwne, ale jeszcze większe zdziwienie budził widok stojącej obok niej bladej telefonistki. Nie słyszał, co

Tench mówiła do słuchawki, ale wiedział, że kłóciła się z zajadłością i gniewem, jaki rzadko widywał nawet u niej. Przystanął na chwilę i pytająco spojrzał jej w oczy.

Tench podniosła kciuk. Herney pierwszy raz widział u niej taki gest. Miał ten obraz w pamięci, gdy wchodził do sali konferencyjnej.

W wyłożonym niebieskim dywanem studiu telewizyjnym w habisferze NASA na Wyspie Ellesmere'a administrator Lawrence Ekstrom siedział przy długim stole konferencyjnym, otoczony przez wysokich urzędników NASA i naukowców. Na wielkim monitorze naprzeciwko nich widać było prezydenta wygłaszającego wstępne oświadczenie. Reszta załogi skupiła się wokół innych monitorów i z przejęciem patrzyła, jak głównodowodzący rozpoczyna konferencję prasową.

— Dobry wieczór — zagaił Herney z nietypową sztywnością. — Zwracam się do moich rodaków i naszych przyjaciół na całym świecie...

Ekstrom patrzył na wielką poczerniałą skałę ustawioną na honorowym miejscu. Jego oczy przesunęły się na drugi monitor, na którym zobaczył siebie w otoczeniu poważnego grona podwładnych na tle wielkiej amerykańskiej flagi i logo NASA. Dramatyczne oświetlenie sprawiało, że scena przypominała neomodernistyczne malowidło — dwunastu apostołów na Ostatniej Wieczerzy. Zach Herney przemienił odkrycie w polityczną imprezę towarzyszącą. Herney nie miał wyboru. Ekstrom wciąż czuł się jak telewizyjny kaznodzieja, kreujący dla mas wizerunek Boga.

Po około pięciominutowym przemówieniu prezydent przedstawi Ekstroma i personel NASA. Potem NASA w spektakularnym połączeniu satelitarnym zza kręgu polarnego dołączy do prezydenta i podzieli się wieściami ze światem. Po krótkiej relacji, w jaki sposób dokonano odkrycia i co oznacza ono dla astronautyki, po wzajemnym poklepywaniu się po plecach, NASA i prezydent oddadzą głos słynnemu naukowcowi Michaelowi Tollandowi, który wypowie się w swoim filmie dokumnetalnym. Następnie, gdy zostanie potwierdzona autentyczność odkrycia i entuzjazm sięgnie zenitu, Ekstrom i prezydent będą życzyć sobie dobrej nocy, obiecując udzielić dalszych informacji w ciągu następnych dni na niezliczonych konferencjach prasowych NASA.

Ekstrom siedział i czekał na sygnał, czując ogromny wstyd. Wiedział, że tak będzie. Spodziewał się tego.

Będzie mówił kłamstwa... zaaprobowane nieprawdy.

A jednak, co dziwne, w tej chwili kłamstwa wydawały się nieistotne. Ekstrom miał znacznie większy problem.

Gabrielle Ashe stała ramię w ramię z tuzinami obcych ludzi, wyciągających szyje w kierunku rzędu monitorów zwisających z sufitu w dziale informacyjnym ABC. Gdy nadeszła wielka chwila, zapadła cisza. Gabrielle zamknęła oczy, modląc się, żeby po ich otworzeniu nie zobaczyć na ekranie swojego nagiego ciała.

Powietrze w salonie senatora Sextona było przepełnione oczekiwaniem. Wszyscy goście stali ze wzrokiem wbitym w ekran wielkiego telewizora.

Zach Herney przemówił do świata i, nie do wiary, jego powitanie wypadło nieporadnie. Przez chwilę wyglądał tak, jakby brakowało mu pewności siebie.

Sprawia wrażenie roztrzęsionego, pomyślał Sexton. Jak nigdy.

— Patrzcie na niego — szepnął ktoś. — Na pewno ma złe wieści.

Stacja kosmiczna? — zastanowił się Sexton.

Herney spojrzał prosto w kamerę i odetchnął głęboko.

— Przyjaciele, od wielu dni zastanawiałem się, jak wygłosić niniejsze oświadczenie...

W trzech słowach, poradził mu Sexton w duchu. My je rozdmuchamy.

Herney mówił przez chwilę o tym, jakie to przykre, że kwestia NASA stała się kartą przetargową kampanii wyborczej i że z tego powodu uznał, iż musi na wstępie przeprosić za czas, w jakim przyszło mu wygłosić oświadczenie.

— Wolałbym każdą inną chwilę — mówił. — Polityczne napięcie wiszące w powietrzu często przemienia marzycieli w niedowiarków, a jednak jako wasz prezydent nie mam innego wyboru, jak tylko podzielić się w wami tym, czego sam niedawno się dowiedziałem. — Uśmiechnął się lekko. — Kosmiczne cuda nie podlegają żadnym harmonogramom... nawet prezydenckim.

Wszyscy w salonie Sextona wzdrygnęli się jednocześnie. Co takiego?

— Dwa tygodnie temu — mówił Herney — nowy orbitalny skaner gęstości NASA przelatywał nad Lodowcem Szelfowym Milne'a na dalekiej Wyspie Ellesmere'a, leżącej na Oceanie Arktycznym, na północ od osiemdziesiątego równoleżnika.

Sexton i jego goście wymienili skonsternowane spojrzenia.

— Satelita wykrył wielką skałę o dużej gęstości, spoczywającą w lodzie na głębokości sześćdziesięciu metrów. — Herney uśmiechnął się po raz pierwszy, odnajdując właściwy rytm. — Po otrzymaniu danych NASA natychmiast wysnuła przypuszczenia, że PODS znalazł meteoryt.

— Meteoryt? — parsknął Sexton. — To ma być ważna wiadomość?

— NASA wysłała na lodowiec zespół specjalistów, którzy pobrali próbki. Wtedy dokonano... — prezydent urwał na chwilę. — Szczerze mówiąc, dokonano naukowego odkrycia stulecia.

Sexton z niedowierzaniem zrobił krok w stronę telewizora. Nie... Jego goście zaczęli niespokojnie przestępować z nogi na nogę.

— Proszę państwa, kilka godzin temu NASA wydobyła z lodu arktycznego ośmiotonowy meteoryt, który zawiera... — Herney zrobił dramatyczną pauzę, dając całemu światu czas na pochylenie się w stronę ekranów. — Meteoryt, który zawiera skamieniałe formy życia. Tuziny skamielin. Jednoznaczny dowód na istnienie życia pozaziemskiego.

Na dany znak na ekranie za plecami prezydenta ukazała się idealnie zachowana skamielina wielkiego robaka.

W salonie Sextona sześciu biznesmenów podskoczyło, wybałuszając oczy z przerażenia. Sexton zamarł.

— Przyjaciele — ciągnął prezydent — widoczna za moimi plecami skamieniałość pochodzi sprzed stu dziewięćdziesięciu milionów lat. Została znaleziona we fragmencie meteorytu zwanego Jungersolem, który spadł do Oceanu Arktycznego prawie trzysta lat temu. Nowy satelita PODS wykrył fragment meteorytu pogrzebany w lodzie szelfowym. Przed ujawnieniem tego doniosłego odkrycia NASA i nasza administracja weryfikowała je przez ponad dwa tygodnie, z nadzwyczajną skrupulatnością i pod każdym względem. W ciągu następnej półgodziny wysłuchacie wypowiedzi licznych naukowców niezależnych oraz specjalistów z NASA, a także obejrzycie krótki film dokumentalny zrealizowany przez osobę, którą niewątpliwie znacie. Zanim powiem coś więcej, chcę powitać człowieka, w tej chwili przebywającego za kręgiem polarnym. To jego zdolnościom, wizjonerstwu i ciężkiej pracy zawdzięczamy tę historyczną chwilę. Mam zaszczyt przedstawić państwu administratora NASA, Lawrence'a Ekstroma.

Herney odwrócił się w stronę w ekranu w idealnym momencie. Miejsce skamieliny zajęło dostojne grono naukowców NASA, siedzących przy długim stole po obu stronach zwalistego administratora Ekstroma.

— Dziękuję, panie prezydencie. — Ekstrom z powagą i godnością podniósł się i spojrzał prosto w kamerę. — Z wielką dumą dzielę się z wami tą... tą najwspanialszą godziną w dziejach NASA.

Ekstrom opowiedział z pasją o NASA i odkryciu. Dmąc w fanfary patriotyzmu i triumfu, przeszedł płynnie do filmu dokumentalnego zrealizowanego przez naukowca i gwiazdę telewizyjną — Michaela Tollanda.

Senator Sexton osunął się na kolana przed telewizorem i wczepił palce w srebrną czupurynę. Nie! Boże, nie!

Rozdział 69

Sina z wściekłości Marjorie Tench wyrwała się z radosnego chaosu panującego przed salą konferencyjną i pomaszerowała do swojego prywatnego kąta w Zachodnim Skrzydle. Nie była w nastroju do świętowania. Telefon od Rachel Sexton nie mógł być większą niespodzianką.

I bardziej przykrą.

Tench zatrzasnęła drzwi gabinetu, podeszła do biurka i zadzwoniła do centrali Białego Domu.

— Z Williamem Pickeringiem, NRO.

Zapaliła papierosa i krążyła po biurze, czekając, aż telefonistka wytropi Pickeringa. W normalnych okolicznościach byłby w domu, ale zważywszy na skalę nagłośnienia konferencji przez Biały Dom, przypuszczała, że Pickering spędza wieczór w swoim gabinecie. Na pewno wlepia oczy w ekran i zachodzi w głowę, co takiego wydarzyło się na świecie, o czym on nie miał pojęcia.

Tench przeklinała się za to, że nie zaufała swojemu instynktowi, kiedy prezydent powiedział, iż chce wysłać Rachel Sexton na Lodowiec Milne'a. Czuła, że to niepotrzebne ryzyko. Ale prezydent przekonywał, iż pracownicy Białego Domu, od kilku tygodni nadzwyczaj nieufni, potraktują podejrzliwie odkrycie NASA, jeśli dowiedzą się o nim od kogoś z wewnątrz. Zgodnie z przewidywaniami Herneya, wystąpienie Rachel Sexton uciszyło podejrzenia, zapobiegło sceptycznej wewnętrznej dyskusji i skłoniło personel Białego Domu do stworzenia wspólnego frontu. Tench musiała przyznać, że było to błyskotliwe posunięcie. A jednak teraz Rachel Sexton zmieniła śpiewkę.

Ta suka zadzwoniła otwartą linią.

Najwyraźniej zamierzała podważyć wiarygodność odkrycia. Jedyną pociechą była świadomość, że prezydent ma nagranie jej wcześniejszego oświadczenia. Dzięki Bogu. Dobrze, że Herney pomyślał przynajmniej o takim zabezpieczeniu. Tench zaczynała się bać, że będzie im ono potrzebne.

W tej chwili próbowała ograniczyć szkody w inny sposób. Rachel Sexton jest bystra; jeśli naprawdę dąży do bezpośredniej konfrontacji z Białym Domem i NASA, będzie chciała zwerbować potężnych sprzymierzeńców. Pierwszy logiczny wybór padnie na Williama Pickeringa. Tench dobrze wie, co Pickering myśli o NASA. Musi skontaktować się z nim przed Rachel.

— Pani Tench? — rozległ się dźwięczny głos. — Mówi William Pickering. Czemu zawdzięczam ten zaszczyt?

Tench słyszała w tle płynące z telewizora komentarze NASA. Po tonie rozmówcy poznała, że wciąż jest oszołomiony rewelacją ujawnioną na konferencji prasowej.

— Poświęci mi pan pięć minut, dyrektorze?

— Sadziłem, że będzie pani świętowała. To dla was wieczór triumfu. Wygląda na to, że NASA i prezydent wrócili do gry.

Tench usłyszała w jego głosie niekłamane zdumienie podszyte goryczą. Niewątpliwie to ostatnie było wynikiem legendarnej odrazy, jaka narastała w nim za każdym razem, gdy dowiadywał się o jakimś niezwykle ważnym wydarzeniu w tym samym czasie, co reszta świata.

— Przepraszam, że nie został pan powiadomiony przez Biały Dom i NASA, ale nie było innej możliwości — powiedziała Tench, próbując przerzucić między nimi most.

— Zapewne pani wie, że NRO wykryło aktywność NASA kilka tygodni temu i wystosowało pytania.

Tench ściągnęła brwi. Jest wkurzony.

— Tak, wiem, ale...

— Odpowiedziano nam, że to nic ważnego, że przeprowadzają ćwiczenia terenowe w ekstremalnych warunkach środowiskowych. Testowanie sprzętu i tak dalej. — Pickering umilkł na chwilę. — Kupiliśmy to kłamstwo.

— Nie nazywajmy tego kłamstwem. Lepszym określeniem jest

„konieczna dezinformacja". Zważywszy na doniosłość odkrycia, jestem pewna, że pan rozumie, iż NASA musiała trzymać je w tajemnicy.

— Tak, przed społeczeństwem.

Dąsy nie leżały w repertuarze zachowań ludzi pokroju Williama Pickeringa, ale Tench wyczuwała, że dyrektor jest gotów się obrazić.

— Mam niewiele czasu — powiedziała, starając się odzyskać dominującą pozycję — ale uznałam, że powinnam zadzwonić, by pana ostrzec.

— Ostrzec? — W głosie Pickeringa zabrzmiała cierpka nuta. — Czyżby Zach Herney postanowił mianować nowego, przyjaznego dla NASA dyrektora NRO?

— Oczywiście, że nie. Prezydent rozumie, że pańskie krytyczne podejście do agencji wynika po prostu ze względów bezpieczeństwa, i pracuje nad zlikwidowaniem przecieków. Dzwonię w sprawie jednego z pańskich pracowników. — Po chwili milczenia dodała: — Rachel Sexton. Miał pan jakieś wiadomości od niej dziś wieczorem?

— Nie. Rano na prośbę prezydenta wysłałem ją do Białego Domu. Najwyraźniej prezydent dał jej jakieś zajęcie. Niewykluczone, że jeszcze się zamelduje.

Tench odetchnęła z ulgą. Udało jej się skontaktować z Pickeringiem przed Rachel Sexton. Zaciągnęła się papierosem i z jak największym spokojem oznajmiła:

— Przypuszczam, że niebawem otrzyma pan telefon od pani Sexton.

— To dobrze. Spodziewam się tego. Muszę pani powiedzieć, że przed konferencją prasową obawiałem się, iż Zach Herney zechce przekonać panią Sexton do publicznego wystąpienia. Cieszę się, że tego nie zrobił.

— Zach Herney jest przyzwoitym człowiekiem... czego, niestety, nie mogę powiedzieć o Rachel Sexton.

Na linii zapadła długa cisza.

— Mam nadzieję, że źle zrozumiałem.

Tench westchnęła ciężko.

— Nie, panie dyrektorze, obawiam się, że dobrze pan zrozumiał. Wolałabym nie omawiać szczegółów przez telefon, ale wszystko wskazuje na to, że Rachel Sexton postanowiła podkopać wiarygodność oświadczenia NASA. Nie mam pojęcia, dlaczego po przeanalizowaniu i potwierdzeniu danych wykonała zwrot o sto osiemdziesiąt stopni. Zaczęła wygłaszać jakieś niedorzeczne teorie o spisku i oszustwie agencji kosmicznej.

— Co takiego? — Ton głosu zdradzał, że rozmówca poświęca jej całą uwagę.

— Tak, sprawia kłopoty. Z przykrością muszę pana poinformować, że pani Sexton zadzwoniła do mnie dwie minuty przed konferencją prasową i zalecała jej odwołanie.

— Na jakiej podstawie?

— Niedorzecznej, szczerze mówiąc. Oznajmiła, że znalazła poważne błędy w danych.

Długie milczenie sygnalizowało większą nieufność Pickeringa, niż Tench mogła sobie życzyć.

— Błędy? — powtórzył w końcu.

— To wręcz śmieszne, naprawdę, po dwóch bitych tygodniach badań NASA i...

— Trudno mi uwierzyć, by osoba pokroju Rachel Sexton chciała odwołać prezydencką konferencję prasową bez cholernie dobrego powodu. — Pickering sprawiał wrażenie zmartwionego. — Może powinna pani jej wysłuchać.

— Na litość boską! — wykrzyknęła Tench, tłumiąc kaszel. — Obejrzał pan konferencję prasową. Dane dotyczące meteorytu zostały wielokrotnie sprawdzone przez niezliczonych specjalistów, łącznie z niezależnymi. Czy nie wydaje się panu podejrzane, że Rachel Sexton, córka jedynego człowieka, którego to oświadczenie poważnie zaboli, nagle zmieniła zdanie?

— To wydaje się podejrzane, pani Tench, ale tylko dlatego, że przypadkiem wiem, iż stosunki między panią Sexton a jej ojcem nie układają się najlepiej. Nie potrafię sobie wyobrazić, z jakiego powodu Rachel miałaby po latach służby dla prezydenta nagle zmienić front i kłamać, by poprzeć ojca.

— Może w grę wchodzi ambicja? Naprawdę nie wiem. Być może możliwość zostania pierwszą córką... — Tench celowo nie dokończyła zdania.

Ton Pickeringa natychmiast stał się surowy.

— Grubymi nićmi szyte, pani Tench.

Tench spochmurniała. Do diabła, jakiej innej reakcji mogła się spodziewać? Oskarżyła ważnego pracownika NRO o zdradę prezydenta. Pickering musi traktować ją z dystansem.

— Proszę dać ją do telefonu — poprosił. — Chciałbym porozmawiać z nią osobiście.

— Niestety, to niemożliwe — odparła Tench. — Nie ma jej w Białym Domu.

— A gdzie jest?

— Dziś rano prezydent wysłał ją na Lodowiec Milne'a, żeby mogła na miejscu sprawdzić dane. Niedługo stamtąd wróci.

— Dlaczego nie poinformowano mnie... — w głosie Pickeringa brzmiała złość.

— Nie mam czasu na leczenie pańskiej zranionej dumy, dyrektorze. Zadzwoniłam do pana z grzeczności. Chciałam ostrzec, że Rachel Sexton postanowiła działać na własną rękę. Będzie szukała sprzymierzeńców. Być może skontaktuje się z panem. Lepiej, żeby pan wiedział, iż Biały Dom jest w posiadaniu dokonanego dziś po południu nagrania, na którym pani Sexton potwierdza prawdziwość wszystkich danych przed prezydentem, jego administracją i całym personelem Białego Domu. Jeśli obojętnie z jakich pobudek spróbuje zszargać dobre imię Zacha Herneya albo NASA, to przysięgam panu, że Biały Dom dopilnuje, aby upadła boleśnie i nisko. — Tench umilkła na chwilę, żeby jej słowa mogły zapaść w pamięć rozmówcy. — Spodziewam się, że odwzajemni pan moją uprzejmość przez natychmiastowe poinformowanie mnie, jeśli Rachel Sexton nawiąże z panem kontakt. Ponieważ atakuje również prezydenta, Biały Dom zatrzyma ją w celu przesłuchania, zanim wyrządzi jakieś poważne szkody. Czekam na telefon, dyrektorze. To wszystko. Dobrej nocy.

Marjorie Tench odłożyła słuchawkę. Była pewna, że nikt w ten sposób nigdy nie przemawiał do Williama Pickeringa. Przynajmniej teraz szef NRO wie, że to nie żarty.

William Pickering stał przy oknie na najwyższym piętrze NRO i patrzył w noc nad Wirginią. Rozmowa z Marjorie Tench poważnie go zmartwiła. Zagryzał wargi, próbując dopasować wszystkie elementy tej układanki.

— Dyrektorze? — Sekretarka cicho zapukała do drzwi. — Telefon.

— Nie teraz — rzucił z roztargnieniem.

— Dzwoni Rachel Sexton.

Pickering odwrócił się na pięcie. Tench najwyraźniej umie przepowiadać przyszłość.

— Dobrze. Proszę przełączyć, natychmiast.

— To zaszyfrowany strumień audiowizualny. Chce pan odebrać w pokoju konferencyjnym?

Strumień audiowizualny?

— Skąd dzwoni?

Sekretarka odpowiedziała.

Pickering wytrzeszczył oczy. Oszołomiony, pospieszył do pokoju konferencyjnego. To jest coś, co musi zobaczyć.

Rozdział 70

Martwy pokój na okręcie „Charlotte" — zaprojektowany na wzór podobnego pomieszczenia znajdującego się w Laboratoriach Bella — formalnie nazywany był „komorą bezechową". Akustycznie czysta komora, niezawierająca żadnych równoległych ani odbijających powierzchni, pochłania dźwięk ze skutecznością równą 99,4 procent. Ponieważ metal i woda dobrze przewodzą dźwięki, rozmowy prowadzone na okrętach podwodnych są narażone na przechwycenie przez znajdujący się w pobliżu podsłuch albo mikrofony z przyssawkami umieszczone na zewnętrznym kadłubie. Martwy pokój to maleńkie pomieszczenie, z którego nie może się wydostać absolutnie żaden dźwięk. Rozmowy prowadzone w tej izolowanej klitce są całkowicie zabezpieczone przed podsłuchaniem.

Komora wyglądała jak schowek, w którym ściany, sufit i podłoga wyłożone zostały piankowymi stożkami sterczącymi ze wszystkich stron do wewnątrz. Ich widok przywiódł Rachel na myśl ciasną podmorską jaskinię, w której stalagmity wyrastają bez ładu i składu ze wszystkich możliwych powierzchni. Najbardziej denerwujący był brak normalnej podłogi.

Zamiast niej w pomieszczeniu znajdowała się rozpięta poziomo siatka; stojące na niej osoby miały dziwne wrażenie, że unoszą się między ścianami. Siatka była gumowana i sztywna. Rachel spojrzała pod nogi i poczuła się tak, jakby szła po sznurowym moście wiszącym nad surrealistycznym fraktalnym pejzażem. Metr niżej las piankowych kolców jeżył się złowieszczo.

Powietrze wydawało się niepokojąco martwe, jakby wyssano

z niego całą energię. Rachel odniosła wrażenie, że ma watę w uszach. Słyszała tylko własny oddech. Krzyknęła, a efekt był taki, jakby krzyczała w poduszkę. Ściany wchłonęły wszystkie drgania i odbierała jedynie wibracje w czaszce.

Kapitan wyszedł, zamykając za sobą obite pianką drzwi. Rachel, Corky i Tolland usiedli przy niewielkim stoliku w kształcie litery U, stojącym na długich metalowych szczudłach przechodzących przez siatkę. Mikrofony, słuchawki i konsola wideo z kamerą wyglądały tak, jakby zostały przygotowane na minisympozjum ONZ.

Jako osoba zatrudniona przez amerykański wywiad — przodującego na świecie producenta laserowych mikrofonów, podwodnych aparatów podsłuchowych i innych superczułych urządzeń do prowadzenia nasłuchu — Rachel wiedziała, że na ziemi jest niewiele miejsc, w których można prowadzić naprawdę bezpieczne rozmowy. Wszystko wskazywało jednak na to, że martwy pokój jest jednym z nich. Mikrofony i słuchawki umożliwiały bezpośrednie telekonferencje, których uczestnicy mogli mówić swobodnie z gwarancją, że wibracje nie wydostaną się z pomieszczenia. Ich słowa były kodowane i dopiero wtedy odbywały daleką podróż przez atmosferę.

— Kontrola głośności. — Rachel, Tolland i Corky podskoczyli, słysząc głos w słuchawkach. — Słyszy mnie pani, pani Sexton?

Rachel pochyliła się do mikrofonu.

— Tak, dziękuję. — Kimkolwiek jesteś.

— Dyrektor Pickering jest na linii. Odbiera dźwięk i obraz. Wyłączam się.

Zapadła cisza, przerwana przez szum zakłóceń oraz serię pisków i trzasków. Wreszcie ekran rozjaśnił się i Rachel zobaczyła dyrektora Pickeringa w pokoju konferencyjnym NRO. Był sam. Podniósł głowę i spojrzał jej w oczy.

Na jego widok poczuła ulgę.

— Pani Sexton, do licha, co się dzieje? — zapytał z zakłopotaną, zatroskaną miną.

— Chodzi o meteoryt, panie dyrektorze — odparła. — Myślę, że mamy poważny problem.

Rozdział 71

W martwym pokoju na pokładzie „Charlotte" Rachel Sexton przedstawiła Michaela Tollanda i Corky'ego Marlinsona. Potem przejęła dowodzenie i błyskawicznie zrelacjonowała Pickeringowi niewiarygodny ciąg wydarzeń, jakie miały miejsce tego dnia.

Dyrektor NRO siedział bez ruchu i słuchał.

Rachel opowiedziała mu o bioluminescencyjnym planktonie w studni, o wyprawie na lodowiec, o odkryciu szybu pod meteorytem i wreszcie o ataku grupy żołnierzy, przypuszczalnie z jednostki specjalnej.

William Pickering słynął z umiejętności wysłuchiwania niepokojących wieści bez zmrużenia oka, ale z każdym kolejnym słowem jego spojrzenie stawało się coraz bardziej pochmurne. Rachel wyczuła jego niedowierzanie, a potem wściekłość, kiedy powiedziała o śmierci Nory Mangor i ich wyścigu ze śmiercią. Choć chciała wyrazić swoje podejrzenia odnośnie do udziału administratora NASA, znała Pickeringa na tyle dobrze, żeby bez dowodu nie wskazywać palcem na nikogo. Starała się przedstawić wyłącznie suche fakty. Kiedy skończyła, Pickering milczał przez kilka sekund.

— Pani Sexton — rzekł wreszcie — panowie... — Powiódł wzrokiem po ich twarzach. — Jeśli mówicie prawdę, a nie widzę powodu, dla którego mielibyście kłamać, to macie wielkie szczęście, że żyjecie.

W milczeniu pokiwali głowami. Prezydent ściągnął czworo cywilnych naukowców... a dwoje już nie żyje.

Pickering westchnął posępnie, jakby nie wiedział, co powiedzieć. To, co usłyszał, miało niewiele sensu.

— Czy istnieje jakaś możliwość, żeby ten dolny szyb, który widzieliście na wydruku z GPR, był zjawiskiem naturalnym? — zapytał.

Rachel pokręciła głową.

— Jest zbyt doskonały. — Rozwinęła przemoczony wydruk i uniosła go przed kamerą. — Idealnie prosty.

Pickering ze zmarszczonym czołem przyjrzał się wydrukowi.

— Niech pani nie wypuszcza tego z rąk.

— W rozmowie z Marjorie Tench prosiłam, żeby powstrzymać prezydenta, ale mnie spławiła.

— Wiem. Powiedziała mi.

Rachel spojrzała na niego zdziwiona.

— Dzwoniła do pana? — Szybko.

— Przed chwilą. Była bardzo zdenerwowana. Uznała, że próbuje pani zdyskredytować prezydenta i NASA, aby być może pomóc swojemu ojcu.

Rachel wstała. Pomachała wydrukiem GPR i wskazała na swoich towarzyszy.

— Byliśmy o włos od śmierci! Czy to wygląda na przekręt? I dlaczego miałabym...

Pickering podniósł ręce.

— Spokojnie. Pani Tench nie powiedziała mi, że jest was troje.

Rachel nie pamiętała, czy zdążyła wspomnieć jej o Corkym i Tollandzie.

— Ani nie nadmieniła, że macie dowód rzeczowy — dodał Pickering. — Podszedłem sceptycznie do jej twierdzeń jeszcze przed rozmową z panią, a teraz jestem przekonany, że Marjorie Tench jest w błędzie. Nie wątpię w pani słowa. Pytanie, co to wszystko oznacza.

Zapadła długa cisza.

William Pickering nieczęsto okazywał konsternację, ale w tej chwili, kiedy pokręcił głową, robił wrażenie zagubionego.

— Załóżmy, że ktoś umieścił meteoryt w lodowcu. Z takiego założenia wypływa oczywiste pytanie, dlaczego to zrobił. Jeśli ludzie z NASA już mieli meteoryt ze skamieniałościami, dlaczego miałoby im albo komukolwiek innemu, skoro o tym mowa, zależeć na tym, żeby został „znaleziony" w takim a nie innym miejscu?

— Wydaje się, że zrobiono to po to, aby PODS mógł dokonać odkrycia i aby znalezisko wyglądało na fragment znanego meteorytu.

— Jungersola — podpowiedział Corky.

— Ale co daje skojarzenie ze znanym zdarzeniem? — zapytał Pickering prawie ze złością. — Czy te skamieliny nie stanowiłyby zdumiewającego odkrycia, gdyby zostały znalezione w obojętnie jakim miejscu i czasie? Niezależnie od związku z upadkiem jakiegokolwiek meteorytu?

Wszyscy troje pokiwali głowami.

Pickering zawahał się, robiąc niezadowoloną minę.

— Chyba że... oczywiście...

Rachel niemal widziała trybiki obracające się w jego głowie. Dyrektor znalazł najprostsze wyjaśnienie przyczyny umieszczenia meteorytu w warstwach z okresu upadku Jungersola, ale najprostsze wyjaśnienie jest najbardziej kłopotliwe.

— Chyba że miejsce zostało wybrane po to, aby przydać wiarygodności z gruntu nieprawdziwym danym. — Z westchnieniem zwrócił się do Corky'ego: — Doktorze Marlinson, czy jest możliwe podrobienie meteorytu?

— Podrobienie?

— Tak. Sfałszowanie. Spreparowanie.

— Spreparowanie meteorytu? — Corky parsknął śmiechem. — Absolutnie niemożliwe! Znalezisko zostało zbadane przez specjalistów, łącznie ze mną. Przeprowadzono analizy chemiczne, badania spektrograficzne, datowanie metodą rubinowo-strontową. Skała jest niepodobna do tych, jakie występują na Ziemi. Meteoryt jest autentyczny. Każdy astrogeolog to potwierdzi.

Pickering zastanawiał się przez długi czas, delikatnie gładząc krawat.

— A jednak, biorąc pod uwagę korzyści, jakie NASA odniesie dzięki temu odkryciu, widoczne oznaki manipulowania dowodem oraz atak na was... nasuwa mi się jedyny logiczny wniosek. Meteoryt jest umiejętnie spreparowaną imitacją.

— Niemożliwe! — Corky zatrząsł się ze złości. — Z całym szacunkiem, panie dyrektorze, meteoryty nie są czymś w rodzaju hollywoodzkich gadżetów, które można wyczarować w laboratorium, żeby następnie nabrać gromadę Bogu ducha winnych astrofizyków. To złożone pod względem chemicznym obiekty o wyjątkowej strukturze krystalicznej i określonych proporcjach pierwiastków!

— Nie kwestionuję pańskiej oceny, doktorze Marlinson. Po prostu trzymam się logicznych wniosków. Ktoś chciał was zabić, aby zapobiec ujawnieniu, że meteoryt został umieszczony w lodzie od spodu, jestem więc skłonny rozpatrzyć nawet najbardziej fantastyczne scenariusze. Na jakiej podstawie uznał pan, że ta skała rzeczywiście jest meteorytem?

— Proszę bardzo! — Głos Corky'ego zatrzeszczał w słuchawkach. — Nieskazitelna skorupa obtopieniowa, obecność chondr, zawartość niklu odbiegająca od wartości typowych dla skał ziemskich. Jeśli sugeruje pan, że ktoś wyprowadził nas w pole, wytwarzając tę skałę w laboratorium, powiem tylko tyle, że to laboratorium pochodzi sprzed jakichś stu dziewięćdziesięciu milionów lat. — Corky sięgnął do kieszeni, wyjął kamyk w kształcie dysku i przysunął go do kamery. — Zbadaliśmy wiek wielu takich próbek licznymi metodami. Datowania rubinowo-strontowego nie można sfałszować!

Pickering nie krył zaskoczenia.

— Ma pan próbkę?

Corky wzruszył ramionami.

— NASA ma ich na tuziny.

— Mówi pani... — Pickering spojrzał na Rachel — że ludzie z NASA odkryli meteoryt, który w ich przekonaniu zawiera dowody życia, i pozwalają wynosić próbki?

— Nie to jest ważne — powiedział Corky. — Rzecz w tym, że ta próbka jest prawdziwa. — Przysunął skałę do kamery. — Każdy petrograf, geolog albo astronom po przeprowadzenie badań powie panu dwie rzeczy: po pierwsze, próbka ma sto dziewięćdziesiąt milionów lat, i po drugie, pod względem chemicznym różni się od skał występujących na Ziemi.

Pickering pochylił się, przypatrując się skamieniałości. Przez chwilę wyglądał jak sparaliżowany. Wreszcie westchnął.

— Nie jestem naukowcem. Mogę tylko powiedzieć, że jeśli meteoryt jest prawdziwy, a na to wygląda, to chciałbym wiedzieć, dlaczego NASA nie zaprezentowała go światu od razu po znalezieniu? Dlaczego ktoś zadał sobie trud umieszczenia go w lodzie, jakby chciał przekonać nas o jego autentyczności?

W tym czasie w Białym Domu oficer ochrony telefonował do Marjorie Tench.

Starszy doradca zgłosiła się po pierwszym sygnale.

— Słucham?

— Pani Tench, mam informacje, o które pani prosiła. Wytropiliśmy tę radiotelefoniczną rozmowę, którą Rachel Sexton odbyła z panią dzisiejszego wieczoru.

— Słucham.

— Operator służb specjalnych mówi, że sygnał pochodził z pokładu okrętu podwodnego USS „Charlotte".

— Co takiego?

— Nie mają współrzędnych, ale są pewni kodu jednostki.

— Cholera jasna! — Tench z trzaskiem odłożyła słuchawkę.

Rozdział 72

Pobyt w akustycznie wytłumionym pomieszczeniu zaczynał przyprawiać Rachel o mdłości. Zatroskane oczy Williama Pickeringa przesunęły się z niej na Michaela Tollanda.

— Jest pan małomówny, panie Tolland.

Tolland podniósł głowę jak uczeń, którego niespodziewanie wywołano do odpowiedzi.

— Słucham?

— Niedawno obejrzałem w telewizji bardzo przekonujący film dokumentalny. — Co teraz sądzi pan o meteorycie?

Tolland był wyraźnie speszony.

— Muszę zgodzić się z doktorem Marlinsonem. Jestem przekonany, że meteoryt i skamieniałości są autentyczne. Znam się na metodach datowania, a wiek kamienia został potwierdzony przez liczne testy. To samo odnosi się do zawartości niklu. Tych wyników nie można sfałszować. Nie ma żadnych wątpliwości, że skała, która powstała sto dziewięćdziesiąt milionów lat temu, wykazuje niespotykaną na Ziemi procentową zawartość niklu oraz zawiera tuziny skamieniałości również datowanych na sto dziewięćdziesiąt milionów lat. Nie wyobrażam sobie innego wyjaśnienia jak tylko to, że NASA znalazła autentyczny meteoryt.

Pickering milczał. Jego twarz wyrażała rozterkę, jakiej Rachel dotąd nie widziała.

— Co mamy zrobić, dyrektorze? — zapytała. — Trzeba powiadomić prezydenta o zaistniałym problemie.

Pickering zmarszczył czoło.

— Miejmy nadzieję, że o nim nie wie.

Serce podeszło jej do gardła. Sugestia Pickeringa była jasna. Prezydent Herney może być w to zamieszany. Wątpiła, ale przecież i on, i NASA mają wiele do zyskania.

— Na nieszczęście z wyjątkiem wydruku z GPR, na którym widać dolny szyb, wszystkie badania potwierdzają wiarygodność odkrycia NASA. — Po złowieszczej pauzie Pickering dodał: — A ten atak na was... — Popatrzył na Rachel. — Wspomniała pani o siłach specjalnych.

— Tak, panie dyrektorze. — Opowiedziała jeszcze raz o improwizowanej amunicji i taktyce napastników.

Pickering z chwili na chwilę miał coraz bardziej nieszczęśliwą minę. Rachel domyślała się, że szef zastanawia się, kto ma dostęp do niewielkiej wojskowej jednostki do zadań specjalnych. Na pewno prezydent. Zapewne Marjorie Tench jako starszy doradca. Całkiem możliwe, że administrator NASA, Lawrence Ekstrom, mający powiązania z Pentagonem. Rozważając niezliczone możliwości, Rachel zdała sobie sprawę, że za atakiem mógł stać każdy, kto zajmuje wysokie stanowisko i ma odpowiednie koneksje.

— Mogę zaraz zadzwonić do prezydenta — zaproponował Pickering — choć nie uważam tego za rozsądne posunięcie, przynajmniej dopóki nie dowiemy się, kto jest w to zamieszany. Kiedy włączymy Biały Dom, będę miał ograniczoną możliwość zapewnienia wam ochrony. Poza tym nie bardzo wiem, co miałbym im powiedzieć. Jeśli meteoryt jest prawdziwy, jak sami uważacie, wtedy dolny szyb i atak na was nie mają sensu. Prezydent będzie miał jak najbardziej uzasadnione prawo do zakwestionowania zasadności moich słów. — Umilkł, jakby znów rozpatrywał różne opcje. — Niezależnie od tego, jaka jest prawda albo kim są gracze, kilku bardzo potężnych ludzi dostanie cięgi, jeśli te informacje wyjdą na jaw. Proponuję umieścić was w bezpiecznym miejscu, zanim pójdziemy na całość.

W bezpiecznym miejscu? Rachel była zaskoczona.

— Myślę, dyrektorze, że na atomowym okręcie podwodnym jesteśmy dość bezpieczni.

— Wasza obecność na okręcie niedługo przestanie być tajemnicą. Zabiorę was stamtąd jak najszybciej. Szczerze mówiąc, poczuję się znacznie lepiej, kiedy wszyscy troje znajdziecie się w moim biurze.

Rozdział 73

Senator Sexton garbił się na kanapie, czując się jak zaszczuty uciekinier. Jego apartament w Westbrooke Place, niespełna przed godziną pełen nowych znajomych i popleczników, teraz był pusty. Zostały tylko kieliszki po koniaku i wizytówki ludzi, którzy dosłownie czmychnęli za drzwi.

Sexton siedział samotnie przed telewizorem, nade wszystko pragnąc go wyłączyć, a zarazem nie będąc w stanie oderwać uwagi od niekończących się komentarzy. To jest Waszyngton; wkrótce komentatorzy porzucą swoje pseudonaukowe i filozoficzne dywagacje, żeby skupić się na polityce. Jak mistrzowie tortur, wcierający kwas w otwarte rany, na okrągło powtarzają rzeczy oczywiste.

— Kilka godzin temu kampania Sextona osiągała szczyty — mówił jeden z analityków. — Obecnie, po odkryciu NASA, z hukiem runęła na ziemię.

Sexton skrzywił się, pociągając łyk koniaku z butelki. Wiedział, że ta noc będzie najdłuższa i najbardziej samotna w jego życiu. Pogardzał Marjorie Tench, bo go wrobiła. Pogardzał Gabrielle Ashe, bo podsunęła mu pomysł o NASA. Pogardzał prezydentem, bo facet miał takie cholerne szczęście. I pogardzał światem, bo świat się z niego wyśmiewał.

— Oczywiście, to katastrofa dla senatora — ciągnął komentator. — Dzięki temu odkryciu prezydent i NASA triumfują. Taka wiadomość ożywiłaby kampanię prezydencką niezależnie od stosunku Sextona do NASA, ale ponieważ dzisiaj senator oznajmił, że obetnie fundusze agencji, jeśli tylko zostanie... Cóż, oświadczenie prezydenta jest ciosem, po którym senator już się nie podniesie.

Dałem się wyprowadzić w pole, pomyślał Sexton. Biały Dom mnie wrobił, cholera.

Analityk uśmiechał się.

— Niedawno NASA przestała cieszyć się zaufaniem Amerykanów, lecz dziś je odzyskała. Szarzy obywatele są przepełnieni poczuciem narodowej dumy. I tak być powinno. Kochają Zacha Herneya, ostatnio jednak zaczęli tracić wiarę w niego. Trzeba przyznać, że prezydent po zarobieniu kilku naprawdę silnych ciosów już leżał na deskach, ale faktem jest, iż pozbierał się w naprawdę wielkim stylu.

Sexton pomyślał o popołudniowej debacie w CNN i zwiesił głowę, czując, że zaraz zwymiotuje. W jednej chwili wytracił cały rozpęd, jakiego nabierał od miesięcy, powoli popychając NASA ku przepaści, a na domiar złego sam ukręcił stryczek na własną szyję. Wyszedł na głupca. Został bezczelnie wykiwany przez Biały Dom. Już bał się wszystkich tych satyrycznych rysunków w jutrzejszych gazetach. Jego nazwisko stanie się puentą co celniejszych kawałów w kraju. Oczywiście koniec z cichym finansowaniem kampanii przez SFF. Wszystko się zmieniło. Ludzie, którzy byli w jego apartamencie, właśnie zobaczyli, jak ich marzenia spływają do ścieku. Prywatyzacja kosmosu uderzyła w ceglany mur.

Senator wypił jeszcze jeden łyk koniaku i podszedł chwiejnie do biurka. Popatrzył na odłożoną słuchawkę. Wiedząc, że to akt masochistycznego samobiczowania, powoli położył ją na widełkach i zaczął liczyć sekundy.

Jeden... dwa... Telefon zadzwonił. Czekał, aż zgłosi się automatyczna sekretarka.

— Senatorze Sexton, tu Judy Olivier z CNN. Chciałabym, żeby skomentował pan odkrycie NASA. Proszę do mnie zadzwonić. — Rozłączyła się.

Sexton znów zaczął liczyć. Jeden... Telefon zaczął dzwonić. Nie odebrał. Następny dziennikarz.

Trzymając butelkę, ruszył w kierunku rozsuwanych drzwi balkonowych. Wyszedł na chłodne powietrze. Opierając się o balustradę, patrzył ponad miastem na oświetloną fasadę Białego Domu. Wydawało się, że światła mrugają radośnie na wietrze.

Sunkinsyny, pomyślał. Od stuleci szukaliśmy dowodów na istnienie życia w kosmosie. Czy musieliśmy znaleźć je w roku wyborów? Pieprzony zbieg okoliczności. W każdym oknie, jak okiem sięgnąć, Sexton widział mrugające telewizory. Zastanowił się, co porabia Gabrielle Ashe. To jej wina. To ona faszerowała go informacjami o kolejnych porażkach NASA.

Podniósł butelkę i pociągnął następny łyk.

Cholerna Gabrielle... to przez nią tak wdepnąłem.

Na drugim końcu miasta Gabrielle Ashe stała w zamieszaniu, jakie panowało w studiu ABC. Oświadczenie prezydenta zupełnie ją zaskoczyło. Tkwiła sztywno na środku pomieszczenia, patrząc w jeden z monitorów, podczas gdy wokół niej rozpętało się pandemonium.

Po pierwszych słowach prezydenta na całym piętrze zapadła martwa cisza. Lecz po chwili wybuchła ogłuszająca wrzawa. Ci ludzie byli zawodowcami. Nie tracili czasu na osobiste refleksje; mogli pozwolić sobie na to dopiero po pracy. W tej chwili świat chciał wiedzieć więcej, a sieć ABC musiała zaspokoić to zapotrzebowanie. Ten temat łączy naukę, historię, dramat polityczny — jest prawdziwą żyłą złota. Tej nocy nikt w mediach nie zmruży oka.

— Gabs? — W głosie Yolandy pobrzmiewało współczucie. — Chodźmy do mojego biura, zanim ktoś się połapie, kim jesteś i zacznie cię maglować na temat wpływu odkrycia na kampanię Sextona.

Gabrielle ruszyła jak przez mgłę do przeszklonego biura. Yolanda posadziła ją w fotelu i podała szklankę wody. Zmusiła się do uśmiechu.

— Spójrz na to od jasnej strony, Gabs. Diabli wzięli kampanię twojego kandydata, ale przynajmniej nie ciebie.

— Dzięki. Super.

Yolanda spoważniała.

— Gabrielle, wiem, że czujesz się parszywie. Twój kandydat właśnie został rozjechany przez ciężarówkę i jeśli chcesz znać moje zdanie, już się nie podniesie. Przynajmniej nie na tyle, żeby zmienić cokolwiek na lepsze. Ale ciesz się, że nikt nie pokazał twojego zdjęcia w telewizji. Poważnie. To dobra wiadomość.

Herney już nie potrzebuje skandalu. Jest teraz zbyt poważną figurą, by gadać o seksie.

Dla Gabrielle była to niewielka pociecha.

— A co do oskarżeń Tench o nielegalne finansowanie kampanii... — Yolanda pokręciła głową. — Mam wątpliwości. Zgoda, Herney nie chce prowadzić kampanii negatywnej. Zgoda, śledztwo dotyczące afery korupcyjnej byłoby niekorzystne dla kraju. Ale czy Herney naprawdę jest takim patriotą, żeby rezygnować z okazji zmiażdżenia opozycji tylko dla dobra morale narodu? Przypuszczam, że Tench naciągnęła prawdę w sprawie finansów Sextona, żeby cię wystraszyć. Zaryzykowała w nadziei, że sama wyskoczysz za burtę i dasz prezydentowi smakowity kąsek w postaci łóżkowej afery. Musisz przyznać, Gabs, że dzisiejszy wieczór byłby idealny na postawienie moralności Sextona pod znakiem zapytania.

Gabrielle lekko pokiwała głową. Skandal byłby ciosem, który złamałby karierę polityczną Sextona... na zawsze.

— Przetrzymałaś ją, Gabs. Marjorie Tench zarzuciła wędkę, ty jednak nie złapałaś przynęty. Jesteś wolna. Będą inne wybory.

Znowu pokiwała głową, nie mając już pewności, w co wierzyć.

— Musisz przyznać — mówiła Yolanda — że Biały Dom sprytnie ograł Sextona, podsuwając mu trop, nakłaniając do wygłoszenia deklaracji i zmuszając do postawienia wszystkiego na kartę NASA.

To wyłącznie moja wina, pomyślała Gabrielle.

— A to wystąpienie Herneya, mój Boże! Genialne! Pomijając znaczenie samego odkrycia, oprawa była majstersztykiem. Przekaz na żywo z Arktyki? Dokument Michaela Tollanda? Dobry Boże, co można wymyślić lepszego? Zach Herney wbił ostatni gwóźdź do trumny Sextona. Nie bez powodu ten facet jest prezydentem.

I będzie przez następne cztery lata...

— Muszę wracać do pracy, Gabs. Siedź tu jak długo chcesz. Spróbuj się pozbierać. — Yolanda ruszyła do drzwi. — Skarbie, zajrzę za parę minut.

Gabrielle została sama. Napiła się, ale woda miała paskudny smak. Podobnie jak wszystko inne. To moja wina, myślała, próbując uspokoić sumienie przez przypominanie sobie przygnębiających konferencji prasowych NASA z ubiegłego roku — komplikacje związane z budową stacji kosmicznej, odłożenie projektu X-33, awarie sond marsjańskich, ciągłe przekraczanie budżetu. Zastanawiała się, czy mogła postąpić inaczej.

Nie, powiedziała sobie. Zrobiłaś wszystko jak trzeba.

Po prostu sprawy przybrały nieprzewidziany obrót.

Rozdział 74

Helikopter marynarki wojennej seahawk z bazy sił powietrznych Thule w północnej Grenlandii otrzymał rozkaz startu alarmowego na tajną operację. Pokonał sto dwadzieścia kilometrów, walcząc z porywistym wiatrem i trzymając się nisko, poza zasięgiem radaru. Posłuszni dziwnym rozkazom piloci zaczęli krążyć nad pustym oceanem w miejscu o określonych współrzędnych.

— Z kim mamy się spotkać? — zawołał drugi pilot z konsternacją. Kazano im zabrać maszynę z wyciągarką, więc spodziewał się operacji ratunkowej. — Jesteś pewny, że współrzędne się zgadzają? — Omiótł reflektorem wzburzone morze, ale pod nimi nie było niczego z wyjątkiem...

— Jasna cholera! — Pilot ściągnął drążek, podnosząc maszynę w górę.

Z wody pod nimi niespodziewanie wyłoniła się czarna góra stali. Ogromny nieoznakowany okręt podwodny szasował balast i wznosił się w chmurze pęcherzy powietrza.

Piloci zaśmieli się nerwowo.

— To pewnie oni.

Zgodnie z rozkazem operacja przebiegała w ciszy radiowej. Na szczycie kiosku otworzył się właz i marynarz zaczął nadawać reflektorem sygnalizacyjnym. Śmigłowiec ustawił się nad okrętem i spuścił uprząż ratowniczą — trzy gumowane pętle na końcu kabla. Minutę później trójka nieznajomych „wisielców" kołysała się pod maszyną, sunąc powoli w górę pod prąd zstępujący łopat.

Kiedy drugi pilot wciągnął ich na pokład — dwóch mężczyzn i kobietę — pierwszy pilot błysnął reflektorem, potwierdzając przyjęcie przesyłki. W ciągu paru sekund ogromny okręt zniknął w morzu, nie pozostawiając śladu swojej obecności.

Pilot opuścił nos maszyny i skierował się na południe, żeby zakończyć misję. Nadciągał sztorm, a ci troje musieli jak najszybciej znaleźć się w bazie Thule, gdzie czekał na nich odrzutowiec. Pilot nie miał pojęcia, dokąd ich zabierze. Wiedział tylko, że rozkazy pochodzą z samej góry i że pasażerowie są niezwykle ważni.

Rozdział 75

Kiedy na Lodowcu Milne'a wreszcie rozpętała się burza, z pełną siłą nacierając na habisferę NASA, kopuła zadygotała tak, jakby gotowa była oderwać się od lodu i poszybować nad morze. Mocno napięte stalowe naciągi wibrowały niczym struny ogromnej gitary, wydając smętne brzęczenie. Generatory na zewnątrz pokasływały, powodując mruganie światła i grożąc pogrążeniem wnętrza w zupełnej ciemności.

Lawrence Ekstrom szedł przez kopułę. Chciałby wynieść się stąd w czorty, ale to niemożliwe. Musi zostać tu jeszcze jeden dzień. Rano ma uczestniczyć w dodatkowej konferencji prasowej, a potem nadzorować przygotowania do transportu meteorytu do Waszyngtonu. W tej chwili marzył wyłącznie o paru godzinach snu; niespodziewane problemy, jakie wystąpiły tego dnia, ogromnie go wyczerpały.

Po raz kolejny wrócił myślami do Wailee Minga, Rachel Sexton, Nory Mangor, Michaela Tollanda i Corky'ego Marlinsona. Parę osób już zwróciło uwagę na nieobecność niezależnych naukowców.

Uspokój się, powtarzał sobie. Wszystko jest pod kontrolą.

Odetchnął głęboko, przypominając sobie, że mieszkańcy całej planety są podekscytowani odkryciem NASA i kosmosem. Życie pozaziemskie nie wzbudziło równie wielkich emocji od czasu słynnego „incydentu z Roswell" w roku 1947 — rzekomej katastrofy statku kosmicznego w Roswell w Nowym Meksyku, do dziś będącym świątynią milionów zwolenników teorii zatajenia wizyty UFO.

W czasie pracy w Pentagonie Ekstrom dowiedział się, że „incydent z Roswell" był niczym więcej, jak tylko wypadkiem, który nastąpił w trakcie realizacji tajnej operacji pod kryptonimem „Projekt Mogul", a będącej doświadczalnym lotem balonu szpiegowskiego przeznaczonego do monitorowania rosyjskich prób nuklearnych. Prototypowe urządzenie zboczyło z kursu i rozbiło się na pustyni w Nowym Meksyku. Pech chciał, że cywil znalazł wrak przed wojskiem.

Niczego nieświadomy ranczer William Brazel natknął się na pole zasłane szczątkami neoprenu i lekkich metali niepodobnych do niczego, co kiedykolwiek widział, i natychmiast zadzwonił do szeryfa. Gazety skwapliwie podchwyciły historię o dziwnym wraku i zainteresowanie społeczeństwa szybko wzrosło. Ponieważ wojsko z uporem odżegnywało się od jakichkolwiek związków z tym incydentem, reporterzy podjęli śledztwo i Projekt Mogul znalazł się w poważnym niebezpieczeństwie. Akurat wtedy, gdy wydawało się, że kwestia balonu szpiegowskiego przestanie być tajna, doszło do czegoś niezwykłego.

Media wysnuły niespodziewany wniosek — uznały, że skrawki futurystycznego tworzywa mogą pochodzić wyłącznie z pozaziemskiego źródła, że są wytworem istot stojących na wyższym poziomie cywilizacyjnym niż ludzie. Zaprzeczenia wojska mogły mieć na celu tylko jedno — zatuszowanie kontaktu z obcymi! Wojskowi byli zbici z tropu tą nową hipotezą, ale przecież nie mieli zamiaru zaglądać darowanemu koniowi w zęby. Podchwycili historię o gościach z kosmosu i zaczęli ją nakręcać; wiara, że kosmici odwiedzali Nowy Meksyk, stanowiła znacznie mniejsze zagrożenie dla bezpieczeństwa narodowego, niż zdradzenie się z Projektem Mogul przed Rosjanami.

Aby uwiarygodnić tę przykrywkę, służby wywiadowcze szybko utajniły „incydent z Roswell" i zaczęły fabrykować „przecieki" — stąd wzięły się plotki o kontaktach z obcymi, o wydobytych statkach kosmicznych, nawet o tajemniczym Hangarze 18 w bazie sił powietrznych Wright-Patterson w Dayton, gdzie rząd jakoby przechowywał w lodzie ciała kosmitów. Świat kupił te bajki i gorączka Roswell rozprzestrzeniła się na cały świat. Od tej chwili, ilekroć cywil widział na niebie jakiś supernowoczesny wojskowy samolot, wywiad po prostu odkurzał stary kamuflaż.

To nie samolot, tylko statek kosmiczny!

Ekstrom dziwił się, że to proste oszustwo sprawdza się do dzisiaj.

Wybuchał śmiechem za każdym razem, gdy media informowały o nagłej lawinie doniesień o zaobserwowaniu UFO. Po prostu jakimś szczęściarzom udało się zobaczyć jeden z pięćdziesięciu siedmiu superszybkich bezzałogowych samolotów zwiadowczych NRO znanych jako global hawks — podłużnych, zdalnie sterowanych, w niczym nieprzypominających żadnych innych maszyn latających.

Ekstrom myślał z politowaniem o tych niezliczonych turystach, którzy wciąż pielgrzymują na pustynię w Nowym Meksyku, żeby filmować nocne niebo. Od czasu do czasu komuś dopisywało szczęście i zdobywał „niepodważalny dowód" na istnienie UFO — zdjęcia jasnych świateł, bardziej zwrotnych i szybszych od samolotów zbudowanych przez ludzi. Oczywiście ludzie nie mają pojęcia o istnieniu dwunastu lat opóźnienia pomiędzy tym, czego potrafi dokonać rząd, a tym, co widzą na co dzień. Obserwatorom UFO po prostu trafiała się gratka w postaci ujrzenia konstruowanych w Strefie 51 samolotów nowej generacji, z których wiele było genialnymi projektami inżynierów NASA. Wywiad oczywiście nie wyprowadza nikogo z błędu; lepiej, żeby świat przeczytał w gazetach o kolejnych odwiedzinach UFO, niż gdyby poznał prawdziwe możliwości lotnictwa wojskowego USA.

Ale teraz wszystko się zmieniło, pomyślał Ekstrom. Za parę godzin pozaziemski mit stanie się potwierdzoną rzeczywistością. Na zawsze.

— Administratorze? — Podbiegł do niego technik. — Pilny telefon w PSC.

Ekstrom odwrócił się z westchnieniem. Do diabła, o co chodzi? Ruszył do przyczepy łączności.

Technik szedł obok niego.

— Chłopcy od radaru w PSC byli ciekawi...

— Tak? — Ekstrom wciąż błądził myślami gdzie indziej.

— Niedaleko brzegu wykryli wielki okręt podwodny. Zastanawialiśmy się, dlaczego pan o nim nie wspomniał.

Ekstrom podniósł wzrok.

— Słucham?

— Okręt podwodny. Mógł pan przynajmniej powiedzieć operatorom radaru. Dodatkowe zabezpieczenie od strony morza jest zrozumiałe, ale trochę ich zdziwiło.

Ekstrom stanął jak wryty.

— Jaki okręt podwodny?

Technik też się zatrzymał, wyraźnie zaskoczony reakcją administratora.

— Nie bierze udziału w naszej operacji?

— Nie! Gdzie on jest?

Technik głośno przełknął ślinę.

— Jakieś pięć kilometrów od brzegu. Złapaliśmy go na radarze przez przypadek. Wynurzył się tylko na parę minut. Dał całkiem duży punkt świetlny. Doszliśmy do wniosku, że poprosił pan marynarkę o ochronę operacji.

Ekstrom spojrzał na niego zdziwiony.

— Ależ skąd!

Technikowi załamał się głos:

— W takim razie muszę pana poinformować, że niedawno ten okręt spotkał się z helikopterem. Wyglądało to na wymianę załogi. Szczerze mówiąc, byliśmy pod wrażeniem. Przesiadanie się przy takim wietrze to nie w kij dmuchał.

Ekstrom czuł, jak napinają mu się mięśnie. Do diabła, czego szukał okręt podwodny koło Wyspy Ellesmere'a? Dlaczego znalazł się tutaj bez mojej wiedzy?

— Widzieliście, w którą stronę odleciał śmigłowiec?

— W kierunku bazy w Thule. Na połączenie z lądem, jak sądzę.

Ekstrom nie odezwał się przez całą drogę do PSC. Kiedy wszedł do ciasnego wnętrza, w słuchawkach zachrypiał znajomy głos.

— Mamy problem — odezwała się Tench, pokasłując. — Związany z Rachel Sexton.

Rozdział 76

Senator Sexton nie był pewien, jak długo spoglądał w przestrzeń, gdy usłyszał łomotanie. Kiedy uznał, że ten efekt nie jest wewnętrznym skutkiem wypitego alkoholu, tylko pukaniem do drzwi, podniósł się z kanapy, schował butelkę i wyszedł do holu.

— Kto tam?! — wrzasnął, nie będąc w nastroju do przyjmowania gości.

Ochroniarz podał nazwisko niespodziewanego przybysza. Sexton natychmiast wytrzeźwiał. Szybko. Miał nadzieję, że odbędzie tę rozmowę nie wcześniej niż rankiem.

Wziął głęboki oddech, przeczesał palcami włosy i otworzył drzwi. Twarz była aż nazbyt znajoma — wyrazista i czerstwa, choć mężczyzna miał siedemdziesiąt parę lat. Sexton spotkał się z nim rano w białym minivanie, fordzie windstarze, na hotelowym parkingu. Na pewno dzisiaj rano? — zastanowił się. Boże, jak bardzo wszystko się zmieniło od tamtej chwili.

— Mogę wejść? — zapytał ciemnowłosy przybysz.

Sexton odsunął się na bok, robiąc miejsce szefowi fundacji.

— Jest pan zadowolony z przebiegu spotkania? — zapytał mężczyzna, gdy Sexton zamknął drzwi.

Czy jestem zadowolony? Sexton zastanowił się, czy gość przypadkiem nie żyje pod kloszem.

— Było wspaniale do czasu wystąpienia prezydenta.

Starszy mężczyzna z niezadowoloną miną pokiwał głową.

— Tak. Niewiarygodne zwycięstwo. Zaszkodzi naszej sprawie.

Zaszkodzi naszej sprawie? Optymista. Po dzisiejszym triumfie

NASA prędzej ten facet trafi na cmentarz, niż SFF osiągnie swoje cele prywatyzacji.

— Od wielu lat podejrzewałem, że pojawi się dowód — powiedział gość. — Nie wiedziałem, jak i kiedy, ale prędzej czy później musiało to nastąpić.

Sexton osłupiał.

— Nie jest pan zaskoczony?

— Matematyka kosmosu wręcz żąda istnienia innych form życia. — Mężczyzna ruszył do salonu. — Nie jestem zaskoczony tym odkryciem. Intelektualnie jestem poruszony. Duchowo, pełen nabożnej grozy. Politycznie jestem głęboko zaniepokojony. Czas nie mógłby być mniej odpowiedni.

Sexton zastanowił się, dlaczego do niego przyszedł. Jasne jak słońce, że nie po to, by poprawić mu nastrój.

— Jak pan wie — ciągnął gość — firmy członkowskie SFF wydały miliony, próbując otworzyć granice kosmosu dla prywatnych obywateli. Ostatnio znaczna część tych pieniędzy była przeznaczana na pańską kampanię.

Sexton poczuł się zmuszony do obrony.

— Nie miałem żadnego wpływu na dzisiejszą katastrofę. Biały Dom wmanewrował mnie w atak na NASA!

— Tak. Prezydent dobrze to rozegrał. A jednak być może nie wszystko stracone. — W oczach mężczyzny zapaliły się dziwne iskierki nadziei.

Stary zdziecinniał, zadecydował Sexton. Wszystko jest stracone bezpowrotnie. W tej chwili każda stacja telewizyjna trąbi o klęsce jego kampanii.

Mężczyzna wszedł do salonu, usiadł na kanapie i wbił w niego zmęczone oczy.

— Pamięta pan problemy, jakie NASA miała początkowo z oprogramowaniem do wykrywania anomalii, zainstalowanym na pokładzie satelity PODS? — zapytał.

Sexton nie miał pojęcia, do czego zmierza rozmówca. A co za różnica, do cholery? PODS znalazł meteoryt ze skamieniałościami!

— Jeśli pan pamięta — mówił mężczyzna — oprogramowanie pokładowe z początku źle działało. Zrobił pan z tego wielką aferę w prasie.

— Jak należało! — Sexton usiadł naprzeciwko gościa. — To było kolejne niepowodzenie NASA.

Gość pokiwał głową.

— Zgadzam się. Ale niedługo później NASA zwołała konferencję prasową i ogłosiła, że programiści wymyślili jakieś obejście, jakąś łatkę do oprogramowania.

Sexton nie oglądał tamtej konferencji prasowej, ale słyszał, że była krótka, bezbarwna i prawie niewarta zainteresowania. Kierownik projektu PODS podał nudny techniczny opis, w jaki sposób NASA poradziła sobie z drobną usterką w programie PODS, i zapewnił, że wszystko jest pod kontrolą.

— Z uwagą śledziłem informacje dotyczące PODS, odkąd satelita nawalił. — Mężczyzna wyjął kasetę wideo, podszedł do telewizora i wsunął ją do odtwarzacza. — To powinno pana zaciekawić.

Na ekranie ukazał się pokój prasowy w kwaterze głównej NASA w Waszyngtonie. Na podium zajął miejsce elegancko ubrany mężczyzna i powitał słuchaczy. U dołu ekranu pojawił się napis:

CHRIS HARPER, kierownik sekcji
Polarny Orbitalny Skaner Gęstości (PODS)

Chris Harper, wysoki i elegancki, przemawiał ze spokojną godnością Amerykanina, który wciąż jest dumny ze swoich europejskich korzeni. Mówił elokwentnie, z wycyzelowanym akcentem, i zwracał się do prasy z dużą pewnością siebie, choć miał do zakomunikowania złe wieści:

— Satelita PODS jest na orbicie i funkcjonuje bez zarzutu, wystąpił jednak drobny problem z komputerami pokładowymi. Ponoszę całkowitą odpowiedzialność za ten niewielki defekt. Chodzi dokładnie o wadliwy wskaźnik voxeli * filtra FIR, co oznacza, że program wykrywania anomalii nie działa właściwie. Pracujemy nad usunięciem usterki.

Zebrani westchnęli, najwyraźniej przyzwyczajeni do zawodów sprawianych przez NASA.

— Jaki to ma wpływ na pracę satelity? — zapytał ktoś z sali.

Harper odparł jak profesjonalista, z przekonaniem i rzeczowo:

— Proszę wyobrazić sobie idealnie zdrowe oczy bez sprawnego mózgu. Zasadniczo satelita PODS widzi doskonale, ale nie ma

---

* voxele — trójwymiarowe piksele

pojęcia, na co patrzy. Celem misji PODS jest szukanie kieszeni wody w polarnej pokrywie lodowej, ale bez programu do analizowania gęstości PODS nie potrafi zinterpretować danych, które napływają ze skanerów. Powinniśmy usunąć usterkę podczas następnej misji wahadłowca.

Rozległ się jęk zawodu.

Mężczyzna popatrzył na Sextona.

— Całkiem dobrze poradził sobie z przekazaniem złych wiadomości, prawda?

— Jest z NASA — burknął Sexton. — To ich specjalność.

Ekran przez chwilę był pusty, a potem rozpoczęło się nagranie z następnej konferencji prasowej.

— To druga konferencja, odbyła się kilka tygodni temu — wyjaśnił mężczyzna. — Późno w nocy. Niewielu ludzi ją oglądało. Tym razem doktor Harper ma do przekazania dobre wieści.

Tym razem Chris Harper wyglądał niechlujnie i sprawiał wrażenie zdenerwowanego.

— Z zadowoleniem mogę państwa poinformować — zaczął tonem dalekim od optymizmu — że NASA zlikwidowała problem związany z oprogramowaniem satelity PODS. — Wyjaśnił, że obejście polegało na przekierowaniu strumienia surowych danych z PODS i przepuszczeniu ich przez komputery na Ziemi, gdzie zostały poddane obróbce. Wszyscy byli pod wrażeniem. Wyjaśnienie brzmiało przekonująco i wzbudziło entuzjazm. Wystąpienie Harpera zostało nagrodzone brawami.

— Kiedy więc możemy spodziewać się wyników? — padło pytanie z widowni.

Harper był zlany potem.

— Za parę tygodni.

Znów rozległy się oklaski. Podniosły się ręce.

— To wszystko, co mam do powiedzenia — oświadczył Harper. Wyglądał na chorego, gdy zbierał z blatu papiery. — PODS pracuje bez zarzutu. Niedługo będziemy mieli wyniki. — Praktycznie zbiegł ze sceny.

Sexton ściągnął brwi. Musiał przyznać, że w istocie było to dziwne. Dlaczego Chris Harper wyglądał na zadowolonego, gdy podawał złe wieści, i na strapionego, kiedy dzielił się dobrymi? Powinno być na odwrót. Sexton nie oglądał tej konferencji, ale później czytał o „zreperowaniu" programu. Starania naukowców nie poprawiły ogólnego wizerunku NASA, podejście społeczeństwa nie uległo zmianie — PODS był po prostu kolejnym felernym projektem, naprawionym tylko prowizorycznie.

Mężczyzna wyłączył telewizor.

— NASA stwierdziła, że doktor Harper tamtego dnia był chory. — Po chwili dodał: — A ja myślę, że kłamał.

Kłamał? Sexton spojrzał na niego ze zdumieniem. Nie miał pojęcia, z jakiego powodu Harper miałby kłamać w sprawie oprogramowania. A jednak, ponieważ sam wiele razy uciekał się do kłamstwa, umiał na pierwszy rzut oka rozpoznać niedoświadczonego łgarza. Musiał przyznać, że zachowanie doktora Harpera wyglądało podejrzanie.

— Nie rozumie pan? — zapytał mężczyzna. — Konferencja prasowa Chrisa Harpera, na pozór nieistotna, jest w gruncie rzeczy najważniejszą w dziejach agencji. — Po chwili milczenia dodał: — Właśnie to opisane przez niego obejście umożliwiło satelicie znalezienie meteorytu.

Sexton zastanowił się. A ty myślisz, że kłamał?

— Ale jeśli Harper kłamał i program PODS w rzeczywistości nie działa, jak w takim razie NASA znalazła meteoryt?

Mężczyzna uśmiechnął się.

— No właśnie.

Rozdział 77

Amerykańska wojskowa flota powietrzna utworzona z maszyn skonfiskowanych handlarzom narkotykami składała się z ponad tuzina prywatnych odrzutowców, łącznie z trzema zmodyfikowanymi G-4, których używano do przewożenia wojskowych VIP-ów. Pół godziny wcześniej jeden z G-4 oderwał się od pasa w Thule, przedarł przez burzowe chmury i popędził na południe przez kanadyjską noc do Waszyngtonu. Rachel Sexton, Michael Tolland i Corky Marlinson mieli do dyspozycji ośmioosobową kabinę. Ubrani w jednakowe niebieskie dresy i czapki z USS „Charlotte", wyglądali jak grupa trochę zmęczonych sportowców.

Corky Marlinson spał z tyłu kabiny, nie zważając na ryk silników. Tolland siedział bardziej z przodu, ze zmęczeniem patrząc przez okno na morze. Rachel zajmowała miejsce obok niego. Wiedziała, że nie zaśnie, nawet gdyby połknęła pigułki nasenne. Rozmyślała o tajemnicy meteorytu i o przeprowadzonej w martwym pokoju rozmowie z Pickeringiem. Przed rozłączeniem się dyrektor NRO podał jej dwie niepokojące informacje.

Po pierwsze, Marjorie Tench twierdziła, że ma nagranie jej wystąpienia przed personelem Białego Domu. Groziła, że wykorzysta je jako dowód, jeśli Rachel spróbuje odwołać swoje słowa. Fakt ten był wyjątkowo denerwujący również z tego względu, że przecież Rachel wyraźnie powiedziała Zachowi Herneyowi, iż jej wystąpienie ma mieć charakter wewnętrzny. Najwyraźniej prezydent zbagatelizował jej prośbę.

Druga niepokojąca informacja wiązała się z debatą CNN, w jakiej po południu uczestniczył jej ojciec. Marjorie Tench zdecydowała się na jedno z nieczęstych publicznych wystąpień i zręcznie nakłoniła senatora do zajęcia jednoznacznie wrogiego stanowiska wobec NASA. Mówiąc dokładnie, sprowokowała go do opryskliwego wyrażenia sceptycznej opinii na temat możliwości znalezienia życia pozaziemskiego.

Prędzej kaktus mu na dłoni wyrośnie! Tak właśnie wedle Pickeringa powiedział jej ojciec, kiedy rozmowa zeszła na temat poszukiwania życia w kosmosie. Rachel zastanowiła się, jak Tench tego dokonała. Najwyraźniej Biały Dom starannie przygotował taktykę, ustawiając wszystkie kostki domina przygotowane do wielkiego upadku Sextona. Prezydent i Marjorie Tench, niczym para politycznych zapaśników, wykonała zręczny manewr przed zadaniem ciosu. Podczas gdy prezydent dostojnie trzymał się poza matą, Tench wkroczyła do akcji, krążąc i chytrze wystawiając senatora.

Prezydent powiedział, że poprosił NASA o opóźnienie ogłoszenia odkrycia, aby zapewnić więcej czasu na potwierdzenie wyników badań. Teraz Rachel zrozumiała, że ze zwłoki płynęły inne korzyści — Biały Dom zyskał czas na ukręcenie sznura, na którym miał powiesić się senator.

Rachel nie współczuła ojcu, ale uświadomiła sobie, że pod ciepłem i życzliwością prezydenta Zacha Herneya kryje się przebiegły rekin. To fakt, nie zostaje się najpotężniejszym przywódcą na świecie bez instynktu zabójcy. Pytanie, czy rekin był niewinnym widzem, czy też uczestnikiem gry.

Wstała, żeby rozprostować nogi. Idąc przejściem między fotelami, czuła narastającą frustrację. Dlaczego kawałki tej układanki tak do siebie pasują? Pickering z charakterystyczną dla niego nieubłaganą logiką doszedł do wniosku, że meteoryt musi być fałszywy. Corky i Tolland z naukowym przekonaniem upierają się, że jest autentyczny. Ona wie tylko to, co widzi — wyciągniętą z lodu osmaloną skałę ze skamieniałościami.

Stanęła w tylnej części kabiny i popatrzyła na astrofizyka, pokiereszowanego po ciężkich przejściach. Opuchlizna już schodziła z jego policzka, szwy wyglądały nieźle. Spał, pochrapując i zaciskając w pulchnych dłoniach krążek wycięty z meteorytu, jakby to była przytulanka.

Rachel delikatnie zabrała mu próbkę. Podniosła ją do światła, przyjrzała się skamieniałościom. Usuń wszystkie założenia, przykazała sobie, zmuszając się do zmiany sposobu rozumowania. Ustanów na nowo ciąg uzasadnień. Przeprowadzenie dowodu od zera było starą sztuczką NRO. Praktykowali ją wszyscy analitycy informacji, kiedy poszczególne elementy niezupełnie do siebie pasowały.

Przeprowadź dowodzenie od początku.

Zaczęła spacerować po kabinie.

Czy ten kamień jest dowodem na istnienie życia pozaziemskiego?

Dowód, jak wiedziała, jest wnioskiem opartym na piramidzie faktów, na szerokiej podstawie zaakceptowanych informacji, z których wysuwa się bardziej szczegółowe twierdzenia.

Usuń całą podstawę założeń. Zacznij od samego początku.

Co mamy?

Skałę.

Zastanawiała się nad tym przez chwilę. Skałę. Skałę ze skamieniałymi stworzeniami. Poszła w stronę dziobu i usiadła obok Michaela Tollanda.

— Mike, pobawmy się.

Tolland odwrócił się od okna z roztargnionym wyrazem twarzy, głęboko zamyślony.

— W co?

Podała mu próbkę.

— Będziemy udawali, że widzisz tę skałę po raz pierwszy. Nie zdradziłam ci, skąd pochodzi ani jak została znaleziona. Co o niej powiesz?

Tolland westchnął posępnie.

— Zabawne, że pytasz. Właśnie chodziły mi po głowie dziwne myśli...

Setki kilometrów za Rachel i Tollandem samolot o dziwnej sylwetce mknął na południe, trzymając się nisko nad oceanem. Na pokładzie znajdowali się milczący żołnierze Delta Force. Niejeden raz bywali wycofywani w pośpiechu z miejsca akcji, ale nigdy w ten sposób.

Ich kontroler był wściekły.

Wcześniej Delta Jeden poinformował go, że niespodziewane wydarzenia na lodowcu nie pozostawiły jego grupie innego wyboru, jak zastosować rozwiązanie siłowe, które polegało na wyeliminowaniu czterech cywilów, w tym Rachel Sexton i Michaela Tollanda.

Kontroler był wstrząśnięty. Najwyraźniej nie uwzględnił w planach zabijania, choć stanowiło ono autoryzowany środek ostateczny.

Później dowiedział się, że sytuacja wygląda zupełnie inaczej, niż przedstawił to Delta Jeden, i jego niezadowolenie przerodziło się we wściekłość.

— Twój zespół zawiódł! — wysyczał, a mechaniczny ton urządzenia szyfrującego ledwo maskował wściekłość. — Trzy z twoich czterech celów nadal żyją!

To niemożliwe! — pomyślał Delta Jeden.

— Przecież widzieliśmy...

— Nawiązali kontakt z okrętem podwodnym i są teraz w drodze do Waszyngtonu.

— Co takiego?!

Głos kontrolera zabrzmiał niezwykle groźnie:

— Słuchaj uważnie. Zaraz podam nowe rozkazy. Tym razem nie zawiedź.

Rozdział 78

Senator Sexton naprawdę zobaczył promyk nadziei, gdy odprowadzał niespodziewanego gościa do windy. Szef SFF, jak się okazało, nie przyszedł go zrugać, tylko podnieść na duchu i zapewnić, że bitwa jeszcze nie dobiegła końca.

W pancerzu NASA być może istnieje rysa.

Nagranie dziwnej konferencji prasowej przekonało Sextona, że stary miał rację — kierownik misji PODS, Chris Harper, kłamał. Ale dlaczego? I jeśli nie naprawili usterki w oprogramowaniu PODS, to jak znaleźli meteoryt?

W drodze do windy starszy mężczyzna powiedział:

— Czasami do ujawnienia całości wystarcza jedna nić. Być może znajdziemy sposób, żeby podkopać zwycięstwo NASA od wewnątrz. Rzucić cień wątpliwości. Kto wie, do czego to doprowadzi? — Zwrócił na niego zmęczone oczy. — Nie mam zamiaru poddawać się bez walki, senatorze. I wierzę, że pan również nie jest gotów do złożenia broni.

— Oczywiście, że nie — zapewnił Sexton, starajac się, by jego głos brzmiał zdecydowanie. — Zaszliśmy za daleko.

— Chris Harper skłamał w sprawie naprawienia PODS — dodał mężczyzna, już stojąc w windzie. — A my musimy wiedzieć dlaczego.

— Dowiem się tego jak najszybciej — obiecał Sexton. Znam odpowiednią osobę.

— To dobrze. Od tego zależy pańska przyszłość.

Sexton wracał do mieszkania nieco lżejszym krokiem. Trochę przejaśniło mu się w głowie. NASA kłamała w sprawie PODS. Pytanie, jak to udowodnić.

Jego myśli już biegły do Gabrielle Ashe. Gdziekolwiek jest, musi czuć się koszmarnie. Bez wątpienia widziała konferencję prasową i teraz stoi gdzieś na gzymsie, przygotowując się do skoku. Wysunięta przez nią propozycja uczynienia z NASA najważniejszej kwestii w kampanii zrujnowała jego karierę.

Jest moją dłużniczką, pomyślał Sexton. I dobrze o tym wie.

Gabrielle już dowiodła, że ma smykałkę do wydobywania sekretów NASA. Ma swoje źródło, pomyślał Sexton. Od tygodni zdobywała wewnętrzne informacje agencji. Ma znajomości, z którymi się nie zdradza. Kontakty, dzięki którym może uzyskać informacje dotyczące PODS. Co więcej, dzisiaj będzie miała silną motywację. Ma dług do spłacenia i Sexton przypuszczał, że zrobi wszystko, byle tylko odzyskać jego względy.

Gdy zbliżył się do drzwi apartamentu, ochroniarz skinął głową.

— Dobry wieczór, senatorze. Mam nadzieję, że dobrze zrobiłem, wpuszczając Gabrielle. Powiedziała, że koniecznie musi z panem porozmawiać.

Sexton stanął jak wryty.

— Słucham?

— Pani Ashe. Miała dla pana ważne informacje, dlatego ją wpuściłem.

Sexton zesztywniał. Popatrzył na drzwi mieszkania. Do diabła, o czym ten facet mówi?

Mina ochroniarza wyrażała zmieszanie i zaniepokojenie.

— Senatorze, dobrze się pan czuje? Pamięta pan, prawda? Gabrielle przyszła w czasie waszego spotkania. Rozmawiała z panem, prawda? Przecież musiała rozmawiać. Była u pana jakiś czas.

Sexton stał przez długą chwilę, czując przyspieszające tętno. Ten idiota wpuścił ją do mojego mieszkania w czasie prywatnego spotkania z SFF? Gabrielle była w jego apartamencie, a potem wyszła bez słowa? Sexton mógł się tylko domyślać, co usłyszała. Tłumiąc gniew, zmusił się do uśmiechu.

— Aha, tak! Przepraszam. Jestem wykończony. Poza tym wypiłem parę drinków. Rzeczywiście rozmawiałem z panią Ashe. Postąpiłeś właściwie.

Na twarzy ochroniarza odmalowała się ulga.

— Czy po wyjściu powiedziała, dokąd idzie?

Ochroniarz pokręcił głową.

— Nie, bardzo się spieszyła.

— W porządku, dzięki.

Sexton wszedł do mieszkania, gotując się ze złości. Czy moje polecenie było aż tak bardzo skomplikowane? Żadnych gości! Musi przyjąć, że jeśli Gabrielle spędziła w mieszkaniu jakiś czas i wymknęła się bez słowa, to usłyszała rzeczy, które nie były przeznaczone dla jej uszu. Akurat dzisiaj.

Senator Sexton dobrze wiedział, że nie stać go na utratę zaufania Gabrielle Ashe; kobiety potrafią stać się mściwe i głupie, kiedy czują się oszukane. Musi ściągnąć ją z powrotem do swojego obozu. Dziś potrzebuje jej bardziej niż kiedykolwiek.

Rozdział 79

Gabrielle Ashe siedziała sama w przeszklonym biurze Yolandy na trzecim piętrze studiów telewizyjnych ABC i patrzyła na wytarty dywan. Zawsze szczyciła się swoim instynktem, który bezbłędnie podpowiadał jej, komu może zaufać. Teraz, po raz pierwszy od lat, czuła się osamotniona i nie była pewna, w którą stronę się zwrócić.

Oderwała oczy od dywanu, gdy zadzwonił telefon komórkowy. Zgłosiła się z niechęcią:

— Gabrielle Ashe.

— Gabrielle, to ja.

Od razu poznała głos senatora Sextona, choć, zważywszy na okoliczności, brzmiał zaskakująco spokojnie.

— Miałem koszmarny wieczór — powiedział — więc słuchaj i nie przerywaj. Jestem pewien, że widziałaś konferencję prasową. Chryste, zagraliśmy złymi kartami. Niedobrze mi z tego powodu. Prawdopodobnie się obwiniasz. Nie rób tego. Do licha, kto mógł to przewidzieć? To nie twoja wina. W każdym razie, posłuchaj. Myślę, że możemy znów stanąć na nogi.

Gabrielle podniosła się, nie mając pojęcia, o czym on mówi. Nie takiej reakcji oczekiwała.

— Wieczorem przyjąłem przedstawicieli prywatnego przemysłu kosmonautycznego i...

— Tak? — bąknęła, zdumiona, że się do tego przyznał. — To znaczy... nie wiedziałam.

— Tak, nic ważnego. Zaprosiłbym cię, ale ci faceci są przeczuleni na punkcie prywatności. Niektórzy z nich finansują moją kampanię i nie życzą sobie, żeby to rozgłaszać.

Gabrielle czuła się całkowicie rozbrojona.

— Ale... czy to nie jest sprzeczne z prawem?

— Sprzeczne z prawem? Jasne, że nie! Dotacje nie przekraczają dozwolonych dwóch tysięcy dolarów. Drobnica. Ci faceci niewiele mogą, lecz mimo to wysłuchałem ich biadolenia. Nazwij to przyszłościową inwestycją. Nie wspominałem o niej, bo, szczerze mówiąc, na pierwszy rzut oka ten układ nie wygląda zbyt ciekawie. Gdyby Biały Dom coś zwęszył, zrobiłby z tego wielką aferę. W każdym razie nie o to chodzi. Chcę ci powiedzieć, że po tym wieczornym spotkaniu rozmawiałem z szefem SFF...

Przez kilka sekund, choć Sexton wciąż mówił, Gabrielle słyszała tylko szum swojej krwi, gdy rumieniec wstydu zalewał jej policzki. Bez najmniejszej aluzji z jej strony senator spokojnie przyznał się do wieczornego spotkania z przedstawicielami prywatnych firm kosmonautycznych. Absolutnie legalne. I pomyśleć, co była gotowa zrobić! Chwała Bogu, że Yolanda ją powstrzymała. Niemal wyskoczyłam za burtę dla Marjorie Tench!

— ...tak więc powiedziałem szefowi SFF — ciągnął senator — że możesz zdobyć dla nas tę informację.

Gabrielle wróciła do rzeczywistości.

— W porządku.

— Zakładam, że wciąż masz kontakt z osobą, która od kilku miesięcy przekazywała ci wewnętrzne informacje NASA.

Marjorie Tench. Gabrielle wzdrygnęła się. Wiedziała, że nie może powiedzieć senatorowi, iż informator manipulował nią od samego początku.

— Hm... chyba tak — skłamała.

— Dobrze. Potrzebuję pewnych informacji. Natychmiast.

Gabrielle zdała sobie sprawę, że nie doceniła senatora Sedgewicka Sextona. Jego blask, który nieco przygasł, odkąd zaczęła śledzić jego karierę, tej nocy zapłonął na nowo. W obliczu tego, co z pozoru wyglądało na śmiertelny cios zadany jego kampanii, Sexton planował kontratak. I chociaż to ona zwiodła go na niefortunną drogę, nie zamierza jej ukarać, tylko daje szansę rehabilitacji.

A Gabrielle chciała się zrehabilitować.

Niezależnie do tego, co będzie musiała zrobić.

Rozdział 80

William Pickering patrzył przez okno na daleką linię świateł na Leesburg Highway. Stojąc samotnie na czubku świata, często myślał o niej.

Mimo całej tej władzy nie mogłem jej uratować...

Jego córka, Diana, zginęła na Morzu Czerwonym na pokładzie niewielkiego eskortowca, na którym szkoliła się na nawigatora. W pewne słoneczne popołudnie, gdy okręt stał na kotwicy w bezpiecznej zatoce, podpłynęła do niego płaskodenna łódź załadowana materiałami wybuchowymi. Kierowana przez dwóch terrorystów samobójców, eksplodowała po zderzeniu z kadłubem. Diana Pickering i trzynastu innych młodych amerykańskich żołnierzy poniosło śmierć.

William Pickering był zdruzgotany. Na wiele tygodni pogrążył się w rozpaczy. Kiedy stwierdzono, że organizatorem ataku była znana komórka terrorystyczna, od lat bez powodzenia namierzana przez CIA, rozpacz przerodziła się w gniew. Pickering wmaszerował do kwatery głównej CIA i zażądał odpowiedzi.

Odpowiedzi, jakie uzyskał, były trudne do przełknięcia.

Okazało się, że CIA od wielu miesięcy była gotowa i czekała tylko na zdjęcia satelitarne o wysokiej rozdzielczości, żeby zaplanować precyzyjny atak na górską kryjówkę terrorystów w Afganistanie. Zdjęcia miały zostać zrobione przez satelitę NRO o nazwie Vortex 2, tego, który został zniszczony na płycie wyrzutni przez wybuch rakiety wynoszącej NASA. Z tej przyczyny atak CIA został odłożony, a Diana Pickering straciła życie.

Rozum mówił mu, że agencja nie ponosi bezpośredniej winy, ale sercu trudno było wybaczyć. Dochodzenie w sprawie eksplozji rakiety wykazało, że inżynierowie odpowiedzialni za zespół wtryskowy użyli materiałów gorszej jakości, żeby nie przekroczyć budżetu.

— Gdy chodzi o loty bezzałogowe, NASA stara się minimalizować koszty — wyjaśnił na konferencji prasowej Lawrence Ekstrom. — W tym przypadku wynik rzeczywiście okazał się daleki od optymalnego. Zajmiemy się tą sprawą.

Daleki od optymalnego. Diana Pickering nie żyła.

Co więcej, ponieważ satelita szpiegowski był tajny, społeczeństwo nie dowiedziało się, że NASA ponosi winę nie tylko za zniszczenie projektu wartego 1,2 miliarda dolarów, lecz również, pośrednio, za śmierć wielu Amerykanów.

— Panie dyrektorze? — Pickering drgnął, gdy z interkomu popłynął głos sekretarki. — Linia numer jeden. Marjorie Tench.

Otrząsnął się ze wspomnień i spojrzał na telefon. Znowu? Wydawało się, że światełko mruga ze zniecierpliwieniem. Ściągnął brwi, podnosząc słuchawkę.

— Pickering.

— Co panu mówiłam? — W głosie Tench wrzała wściekłość.

— Słucham?

— Rachel Sexton się z panem kontaktowała. O co pana prosiłm? Była na okręcie podwodnym, do jasnej cholery! Proszę to wyjaśnić!

Pickering od razu zrozumiał, że zaprzeczanie nie ma sensu; Tench dobrze odrobiła pracę domową. Był zaskoczony, że dowiedziała się o „Charlotte", ale przecież miała władzę i umiała ją wykorzystać, by znaleźć odpowiedź.

— Tak, pani Sexton skontaktowała się ze mną.

— Załatwił pan transport, nie informując mnie o niczym.

— Załatwiłem transport. To się zgadza. — Za dwie godziny Rachel Sexton, Michael Tolland i Corky Marlinson mają przybyć do leżącej niedaleko Waszyngtonu bazy sił powietrznych Bollings.

— Dlaczego nie zostałam powiadomiona?

— Rachel Sexton zgłosiła bardzo niepokojące zastrzeżenia.

— Dotyczące autentyczności meteorytu... i zamachu na swoje życie?

— Między innymi.

— Kłamie, to chyba jasne.

— Czy pani wie, że jej historię potwierdzają dwie osoby?

Tench milczała przez chwilę.

— Tak. To bardzo niepokojące. Biały Dom jest bardzo zaniepokojony tymi twierdzeniami.

— Biały Dom czy może pani?

Jej głos stał się ostry jak brzytwa.

— Z pańskiego punktu widzenia, dyrektorze, dzisiaj nie ma różnicy.

Jej obcesowość nie zrobiła na nim wrażenia. Był przyzwyczajony do zarozumiałych polityków i ich asystentów, próbujących uzyskać taką pozycję, która zapewni im przewagę nad środowiskiem wywiadu. Trzeba jednak przyznać, że niewielu postępowało ze zdecydowaniem dorównującym temu, jakim wykazywała się Marjorie Tench.

— Czy prezydent wie, że pani do mnie dzwoni?

— Szczerze mówiąc, dyrektorze, dziwię się, że choćby dla żartu zajął się pan tymi wyssanymi z palca bredniami.

Nie odpowiedziałaś na moje pytanie.

— Nie wyobrażam sobie, z jakiego powodu ci ludzie mieliby kłamać. Muszę założyć, że albo mówią prawdę, albo mylą się w dobrej wierze.

— Mylą się? Twierdzenia o ataku? Błędy, których nie dostrzegła NASA? Pan wybaczy! To oczywisty spisek polityczny,

— Jeśli tak, nie potrafię zrozumieć motywów.

Tench westchnęła ciężko i zniżyła głos:

— Dyrektorze, w grę są zaangażowane siły, o których może pan nie ma pojęcia. Podyskutujmy o tym później, w tej chwili jednak muszę wiedzieć, gdzie jest pani Sexton i pozostali. Muszę dotrzeć do sedna tej sprawy, zanim wyrządzą nieodwracalne szkody. Gdzie oni są?

— Z przykrością odmawiam udzielenia tej informacji. Skontaktuję się z panią, gdy przybędą.

— Błąd. Będę gdzie trzeba, żeby ich powitać.

Z iloma agentami służb specjalnych? — zastanowił się Pickering.

— Jeśli podam pani czas i miejsce ich przybycia, będziemy mieli okazję pogawędzić jak przyjaciele czy też zamierza pani sprowadzić wojsko, żeby zamknąć ich w areszcie?

— Ci ludzie stanowią bezpośrednie zagrożenie dla prezydenta. Biały Dom ma prawo zatrzymać ich i przesłuchać.

Pickering wiedział, że Tench ma rację. Na mocy paragrafu 3056 rozdziału 182a Kodeksu Stanów Zjednoczonych agenci służb specjalnych mogą nosić broń, używać jej i dokonywać aresztowań bez nakazu, na podstawie samego podejrzenia, że dana osoba popełniła bądź zamierza popełnić przestępstwo lub akt agresji przeciwko prezydentowi. Służby mają *carte blanche*. Zwykle zatrzymania dotyczą włóczęgów plączących się przed Białym Domem i dzieciaków, które dla kawału wysyłają e-maile z pogróżkami.

Pickering nie wątpił, że służby specjalne mogą uzasadnić zamknięcie Rachel Sexton i jej towarzyszy w piwnicach Białego Domu, a następnie przetrzymywać ich tam w nieskończoność. Gra byłaby niebezpieczna, ale Tench najwyraźniej wiedziała, że stawka jest wysoka. Pytanie, co się stanie, jeśli uda jej się przejąć kontrolę nad sytuacją. Pickering nie miał zamiaru poznawać odpowiedzi.

— Zrobię wszystko, co będzie konieczne — oświadczyła Tench — żeby chronić prezydenta przed fałszywymi oskarżeniami. Sama sugestia nieczystej gry rzuci cień na Biały Dom i NASA. Rachel Sexton nadużyła zaufania, jakim obdarzył ją prezydent, a ja nie zamierzam patrzeć, jak prezydent za to płaci.

— A jeśli poproszę, żeby pani Sexton wolno było przedstawić sprawę przed oficjalną komisją śledczą?

— Wtedy zlekceważy pan bezpośredni rozkaz prezydenta i da jej możliwość rozpętania politycznego piekła! Zapytam pana jeszcze raz, dyrektorze, dokąd pan ich wysłał?

Pickering odetchnął głęboko. Nawet jeśli nie powie, że samolot leci do bazy sił powietrznych Bollings, Marjorie Tench ma do dyspozycji odpowiednie środki, żeby się tego dowiedzieć. Pytanie, czy z nich skorzysta. Z determinacji brzmiącej w jej głosie wywnioskował, że nie spocznie, póki nie dopnie swego. Marjorie Tench jest przerażona.

— Marjorie, ktoś mnie okłamuje — zaczął spokojnie. — Co do tego nie mam wątpliwości. Albo Rachel Sexton i tych dwóch naukowców, albo pani. Jestem przekonany, że pani.

— Jak pan śmie...

— Wybuchy oburzenia mnie nie wzruszą, więc darujmy je sobie. Chciałbym panią poinformować, że mam niezbity dowód, iż dziś wieczorem NASA i Biały Dom podały nieprawdziwe informacje.

Tench milczała.

Pickering pozwolił jej przez chwilę dojrzewać.

— Nie chcę kryzysu politycznego tak samo jak pani, ale dziś na konferencji prasowej padły kłamstwa. Tego nie można wybaczyć. Jeśli chce pani pomóc, proszę zacząć grać uczciwie.

— Skoro ma pan pewność, że ktoś kłamał, dlaczego pan nie zareagował? — Tench okazała chęć współpracy, aczkolwiek ostrożnie.

— Nie wtrącam się do polityki.

Tench mruknęła coś, co ogromnie przypominało „pieprzysz".

— Czy chce pani powiedzieć, Marjorie, że dzisiejszemu oświadczeniu prezydenta nie można absolutnie niczego zarzucić?

Na linii zapadła długa cisza.

Pickering wiedział, że ją ma.

— Proszę posłuchać, oboje wiemy, że to bomba zegarowa czekająca na wybuch. Ale nie jest za późno. Możemy osiągnąć kompromis.

Tench milczała przez kilka sekund. Wreszcie westchnęła.

— Powinniśmy się spotkać.

Punkt dla mnie, pomyślał Pickering.

— Coś panu pokażę. I wierzę, że to rzuci nieco światła na tę sprawę.

— Przyjadę do pani biura.

— Nie — sprzeciwiła się pospiesznie. — Jest późno. Pańska obecność wzbudziłaby podejrzenia. Wolę, żeby ta sprawa pozostała między nami.

Pickering umiał czytać między wierszami. Prezydent o niczym nie wie.

— W takim razie zapraszam do mojego biura.

— Spotkajmy się w bardziej dyskretnym miejscu. — W jej głosie brzmiała nieufność.

Tego się spodziewał.

— FDR Memorial leży niedaleko Białego Domu — powiedziała. — O tej porze będzie tam pusto.

Pickering zastanowił się. Park FDR Memorial znajduje się

w połowie drogi między pomnikami Jeffersona i Lincolna, w wyjątkowo bezpiecznej części miasta. Po chwili wyraził zgodę.

— Za godzinę — powiedziała Tench na pożegnanie. — I niech pan przyjdzie sam.

Natychmiast po zakończeniu rozmowy Marjorie Tench zadzwoniła do administratora Ekstroma. Z napięciem w głosie przekazała mu złe nowiny.

— Może być problem z Pickeringiem.

Rozdział 81

Przepełniona nadzieją Gabrielle Ashe stała przy biurku Yolandy Cole w studiu ABC i dzwoniła do informacji telefonicznej.

Rewelacje Sextona, jakich niedawno wysłuchała, będą wstrząsem, jeśli zostaną potwierdzone. NASA kłamała w sprawie PODS? Gabrielle oglądała tamtą konferencję prasową i wiedziała, że coś jej się nie podobało. O wszystkim jednak zapomniała, bo kilka tygodni temu kwestia PODS nie była ważna. Ale dziś jest.

Sexton potrzebował informacji wewnętrznych, i to szybko. Liczył, że dostarczy ich jej informator. Gabrielle zapewniła senatora, że zrobi wszystko, co w jej mocy. Problem polegał na tym, że źródłem była Marjorie Tench, na którą teraz rzecz jasna liczyć nie może. Dlatego musi zdobyć informacje w inny sposób.

— Informacja — powiedział głos w słuchawce.

Gabrielle wyjaśniła, czego potrzebuje, i otrzymała numery telefonów. W Waszyngtonie mieszkało trzech abonentów o nazwisku Chris Harper. Zadzwoniła do wszystkich.

Pierwszy numer należał do kancelarii adwokackiej. Pod drugim nikt się nie zgłosił. Teraz dzwoniła pod trzeci.

Kobieta odebrała po pierwszym sygnale.

— Mieszkanie Harperów.

— Pani Harper? — zapytała uprzejmie Gabrielle. — Mam nadzieję, że pani nie obudziłam.

— Ależ skąd! Nie sądzę, by ktoś spał dzisiejszej nocy. — Głos zdradzał podniecenie. Gabrielle słyszała w tle włączony telewizor. Program poświęcony meteorytowi, oczywiście. — Dzwoni pani do Chrisa, prawda?

Puls jej przyspieszył.

— Tak, pani Harper.

— Niestety, nie ma go. Popędził do pracy zaraz po wystąpieniu prezydenta. — Kobieta zaśmiała się cicho. — Oczywiście wątpię, czy pracuje. Pewnie urządzili imprezę. Oświadczenie było dla niego sporą niespodzianką, jak zresztą dla nas wszystkich. Nasz telefon urywa się przez całą noc. Założę się, że są tam teraz wszyscy pracownicy NASA.

— W kompleksie na E Street? — zapytała Gabrielle, żeby się upewnić, czy rozmówczyni na pewno chodzi o kwaterę główną.

— Zgadza się. Niech się pani przygotuje na dobrą zabawę.

— Dzięki. Wytropię pani męża.

Gabrielle rozłączyła się. Pospieszyła na piętro do reżyserki i znalazła Yolandę. Przyjaciółka właśnie kończyła przygotowywanie grupy specjalistów, którzy mieli wygłosić entuzjastyczne komentarze na temat odkrycia.

Yolanda uśmiechnęła się na jej widok.

— Wyglądasz znacznie lepiej — powiedziała. — Zaczynasz dostrzegać jasną stronę?

— Niedawno rozmawiałam z senatorem. Jego wieczorne spotkanie miało inny charakter, niż myślałam.

— Mówiłam ci, że Tench z tobą pogrywa. Jak przyjął wieści?

— Lepiej, niż się spodziewałam.

Yolanda nie kryła zdziwienia.

— Myślałam, że rzuci się pod autobus.

— Uważa, że dane NASA są zafałszowane.

Yolanda parsknęła z niedowierzaniem.

— Na pewno oglądał tę samą konferencję co ja? Ile jeszcze potwierdzeń mu potrzeba?

— Jadę do NASA, żeby coś sprawdzić.

Wyrysowane ołówkiem brwi Yolandy wygięły się w ostrzegawcze łuki.

— Prawa ręka senatora Sextona zamierza wmaszerować do kwatery głównej NASA? Dzisiaj? Czyżbyś marzyła o publicznym ukamienowaniu?

Gabrielle powiedziała jej o podejrzeniu Sextona, że kierownik sekcji PODS, Chris Harper, skłamał w sprawie obejścia błędu w oprogramowaniu do wykrywania anomalii.

Yolanda nie kupiła tej rewelacji.

— Byliśmy na tej konferencji prasowej, Gabs, i przyznam, że tamtej nocy Harper nie był sobą. Rzecznik NASA mówił, że rzygał jak kot.

— Senator Sexton jest przekonany, że kłamał. Inni podzielają jego opinię. Potężni ludzie.

— Jeśli pogram do wykrywania anomalii nie został naprawiony, to jak PODS wykrył meteoryt?

Dokładnie na to samo zwrócił uwagę Sexton, pomyślała Gabrielle.

— Nie wiem, ale senator chce, żebym zdobyła dla niego pewne odpowiedzi.

Yolanda pokręciła głową.

— Sexton wysyła cię do gniazda szerszeni. Jest zdesperowany i każe ci szukać wiatru w polu. Nie jedź. Nie jesteś mu nic winna.

— Spieprzyłam jego kampanię.

— Cholerny pech spieprzył mu kampanię.

— Ale jeśli senator ma rację i kierownik sekcji PODS rzeczywiście kłamał...

— Skarbie, jeśli kierownik sekcji PODS skłamał przed całym światem, to dlaczego miałby wyznać prawdę tobie?

Gabrielle już się nad tym zastanowiła i obmyśliła plan.

— Jeśli znajdę coś ciekawego, odezwę się do ciebie.

Yolanda zaśmiała się sceptycznie.

— Prędzej kaktus mi na dłoni wyrośnie, niż znajdziesz coś ciekawego.

Rozdział 82

Wymaż z pamięci wszystko, co wiesz o tej próbce skały.

Michael Tolland zmagał się z własnymi niepokojącymi wnioskami dotyczącymi odkrycia, ale teraz, po wysłuchaniu pytań Rachel, czuł jeszcze większe zdenerwowanie. Popatrzył na krążek skały.

Udawaj, że ktoś dał ci tę próbkę, nie wyjaśniając, gdzie została znaleziona ani co to takiego. Co o niej powiesz?

Wiedział, że pytanie Rachel jest tendencyjne, jednak jako ćwiczenie analityczne okazało się ogromnie znaczące. Po odrzuceniu wszystkich informacji uzyskanych w habisferze musiał przyznać, że wszystkie jego wnioski na temat skamieniałości opierały się wyłącznie na jednym założeniu: skała, w której je znaleziono, jest meteorytem.

A gdyby nie powiedziano mi o meteorycie? Choć nadal nie umiał podać innego wyjaśnienia, pozwolił sobie na swobodę działania. Hipotetycznie usunął „meteoryt" jako założenie, a kiedy to zrobił, rezultaty okazały się trochę niepokojące.

Tolland i Rachel, wspierani przez zaspanego Corky'ego Marlinsona, omawiali koncepcje.

— Mike, mówisz, że gdyby ktoś dał ci tę skałę bez słowa wyjaśnienia, doszedłbyś do wniosku, iż pochodzi z Ziemi — powtórzyła Rachel.

— Oczywiście. Czy mógłbym dojść do innego wniosku? Znacznie łatwiej jest przyjąć, że znaleziono skamieniałości nieznanego dotąd ziemskiego gatunku niż obcą formę życia. Naukowcy co roku odkrywają tuziny nowych gatunków.

— Półmetrowe stonogi? — zapytał Corky z niedowierzaniem. — Założyłbyś, że stonoga tej wielkości jest gatunkiem rodzimym?

— Nie w dzisiejszych czasach — odparł Tolland. — Ale gatunek mógł wymrzeć. To skamieniałość. Ma sto siedemdziesiąt milionów lat, pochodzi mniej więcej z okresu naszej jury. Wiele skamieniałych szczątków robi wrażenie swoim rozmiarem. Znamy ogromne skrzydlate gady, dinozaury, ptaki...

— Nie chcę zgrywać fizyka, Mike, ale w twojej argumentacji tkwi poważny błąd. Wymienione przez ciebie prehistoryczne stworzenia — dinozaury, wielkie gady i ptaki — mają szkielet wewnętrzny, który umożliwia im osiąganie ogromnych rozmiarów pomimo ziemskiej siły ciążenia. Ale ta skamieniałość... — astrofizyk podniósł próbkę — te stonogi mają szkielet zewnętrzny. To stawonogi. Sam powiedziałeś, że stawonóg tej wielkości mógłby wyewoluować tylko w środowisku o niskiej grawitacji. W przeciwnym wypadku szkielet zewnętrzny zarwałby się pod własnym ciężarem.

— Zgadza się — przyznał Tolland. — Pancerz zarwałby się pod własnym ciężarem, gdyby zwierzę chodziło po ziemi.

Corky z irytacją ściągnął brwi.

— Mike, o ile jakiś jaskiniowiec nie prowadził antygrawitacyjnej farmy stonóg, to nie rozumiem, jak mogłeś dojść do wniosku, że półmetrowa stonoga pochodzi z Ziemi.

Tolland uśmiechnął się w duchu na myśl, że Corky nie dostrzegł tak prostego wyjaśnienia.

— W istocie jest inna możliwość. — Spojrzał przenikliwie na przyjaciela. — Corky, przyzwyczaiłeś się patrzeć w górę. Spójrz w dół. Na Ziemi istnieje środowisko, które łagodzi grawitację. Istnieje od zarania dziejów.

Corky zrobił wielkie oczy.

— Do licha, o czym ty mówisz?

Rachel też była zaskoczona

Tolland wskazał przez okno na lśniące pod samolotem morze.

— O oceanie.

Rachel zagwizdała cicho.

— Jasne!

— Woda jest środowiskiem o niskiej grawitacji — wyjaśnił Tolland. — Pod wodą wszystko waży mniej. W oceanie nie brakuje wielkich stworzeń, które nie mogłyby żyć na lądzie — meduzy, wielkie kałamarnice, mureny wstążkowe.

Corky ustąpił, ale tylko trochę.

— Pięknie, ale w oceanach prehistorycznych nigdy nie żyły gigantyczne stonogi.

— Żyły, a jakże. I nadal żyją. Ludzie jedzą je codziennie. W wielu krajach uchodzą za przysmak.

— Mike, do cholery, kto jada stonogi!

— Każdy, kto je homary, kraby i krewetki.

Corky wytrzeszczył oczy.

— Skorupiaki są w gruncie rzeczy wielkimi morskimi „robakami" — wyjaśnił Tolland. — Należą do typu stawonogów. Stonogi, kraby, pająki, owady, skorpiony, homary... wszystkie te organizmy są spokrewnione. Wszystkie mają wieloczłonowe, stawowate odnóża i szkielet zewnętrzny.

Corky wyglądał tak, jakby robiło mu się niedobrze.

— Z punktu widzenia klasyfikacji, wszystkie można wrzucić do jednego worka — wywodził Tolland. — Skrzypłocze przypominają wielkie trylobity. Szczypce homarów są podobne do tych, które mają skorpiony.

Corky pozieleniał.

— Jezu, już nigdy nie tknę sałatki z homara.

Rachel była zafascynowana.

— A zatem stawonogi na lądzie pozostały małe z powodu ograniczeń narzuconych przez grawitację. W wodzie mogły osiągnąć znacznie większe rozmiary.

— Otóż to — przyznał Tolland. — Krabon królewski z Alaski mógłby zostać omyłkowo sklasyfikowany jako wielki pająk, gdybyśmy mieli za mało dowodów w postaci skamieniałości.

Ekscytacja, którą odczuwała Rachel, zaczęła ustępować niepokojowi.

— Mike, odrzucając kwestię oczywistej autentyczności meteorytu, powiedz mi jedno: czy twoim zdaniem skamieniałości, które widzieliśmy na Lodowcu Milne'a, mogą pochodzić z oceanu? Z ziemskiego oceanu?

Tolland widział, że pragnie szczerej odpowiedzi, i rozumiał wagę pytania.

— Hipotetycznie, powiedziałbym, że tak. Niektóre części dna oceanicznego mają sto dziewięćdziesiąt milionów lat, tyle samo, co skamieniałości. I teoretycznie w oceanach mogły istnieć takie formy życia.

— Och, daj spokój! — parsknął Corky. — Nie wierzę własnym uszom. Odrzucając kwestię autentyczności meteorytu? Dowody są niepodważalne! Nawet jeśli na dnie oceanów występują skały mające tyle samo lat co meteoryt, to pewne jak w banku, że nie mają skorupy obtopieniowej, nietypowej zawartości niklu i chondr. Chwytacie się wszelkich sposobów jak tonący brzytwy.

Tolland wiedział, że Corky ma rację, ale dopuszczenie do siebie możliwości, że skamieliny były kiedyś stworzeniami żyjącymi w morzu, odzierało je z tajemniczej, budzącej zachwyt otoczki. Teraz wydawały się bardziej zwyczajne.

— Mike, dlaczego naukowcy z NASA nie wzięli pod uwagę, że te skamieniałości mogą być stworzeniami morskimi? — zapytała Rachel. — Nawet z oceanu na innej planecie?

— W sumie z dwóch powodów. Próbki pelagiczne, te z dna oceanu, wykazują obecność wielu przemieszanych gatunków. Wszystko, co żyje w milionach metrów sześciennych wody nad dnem w końcu obumiera i tonie. To oznacza, że dno oceanu jest grobem gatunków ze stref o różnej głębokości, ciśnieniu i temperaturze. Próbka z Lodowca Milne'a jest czysta, zawiera przedstawicieli tylko jednego gatunku. Bardziej przypomina coś, co można znaleźć na pustyni. Na przykład kolonię stworzeń pogrzebanych przez burzę piaskową.

Rachel pokiwała głową.

— A drugi powód?

Tolland wzruszył ramionami.

— Przeczucie. Naukowcy zawsze wierzyli, że kosmos, jeśli jest zamieszkany, to przez stworzenia podobne do naszych owadów. A z naszych obserwacji wynika, że w kosmosie jest więcej skał niż wody.

Rachel milczała.

— Chociaż... — zaczął Tolland. Pytanie Rachel dało mu do myślenia. — Chociaż przyznam, że oceanografowie znają bardzo głębokie części dna, które nazywają martwymi strefami, niewiele o nich wiemy. Są to obszary praktycznie pozbawione życia z powodu specyficznych prądów i niedostatku pożywienia. Jedynie kilka gatunków padlinożerców żeruje na dnie. Z tego punktu widzenia występowanie skamielin tylko jednego gatunku nie jest całkowicie wykluczone.

— Słucham? — burknął Corky. — A pamiętasz skorupę obtopieniową? Średnią zawartość niklu? Chondry? Po co my w ogóle o tym mówimy?

Tolland nie odpowiedział.

— Kwestia zawartości niklu — odezwała się Rachel. — Chcę wiedzieć, czy dobrze zrozumiałam. Zawartość niklu w skałach ziemskich jest albo bardzo wysoka, albo bardzo niska, ale w meteorytach oscyluje wokół określonej wartości średniej?

Corky pokiwał głową.

— No właśnie.

— A zawartość niklu w tej próbce pasuje do spodziewanego przedziału wartości.

— Jest bardzo bliska, tak.

Rachel nie kryła zdumienia.

— Chwileczkę. Bliska? Co to ma znaczyć?

Corky popatrzył na nią z irytacją.

— Jak wyjaśniłem wcześniej, meteoryty mają różny skład mineralny. Gdy ktoś znajdzie nowy meteoryt, za każdym razem uaktualniamy dane dotyczące przyjętej dopuszczalnej zawartości niklu.

Rachel w osłupieniu podniosła próbkę.

— A zatem ten meteoryt zmusił was do weryfikacji tego, co uważacie za dopuszczalną zawartość? Ilość niklu wykracza poza dotychczas przyjmowany przedział wartości średnich?

— Odrobinę — odparł Corky.

— Dlaczego nikt o tym nie wspomniał?

— To nieistotne. Astrofizyka jest nauką dynamiczną, stale uaktualnianą.

— Nieistotne w czasie niesłychanie ważnej analizy?

— Posłuchaj — parsknął Corky — zapewniam, że zawartość niklu w tej próbce jest bliższa wartościom znanym z innych meteorytów niż ze skał pochodzenia ziemskiego.

Rachel zwróciła się do Tollanda:

— Wiedziałeś o tym?

Tolland z niechęcią pokiwał głowa. W tamtym czasie to rzeczywiście nie wydawało się ważne.

— Powiedziano mi, że ten meteoryt wykazuje nieco wyższą

zawartość niklu, ale specjaliści NASA nie wydawali się tym przejęci.

— Nie bez powodu! — wtrącił Corky. — Dowód mineralogiczny wcale nie mówi, że zawartość niklu zdecydowanie wskazuje na pozaziemskie pochodzenie próbki. Dowód świadczy o tym, że zawartość jest inna niż w skałach ziemskich.

Rachel pokręciła głową.

— Przepraszam, ale w moim zawodzie dowodzenie tego typu jest przykładem błędnej logiki, przez którą giną ludzie. Stwierdzenie, że skała nie jest podobna do ziemskich, wcale nie dowodzi, że jest meteorytem. Po prostu sygnalizuje, że nie przypomina niczego, co znamy z Ziemi.

— Do cholery, co to za różnica?

— Żadna. Pod warunkiem że zna się wszystkie skały na Ziemi.

Corky milczał przez chwilę.

— W porządku — burknął wreszcie — dajmy sobie spokój z zawartością niklu, jeśli działa ci na nerwy. I tak pozostaje nieskazitelna skorupa obtopieniowa i chondry.

— Jasne — powiedziała Rachel spokojnie. — Dwa trafienia na trzy to całkiem nieźle.

Rozdział 83

Kwatera główna NASA jest kolosalnym szklanym prostokątem pod numerem 300 na E Street w Waszyngtonie. Jest w niej ponad trzysta kilometrów przewodów, którymi płyną dane, i komputery o łącznej wadze tysięcy ton. Pracuje w nim 1134 urzędników, dysponujących rocznym budżetem wysokości 15 miliardów dolarów i kierujących operacjami dwunastu baz NASA w kraju.

Gabrielle nie była zaskoczona, że mimo późnej pory w holu kłębi się tłum złożony z podnieconych reporterów i jeszcze bardziej podekscytowanych pracowników NASA. Wbiegła do środka. Hol przypominał muzeum z rozwieszonymi pod sufitem naturalnej wielkości replikami słynnych kapsuł i satelitów. Ekipy telewizyjne czyhały tuż za drzwiami, polując na oszołomionych pracowników agencji.

Gabrielle rozejrzała się, ale nie zobaczyła kierownika misji PODS Chrisa Harpera. Połowa ludzi w holu miała na szyjach przepustki prasowe, a pozostali identyfikatory NASA. Gabrielle nie miała ani jednego, ani drugiego. Zauważyła młodą kobietę z identyfikatorem i podeszła do niej.

— Cześć, szukam Chrisa Harpera.

Kobieta popatrzyła na nią z namysłem, jakby wiedziała, że skądś ją zna, lecz nie umiała skojarzyć nazwiska i okoliczności.

— Doktor Harper wyszedł stąd jakiś czas temu. Pewnie na górę. Czy ja panią znam?

— Nie sądzę — odparła Gabrielle, odwracając się, by odejść. — Jak dostanę się na górę?

— Pracuje pani dla NASA?

— Nie.

— W takim razie nie może pani tam wejść.

— A czy mogę skorzystać z telefonu...

— Proszę posłuchać, wiem, kim pani jest — powiedziała kobieta ze złością. — Widziałam panią w telewizji z senatorem Sextonem. To wprost nie do wiary. Jak pani śmie...

Gabrielle wmieszała się w tłum. Słyszała, jak kobieta z przejęciem opowiada o niej innym.

Idealnie. Od wejścia minęły dwie sekundy, a już jestem na liście najbardziej poszukiwanych.

Z opuszczoną głową przemknęła na drugą stronę holu. Na ścianie wisiał wykaz telefonów. Przejrzała go, szukając Chrisa Harpera. Nic. Na liście w ogóle nie było nazwisk, tylko wydziały.

PODS? — zastanawiała się, szukając czegoś, co łączyłoby się z orbitalnym skanerem gęstości. Znowu nic. Bała się, że gdy obejrzy się przez ramię, zobaczy grupę rozwścieczonych pracowników NASA, gotowych ją ukamienować. Z listy dowiedziała się tylko tyle, że działy rokujące największe nadzieje mieszczą się na trzecim piętrze.

PROJEKT NAUKA O ZIEMI, FAZA II
Ziemski System Orbitalny (EOS)

Odwracając głowę w taki sposób, żeby jak najmniej osób mogło zobaczyć jej twarz, Gabrielle ruszyła w stronę wnęki, w której znajdowały się windy i kranik z wodą pitną. Przy drzwiach nie było przycisków, tylko szczeliny. Cholera. Z wind mogli korzystać tylko pracownicy z kartami magnetycznymi.

W ich stronę spieszyła grupa młodych ludzi, którzy rozprawiali z ożywieniem. Na szyjach mieli identyfikatory NASA. Gabrielle szybko pochyliła się nad kranikiem i dyskretnie ich obserwowała. Pryszczaty młodzieniec wsunął identyfikator do szczeliny i drzwi windy się otworzyły. Śmiał się, ze zdumieniem kręcąc głową.

— Faceci z SETI muszą odchodzić od zmysłów — powiedział, gdy wsiadali do kabiny. — Ich anteny od dwudziestu lat przeczesywały pola dryftowe poniżej dwustu milijanskych *, a dowód przez ten czas leżał pogrzebany w lodzie na Ziemi!

Mężczyźni zniknęli za zamkniętymi drzwiami.

Gabrielle wyprostowała się i otarła usta, zastanawiając się, co zrobić. Rożejrzała się, szukając wewnętrznego telefonu. Nic. Zastanowiła się, czy nie spróbować ukraść identyfikatora, ale coś jej mówiło, że takie posunięcie nie byłoby mądre. Musi zrobić coś innego, i to szybko. Kobieta, z którą rozmawiała w holu, już szła przez tłum z funkcjonariuszem ochrony.

Zza rogu wyłonił się schludny łysy mężczyzna, spiesząc do wind. Gabrielle znowu pochyliła się nad kranikiem. Mężczyzna jej nie zauważył. Gabrielle patrzyła, jak wsuwa kartę w szczelinę. Drzwi rozsunęły się, mężczyzna wszedł do kabiny.

Pieprzyć to, pomyślała, podejmując decyzję. Teraz albo nigdy.

Gdy drzwi się zasuwały, odwróciła się i pobiegła z wyciągniętą ręką. Zdążyła. Dołączyła do mężczyzny, udając wielkie przejęcie.

— Pomyślałbyś, że to możliwe? — zapytała zdumionego towarzysza. — Mój Boże, istny obłęd!

Mężczyzna popatrzył na nią dziwnie.

— Faceci z SETI muszą odchodzić od zmysłów! — mówiła Gabrielle. — Ich anteny od dwudziestu lat przeczesywały pola dryftowe poniżej dwustu milijanskych, a dowód przez ten czas leżał pogrzebany w lodzie na Ziemi!

Mężczyzna zrobił zdziwioną minę.

— No... tak, to całkiem... — Popatrzył na jej szyję i stropił się, nie widząc identyfikatora. — Przepraszam, czy pani...

— Trzecie piętro. Wypadłam z domu w takim pośpiechu, że nie pamiętam, czy założyłam bieliznę! — Roześmiała się, rzucając okiem na jego identyfikator: JAMES THEISEN, wydział finansów.

— Pracuje pani tutaj, panno...? — Mężczyzna miał zakłopotaną minę.

Gabrielle udała oburzenie.

— No wiesz, Jim? Jak mogłeś mnie zapomnieć?

Mężczyzna speszył się i zakłopotany przeciągnął ręką po łysinie.

* jansky — jednostka natężenia strumienia radiowego pochodzącego z obiektów kosmicznych; pochodzi od nazwiska odkrywcy fal radiowych z kosmosu Karla Jansky'ego

— Przepraszam, wiesz, to przez ten cały młyn. Przyznaję, wyglądasz bardzo znajomo. W jakim programie uczestniczysz?

Cholera. Gabrielle błysnęła pewnym siebie uśmiechem.

— EOS.

Mężczyzna wskazał oświetlony guzik trzeciego piętra.

— To jasne, ale chodziło mi o projekt.

Gabrielle czuła, jak przyspiesza jej puls. Mogła wymyślić tylko jedno.

— PODS.

Mężczyzna okazał zdumienie.

— Poważnie? Myślałem, że znam wszystkich z zespołu doktora Harpera.

Stropiona pokiwała głową.

— Chris trzyma mnie w ukryciu. Jestem programistką, to ja spieprzyłam wskaźnik voxeli w programie anomalii.

Łysemu opadła szczęka.

— To ty...?

Gabrielle ściągnęła brwi.

— Nie spałam przez to całymi tygodniami.

— Ale doktor Harper wziął wszystko na siebie!

— Wiem. Chris już taki jest. Na szczęście udało mu się wszystko wyprostować. Ale to już nieważne. Pomyśl o dzisiejszym oświadczeniu. Niesamowita sprawa z tym meteorytem, prawda? Nie mogę wyjść ze zdumienia!

Winda zatrzymała się na trzecim piętrze. Gabrielle wyskoczyła na korytarz.

— Fajnie, że cię spotkałam, Jim. Pozdrów chłopaków z finansów!

— Jasne — wyjąkał mężczyzna, gdy drzwi się zamykały. — Miło było cię widzieć.

Rozdział 84

Zach Herney, jak większość jego poprzedników, spał po cztery, pięć godzin na dobę. W ciągu paru zeszłych tygodni musiał zadowolić się jeszcze krótszym wypoczynkiem. Teraz podniecenie związane z wieczornymi wydarzeniami powoli zaczęło opadać, ustępując miejsca zmęczeniu.

Wraz z kilkoma urzędnikami wyższego szczebla Herney uczcił odkrycie szampanem w Pokoju Roosevelta, oglądając w telewizji niezliczone powtórki z konferencji prasowej, wypowiedzi naukowców z filmu Tollanda i komentarze innych specjalistów. W tej chwili na ekranie widać było uśmiechniętą korespondentkę, stojącą z mikrofonem przed Białym Domem.

— Poza oszałamiającym znaczeniem dla całej ludzkości — mówiła — odkrycie NASA odegra ogromną rolę polityczną tutaj, w Waszyngtonie. Wydobycie meteorytu ze skamielinami nie mogło nastąpić w lepszym czasie dla osaczonego prezydenta. — Jej głos stał się ponury. — Ani w gorszym dla senatora Sextona. — Przerwano relację na żywo, żeby odtworzyć niesławną popołudniową debatę w CNN.

— „...po trzydziestu pięciu latach bezowocnych poszukiwań dla wszystkich stało się jasne, iż nie znajdziemy życia pozaziemskiego.

— A jeśli się pan myli?

— Och, na miłość boską, pani Tench, prędzej mi kaktus na dłoni wyrośnie!".

Wszyscy w Pokoju Roosevelta się roześmieli. Z perspektywy czasu manewr Tench mógł wydać się okrutny i brutalny, ale widzowie tego nie zauważyli; aroganckie samozadowolenie Sextona sprawiało, że w oczach ogółu po prostu dostał to, o co sam się prosił.

Prezydent rozejrzał się, szukając Marjorie Tench. Nie widział jej od czasu konferencji prasowej. Nie było jej w pokoju. Dziwne, pomyślał. To również jej zwycięstwo.

W wiadomościach telewizyjnych znów komentowano ogromny polityczny skok Białego Domu i katastrofalny upadek senatora Sextona.

Jak wielką zmianę przyniósł jeden dzień, pomyślał prezydent. Świat człowieka polityki może zmienić się w jednej chwili.

O świcie miał zrozumieć, jak bardzo prawdziwe były te słowa.

Rozdział 85

„Możemy mieć problem z Pickeringiem", powiedziała Tench.

Administrator Ekstrom był zbyt pochłonięty tą nową wiadomością, żeby zwrócić uwagę na nasilającą się burzę. Wycie naciągów stało się bardziej przenikliwie, a ludzie nie przestawali kręcić się i gawędzić, zamiast iść spać. Ekstrom rozmyślał o innej burzy — o burzy, na którą zanosiło się w Waszyngtonie. W ciągu paru zeszłych godzin wynikło wiele problemów, z którymi próbował sobie radzić. Ten ostatni wydawał się poważniejszy od wszystkich innych razem wziętych.

„Możemy mieć problem z Pickeringiem".

Ekstrom nie znał nikogo, z kim miałby mniejszą ochotę się zmierzyć. William Pickering nękał go od lat, próbując przejąć kontrolę nad polityką bezpieczeństwa NASA, forsując inne priorytety misji, pomstując na coraz częstsze niepowodzenia agencji.

Przyczyny niechęci Pickeringa, jak wiedział, sięgały znacznie głębiej niż niedawna strata wartego miliard dolarów satelity NRO SIGINT w wybuchu na wyrzutni startowej NASA, głębiej niż przecieki tajnych informacji czy bitwa o werbowanie kluczowego personelu. Skargi Pickeringa na agencję tworzyły nieprzerwany potok rozczarowania i pogardy.

Z powodu pięcioletniego opóźnienia w realizacji projektu samolotu kosmicznego X-33, który miał zastąpić wahadłowce, liczne satelity NRO albo nie opuściły Ziemi, albo trafiały na orbitę z opóźnieniem, a tych, które już tam były, nie poddawano należytej konserwacji. Ostatnio wściekłość Pickeringa osiągnęła szczyty, kiedy wyszło na jaw, że NASA odstąpiła od projektu, przełykając stratę dziewięciuset milionów dolarów.

Ekstrom odciągnął zasłonę i wszedł do swojego biura. Usiadł przy biurku i oparł głowę na rękach. Musi podjąć trudne decyzje. Dzień, który zaczął się tak cudownie, przemienił się w koszmar. Administrator spróbował rozgryźć sposób myślenia Williama Pickeringa. Co zrobi dyrektor NRO? Człowiek o jego inteligencji na pewno rozumie znaczenie odkrycia NASA. Wie, że pewne decyzje zostały podjęte w desperacji i jest świadom nieodwracalności szkód, jakie mogą być następstwem tej chwili triumfu.

Co Pickering zrobi z posiadanymi informacjami? Machnie na nie ręką czy każe agencji zapłacić za niedociągnięcia?

Ekstrom ściągnął brwi, gdyż był prawie pewny wyboru Pickeringa.

Miał przecież o wiele większy żal do NASA... osobistą urazę, której korzenie sięgały znacznie głębiej niż względy polityczne.

Rozdział 86

Rachel w milczeniu wyglądała przez okno, gdy samolot leciał na południe wzdłuż kanadyjskiego brzegu Zatoki Świętego Wawrzyńca. Tolland siedział w pobliżu, rozmawiając z Corkym. Mimo przewagi dowodów świadczących o autentyczności meteorytu, stwierdzenie Corky'ego, że zawartość niklu „wykracza poza przyjęty przedział wartości średnich", podsyciło jej początkowe podejrzenia. Ukradkowe umieszczenie meteorytu w lodzie mogło mieć sens tylko jeśli byłoby częścią błyskotliwie obmyślonego oszustwa. A jednak pozostałe naukowe dowody wskazywały na autentyczność meteorytu.

Rachel odwróciła się od okna i spojrzała na trzymany w dłoni kamienny krążek. Maleńkie chondry błyszczały w świetle. Tolland i Corky dyskutowali o nich od jakiegoś czasu, używając naukowych terminów, których nie rozumiała — zrównoważone poziomy oliwinu, metastabilne matryce szklane, ponowne ujednolicenie wskutek metamorfizmu. Mimo wszystko wniosek był jasny: obaj zgadzali się, że chondry są strukturami specyficznymi, występującymi wyłącznie w meteorytach. W ich przypadku żadne fałszerstwo nie wchodziło w rachubę.

Rachel obracała krążek w ręku, przeciągając palcem po krawędzi, na której widać było fragment skorupy obtopieniowej. Zwęglenie wyglądało stosunkowo świeżo — na pewno nie na trzysta lat — chociaż Corky mówił, że meteoryt został hermetycznie zamknięty w lodzie i nie podlegał działaniu czynników atmosferycznych. Wyjaśnienie wydawało się przekonujące i logiczne. Rachel widziała w telewizji program, w którym prezentowano wydobyte z lodu, zachowane niemal w idealnym stanie zwłoki człowieka sprzed czterech tysięcy lat.

Gdy przyglądała się skorupie obtopieniowej, do głowy wpadła jej dziwna myśl — brakuje jednej ważnej informacji. Zastanowiła się, czy przeoczyła ją wśród natłoku wszystkich innych, czy ktoś po prostu zapomniał ją podać.

Odwróciła się w stronę Corky'ego.

— Czy ktoś badał wiek skorupy obtopieniowej?

Corky popatrzył na nią z roztargnieniem.

— Co?

— Czy ktoś datował obtopienie? Czy możemy przyjąć za pewnik, że skała została nadtopiona dokładnie w czasie upadku meteorytu Jungersola?

— Przykro mi, ale tego nie można sprawdzić. Utlenienie znosi wszystkie niezbędne markery izotopowe. Poza tym izotopy promieniotwórcze mają zbyt długi okres rozpadu połowicznego, żeby można było na ich podstawie określić wiek czegoś, co ma mniej niż pięćset lat.

Rachel zastanawiała się nad tym przez chwilę, rozumiejąc teraz, dlaczego w danych brakowało informacji na temat wieku obtopienia.

— W takim razie, według naszej wiedzy, skała mogła zostać obtopiona tak w średniowieczu, jak w zeszłym tygodniu, prawda?

— Nikt nie powiedział, że nauka zna wszystkie odpowiedzi — odparł Tolland ze śmiechem.

Rachel pozwoliła myślom błądzić.

— Skorupa obtopieniowa powstaje w wyniku oddziaływania bardzo wysokich temperatur. Ta skała mogłaby właściwie zostać nadtopiona gdzieś na przestrzeni minionego półwiecza, i to na wiele różnych sposobów.

— Błąd — zaoponował Corky. — Nadtopiona na wiele sposobów? Nie. Jest tylko jeden sposób. Przechodzenie przez atmosferę.

— Nie ma innej możliwości? A piec hutniczy?

— Piec hutniczy? — parsknął astrofizyk. — Próbki były badane pod mikroskopem elektronowym. Nawet najbardziej czysty piec na Ziemi zostawiłby na kamieniu ślady użytego paliwa — jądrowego, chemicznego, kopalnego. Wykluczone. I nie zapominaj o naciekach, które są wynikiem przechodzenia przez atmosferę. Coś takiego nie powstanie w żadnym piecu.

Rachel zapomniała o układzie strużek na meteorycie. Wyglądało na to, że skała rzeczywiście przechodziła przez atmosferę.

— A wulkan? Czy mogłyby powstać w czasie gwałtownej erupcji?

Corky pokręcił głową.

— W skorupie nie ma zanieczyszczeń.

Rachel spojrzała na Tollanda.

Oceanograf pokiwał głową.

— Przykro mi, mam pewne doświadczenie z wulkanami, lądowymi i podmorskimi. Corky się nie myli. Produkty wybuchu wulkanicznego są silnie zanieczyszczone przez dwutlenek węgla, dwutlenek siarki, siarkowodór, kwas chlorowodorowy. Zanieczyszczenia zostałyby wykryte w czasie skanowania. Ta skorupa obtopieniowa, czy nam się to podoba, czy nie, jest wynikiem czystego spalania pod wpływem tarcia w czasie przechodzenia przez atmosferę.

Rachel westchnęła, odwracając się do okna. Czyste spalanie. To określenie nie dawało jej spokoju. Znów odwróciła się do Tollanda.

— Co rozumiesz przez czyste spalanie?

Wzruszył ramionami.

— W próbkach badanych pod mikroskopem elektronowym nie znaleźliśmy śladów paliwa, wiemy więc, że ciepło było wynikiem oddziaływania energii kinetycznej i tarcia, a nie zastosowania paliwa chemicznego czy jądrowego.

— Skoro nie znaleźliście żadnych obcych pierwiastków paliwowych, to co znaleźliście? Konkretnie, jaki był skład skorupy obtopieniowej?

— Znaleźliśmy dokładnie to, co spodziewaliśmy się znaleźć — odparł Corky. — Czyste pierwiastki atmosferyczne. Azot, tlen, wodór. Ani śladu ropy naftowej. Ani śladu siarki. Żadnych kwasów wulkanicznych. Nic szczególnego. Wszystko to, co widzimy, kiedy meteoryty przechodzą przez atmosferę.

Rachel odchyliła się w fotelu, głęboko skupiona.

Corky pochylił się, żeby na nią spojrzeć.

— Tylko mi nie mów, że NASA zapakowała skałę ze skamielinami na pokład promu i rzuciła ją w stronę Ziemi z nadzieją, że nikt nie zauważy kuli ognia, wielkiego krateru ani eksplozji!

Rachel nie myślała o tym, choć założenie brzmiało interesująco. Było niewykonalne, lecz tym niemniej ciekawe. Jej myśli krążyły bliżej domu. Pierwiastki atmosferyczne. Czyste spalanie. Żłobkowanie będące wynikiem przechodzenia przez atmosferę. W dalekim zakątku jej umysłu zapaliło się nikłe światełko.

— Czy proporcje pierwiastków atmosferycznych były dokładnie takie, jak w skorupie obtopieniowej każdego innego meteorytu? — zapytała.

— A czemu pytasz? — Corky nie rwał się do udzielenia odpowiedzi.

Rachel dostrzegła jego wahanie i jej puls przyspieszył.

— Odbiegały od normy, prawda?

— Istnieje naukowe wyjaśnienie...

Jej serce zaczęło łomotać.

— Czy przypadkiem nie rzucała się w oczy niezwykle wysoka zawartość jednego pierwiastka?

Tolland i Corky wymienili zaskoczone spojrzenia.

— Tak, ale...

— Zjonizowanego wodoru?

Oczy astrofizyka zrobiły się wielkie jak spodki.

— Skąd wiesz?

Tolland też był zaskoczony.

Rachel popatrzyła na nich obu.

— Dlaczego nikt mi o tym nie powiedział?

— Bo istnieje pewne naukowe wyjaśnienie! — oświadczył Corky.

— Zamieniam się w słuch.

— Nadwyżka zjonizowanego wodoru wzięła się stąd, że meteoryt przechodził przez atmosferę w pobliżu bieguna północnego, gdzie ziemskie pole magnetyczne powoduje nietypowo wysoką koncentrację jonów wodoru.

Rachel ściągnęła brwi.

— Na nieszczęście ja znam inne wyjaśnienie.

Rozdział 87

Trzecie piętro kwatery głównej NASA robiło mniejsze wrażenie niż hol — długie sterylne korytarze z równomiernie rozmieszczonymi drzwiami biur. Korytarz był pusty. Laminowane znaki wskazywały różne kierunki.

←LANDSAT 7
TERRA→
←ACRIMSAT
←JASON 1
AQUA→
PODS→

Garbielle podążyła za znakami PODS. Po przebyciu szeregu długich korytarzy i skrzyżowań stanęła przed ciężkimi stalowymi drzwiami. Namalowane za pomocą szablonu litery oznajmiały:

POLARNY ORBITALNY SKANER GĘSTOŚCI (PODS)
Kierownik sekcji, Chris Harper

Drzwi były zamknięte; mógł je otworzyć tylko ten, kto miał kartę magnetyczną oraz PIN, który należało wystukać na bloku klawiszy. Gabrielle przyłożyła ucho do zimnego metalu. Przez chwilę myślała, że słyszy rozmowę. Sprzeczkę. Może jednak nie. Zastanowiła się, czy ma łomotać w drzwi, dopóki ktoś jej nie wpuści. Na nieszczęście plan dojścia do porozumienia z Chrisem Harperem wymagał większej finezji. Rozejrzała się w poszukiwaniu innego wejścia. Niedaleko drzwi we wnęce był schowek. Zajrzała do niego, szukając w nikłym świetle kluczy czy karty magnetycznej dla sprzątaczy. Nic. Tylko szczotki i mopy.

Wróciła pod drzwi i ponownie przyłożyła ucho do metalu. Tym razem wyraźnie usłyszała głosy. I kroki. Ktoś manipulował przy zamku.

Gabrielle nie miała czasu się schować. Uskoczyła w bok i przycisnęła się do ściany, osłonięta skrzydłem otwartych drzwi. Na korytarz wyszło kilka osób. Rozmawiały głośno, ze złością.

— O co chodzi temu Harperowi, do cholery? Myślałem, że będzie w siódmym niebie!

— W taką noc jak dzisiaj chce siedzieć sam? Powinien świętować.

Ciężkie drzwi zaczęły zamykać się na pneumatycznych zawiasach, odsłaniając jej kryjówkę. Gabrielle stała jak sparaliżowana, gdy rozmawiający oddalali się korytarzem. W końcu oderwała się od ściany i niemal w ostatniej chwili złapała klamkę. Patrzyła, jak mężczyźni znikają za zakrętem. Na szczęście byli pochłonięci rozmową i żadnemu nie przyszło na myśl, żeby obejrzeć się i sprawdzić, czy drzwi się zamknęły.

Z walącym sercem Gabrielle uchyliła je szerzej i weszła do słabo oświetlonego pomieszczenia. Po cichu zamknęła drzwi.

Przestronne wnętrze przywodziło na myśl pracownię fizyczną w szkole średniej, z licznymi stanowiskami roboczymi oraz komputerami i sprzętem elektronicznym. Gdy jej oczy przyzwyczaiły się do półmroku, zobaczyła rozrzucone na stołach projekty i arkusze z obliczeniami. Lampy w laboratorium były zgaszone i tylko w biurze po drugiej stronie paliło się światło. Gabrielle szybko ruszyła w tamtą stronę. Przez szybę zobaczyła mężczyznę siedzącego przy komputerze. Pamiętała go z konferencji prasowej NASA. Tabliczka na drzwiach informowała:

Chris Harper
Kierownik sekcji PODS

Dotarła tak daleko, lecz nagle opadł ją niepokój. Zastanowiła się, czy naprawdę zdoła dopiąć celu. Przypomniała sobie, z jaką pewnością Sexton twierdził, że Chris Harper kłamał. Postawiłbym na to swoją kampanię, powiedział. Najwyraźniej nie był odosobniony w tym przekonaniu; musieli być jacyś inni, którzy czekali, aż Gabrielle odsłoni przed nimi prawdę, żeby mogli przypuścić atak na NASA i zdobyć choćby mały przyczółek na terytorium, jakie utracili w wyniku ogłoszonych dzisiaj rewelacji. Tench i administracja Herneya próbowali nią manipulować, dlatego nie miała nic przeciwko temu, żeby pomóc senatorowi i jego poplecznikom.

Podniosła rękę, żeby zapukać do drzwi, i znieruchomiała. Usłyszała w głowie głos Yolandy: „Jeśli Chris Harper okłamał świat w sprawie PODS, dlaczego miałby wyznać prawdę tobie?".

Ze strachu. Dziś mało brakowało, a sama padłaby jego ofiarą. Miała plan. Taką taktykę stosował czasami senator, żeby zastraszyć politycznych przeciwników i wydobyć z nich informacje. Gabrielle sporo się nauczyła pod jego kierunkiem, przy czym musiała przyznać, że nie wszystkie lekcje były miłe czy etyczne. Ale dziś potrzebowała wszystkiego, co mogło zapewnić jej przewagę. Jeśli zdoła nakłonić Chrisa Harpera do przyznania się, że kłamał — obojętnie z jakiego powodu — to da kampanii senatora okazję do podniesienia się na nogi. Poza tym Sexton jest człowiekiem, który jeśli tylko ma możliwość manewru, potrafi wyjść obronną ręką z najgorszych opałów.

W rozmowie z Harperem zamierzała posłużyć się sztuczką, zwaną przez Sextona „przestrzeleniem", a wymyśloną już w starożytnym Rzymie, aby uzyskać przyznanie się do winy osoby podejrzewanej o mataczenie. Metoda była zaskakująco prosta:

Wspomnij o informacji, na której ci zależy.

Zarzuć podejrzanemu coś znacznie gorszego.

Niech przesłuchiwany ma okazję wybrać mniejsze zło — w tym przypadku wyznanie prawdy.

Sztuczka wymagała dużej pewności siebie, a tego w tej chwili bardzo Gabrielle brakowało. Biorąc głęboki oddech, powtórzyła w myślach scenariusz i zdecydowanie zapukała do drzwi biura.

— Mówiłem, że jestem zajęty! — zawołał Harper ze znajomym angielskim akcentem.

Zapukała ponownie. Głośniej.

— Mówiłem, że nie zejdę na dół!

Tym razem załomotała w drzwi pięścią.

Chris Harper podszedł i otworzył drzwi.

— Do jasnej cholery, czy... — Urwał, zaskoczony jej widokiem.

— Doktorze Harper — powiedziała, wkładając w te słowa jak najwięcej siły.

— Jak pani tu weszła?

Gabrielle popatrzyła na niego surowo.

— Wie pan, kim jestem?

— Oczywiście. Pani szef całymi miesiącami atakował mój projekt. Jak pani tu weszła?

— Przysłał mnie senator Sexton.

Harper powiódł wzrokiem po laboratorium za jej plecami.

— Gdzie osoba, która panią wprowadziła?

— Nie pańska sprawa. Senator ma wpływy.

— W tym gmachu? — Mina Harpera wyrażała powątpiewanie.

— Był pan nieuczciwy, doktorze. Obawiam się, że senator powoła specjalną senacką komisję śledczą, aby przyjrzeć się pańskim matactwom.

Harper spochmurniał.

— O czym pani mówi?

— Tak inteligentny człowiek jak pan, doktorze, nie może pozwolić sobie na luksus udawania głupiego. Jest pan w poważnych kłopotach. Senator przysłał mnie z propozycją układu. Dzisiaj jego kampania ogromnie ucierpiała. Senator nie ma nic do stracenia i jest gotów pociągnąć pana z sobą, jeśli będzie trzeba.

— O czym pani mówi, do cholery?

Gabrielle odetchnęła głęboko i rozpoczęła swoją grę:

— Skłamał pan na konferencji prasowej w sprawie oprogramowania PODS. Wiemy to. Wie o tym mnóstwo ludzi. Ale nie w tym rzecz. — Nim Harper zdążył zaoponować, oznajmiła: — Senator mógłby zdemaskować pańskie kłamstwa, ale nie jest zainteresowany. Interesuje go sprawa znacznie poważniejsza. Myślę, że pan wie, o czym mówię.

— Nie, ja...

— Oto propozycja senatora. Nie podniesie szumu w związku z kłamstwami na temat oprogramowania, jeśli pozna nazwisko osoby, która pomaga panu w sprzeniewierzaniu funduszy.

Przez chwilę wydawało się, że Chris Harper ma zeza.

— Co? Ja niczego nie sprzeniewierzam!

— Radzę uważać na to, co pan mówi. Komisja senacka od miesięcy zbiera dokumenty. Naprawdę sądził pan, że ujdzie wam to na sucho? Fałszowanie papierów PODS i przelewanie przydzielonych funduszy NASA na prywatne konta? Za kłamstwa i defraudację trafi pan za kratki, doktorze Harper.

— Niczego takiego nie zrobiłem!

— Mówi pan, że nie kłamał w sprawie PODS?

— Nie, mówię, że nie kradłem żadnych pieniędzy!

— W takim razie mówi pan, że kłamał w sprawie PODS.

Harperowi odjęło mowę i patrzył na nią w milczeniu.

— Zapomnijmy o kłamstwach — powiedziała Gabrielle, jakby bagatelizując sprawę. — Senatora Sextona nie interesują kłamstwa, jakich dopuścił się pan na konferencji prasowej. Przywykliśmy do tego. Wasi ludzie znaleźli meteoryt i nikogo nie obchodzi, w jaki sposób to zrobili. Interesuje go defraudacja. Chce pogrążyć jakiegoś wysoko postawionego urzędnika NASA. Niech pan mu powie, z kim pan pracuje, a wykluczy pana z dochodzenia. Albo pójdzie nam pan na rękę i powie, kim jest ta druga osoba, albo senator wkurzy się i zacznie mówić o programie wykrywania anomalii oraz o zmyślonych obejściach.

— Pani blefuje. Nie ma żadnego sprzeniewierzania funduszy.

— Jest pan strasznym kłamcą, doktorze Harper. Widziałam dowody. Pańskie nazwisko widnieje na wszystkich obciążających dokumentach.

— Przysięgam, nic mi nie wiadomo o żadnej defraudacji.

Gabrielle westchnęła rozczarowana.

— Proszę postawić się na moim miejscu, doktorze. Mogę wyciągnąć tylko dwa wnioski. Albo pan mnie okłamuje, tak samo jak kłamał pan na konferencji prasowej, albo mówi prawdę, a to znaczy, że ktoś wysoko postawiony robi z pana kozła ofiarnego, żeby ukryć własne przekręty.

Harper milczał.

Gabrielle spojrzała na zegarek.

— Propozycja senatora będzie aktualna przez godzinę. Może pan ocalić skórę, podając mu nazwisko urzędnika, z którym defrauduje pan pieniądze podatników. Senatorowi nie zależy na panu. Chce złapać grubą rybę. Najwyraźniej osoba ta ma tutaj pewną władzę; jej nazwisko nie pojawia się w obciążających pana papierach.

Harper pokręcił głową.

— Pani kłamie.

— Powtórzy pan to przed sądem?

— Jasne. Wszystkiemu zaprzeczę.

— Pod przysięgą? — Gabrielle cmoknęła z niesmakiem. — Zaprzeczy pan również, że kłamał pan w sprawie naprawy programu PODS? — Serce jej waliło, gdy patrzyła mu prosto w oczy. — Proszę głęboko rozważyć możliwości, doktorze Harper. Amerykańskie więzienia bywają nieprzyjemne.

Harper spiorunował ją wzrokiem. Gabrielle gorąco pragnęła, żeby się złamał. Przez chwilę widziała błysk kapitulacji w jego oczach, ale przemówił głosem, w którym dźwięczała stal:

— Pani Ashe, strzela pani na ślepo. Oboje wiemy, że w NASA nie ma żadnej defraudacji. Jedynym kłamcą w tym pokoju jest pani.

Gabrielle zesztywniała. Spojrzenie mężczyzny było przenikliwe i pełne złości. Miała ochotę odwrócić się i uciec. Próbowałaś wyprowadzić w pole speca od rakiet. Do licha, czego się spodziewałaś?

— Wiem tylko... — zaczęła, udając pewność siebie i obojętność na jego reakcję — że widziałam obciążające dokumenty, które stanowią niepodważalny dowód, iż wraz z drugą osobą sprzeniewierza pan fundusze NASA. Senator poprosił mnie, żebym przyszła do pana i zaproponowała panu wybór: albo wyda pan wspólnika, albo stanie przed komisją śledczą. Przekażę senatorowi, że woli pan dochodzenie. Powie pan wtedy to wszystko, co powiedział mnie: nie sprzeniewierzał pan funduszy i nie skłamał w sprawie oprogramowania PODS. — Posłała mu ponury uśmiech. — Choć po tym nieudanym wystąpieniu na konferencji prasowej sprzed dwóch tygodni poważnie w to wątpię. — Gabrielle odwróciła się na pięcie i pomaszerowała przez ciemne laboratorium. Zastanawiała się, czy przypadkiem to nie ona wyląduje za kratkami.

Szła z wysoko podniesioną głową, spodziewając się, że Harper ją zawoła. Cisza. Otworzyła metalowe drzwi i wyszła na korytarz. Miała nadzieję, że tutaj nie trzeba mieć karty magnetycznej do otworzenia windy. Przegrała z kretesem. Mimo największych wysiłków Harper nie złapał przynęty. Może jednak mówił prawdę na tej konferencji? — pomyślała.

Gdy metalowe drzwi otworzyły się gwałtownie, ich trzask odbił się echem w korytarzu.

— Pani Ashe — zawołał Harper — przysięgam, że nic nie wiem o malwersacji. Jestem uczciwym człowiekiem!

Serce jej zamarło. Nie zatrzymała się. Nonszalancko wzruszyła ramionami i zawołała bez odwracania głowy:

— A jednak skłamał pan na konferencji prasowej.

Cisza. Gabrielle szła dalej.

— Chwileczkę! — krzyknął Harper. Dopędził ją, blady. — Co do tego sprzeniewierzenia... — powiedział cicho — chyba wiem, kto mnie wrobił.

Gabrielle stanęła jak wryta, zastanawiając się, czy dobrze usłyszała. Odwróciła się powoli, żeby nie okazać przejęcia.

— Spodziewa się pan, że uwierzę, iż ktoś pana wrabia?

Harper westchnął.

— Przysięgam, że nie wiem nic o malwersacji. Ale jeśli dowody świadczą przeciwko mnie...

— Całe stosy.

Harper westchnął.

— W takim razie to zostało zaplanowane. Żeby zdyskredytować mnie w razie potrzeby. I mogła to zrobić tylko jedna osoba.

— Kto?

Spojrzał jej w oczy.

— Lawrence Ekstrom mnie nienawidzi.

Gabrielle osłupiała.

Harper ponuro pokiwał głową.

— To on zmusił mnie do kłamania na konferencji prasowej.

Rozdział 88

Choć zasilany ciekłym metanem układ napędowy samolotu Aurora pracował z połową mocy, zespół Delta Force pędził przez noc z trzykrotną prędkością dźwięku — ponad trzy tysiące kilometrów na godzinę. Silniki pulsacyjno-detonacyjne tętniły hipnotyzująco. Trzydzieści metrów niżej ocean burzył się dziko, zasysana przez podciśnienie woda tworzyła równoległe, wysokie na piętnaście metrów „kogucie ogony", pędzące w ślad za samolotem.

Dlatego SR-71 blackbird odszedł na emeryturę, pomyślał Delta Jeden.

Aurora był jednym z tych tajnych samolotów, o których istnieniu nikt nie powinien wiedzieć, ale wiedzą wszyscy. Nawet kanał Discovery poświęcił program aurorze i lotom próbnym w Groom Lake w Nevadzie. Nie wiadomo, co spowodowało ujawnienie tajemnicy: powtarzające się „trzęsienia nieba" słyszalne nawet w Los Angeles, przypadkowe dostrzeżenie maszyny przez jakiegoś nafciarza z platformy na Morzu Północnym czy administracyjna gafa polegająca na umieszczeniu opisu aurory w publicznej kopii budżetu Pentagonu. To nie miało znaczenia. Wieść się rozeszła — amerykański samolot osiągający prędkość sześciu machów istnieje nie tylko na desce kreślarskiej. Lata po niebie.

Zbudowana przez Lockheeda aurora wyglądała jak spłaszczona piłka futbolowa. Miała trzydzieści trzy metry długości, osiemnaście szerokości, gładki obrys kadłuba pokrytego płytkami termicznymi jak prom kosmiczny. Prędkość była przede wszystkim zasługą nowatorskiego napędu zwanego silnikiem pulsacyjno-detonacyjnym (PDWE)*, napędzanego rozpylonym płynnym wodorem. Ponieważ samolot zostawiał charakterystyczną smugę gazów wylotowych, latał wyłącznie w nocy.

Dzisiaj żołnierze Delta Force, korzystając z luksusu ogromnej prędkości, lecieli nad otwartym oceanem do domu. Już wyprzedzali swoją zwierzynę. Mieli wylądować na Wschodnim Wybrzeżu za niecałą godzinę, dwie godziny z okładem przed celami. Zastanawiali się, czy nie wyśledzić i nie zestrzelić ich samolotu, ale kontroler słusznie zauważył, że incydent mógłby zostać dostrzeżony przez obsługę radarów, a spalony wrak stałby się punktem wyjścia dla szeroko zakrojonego dochodzenia. Zadecydował, że będzie lepiej, gdy samolot wyląduje zgodnie z planem. Kiedy stanie się jasne, gdzie zamierza lądować, żołnierze Delta Force wkroczą do akcji.

Gdy aurora mknęła nad Basenem Labradorskim, cryptalk zasygnalizował połączenie. Delta Jeden zgłosił się.

— Sytuacja uległa zmianie — poinformował ich przetworzony głos. — Macie inny cel przed wylądowaniem Rachel Sexton i naukowców.

Inny cel. Delta Jeden potrafił to wyczuć. Prawda wychodzi na jaw. Muszą jak najszybciej załatać kolejny przeciek, który powstał na statku kontrolera. Statek nie przeciekałby, pomyślał Delta Jeden, gdybyśmy wyeliminowali cele na Lodowcu Milne'a. Wiedział cholernie dobrze, że sprząta bałagan, którego sam narobił.

— Do gry weszła czwarta osoba — oznajmił kontroler.

— Kto?

Kontroler milczał przez chwilę, a potem podał nazwisko.

Trzej mężczyźni wymienili zaskoczone spojrzenia. Było to nazwisko, które dobrze znali.

Nic dziwnego, że wymówił je z taką niechęcią, pomyślał Delta Force. Jak na operację, która miała być czysta, liczba i status celów szybko wzrastały. Czuł, jak napinają mu się mięśnie, gdy kontroler uprzedził, że zaraz poda szczegółowe wskazówki, jak i gdzie wyeliminować nowy cel.

— Stawka ogromnie wzrosła — powiedział. — Słuchajcie uważnie. Podam instrukcje tylko raz.

---

* Pulse Detonation Wave Engine

Rozdział 89

Odrzutowiec G-4 leciał wysoko nad północną częścią Maine w kierunku Waszyngtonu. Michael Tolland i Corky Marlinson patrzyli na Rachel, która wyjaśniała swoją teorię podwyższonej ilości jonów wodoru w skorupie obtopieniowej meteorytu.

— NASA ma ośrodek doświadczalny zwany stacja Plum Brook — mówiła, ledwo wierząc własnym uszom. Dzielenie się tajnymi informacjami nie było czymś, co robiła na co dzień, ale biorąc pod uwagę okoliczności, Tolland i Corky mieli prawo wiedzieć. — Plum Brook jest zasadniczo komorą doświadczalną najnowszych układów napędowych NASA. Dwa lata temu skracałam raport o testowanym tam nowym projekcie zwanym ECE *, czyli silniku ekspansyjnym.

Corky popatrzył na nią podejrzliwie.

— Silniki ekspansyjne wciąż są na etapie teoretycznym. Istnieją tylko na papierze. Nikt ich nie testuje. Całe dziesięciolecia dzielą nas od prób.

Rachel pokręciła głową.

— Mylisz się, Corky. NASA ma prototypy i poddaje je próbom.

— Co takiego? — Astrofizyk miał sceptyczną minę. — ECE pracuje na płynnej mieszance tlenowo-wodorowej, która zamarza w kosmosie, i z tego powodu silnik jest dla NASA bezwartościowy. Oświadczyli, że nawet nie podejmą próby skonstruowania ECE, dopóki nie uporają się z problemem zamarzania paliwa.

— Uporali się. Usunęli tlen i teraz paliwem jest tak zwana breja

* Expander Cycle Engine

wodorowa, swego rodzaju paliwo kriogeniczne składające się z czystego wodoru w stanie ciekłym i stałym. Spalanie przebiega bardzo gwałtownie i jest niezwykle czyste. Silnik jest również mocnym kandydatem do układu napędowego, jeśli NASA zacznie organizować misje na Marsa.

Na twarzy Corky'ego malowało się zdumienie.

— To nie może być prawdą.

— To coś więcej niż prawda. Pisałam o tym w raporcie dla prezydenta. Mój szef chwycił za broń, bo NASA zamierzała pochwalić się swoimi osiągnięciami przed całym światem. Chciał, żeby Biały Dom zmusił NASA do utajnienia tego paliwa wodorowego.

— Dlaczego?

— Nieważne. — Rachel nie miała zamiaru zdradzać więcej sekretów, niż musiała. Prawda była taka, że w sferach odpowiedzialnych za bezpieczeństwo narodowe coraz większe zaniepokojenie budziło coś, z czego niewiele osób zdawało sobie sprawę — alarmujące postępy Chin w rozwoju technologii kosmicznych. Chińczycy budowali obecnie „wyrzutnię do wynajęcia", którą zamierzali udostępniać bogatym oferentom, przy czym wielu spośród nich było wrogami Stanów Zjednoczonych. To mogło mieć druzgoczące implikacje dla bezpieczeństwa USA. Na szczęście NRO wiedziało, że Chiny trzymają się skazanego na niepowodzenie modelu napędowo-paliwowego. Pickering nie widział powodu, żeby dzielić się z nimi informacjami na temat bardziej obiecującego paliwa wodorowego.

— Mówisz więc, że NASA ma silnik czystego spalania, napędzany czystym wodorem? — zapytał Tolland.

Rachel pokiwała głową.

— Nie znam liczb, ale temperatura gazów wylotowych w tych silnikach przypuszczalnie kilka razy przekracza wszystko, co do tej pory powstało. NASA miała nie lada problem ze znalezieniem odpowiedniego materiału na dysze. — Po chwili milczenia dodała: — Wielka skała umieszczona za jednym z takich silników podlegałaby działaniu bogatego w wodór płomienia o niespotykanej dotąd temperaturze. Powstałaby całkiem niezła skorupa obtopieniowa.

— Daj spokój! — parsknął Corky. — Wracamy do wersji fałszywego meteorytu?

Tolland był zaintrygowany.

— Prawdę powiedziawszy, to wcale niegłupi pomysł. Realizacja wymagałaby wysiłku nie większego niż ten, jaki wiązałby się z ustawieniem głazu na płycie wyrzutni pod startującym promem kosmicznym.

— Boże dopomóż — mruknął Corky. — Lecę w samolocie z wariatami.

— Corky, hipotetycznie skała poddana działaniu gazów wylotowych wykazywałaby takie same cechy co ta, która przeszła przez atmosferę, prawda? Miałbyś takie same zagłębienia i nacieki topiącego się materiału.

Corky chrząknął.

— Możliwe.

— A opisane przez Rachel czyste spalanie paliwa wodorowego nie pozostawiłoby żadnych zanieczyszczeń chemicznych. Tylko wodór. Zwiększony poziom jonów wodoru w warstwie powierzchniowej.

Corky przewrócił oczami.

— Słuchaj, jeśli silnik ECE naprawdę istnieje i pracuje na brei wodorowej, przypuszczam, że ta hipoteza jest możliwa. Ale okropnie naciągana.

— Dlaczego? — zapytał Tolland. — Proces wydaje się dość prosty.

Rachel pokiwała głową.

— Wszystkim, czego potrzeba, jest licząca sto dziewięćdziesiąt milionów lat skała ze skamielinami. Wystarczy przypalić ją w płomieniu wylotowym silnika ekspansyjnego, a potem zagrzebać w lodzie. Błyskawiczny meteoryt.

— Może dla turystów — mruknął Corky — ale nie dla naukowców z NASA! Poza tym wciąż nie wyjaśniłaś obecności chondr!

Rachel spróbowała sobie przypomnieć, jak powstają chondry.

— Mówiłeś, że chondry powstają w wyniku szybkiego ogrzewania i chłodzenia w kosmosie, prawda?

Corky przytaknął.

— Chondry powstają wówczas, kiedy skała schłodzona w kosmosie nagle zostaje rozgrzana do stanu częściowego stopienia, do około tysiąca pięciuset pięćdziesięciu stopni Celsjusza. Potem musi ulec schłodzeniu, bardzo szybko, a wtedy roztopione minerały twardnieją, przybierając formę kulistych skupień krystalicznych.

Tolland uważnie przyjrzał się przyjacielowi.

— I ten proces nie może zajść na Ziemi?

— To niemożliwe. Na tej planecie nie ma różnic temperatur, które mogłyby spowodować tak szybką przemianę. Mówimy o cieple powstającym w trakcie reakcji jądrowej i o zerze absolutnym kosmosu. Te skrajne wartości po prostu nie występują na Ziemi.

Rachel zastanowiła się.

— Przynajmniej nie w warunkach naturalnych.

Corky odwrócił się w jej stronę.

— Co masz na myśli?

— Po prostu sztuczne podgrzanie i schłodzenie. Skała mogła zostać podgrzana przez silnik napędzany wodorem, a następnie szybko schłodzona w komorze kriogenicznej.

Corky wytrzeszczył oczy.

— Sztuczne chondry?

— To jest pomysł.

— Niedorzeczny. — Corky podrzucił próbkę meteorytu. — Czyżbyś zapomniała? Wiek tych chondr został oceniony na sto siedemdziesiąt milionów lat. — Jego ton stał się protekcjonalny. — O ile wiem, sto siedemdziesiąt milionów lat temu nikt nie budował silników wodorowych ani komór kriogenicznych.

Chondry czy nie, myślał Tolland, dowodów przybywa. Milczał od kilku minut, zmartwiony najnowszą rewelacją Rachel na temat skorupy obtopieniowej. Jej hipoteza, choć zdumiewająco śmiała, otworzyła nowe drzwi i poprowadziła jego myśli w nieoczekiwanym kierunku. Jeśli można stworzyć skorupę obtopieniową... to co jeszcze jest możliwe?

— Co tak zamilkłeś? — zapytała Rachel.

Tolland podniósł głowę. Przez chwilę w przyćmionym świetle wnętrza samolotu widział w jej oczach troskę, która przywiodła mu na myśl Celię. Otrząsnął się szybko ze wspomnień i westchnął, zmęczony.

— Myślałem...

Uśmiechnęła się.

— O meteorytach?

— A o czymże innym?

— Zrewidowałeś wszystkie dowody, próbując dojść do tych niepodważalnych?

— Mniej więcej.

— Jakieś wnioski?

— Niezupełnie. Martwi mnie, ile pewników runęło w świetle odkrycia dolnego szybu w lodzie.

— Hierarchiczny dowód jest domkiem z kart — zauważyła Rachel. — Usuń podstawowe założenie, a wszystko zacznie się sypać. Podstawowym założeniem było miejsce znalezienia meteorytu.

Otóż to.

— Kiedy przybyłem na Lodowiec Milne'a, administrator powiedział mi, że meteoryt został znaleziony w dziewiczym, trzystuletnim lodzie, a jego gęstość była większa niż gęstość skał występujących na tym obszarze, co uznałem za dowód pozaziemskiego pochodzenia.

— Ty i cała reszta.

— Średnia zawartość niklu, choć przekonująca, najwyraźniej nie jest rozstrzygającym dowodem.

— Jest bliska meteorytowej — wtrącił Corky.

— Ale niezupełnie pasuje do przedziału.

Corky niechętnie pokiwał głową, przyznając mu rację.

— A kosmiczny „robak", choć szokująco dziwaczny — mówił Tolland — może być w rzeczywistości bardzo starym abisalnym skorupiakiem.

Rachel też pokiwała głową.

— A teraz skorupa obtopieniowa...

— Przykro mi to mówić — Tolland, zerknął na Corky'ego — ale czuję, że dowody przeciw zaczynają przeważać nad tymi za.

— Nauka nie opiera się na przeczuciach — zaznaczył Corky — tylko na dowodach. W skale mamy chondry, struktury specyficzne dla meteorytów. Zgadzam się z wami, że wszystko, co widzieliśmy, jest niepokojące, ale nie możemy zignorować chondr. Dowód na korzyść jest niepodważalny, podczas gdy dowody przeciwko mają charakter poszlakowy.

Rachel ściągnęła brwi.

— I dokąd nas to prowadzi?

— Donikąd — uciął Corky. — Chondry dowodzą, że mamy do czynienia z meteorytem. Pytanie, dlaczego ktoś wetknął go pod lód.

Tolland chciałby uwierzyć w logikę przyjaciela, ale coś mu nie pasowało.

— Nie wyglądasz na przekonanego, Mike — zauważył Corky.

Tolland westchnął.

— Sam nie wiem. Dwa trafienia na trzy możliwe to nieźle, Corky, ale do trzech brakuje jednego. Po prostu czuję, że coś przeoczyliśmy.

Rozdział 90

Przyłapali mnie, pomyślał Chris Harper, z drżeniem wyobrażając sobie więzienną celę. Senator Sexton wie, że kłamałem na temat oprogramowania PODS.

Gdy prowadził Gabrielle Ashe z powrotem do biura, jego nienawiść do administratora NASA narastała z chwili na chwilę. Dzisiejszej nocy dowiedział się, jak głęboko sięga oszustwo Ekstroma. Nie dość, że zmusił go do kłamstwa na konferencji prasowej, to jeszcze zabezpieczył się na wypadek, gdyby podwładny stchórzył i postanowił wystąpić z drużyny.

Dowody defraudacji, pomyślał Harper. Szantaż. Bardzo sprytnie. Ostatecznie kto uwierzyłby malwersantowi, próbującemu zdyskredytować największe osiągnięcie w historii amerykańskiej astronautyki? Już wiedział, do czego gotów jest posunąć się administrator NASA, żeby ratować amerykańską agencję kosmiczną, a teraz, po ogłoszeniu odkrycia meteorytu ze skamielinami, stawka niebotycznie wzrosła.

Harper krążył przez jakiś czas wokół szerokiego stołu, na którym stał miniaturowy model satelity PODS — cylinder z licznymi antenami i obiektywami za odblaskowymi osłonami. Gabrielle siedziała, wodząc za nim ciemnymi oczami. Czekała. Harper miał mdłości, które przypominały mu o tym, co czuł w czasie tej niesławnej konferencji prasowej. Tamtej nocy odegrał marne przedstawienie i wszyscy zasypywali go pytaniami. Musiał kłamać, że był chory. Na szczęście koledzy i dziennikarze przeszli do porządku dziennego nad tym niefortunnym wystąpieniem i szybko o nim zapomnieli.

A teraz kłamstwo wróciło, żeby się na nim zemścić.

Twarz Gabrielle Ashe złagodniała.

— Panie Harper, mając administratora za wroga, będzie pan potrzebował potężnego sprzymierzeńca. Senator Sexton może okazać się pańskim jedynym przyjacielem w tej sprawie. Zacznijmy od kłamstwa dotyczącego oprogramowania PODS. Proszę mi powiedzieć, co się stało.

Harper westchnął. Wiedział, że pora wyznać prawdę. Powinienem to zrobić na samym początku, cholera jasna!

— Wystrzelenie PODS przebiegło gładko — zaczął. — Satelita zgodnie z planem wszedł na orbitę biegunową.

Gabrielle Ashe miała znudzoną minę. Najwyraźniej te informacje nie były dla niej niczym nowym.

— Proszę dalej.

— Potem zaczęły się kłopoty. Kiedy przygotowaliśmy się do zbadania lodu pod kątem anomalii gęstości, oprogramowanie na pokładzie zawiodło.

— Aha...

Harper mówił teraz szybciej.

— Program powinien dokonywać szybkiej analizy danych z tysięcy akrów powierzchni i wskazywać te części lodu, których gęstość odbiega od normy. Zasadniczo miał szukać miękkich miejsc, będących wskaźnikami globalnego ocieplenia, ale powinien również sygnalizować inne odstępstwa od normalnej gęstości. Plan przewidywał, że PODS przez kilka tygodni będzie skanować północną strefę okołobiegunową po krąg polarny i identyfikować wszystkie anomalie, żebyśmy mogli ocenić skalę globalnego ocieplenia.

— Ale bez sprawnego oprogramowania PODS nie na wiele się przydał — wtrąciła Gabrielle. — NASA musiałaby analizować obrazy na „piechotę", centymetr kwadratowy po centymetrze, szukając podejrzanie wyglądających miejsc.

Herper pokiwał głową, na nowo przeżywając koszmar będący wynikiem błędu w oprogramowaniu.

— To zajęłoby dziesiątki lat. Sytuacja była okropna. Z powodu błędu w moim programie PODS stał się praktycznie bezwartościowy. W obliczu nadchodzących wyborów i krytyki NASA przez senatora Sextona... — Westchnął.

— Pański błąd był katastrofalny dla NASA i prezydenta.

— Nie mógł zdarzyć się w gorszym momencie. Administrator wpadł w szał. Obiecałem mu, że usunę usterkę w czasie następnego lotu wahadłowca; rzecz sprowadza się do wymiany kości półprzewodnikowej z programem. Ale na to też było trochę za późno. Wysłał mnie na urlop, choć w gruncie rzeczy zostałem zwolniony. To było miesiąc temu.

— A jednak przed dwoma tygodniami wystąpił pan w telewizji i oznajmił, że znalazł pan wyjście z sytuacji.

Harper zgarbił się.

— Straszliwy błąd. Tego dnia administrator wezwał mnie do siebie. Był zdesperowany. Powiedział mi, że mogę się zrehabilitować. Poprosił mnie o poprowadzenie konferencji prasowej i oświadczenie, że znalazłem obejście dla usterki w programie PODS i że za parę tygodni zaczniemy odbierać dane. Powiedział, że przyczyny poda mi później.

— I pan się zgodził.

— Nie, odmówiłem! Po godzinie administrator przyszedł do mojego biura... ze starszym doradcą Białego Domu.

— Co takiego? — zdumiała się Gabrielle. — Z Marjorie Tench?

Z tą paskudą, pomyślał Harper, kiwając głową.

— Kazali mi usiąść i oświadczyli, że przez mój błąd NASA wraz z prezydentem znalazła się na skraju przepaści. Pani Tench wspomniała o planach senatora, który dąży do sprywatyzowania NASA. Powiedziała, że powinienem wszystko wyprostować, bo tyle jestem winien prezydentowi i agencji. Wyjaśniła też, jak mam to zrobić.

Gabrielle pochyliła się w jego stronę.

— Niech pan mówi dalej.

— Marjorie Tench poinformowała mnie, że Biały Dom w następstwie szczęśliwego zbiegu okoliczności wszedł w posiadanie informacji, iż w Lodowcu Szelfowym Milne'a jest pogrzebany wielki meteoryt. Jeden z największych dotąd znalezionych. Odkrycie meteorytu tej wielkości znacznie poprawiłoby wizerunek NASA.

Gabrielle była zaszokowana.

— Chwileczkę, mówi pan, że przed odkryciem dokonanym przez PODS ktoś już wiedział o meteorycie?

— Tak. PODS nie miał nic wspólnego z odkryciem. Administrator wiedział o istnieniu meteorytu. Po prostu podał mi współrzędne, kazał ustawić satelitę nad lodowcem i udawać, że to PODS dokonał odkrycia.

— Pan żartuje.

— Sam tak zareagowałem, kiedy poprosili mnie o udział w tym oszustwie. Nie chcieli mi powiedzieć, skąd wiedzą o meteorycie, ale pani Tench z uporem powtarzała, że to nie ma znaczenia, że trafia się idealna okazja na uratowanie reputacji PODS. Jeśli udam, że satelita zlokalizował meteoryt, wtedy NASA będzie mogła pochwalić się sukcesem, co z kolei poprawi notowania prezydenta przed wyborami.

Gabrielle była poruszona.

— A pan oczywiście nie mógłby ogłosić odkrycia meteorytu bez wcześniejszego oświadczenia, że oprogramowanie wykrywające anomalie działa bez zarzutu.

Harper pokiwał głową.

— Stąd kłamstwo na konferencji prasowej. Zostałem do tego zmuszony. Tench i administrator byli bezwzględni. Przypomnieli mi, co komu zawdzięczam. Prezydent sfinansował mój projekt PODS, NASA poświęciła mu całe lata, a ja zaprzepaściłem wszystko jednym błędem w programie.

— Dlatego zgodził się pan pomóc.

— Nie miałem wyboru. Moja kariera dobiegłaby końca, gdybym tego nie zrobił. I prawda była taka, że gdybym nie schrzanił programu, PODS faktycznie znalazłby meteoryt. Dlatego w owym czasie kłamstwo wydawało się niewinne. Wytłumaczyłem je sobie, mówiąc, że oprogramowanie i tak zostanie poprawione, kiedy za parę miesięcy wystartuje wahadłowiec, więc sprawa sprowadza się do ogłoszenia faktu z wyprzedzeniem.

Gabrielle zagwizdała.

— Małe kłamstwo, żeby wykorzystać okazję, jaka pojawiła się wraz z meteorytem.

Sama rozmowa o tym sprawiała, że Harperowi było niedobrze.

— A więc... zrobiłem to. Zgodnie z poleceniem administratora zwołałem konferencję prasową i ogłosiłem, że znalazłem obejście usterki programu wykrywającego anomalie, odczekałem parę dni, ustawiłem PODS nad miejscem, którego współrzędne podał mi administrator. Potem, trzymając się hierarchii służbowej, zadzwoniłem do dyrektora EOS i zameldowałem, że satelita wykrył anomalię o wysokiej gęstości na Lodowcu Milne'a. Podałem mu współrzędne i powiedziałem, że anomalia jest dość gęsta, by wskazywać na meteoryt. NASA natychmiast wysłała na lodowiec niewielki zespół, żeby zrobić kilka odwiertów i zbadać rdzenie. Zaraz potem operacja została utajniona.

— A zatem do dziś nie miał pan pojęcia, że w meteorycie są skamieniałości?

— Nikt tego nie wiedział. Wszyscy jesteśmy w szoku. Teraz wszyscy nazywają mnie bohaterem, bo niby znalazłem dowody na istnienie życia pozaziemskiego, a ja nie wiem, co powiedzieć.

Gabrielle milczała przez długą chwilę, nie spuszczając oczu z Harpera.

— Ale skoro PODS nie zlokalizował meteorytu w lodzie, to skąd administrator o nim wiedział?

— Znalazł go ktoś inny.

— Ktoś inny? Kto?

Harper westchnął.

— Kanadyjski geolog Charles Brophy, prowadzący badania na Wyspie Ellesmere'a. Najwyraźniej robił geologiczne badania ultradźwiękowe na Lodowcu Milne'a, kiedy przez przypadek wykrył w lodzie obecność czegoś, co wyglądało na wielki meteoryt. Podał wiadomość przez radio, a NASA przypadkiem przechwyciła transmisję.

Oczy Gabrielle rozszerzyły się ze zdumienia.

— I ten Kanadyjczyk się nie wściekł, że NASA przypisuje sobie całą zasługę?

— Nie — odparł Harper, czując chłód. — Tak się składa, że facet nie żyje.

Rozdział 91

Michael Tolland zamknął oczy i słuchał pomruku odrzutowego silnika. Zrezygnował z prób rozgryzienia zagadki meteorytu do czasu powrotu do Waszyngtonu. Chondry, według Corky'ego, były rozstrzygającym dowodem; skała z Lodowca Milne'a mogła być tylko meteorytem. Rachel miała nadzieję, że da Williamowi Pickeringowi jednoznaczną odpowiedź, ale jej intelektualne eksperymenty utknęły w ślepej uliczce o nazwie „chondry". Dowody budziły podejrzenia, jednak sam meteoryt wydawał się autentyczny.

Musi być autentyczny.

Przeżycia na oceanie były dla Rachel wstrząsająco koszmarne, lecz mimo to wykazywała się nadzwyczajnym opanowaniem. Koncentrowała się na problemie, próbując znaleźć sposób na obalenie lub potwierdzenie autentyczności meteorytu oraz odgadnąć, kto nastawał na ich życie.

Przez większą część lotu siedziała obok niego. Rozmowa z nią sprawiała mu przyjemność, na przekór denerwującym okolicznościom. Kilka minut temu poszła do toalety, a on ze zdumieniem stwierdził, że dotkliwie odczuwa jej brak. Zastanowił się, ile czasu minęło, odkąd tęsknił za kobietą — za kobietą inną niż Celia.

— Panie Tolland?

Podniósł głowę.

Do kabiny zaglądał pilot.

— Chciał pan, żeby powiedzieć, kiedy znajdziemy się w zasięgu łączności z pańskim statkiem. Mogę nawiązać kontakt, jeśli pan sobie życzy.

— Dzięki.

Tolland przeszedł do kabiny pilotów i zadzwonił na statek. Chciał powiadomić załogę, że nie będzie go jeszcze przez parę dni. Oczywiście nie miał zamiaru mówić o kłopotach, w jakich się znalazł.

Po kilku sygnałach z zaskoczeniem usłyszał wiadomość wgraną do systemu łączności SHINCOM 2100. Nie było to zwyczajne, formalne zgłoszenie, tylko hałaśliwe powitanie pokładowego kawalarza:

„Hoja, hoja, mówi »Goya«. Przepraszamy, że nikogo nie ma, ale uprowadziły nas ogromne stonogi! Tak na poważnie, zrobiliśmy sobie krótki urlop, żeby uczcić wielką noc Mike'a. Rany, pękamy z dumy! Zostaw nazwisko i numer, może oddzwonimy jutro, kiedy będziemy trzeźwi. Pa, pa! Leć, ET!".

Tolland się roześmiał. Najwyraźniej oglądali konferencję prasową. Nie miał nic przeciwko temu, że wyszli na brzeg; bezczynne siedzenie na morzu byłoby głupotą. Chociaż z wiadomości wynikało, że wszyscy zrobili sobie urlop, domyślał się, iż nie zostawili statku bez opieki. Nie w takim miejscu.

Wstukał kod, żeby odsłuchać wiadomości z poczty głosowej. Usłyszał jeden sygnał. Jedna wiadomość. Głos należał do tego samego mężczyzny.

„Cześć, Mike, fantastyczny program! Pewnie jesteś teraz na jakiejś szpanerskiej balandze w Białym Domu i zastanawiasz się, gdzie, u diabła, się podziewamy. Przepraszamy za opuszczenie statku, stary, ale czegoś takiego nie można świętować o suchym pysku. Nie martw się, zakotwiczyliśmy »Goyę« jak się patrzy i zostawiliśmy zapalone światło na werandzie. Mamy cichą nadzieję, że porwą go piraci, bo wtedy NBC sprawi ci nową łajbę! To żart, ma się rozumieć. Nie martw się, Xavia zgodziła się zostać i pilnować fortecy. Powiedziała, że woli siedzieć sama, niż balować z bandą pijanych rybaków, wyobrażasz sobie?".

Tolland odetchnął z ulgą na wieść, że ktoś czuwa nad statkiem. Xavia jest odpowiedzialna i nie przepada za imprezami. Poza tym szanowana geolog morski słynie z rąbania prawdy prosto w oczy.

„W każdym razie — mówił głos — dzisiejszy wieczór był niesamowity. Cieszysz się, że jesteś naukowcem, no nie? Wszyscy mówią o korzyściach, jakie odniesie NASA, a ja mówię, pieprzyć ich! Tym lepiej dla nas! Notowania *Niezwykłego świata* musiały skoczyć o milion punktów. Jesteś gwiazdą, człowieku. Prawdziwą gwiazdą. Gratulacje. Doskonała robota".

W tle zabrzmiała cicha rozmowa, potem głos wrócił:

„Aha, słuchaj, skoro mowa o Xavii. Chce ci coś powiedzieć, żeby przypadkiem woda sodowa nie uderzyła ci do głowy. Oto ona".

Usłyszał głos Xavii:

„Mike, tu Xavia, jesteś wielki i tak dalej, i tak dalej. I ponieważ tak bardzo cię kocham, zgodziłam się niańczyć tę przedpotopową balię. Szczerze, miło będzie pobyć z daleka od tych chuliganów, których nazywasz naukowcami. Poza tym jako pokładowa jędza jestem zobowiązana zrobić wszystko, co w mojej mocy, żebyś nie przemienił się w nadętego bubka. Wiem, po dzisiejszej nocy moje zadanie może okazać się trudne, ale spróbuję. Muszę ci powiedzieć, że w swoim filmie strzeliłeś byka. Tak, nie przesłyszałeś się. Nieczęste intelektualne pierdnięcie Michaela Tollanda. Nie przejmuj się, zauważą je najwyżej ze trzy osoby na Ziemi, wszystkie bez wyjątku będące cierpiącymi na zatwardzenie geologami morskimi bez odrobiny poczucia humoru. Podobni do mnie. Ale wiesz, co mówią o nas, geologach: zawsze dzielimy kamień na czworo. — Roześmiała się. — W każdym razie to nic takiego, drobiażdżek natury petrograficznej. Mówię o tym tylko po to, żeby spaprać ci wieczór. Możesz w tej sprawie dostać parę telefonów, pomyślałam więc sobie, że cię uprzedzę, żebyś nie wyszedł na durnia, jakim skądinąd jesteś. — Znowu się roześmiała. — Posłuchaj, nie jestem zwierzęciem imprezowym, więc zostaję na pokładzie. Nie zawracaj sobie głowy dzwonieniem do mnie; muszę włączyć sekretarkę, bo ci cholerni reporterzy będą wydzwaniali przez całą noc. Dziś jesteś prawdziwą gwiazdą, choć palnąłeś głupstwo. Oświecę cię, kiedy wrócisz. Pa".

Na linii zapadła cisza.

Michael Tolland zmarszczył czoło. Błąd w moim filmie?

Rachel Sexton stała w toalecie i patrzyła na swoje odbicie w lustrze. Wyglądała na bledszą i słabszą, niż myślała. Dzisiejszy strach wiele ją kosztował. Zastanawiała się, kiedy w końcu przestanie się trząść albo kiedy zbierze się na odwagę, żeby znowu zbliżyć się do oceanu. Zdjęła czapkę z USS „Charlotte", rozpuściła włosy. Poczuła się trochę lepiej.

Patrząc w swoje oczy, widziała głębokie zmęczenie, ale pod nim kryło się zdecydowanie. Wiedziała, że to dar jej matki. „Niech nikt ci nie mówi, co możesz, a czego nie możesz robić". Rachel zastanowiła się, czy matka widziała to, co stało się dzisiaj. Ktoś chciał mnie zabić, mamo. Ktoś chciał zabić nas wszystkich...

W jej głowie od kilku godzin przewijały się nazwiska.

Lawrence Ekstrom... Marjorie Tench... prezydent Zach Herney. Wszyscy mieli motyw. I, co przerażało ją jeszcze bardziej, wszyscy mieli środki. Prezydent nie jest w to zamieszany, powiedziała sobie. Kurczowo czepiała się nadziei, że prezydent, którego szanuje bardziej niż własnego ojca, nie ponosi winy za ten tajemniczy incydent.

Nadal nic nie wiemy.

Ani kto... ani czy... ani dlaczego.

Chciała zdobyć odpowiedzi dla Williama Pickeringa, ale jak dotąd udało jej się tylko pomnożyć pytania.

Po wyjściu z toalety z zaskoczeniem zobaczyła, że Michaela Tollanda nie ma na jego miejscu. Corky drzemał. Gdy się rozglądała, Mike wyszedł z kabiny pilotów. W jego oczach malowała się troska.

— Co się stało? — zapytała.

Tolland ponuro streścił odsłuchaną wiadomość.

Błąd w prezentacji? Rachel pomyślała, że Tolland robi z igły widły.

— Pewnie nic takiego. Nie powiedziała ci, o co dokładnie chodzi?

— Wspomniała o petrografii.

— Budowie skały?

— Tak. Powiedziała, że błąd mogło zauważyć tylko paru innych geologów. Odniosłem wrażenie, że chodzi o skład meteorytu.

Rachel odetchnęła głęboko.

— Chondry?

— Nie wiem, całkiem możliwe.

Rachel przyznała mu rację. Chondry są jedynym pozostałym dowodem, który kategorycznie podpiera twierdzenie NASA, że skała rzeczywiście jest meteorytem.

Podszedł do nich Corky, przecierając zaspane oczy.

— Co się dzieje?

Tolland nakreślił mu sytuację.

Astrofizyk pokręcił głową.

— Na pewno nie ma problemu z chondrami, Mike. Wykluczone. Wszystkie twoje dane pochodziły z NASA. I ode mnie. Nie było w nich żadnego błędu.

— Wobec tego w czym mogłem się pomylić?

— Licho wie. A poza tym, co geolog morski może wiedzieć o chondrach?

— Nie mam pojęcia, ale ona jest cholernie dobra.

— Zważywszy na okoliczności — wtrąciła Rachel — chyba powinniśmy pogadać z nią przed rozmową z Pickeringiem.

Tolland wzruszył ramionami.

— Dzwoniłem cztery razy, ale zgłasza się sekretarka. Pewnie Xavia siedzi w laboratorium i nie słyszy telefonu. Odsłucha moją wiadomość nie wcześniej niż rano. — Tolland spojrzał na zegarek. — Chociaż...

— Chociaż co?

Popatrzył na Rachel w skupieniu.

— Więc myślisz, że warto pogadać z Xavią przed spotkaniem z twoim szefem?

— Jeśli ma coś do powiedzenia w sprawie chondr, to myślę, że koniecznie trzeba to zrobić. Mike, w tej chwili mamy mnóstwo sprzecznych danych. William Pickering jest człowiekiem przyzwyczajonym do otrzymywania jednoznacznych odpowiedzi. Kiedy się z nim spotkamy, chciałabym powiedzieć mu coś konkretnego, żeby miał się na czym oprzeć.

— W takim razie powinniśmy tam wstąpić.

Rachel zamrugała ze zdumienia.

— Na twój statek?

— Kotwiczy u wybrzeża New Jersey. Prawie po drodze do Waszyngtonu. Porozmawiamy z Xavią, przekonamy się, co wie. Corky ma próbkę meteorytu. Gdyby Xavia chciała zrobić jakieś badania geologiczne, na statku jest całkiem dobrze wyposażone laboratorium. Nie przypuszczam, żeby uzyskanie rozstrzygających odpowiedzi zajęło nam więcej niż godzinę.

Rachel poczuła ukłucie strachu. Myśl o znalezieniu się na oceanie bardzo ją denerwowała. Uzyskamy rozstrzygające odpowiedzi, przekonywała się w duchu, kuszona przez taką możliwość. Pickering będzie za nie wdzięczny.

Rozdział 92

Delta Jeden ucieszył się, gdy znów poczuł ziemię pod nogami. Aurora, choć korzystała tylko z połowy mocy i leciała okrężną trasą nad oceanem, zakończyła podróż w niespełna dwie godziny. Żołnierze Delta Force mieli dzięki temu sporo czasu na zajęcie pozycji i przygotowanie się do wyeliminowania celu wskazanego przez kontrolera.

Na wojskowym lotnisku pod Waszyngtonem grupa Delta Force przesiadła się do nowego środka transportu — śmigłowca OH-58D Kiowa Warrior.

Kontroler znowu postarał się o to, co najlepsze, pomyślał Delta Jeden.

Kiowa warrior, zaprojektowany jako lekki śmigłowiec obserwacyjny, został „wzbogacony i udoskonalony", tworząc najnowszą generację helikopterów bojowych. Dzięki systemowi zobrazowania termicznego laserowy desygnator może naznaczyć cel, co z kolei pozwala na korzystanie z autonomicznie sterowanych pocisków takich jak rakiety powietrze-powietrze Stinger i AGM-1148 Hellfire. Szybki cyfrowy procesor sygnałowy (DSP) * umożliwia jednoczesne namierzanie sześciu celów. Niewielu wrogów widziało kiowę z bliska i przeżyło, żeby opowiedzieć o spotkaniu.

Delta Jeden poczuł znajomy przypływ siły, gdy usadowił się w fotelu pilota i zapiął pasy. Trenował na tym śmigłowcu i trzy razy leciał nim na tajne operacje. Oczywiście nigdy wcześniej nie polował na wysoko postawionego urzędnika amerykańskiego.

* Digital Signal Provider

Musiał przyznać, że kiowa idealnie nadaje się do tego zadania. Silnik Rolls Royce Allison i dwie półsztywne łopaty pracują praktycznie bezgłośnie, co oznacza, że osoby znajdujące się na ziemi słyszą helikopter dopiero wtedy, gdy przelatuje bezpośrednio nad nimi. Ponieważ maszyna może latać bez świateł i pomalowana jest na czarno, bez odblaskowych oznakowań, w zasadzie jest niewidoczna, chyba że cel ma radar.

Milczące czarne helikoptery.

Zwolennicy teorii spiskowej dostawali fioła na ich punkcie. Niektórzy twierdzili, że milczące czarne helikoptery są dowodem na istnienie „szturmowych oddziałów Nowego Porządku Świata" podległych Organizacji Narodów Zjednoczonych. Inni utrzymywali, że śmigłowce są bezgłośnymi sondami obcych cywilizacji. Jeszcze inni, którym udało się zobaczyć zwarty szyk helikopterów kiowa na nocnym niebie, dochodzili do przekonania, że widzieli światła pozycyjne jednego wielkiego statku powietrznego — latającego spodka zdolnego do lotu w pionie.

Nic bardziej błędnego. Ale wojsko uwielbia dezinformację.

Podczas ostatniej tajnej misji Delta Jeden leciał kiową wyposażonym w ściśle tajny nowy wynalazek amerykańskiego wojska — pomysłową holograficzną broń zwaną S&M. Wbrew skojarzeniom z sadomasochizmem S&M oznacza *smoke and mirrors* *, czyli holograficzne obrazy wyświetlane na niebie nad terytorium wroga. Kiowa użył technologii S&M do stworzenia hologramu amerykańskiego samolotu nad instalacją przeciwlotniczą nieprzyjaciela. Spanikowana obsługa działek strzelała maniacko w krążące widma. Kiedy kończyła się amunicja, Stany Zjednoczone wysyłały prawdziwe samoloty.

Gdy kiowa oderwał się od pasa, Delta Jeden wciąż słyszał słowa kontrolera: „Macie inny cel". Biorąc pod uwagę tożsamość nowego celu, stwierdzenie brzmiało eufemistycznie, ale Delta Jeden pamiętał, że nie do niego należy kwestionowanie rozkazów. Jego grupa otrzymała rozkaz i miała go wykonać dokładnie tak, jak polecił kontroler, choć metoda mogła wydawać się szokująca.

Mam nadzieję, że kontroler wie, co robi.

Delta Jeden skręcił na południowy zachód. Dwa razy był w parku FDR Memorial, ale dziś miał pierwszy raz zobaczyć go z powietrza.

---

* *smoke* (ang.) — dym; *mirrors* (ang.) — lustra

Rozdział 93

— Meteoryt został odkryty przez kanadyjskiego geologa? — Gabrielle Ashe ze zdumieniem patrzyła na młodego programistę, Chrisa Harpera. — I ten Kanadyjczyk nie żyje?

Harper ponuro pokiwał głową.

— Od kiedy pan to wie?

— Od paru tygodni. Gdy już zmusili mnie do kłamstwa na konferencji prasowej, wiedzieli, że nie mogę się wycofać. Dlatego powiedzieli mi prawdę o znalezieniu meteorytu.

PODS nie znalazł meteorytu! Gabrielle nie miała pojęcia, dokąd prowadzą uzyskane informacje, ale nie ulegało wątpliwości, że kroi się gruba afera. Złe wieści dla Tench. Wspaniałe wieści dla senatora.

— Jak wspomniałem — ciągnął Harper ponuro — meteoryt został odkryty wskutek przejęcia transmisji radiowej. Słyszała pani o programie INSPIRE *?

Gabrielle miała o tym nikłe pojęcie.

— To szereg odbiorników radiowych o bardzo niskiej częstotliwości rozmieszczonych wokół bieguna północnego i nasłuchujących odgłosów Ziemi — wyjaśnił Harper — takich jak emisje fal plazmowych zorzy polarnej, szerokopasmowe impulsy burz z wyładowaniami i tak dalej.

— Rozumiem.

— Parę tygodni temu jeden z odbiorników INSPIRE przypadkiem złapał przekaz z Wyspy Ellesmere'a. Jakiś kanadyjski geolog

* Interactive NASA Space Physics Ionosphere Radio Experiment

wzywał pomocy na wyjątkowo niskiej częstotliwości. — Harper milczał przez chwilę. — W gruncie rzeczy poza należącymi do NASA odbiornikami bardzo małej częstotliwości nikt inny nie mógłby usłyszeć transmisji. Założyliśmy, że Kanadyjczyk nadawał na długich.

— Słucham?

— Nadawał na najniższej możliwej częstotliwości, żeby uzyskać maksymalny zasięg. Był na pustkowiu. Proszę pamiętać — transmisja na standardowej częstotliwości nie byłaby słyszana daleko.

— Co powiedział?

— Przekaz był krótki. Powiedział, że w trakcie badań ultradźwiękowych na Lodowcu Szelfowym Milne'a wykrył w lodzie anomalię o dużej gęstości, najprawdopodobniej meteoryt, i że złapała go burza. Podał współrzędne, poprosił o pomoc i wyłączył się. Posterunek nasłuchowy NASA wysłał z Thule samolot na ratunek. Znaleźli go po wielu godzinach poszukiwań, daleko od podanej pozycji, martwego. Leżał na dnie szczeliny, z saniami i psami. Pewnie próbował uciec przed burzą, stracił orientację, zboczył z kursu i wpadł do szczeliny.

Zaintrygowana, Gabrielle przez chwilę analizowała te informacje.

— Więc nagle NASA dowiedziała się o meteorycie, o którym nie wiedział nikt inny?

— Właśnie. I jak na ironię, gdyby mój program pracował właściwie, satelita PODS wykryłby ten sam meteoryt tydzień przed Kanadyjczykiem.

Ta zbieżność dała jej do myślenia.

— Czy to nie dziwne? Meteoryt leżał w lodzie przez trzysta lat, a tu raptem, gdyby nie pański błąd, zostałby odkryty dwa razy w ciągu jednego tygodnia?

— Wiem. Trochę dziwne, ale nauka taka bywa. Rzecz w tym, że administrator uznał, iż zasługa powinna przypaść nam, bo gdybym poprawnie wykonał swoją robotę, my pierwsi dokonalibyśmy odkrycia. Powiedział, że skoro Kanadyjczyk nie żyje, nikt nie będzie stratny, jeśli po prostu przekieruję PODS na współrzędne podane w transmisji SOS. Wtedy mógłbym udać, że to PODS znalazł meteoryt, moja żenująca wpadka poszłaby w zapomnienie, a NASA zachowałaby twarz.

— Dlatego pan to zrobił?

— Jak powiedziałem, nie miałem wyboru. Zawaliłem misję. — Po chwili milczenia dodał: — Ale dziś, kiedy usłyszałem wypowiedź prezydenta na konferencji prasowej i dowiedziałem się, że meteoryt zawiera skamieniałości...

— Wpadł pan w osłupienie.

— Zwaliło mnie z nóg!

— Myśli pan, że administrator wiedział o skamieniałościach, zanim kazał panu udawać, iż odkrycia dokonał PODS?

— Niemożliwe. Meteoryt był pogrzebany i nietknięty, dopóki nie zjawiła się pierwsza grupa NASA. Przypuszczam, że nie mieli pojęcia, co naprawdę znaleźli, dopóki nie pobrali próbek rdzeniowych i nie zrobili zdjęć rentgenowskich. Wymogli na mnie kłamstwo w przekonaniu, że odkrycie wielkiego meteorytu zapewni im umiarkowane zwycięstwo. Dopiero potem zrozumieli prawdziwe znaczenie odkrycia.

Gabrielle z przejęcia zaczęła szybciej oddychać.

— Doktorze Harper, poświadczy pan, że NASA wraz z Białym Domem zmusiła pana do kłamstwa w kwestii oprogramowania PODS?

— Nie wiem. — Harper był przestraszony. — Nie wyobrażam sobie, jakie szkody wyrządziłoby to agencji... samemu odkryciu.

— Oboje wiemy, że meteoryt pozostanie cudownym odkryciem niezależnie od tego, przez kogo został znaleziony. Rzecz w tym, że okłamał pan Amerykanów. Ludzie mają prawo wiedzieć, że wbrew twierdzeniom NASA PODS wcale nie jest sprawny.

— Wiem. Gardzę administratorem, ale moi współpracownicy... to porządni ludzie.

— Dlatego zasługują na to, by wiedzieć, że zostali oszukani.

— A co z tymi dowodami defraudacji?

— Nie ma powodów do obaw — powiedziała Gabrielle, niemal zapomniawszy o swoim podstępie. — Przekonam senatora, że pan nic nie wie. Administrator próbował pana wrobić, żeby zagwarantować pańskie milczenie w sprawie PODS.

— Czy senator może mnie ochronić?

— Jak najbardziej. Nie zrobił pan niczego złego. Po prostu wykonywał pan rozkazy. Poza tym przypuszczam, że w świetle informacji o tym kanadyjskim geologu nie będzie musiał poruszać kwestii sprzeniewierzenia. Skupimy się wyłącznie na dezinformacji dotyczącej PODS i meteorytu. Kiedy senator oświadczy, że wie o Kanadyjczyku, administrator nie zaryzykuje próby skompromitowania pana kłamstwami.

Harper wciąż wyglądał na zmartwionego. Milczał, ponuro rozważając różne opcje. Gabrielle dała mu chwilę do namysłu. Wcześniej uświadomiła sobie, że w tej historii jest jeszcze inny niepokojący zbieg okoliczności. Nie zamierzała o tym wspominać, ale wiedziała, że doktor Harper potrzebuje ostatecznego pchnięcia.

— Ma pan psy, doktorze Harper?

Podniósł głowę.

— Słucham?

— Pomyślałam, że to dziwne. Powiedział mi pan, że zaraz po tym, jak Kanadyjczyk nadał komunikat, jego psy wpadły do szczeliny?

— Była burza, zabłądził...

Gabrielle wzruszyła ramionami, robiąc sceptyczną minę.

— No tak... w porządku.

Harper dostrzegł jej wahanie.

— O co pani chodzi?

— Nie wiem. Z tym odkryciem wiąże się zbyt wiele zbiegów okoliczności. Kanadyjski geolog podaje współrzędne meteorytu na częstotliwości, którą może słyszeć tylko NASA. Potem jego psy spadają w przepaść... — Umilkła. — Zapewne pan rozumie, że śmierć geologa utorowała NASA drogę do triumfu.

Harper zbladł.

— Myśli pani, że administrator gotów był zabić dla tego odkrycia?

Wielka polityka, pomyślała Gabrielle. Wielkie pieniądze.

— Porozmawiam z senatorem i skontaktuję się z panem. Czy jest stąd tylne wyjście?

Gabrielle Ashe zostawiła bladego Chrisa Harpera i zeszła po schodach ewakuacyjnych na pustą alejkę za gmachem NASA. Zatrzymała taksówkę, którą przyjechali kolejni pracownicy agencji.

— Apartamentowiec Westbrooke Place — rzuciła. Miała zamiar uszczęśliwić senatora Sextona.

Rozdział 94

Rachel zastanawiała się, czy dobrze zrobiła, wyrażając zgodę. Stała przy wejściu do kokpitu G4, naciągając przewód radia, żeby odbyć rozmowę poza zasięgiem słuchu pilota. Corky i Tolland patrzyli na nią. Wprawdzie ustaliła z dyrektorem NRO, że zachowają ciszę radiową do czasu lądowania w bazie sił powietrznych Bollings pod Waszyngtonem, ale teraz miała informacje, które nie mogły czekać. Zadzwoniła na bezpieczną komórkę, którą zawsze nosił przy sobie.

William Pickering zgłosił się i uprzedził:

— Proszę mówić ostrożnie. Nie gwarantuję bezpieczeństwa połączenia.

Rachel zrozumiała. Komórka Pickeringa, jak większość terenowych telefonów NRO, miała wskaźnik informujący o otwartych rozmowach. Ponieważ Rachel korzystała z radiotelefonu, jednego z najmniej bezpiecznych środków łączności, aparat ostrzegł Pickeringa. Rozmowa musi być ogólnikowa. Bez nazwisk. Bez nazw miejsc.

— Mój głos potwierdza moją tożsamość — zaczęła Rachel, używając standardowego powitania w takiej sytuacji. Spodziewała się, że dyrektor okaże niezadowolenie z przerwania ciszy, ale zamiast tego usłyszała:

— Tak, sam chciałem się z panią skontaktować. Musimy zmienić plany. Obawiam się, że czeka na was komitet powitalny.

Opadł ją niepokój. Ktoś nas obserwuje. Ton Pickeringa sygnalizował zagrożenie. Zmienić plany. Będzie zadowolony, gdy usłyszy, że dzwoni właśnie w tej sprawie, choć z zupełnie innego powodu.

— Kwestia autentyczności — powiedziała. — Rozmawialiśmy o tym. Być może wiemy, jak ostatecznie potwierdzić ją lub podważyć.

— Wspaniale. Wynikły nowe okoliczności, miałbym więc solidne podstawy do podjęcia określonych działań.

— Dowód wymaga krótkiego przystanku. Jedno z nas ma dostęp do laboratorium...

— Proszę bez konkretów, dla własnego bezpieczeństwa.

Rachel nie miała zamiaru niczego wyjawiać.

— Czy może pan załatwić nam zgodę na lądowanie w GAS-AC?

Pickering milczał przez chwilę. Rachel domyślała się, że próbuje rozgryźć akronim. GAS-AC był mało znanym skrótem, oznaczającym lotnisko straży przybrzeżnej w Atlantic City. Miała nadzieję, że dyrektor go zna.

— Tak — powiedział wreszcie. — Załatwię to. Czy to wasze docelowe miejsce przeznaczenia?

— Nie. Będziemy potrzebowali śmigłowca.

— Będzie na was czekać.

— Dziękuję.

— Zalecam wyjątkową ostrożność, dopóki nie dowiemy się czegoś więcej. Proszę z nikim nie rozmawiać. Pani podejrzenia wzbudziły głębokie zaniepokojenie na najwyższych poziomach.

Tench, pomyślała Rachel, żałując, że nie zdołała nawiązać bezpośredniego kontaktu z prezydentem.

— W tej chwili jadę na spotkanie z rzeczoną osobą. Prosiła o prywatne spotkanie na neutralnym gruncie. Rozmowa powinna wiele wyjaśnić.

Pickering jedzie na spotkanie z Tench? To, co zamierza mu powiedzieć, musi być naprawdę ważne, skoro nie chce rozmawiać o tym przez telefon.

— Proszę nikomu nie podawać docelowych współrzędnych — polecił Pickering. — I koniec łączności radiowej. Czy to jasne?

— Tak jest, panie dyrektorze. Za godzinę dolecimy do GAS-AC.

— Transport będzie czekał. Kiedy dotrzecie do celu, proszę zadzwonić do mnie na bardziej bezpiecznym kanale. — Po chwili dodał: — Zachowanie absolutnej tajemnicy jest niezmiernie istotne dla waszego bezpieczeństwa. Narobiliście sobie dzisiaj potężnych wrogów. Proszę zachować ostrożność. — Pickering zakończył rozmowę.

Rachel była spięta, gdy po wyłączeniu radiotelefonu odwróciła się do Corky'ego i Tollanda.

— Zmiana celu podróży? — zapytał Tolland, pragnąc jak najszybciej poznać odpowiedź.

Z niechęcią pokiwała głową.

— „Goya".

Corky westchnął, patrząc na próbkę meteorytu.

— Wciąż nie jestem w stanie sobie wyobrazić, dlaczego NASA miałaby... — Urwał, coraz bardziej zaniepokojony.

Niebawem się dowiemy, pomyślała Rachel.

Weszła do kabiny pilotów i oddała radio. Gdy spojrzała przez szybę na wzburzony ocean przemykających pod nimi chmur, ogarnęło ją złe przeczucie, że nie spodoba im się to, czego dowiedzą się na statku Tollanda.

Rozdział 95

Williamowi Pickeringowi doskwierała samotność, gdy jechał sedanem po Leesburg Highway. Dochodziła druga, droga była pusta. Minęły lata, odkąd przemieszczał się tak późno po mieście.

W głowie wciąż słyszał chrapliwy głos Marjorie Tench. „Spotkajmy się w FDR Memorial".

Próbował sobie przypomnieć, kiedy ostatni raz spotkali się osobiście — co nigdy nie było przyjemne. Dwa miesiące temu. W Białym Domu. Tench siedziała naprzeciwko niego przy długim dębowym stole w otoczeniu członków Rady Bezpieczeństwa Narodowego, Połączonego Kolegium Szefów Sztabów, CIA, prezydenta Herneya i administratora NASA.

— Panowie — zagaił szef CIA, patrząc prosto na Marjorie Tench — po raz kolejny nalegam, żeby administracja zajęła się problemem, jakim jest obecny kryzys bezpieczeństwa w NASA.

Nikt nie był zaskoczony tą deklaracją. Skargi na bezpieczeństwo w NASA stały się codziennością w środowisku wywiadu. Dwa dni wcześniej hakerzy wykradli z bazy danych agencji ponad trzysta zdjęć satelitarnych o wysokiej rozdzielczości. Zdjęcia — nieszczęśliwym trafem przedstawiające tajny amerykański wojskowy ośrodek szkoleniowy w Afryce Północnej — trafiły na czarny rynek, gdzie zostały zakupione przez wrogie agencje wywiadowcze z Bliskiego Wschodu.

— Mimo najlepszych chęci — mówił ze zmęczeniem w głosie dyrektor CIA — NASA wciąż stanowi zagrożenie dla bezpieczeństwa narodowego. Innymi słowy, nasza agencja kosmiczna nie jest zdolna do właściwej ochrony informacji i rozwijanych technologii.

— Zdaję sobie sprawę, że dochodziło do przecieków — odparł prezydent. — Katastrofalnych przecieków. I bardzo mnie to niepokoi. — Ruchem głowy wskazał surową twarz administratora Ekstroma. — Jeszcze raz rozpatrzymy sposoby zaostrzenia środków bezpieczeństwa w agencji.

— Z całym szacunkiem, wszystkie zmiany w systemie ochrony będą nieefektywne — powiedział dyrektor CIA — dopóki NASA nie znajdzie się pod parasolem agencji wywiadowczych Stanów Zjednoczonych.

Zgromadzeni zareagowali niespokojnymi szeptami. Wszyscy wiedzieli, do czego zmierza szef CIA.

— Jak wiecie — podjął ostrym tonem — wszystkie agencje rządowe mające do czynienia z tajnymi informacjami wywiadowczymi — wojsko, CIA, NSA, NRO — muszą ściśle przestrzegać praw dotyczących ochrony danych, które gromadzą, i projektów, nad którymi pracują. Pytam po raz kolejny, dlaczego NASA, agencja posiadająca obecnie największy udział w rozwijaniu nowych technologii kosmicznych, lotniczych, wywiadowczych, informatycznych i telekomunikacyjnych, z których korzysta nasze wojsko i wywiad, funkcjonuje poza tym parasolem bezpieczeństwa?

Prezydent westchnął ciężko. Intencje były czytelne. Zrestrukturyzować NASA, podporządkować agencję wojskowemu środowisku wywiadowczemu Stanów Zjednoczonych. Choć w przeszłości podobne zmiany przeprowadzono w kilku innych agencjach, Herney nie miał zamiaru godzić się na umieszczenie NASA pod kontrolą Pentagonu, CIA, NRO czy innej agendy wojskowej. Rada Bezpieczeństwa Narodowego zaczynała się dzielić, wielu członków popierało stanowisko wywiadu.

Lawrence Ekstrom na podobnych zebraniach nigdy nie wyglądał na zadowolonego, i to także nie stanowiło wyjątku. Spojrzał oskarżycielsko na dyrektora CIA.

— Być może się powtarzam, ale technologia, którą rozwija NASA, ma zastosowania nie militarne, lecz naukowe. Jeśli chcecie obrócić jeden z naszych orbitalnych teleskopów i popatrzeć na Chiny, to wasza sprawa.

Dyrektor CIA wyglądał tak, jakby groziła mu apopleksja.

Pickering podchwycił jego spojrzenie i włączył się do rozmowy.

— Larry — zaczął, starając się, aby jego głos brzmiał spokojnie — agencja co roku klęka przed Kongresem i błaga o pieniądze.

Jesteście niedofinansowani, za co płacicie nieudanymi misjami. Jeśli wcielimy NASA do środowiska wywiadu, nie będziecie musieli prosić Kongresu o wsparcie. Będziecie finansowani z czarnego budżetu, na znacząco wyższym poziomie. To rozwiązanie korzystne dla obu stron. Agencja będzie miała pieniądze niezbędne do poprawnego funkcjonowania, a środowisko wywiadu będzie miało pewność, że technologie są bezpieczne.

Ekstrom pokręcił głową.

— Dla zasady nie mogę poprzeć wrzucenia agencji do takiej szufladki. NASA zajmuje się badaniami kosmosu, nie mamy nic wspólnego z bezpieczeństwem narodowym.

Dyrektor CIA wstał, czego nie powinno się robić w obecności siedzącego prezydenta. Nikt go nie powstrzymał. Popatrzył wściekle na Ekstroma.

— Mówisz, że nauka nie ma nic wspólnego z bezpieczeństwem narodowym? Larry, to synonimy, na miłość boską! Tylko przewaga naukowa i technologiczna zapewnia nam bezpieczeństwo, i czy nam się to podoba, czy nie, NASA odgrywa coraz większą rolę w rozwoju technologii. Na nieszczęście twoja agencja jest dziurawa jak rzeszoto i stale dowodzi, że jej systemy zabezpieczeń są nic nie warte!

W pokoju zapadła cisza.

Administrator podniósł się i zmierzył oponenta surowym wzrokiem.

— Czyżbyś sugerował zamknięcie dwudziestu tysięcy naukowców NASA w hermetycznych wojskowych laboratoriach i zmuszenie ich do pracy dla ciebie? Naprawdę myślisz, że kosmiczne teleskopy miałyby szansę powstać, gdyby naszych naukowców nie napędzało osobiste pragnienie spojrzenia w głąb kosmosu? NASA dokonuje zdumiewających przełomów z jednego powodu — nasi pracownicy chcą poznać i zrozumieć wszechświat. To wspólnota marzycieli, którzy już w dzieciństwie patrzyli w rozgwieżdżone niebo i zadawali sobie pytanie, co jest tam na górze. To pasja i ciekawość leżą u podłoża innowacyjności NASA, a nie nadzieja na utrzymanie przewagi militarnej.

Pickering chrząknął i przemówił cicho, próbując obniżyć temperaturę panującą przy stole:

— Larry, jestem pewien, że dyrektor nie mówi o zmuszaniu naukowców NASA do budowania satelitów wojskowych. Wasze cele nie uległyby zmianie. Agencja zajmowałaby się tym, czym zajmuje się dotychczas, tylko miałaby większe fundusze i lepszą ochronę. — Pickering zwrócił się do prezydenta: — Bezpieczeństwo jest drogie. Wszyscy tutaj z pewnością rozumieją, że przecieki w NASA są wynikiem niedofinansowania. Agencja lubi się przechwalać swoimi dokonaniami, obcina środki na ochronę, realizuje projekty we współpracy z innymi krajami, żeby obniżyć koszty. Proponuję, żeby NASA pozostała znakomitą naukową niemilitarną agencją, jaką jest obecnie, ale z większym budżetem i zagwarantowaną ochroną.

Kilku członków Rady Bezpieczeństwa w milczeniu pokiwało głowami.

Prezydent Herney podniósł się powoli, patrząc na Williama Pickeringa. Wyraźnie nie był zachwycony obraną przez niego drogą.

— Bill, chcę cię o coś spytać: NASA ma nadzieję, że w ciągu dziesięciu lat zorganizuje lot załogowy na Marsa. Jak zareaguje środowisko wywiadu na fakt, że lwia część czarnego budżetu zostanie wydana na misję na Marsa, misję, która w żaden sposób nie przyczyni się do zwiększenia bezpieczeństwa narodowego?

— Agencja będzie miała wolną rękę.

— Gówno prawda — odparł Herney stanowczo.

Wszyscy podnieśli głowy. Prezydent rzadko używał niecenzuralnych słów.

— Jeśli jako prezydent czegoś się nauczyłem, to tego, że kurs wytyczają ci, którzy mają pieniądze — oznajmił Herney. — Odmawiam przekazania kontroli spraw finansowych NASA w ręce tych, którzy nie uznają celów przyświecających agencji. Nie jestem w stanie wyobrazić sobie strat, jakie poniosłaby nauka, gdyby to wojsko decydowało, które misje NASA są opłacalne.

Herney powiódł wzrokiem po pokoju. Powoli, z rozmysłem, skierował oczy na Williama Pickeringa.

— Bill, twoje krytyczne podejście do uczestnictwa agencji w projektach międzynarodowych jest żenująco krótkowzroczne. Nasi naukowcy potrafią przynajmniej konstruktywnie współpracować z Chińczykami i Rosjanami. Pokój na tej planecie nie zostanie osiągnięty dzięki sile militarnej. Mogą zagwarantować go ci, którzy potrafią dojść do porozumienia mimo różnic dzielących ich rządy. Jeśli chcesz znać moje zdanie, międzynarodowe misje

NASA zwiększają nasze bezpieczeństwo znacznie bardziej niż wszystkie satelity szpiegowskie i stwarzają o wiele lepsze perspektywy.

Pickering czuł, że wzbiera w nim gniew. Jak polityk śmie mówić do mnie w ten sposób! Idealizm Herneya pięknie wygląda w sali posiedzeń, ale w prawdziwym świecie przez takie idee giną ludzie.

— Bill — wtrąciła Marjorie Tench, jakby wyczuła, że jest bliski wybuchu — wiemy, że stracił pan dziecko. Wiemy, że dla pana to sprawa osobista.

Pickering słyszał w jej głosie wyłącznie protekcjonalność.

— Ale proszę pamiętać — mówiła — że Biały Dom odpiera obecnie szturm inwestorów, którzy domagają się otworzenia kosmosu dla sektora prywatnego. Jeśli chce pan znać moje zdanie, to mimo wszystkich swoich wad NASA jest naprawdę wielkim przyjacielem środowiska wywiadu. Musicie po prostu nauczyć się dostrzegać dobre strony.

Samochód podskoczył na wypukłym pasie ostrzegawczym przed zjazdem z autostrady i Pickering wrócił myślami do chwili obecnej. Gdy zbliżał się do zjazdu, zauważył leżącego na poboczu martwego, zakrwawionego jelenia. Ogarnęło go dziwne wahanie... ale jechał dalej.

Musi stawić się na to spotkanie.

Rozdział 96

Franklin Delano Roosevelt Memorial jest jednym z największych pomników w kraju. Park z wodospadami, rzeźbami, niszami i basenem podzielony jest na cztery galerie pod gołym niebem, po jednej na każdą kadencję Roosevelta.

Kilka kilometrów od parku kiowa warrior sunął wysoko nad miastem z przygaszonymi światłami pozycyjnymi. W mieście będącym siedzibą tylu VIP-ów i mediów helikoptery stanowią widok równie pospolity jak stada ptaków lecących na południe. Delta Jeden wiedział, że dopóki będzie trzymał się z daleka od tak zwanej kopuły — obszaru chronionej przestrzeni powietrznej wokół Białego Domu — nie powinien przyciągnąć zbytniej uwagi. Poza tym nie zabawią tu długo.

Kiowa na wysokości sześćdziesięciu metrów zbliżył się do zaciemnionego FDR Memorial. Delta Jeden zwolnił i krążył, sprawdzając pozycję. Spojrzał w lewo na Deltę Dwa, który obsługiwał teleskopowy system termowizyjny. Na ekranie widniał zielonkawy obraz drogi dojazdowej. Okolica była wyludniona.

Czekali.

To zabójstwo nie będzie zaliczać się do cichych. Niektórych ludzi po prostu nie zabija się niezauważenie. Niezależnie od metody i tak są reperkusje. Śledztwo. Dociekania. W takich przypadkach najlepszą przykrywkę zapewnia narobienie wielkiego hałasu. Eksplozje, ogień i dym sprawiają, że zabójstwo nabiera charakteru deklaracji politycznej — pierwszym, co przychodzi na myśl, jest zamach przeprowadzony przez terrorystów z zewnątrz. Zwłaszcza kiedy cel jest urzędnikiem państwowym wysokiego szczebla.

Delta Jeden przyjrzał się noktowizyjnemu obrazowi. Na parkingu i drodze dojazdowej nie było nikogo. Miejsce spotkania, choć leżało w obszarze miejskim, o tej porze było puste. Już niedługo, pomyślał i przeniósł oczy z ekranu na układ sterowania bronią.

Tej nocy mieli użyć rakiety Hellfire. Samonaprowadzający pocisk przeciwpancerny zapewnia luksusową opcję „strzel i zapomnij". Trafia w cel podświetlony laserem przez obserwatorów naziemnych, inny samolot albo ten, z którego ma zostać odpalony. Tego dnia rakieta miała być naprowadzana autonomicznie przez laserowy dalmierz-znacznik w celowniku nad wirnikiem helikoptera. Kiedy desygnator kiowy podświetli cel promieniem lasera, hellfire przejdzie na samonaprowadzanie. Ponieważ pocisk może być wystrzeliwany tak z powietrza, jak z ziemi, jego użycie nie wskaże jednoznacznie na udział maszyny latającej. W dodatku hellfire cieszy się dużą popularnością wśród czarnorynkowych handlarzy bronią, więc można będzie obwinić terrorystów.

— Sedan — rzucił cicho Delta Dwa.

Delta Jeden spojrzał na ekran. Czarny luksusowy sedan nadjeżdżał zgodnie z planem. Był to typowy samochód z puli wielkich agencji rządowych. Po wjechaniu do parku kierowca zmienił światła na krótkie. Samochód zrobił parę okrążeń i zaparkował w zagajniku. Delta Jeden obserwował ekran, gdy jego partner wycelował teleskopowy noktowizor w boczne okno po stronie kierowcy. Po chwili w polu widzenia ukazała się twarz.

Delta Jeden głęboko wciągnął powietrze.

— Cel potwierdzony — powiedział jego partner.

Delta Jeden popatrzył na ekran noktowizora przecięty groźnym krzyżem nitek i poczuł się jak snajper mierzący w członka rodziny królewskiej. Cel potwierdzony.

Delta Dwa sięgnął na lewą stronę panelu awioniki i włączył celownik laserowy — sześćdziesiąt metrów niżej na dachu sedana pojawiła się plamka światła, niewidoczna dla kierowcy.

— Cel podświetlony — zameldował.

Delta Jeden odetchnął głęboko. Strzelił.

Spod kadłuba dobiegł ostry syk, a zaraz potem zobaczyli nikły szlak światła pędzącego w kierunku ziemi. Sekundę później samochód w parku eksplodował. Buchnęły płomienie, w powietrzu zagwizdały kawałki poskręcanego metalu. Płonące opony potoczyły się między drzewa.

— Zadanie wykonane — stwierdził Delta Jeden, oddalając się. — Zawiadom kontrolera.

Niespełna trzy kilometry dalej prezydent Zach Herney szykował się do snu. Kuloodporne poliwęglanowe szyby rezydencji miały dwa i pół centymetra grubości. Herney nie usłyszał wybuchu.

Rozdział 97

Baza lotnicza straży przybrzeżnej w Atlantic City mieści się na lotnisku międzynarodowym w chronionej części Centrum Technicznego Williama J. Hughesa, które należy do Federalnego Zarządu Lotnictwa Cywilnego. Ta grupa jest odpowiedzialna za wybrzeże Atlantyku od Asbury Park do Cape May.

Rachel Sexton obudziła się, gdy opony samolotu zapiszczały na betonie pojedynczego pasa, biegnącego pomiędzy dwoma wielkimi magazynami. Zaskoczona, że jednak zasnęła, półprzytomnie spojrzała na zegarek.

2:13. Czuła się, jakby spała przez kilka dni.

Była starannie otulona kocem. Obok niej budził się Michael Tolland. Posłał jej zmęczony uśmiech.

Corky przywlókł się z końca kabiny i spojrzał na nich spod ściągniętych brwi.

— Cholera, wciąż tu jesteście? Ocknąłem się z nadzieją, że dzisiejsza noc mi się przyśniła.

Rachel doskonale go rozumiała. Wracam na morze!

Samolot zatrzymał się i wysiedli na pusty pas. Chmury przysłaniały niebo, ale morskie powietrze było ciężkie i ciepłe. W porównaniu z Wyspą Ellesmere'a New Jersey przypominało tropiki.

— Tutaj!

Odwrócili się i zobaczyli czekający w pobliżu klasyczny śmigłowiec straży przybrzeżnej, pomalowany na szkarłatno HH-65 Dolphin. Pilot kiwał do nich ręką, jego sylwetka rysowała się wyraźnie na tle białego pasa na ogonie maszyny.

Tolland z podziwem pokręcił głową.

— Twój szef ma chody.

A żebyś wiedział, pomyślała.

Corky oklapł.

— Już? Bez przerwy na kolację?

Pilot przywitał się z nimi i pomógł im wsiąść na pokład. Nie spytał o nazwiska, ograniczył się wyłącznie do uprzejmości i uwag dotyczących bezpieczeństwa w czasie lotu. W rozmowie ze strażą przybrzeżną Pickering musiał jasno dać do zrozumienia, że ten lot nie zalicza się do misji, które należy rozgłaszać. Mimo to Rachel wiedziała, że ich tożsamość będzie owiana tajemnicą tylko przez kilka sekund; pilotowi nie udało się ukryć zdziwienia, gdy zobaczył znanego z telewizji Michaela Tollanda.

Rachel usiadła obok Mike'a i zapięła pasy. Już była zdenerwowana. Silnik nad ich głowami z jękiem zbudził się do życia i obwisłe, długie na dwanaście metrów łopaty zaczęły się podnosić, tworząc rozmyte srebrne koło. Zawodzenie przeszło w ryk i maszyna oderwała się od pasa, wspinając się w noc.

Pilot odwrócił się i zawołał:

— Powiedziano mi, że podacie miejsce przeznaczenia, gdy będziemy w powietrzu!

Tolland podał mu współrzędne statku, który kotwiczył około pięćdziesięciu kilometrów na południowy wschód od ich obecnej pozycji.

Dwadzieścia kilometrów od brzegu, pomyślała Rachel, czując przenikające ją drżenie.

Pilot wstukał współrzędne do systemu nawigacyjnego. Potem usadowił się wygodnie i zwiększył prędkość. Śmigłowiec pochylił się, zmierzając na południowy wschód.

Gdy przesunęły się pod nimi ciemne wydmy wybrzeża New Jersey, Rachel oderwała oczy od czerni oceanu. Mimo strachu przed wodą, próbowała znaleźć pociechę w świadomości, że towarzyszy jej człowiek, który uczynił ocean swoim przyjacielem. Tolland siedział blisko niej w wąskim kadłubie, stykali się biodrami i ramionami. Żadne nie podjęło próby zmiany pozycji.

— Wiem, że nie powinienem tego mówić — zawołał pilot głosem zdradzającym podniecenie — ale pan jest Michael Tolland, prawda? Przez całą noc oglądałem pana w telewizji! Meteoryt! Absolutnie niewiarygodne! Musi pan być zachwycony!

Tolland wyrozumiale pokiwał głową.

— Niewypowiedzianie.

— Film był fantastyczny! Wie pan, nadają go na okrągło. Żaden z dyżurnych pilotów nie miał ochoty lecieć, bo chcieliśmy oglądać telewizję, ale ja wyciągnąłem krótszą słomkę. Da pan wiarę? Co za fart! Gdyby chłopaki wiedziały, że wiozę prawdziwego...

— Jesteśmy wdzięczni za podwiezienie — wtrąciła Rachel — ale chcemy, żeby zachował pan to dla siebie. Nikt nie może wiedzieć, gdzie jesteśmy.

— Jasne, szanowna pani. Otrzymałem bardzo wyraźne rozkazy. — Pilot zawahał się, a zaraz potem jego twarz się rozjaśniła. — Hej, nie lecimy przypadkiem na „Goyę"?

Tolland przytaknął z niechęcią.

— Owszem.

— O cholera! — zawołał pilot. — Proszę mi wybaczyć. Przepraszam, ale widziałem statek w pańskim programie. Katamaran, prawda? Dziwaczny! Nigdy nie byłem na typie SWATH *. W życiu bym nie powiedział, że pański będzie pierwszy!

Rachel przestała go słuchać. Jej niepokój narastał w miarę oddalania się od lądu.

Tolland odwrócił się w jej stronę.

— Dobrze się czujesz? Mogłaś zostać na brzegu. Mówiłem ci.

Powinnam zostać na brzegu, pomyślała Rachel. Duma nie pozwoliła jej tego zrobić.

— Dzięki, nic mi nie jest.

Talland uśmiechnął się.

— Będę miał na ciebie oko.

— Dzięki. — Rachel ze zdumieniem stwierdziła, że pod wpływem ciepła w jego głosie poczuła się bezpieczniej.

— Widziałaś „Goyę" w telewizji, prawda?

Pokiwała głową.

— To... hmm... interesujący statek.

Tolland się roześmiał.

— Tak. W swoim czasie projekt był wyjątkowo nowatorski, ale nie chwycił.

— Ciekawe dlaczego — mruknęła żartobliwie, przypominając sobie dziwaczną sylwetkę statku.

— NBC naciska, żebym przesiadł się na coś nowszego. Coś...

---

* Small Waterplane Area Twin Hull

nie wiem, bardziej eleganckiego, sensowniejszego. Jeszcze parę sezonów, a każą mi się z nim rozstać. — W jego głosie zabrzmiała melancholia.

— Nie chcesz nowego statku?

— Nie wiem... mam mnóstwo wspomnień z pokładu „Goyi".

Rachel uśmiechnęła się lekko.

— Jak mawiała moja mama, prędzej czy później wszyscy musimy rozstać się z przeszłością.

Tolland przez długą chwilę spoglądał jej w oczy.

— Tak, wiem.

Rozdział 98

— Cholera — mruknął taksówkarz, zerkając przez ramię na Gabrielle. — Wygląda na to, że przed nami zdarzył się jakiś wypadek. Chyba dalej nie pojedziemy.

Gabrielle wyjrzała przez okno i zobaczyła mrugające światła pojazdów służb ratowniczych. Na drodze stało kilku policjantów, zatrzymujących ruch wokół Mall.

— Musiało stać się coś poważnego — powiedział kierowca, wskazując płomienie w pobliżu FDR Memorial.

Spojrzała gniewnie na łunę. Akurat teraz. Musi dostarczyć Sextonowi nowe informacje dotyczące PODS i kanadyjskiego geologa. Zastanawiała się, czy kłamstwo NASA o znalezieniu meteorytu wywoła skandal na tyle wielki, żeby tchnąć życie w jego kampanię. Większość polityków nie zdołałaby się podnieść, pomyślała, ale nie Sedgewick Sexton, człowiek, który zbudował swoją kampanię na nagłaśnianiu porażek innych.

Gabrielle nie zawsze była dumna z jego zdolności do nieetycznego wykorzystywania potknięć przeciwników, ale metoda okazywała się skuteczna. Dzięki biegłości, z jaką senator potrafił upokarzać i operować insynuacjami, kłamstwo jednego pracownika NASA stanie się punktem wyjścia do zakwestionowania reputacji całej agencji kosmicznej oraz — na zasadzie skojarzenia — prezydenta.

Płomienie w FDR Memorial wbiły się wyżej w niebo. Strażacy gasili stojące w ogniu drzewa. Taksówkarz włączył radio i zaczął szukać odpowiedniego kanału.

Gabrielle z westchnieniem zamknęła oczy i poczuła falę wyczerpania. Kiedy po raz pierwszy przyjechała do Waszyngtonu, marzyła o pracy w polityce, może pewnego dnia w Białym Domu. W tej chwili jednak miała dość polityki do końca życia — pojedynek z Marjorie Tench, obsceniczne zdjęcia jej i senatora, wszystkie te kłamstwa NASA...

Spiker w radiu mówił coś o bombie i możliwym ataku terrorystycznym.

Muszę wyjechać z tego miasta, pomyślała Gabrielle po raz pierwszy, od kiedy przyjechała do stolicy.

Rozdział 99

Kontroler rzadko kiedy bywał zmęczony, dziś jednak napięcie zbierało swoje żniwo. Nic nie szło zgodnie z przewidywaniami — najpierw odkrycie dolnego szybu w lodzie, potem trudności z utrzymaniem informacji w tajemnicy, a teraz wydłużająca się lista ofiar.

Nikt nie powinien był zginąć... z wyjątkiem Kanadyjczyka.

Co za ironia, najtrudniejsza technicznie część planu sprawiła najmniej trudności. Zakończona przed paroma miesiącami operacja umieszczenia meteorytu w lodzie poszła jak po maśle. Kiedy skała znalazła się na miejscu, wystarczyło czekać na wystrzelenie satelity ze skanerem gęstości. PODS miał skanować ogromne obszary Arktyki i prędzej czy później pokładowy program wykrywania anomalii znalazłby meteoryt.

Ale ten cholerny program nie działał.

Kiedy wyszło na jaw, że oprogramowanie zawiodło, a naprawy można dokonać dopiero po wyborach, cały plan znalazł się w niebezpieczeństwie. Kontroler musiał wymyślić nowy sposób na dyskretne naprowadzenie kogoś w NASA na meteoryt. Rozwiązanie polegało na zaaranżowaniu transmisji radiowej kanadyjskiego geologa, który przebywał w sąsiedztwie meteorytu. Z oczywistych powodów Kanadyjczyk musiał zginąć, a jego śmierć powinna wyglądać na wypadek. Zrzucenie Bogu ducha winnego geologa ze śmigłowca stanowiło początek. Potem wszystko szybko się skomplikowało.

Wailee Ming. Nora Mangor. Oboje nie żyją.

Śmiały zamach, jaki miał miejsce w FDR Memorial.

Niebawem do listy dołączy Rachel Sexton, Michel Tolland i doktor Marlinson.

Nie ma innego wyjścia, pomyślał kontroler, walcząc z narastającymi wyrzutami sumienia. Stawka jest zbyt wysoka.

Rozdział 100

Dolphin straży przybrzeżnej znajdował się trzy kilometry od „Goyi" i leciał na wysokości dziewięciuset metrów, kiedy Tolland wrzasnął do pilota:

— Ma pan na pokładzie noktowizor?!

Pilot pokiwał głową.

— Jestem ratownikiem.

Tolland na to liczył. System zobrazowania termicznego Raytheon umożliwia lokalizowanie rozbitków w ciemności. Ciepło emitowane przez głowę człowieka odznacza się w postaci czerwonej plamki na tle oceanu czerni.

— Proszę włączyć — powiedział Tolland.

— Dlaczego? Brakuje panu kogoś? — zapytał zdumiony pilot.

— Nie. Chcę wam coś pokazać.

— Z tej wysokości nie zobaczymy niczego w podczerwieni, chyba że płonącą plamę ropy.

— Niech pan włączy.

Pilot obrzucił Tollanda podejrzliwym spojrzeniem, ale pomanipulował paroma pokrętłami, ustawiając obiektyw pod kadłubem w taki sposób, żeby omiatał szeroki na pięć kilometrów pas oceanu przed nimi. Na ekranie ukazał się obraz.

— Cholera! — Helikopter podskoczył, gdy pilot drgnął ze zdziwienia.

Rachel i Corky pochylili się, patrząc na obraz z równym zdumieniem. Czarne tło oceanu było rozświetlone przez ogromną wirującą spiralę pulsującej czerwieni.

Rachel z drżeniem odwróciła się do Tollanda.

— Wygląda jak cyklon.
— Zgadza się. Cyklon ciepłych prądów. Prawie pół kilometra średnicy.
Pilot zaśmiał się ze zdumieniem.
— Wielki. Widujemy je od czasu do czasu, ale o takim jeszcze nie słyszałem.
— Wyszedł na powierzchnię w zeszłym tygodniu — wyjaśnił Tolland. — Pewnie za parę dni zniknie.
— Co go powoduje? — zapytała Rachel, zaniepokojona widokiem wielkiego wiru na środku oceanu.
— Kopuła magmy — odparł pilot.
Rachel z nieufną miną popatrzyła na Tollanda.
— Wulkan?
— Nie. Na Wschodnim Wybrzeżu nie ma czynnych wulkanów, ale od czasu do czasu magma wzbiera pod dnem morza, powodując powstanie tak zwanych gorących miejsc. Nad nimi następuje odwrócenie gradientu temperatury — cieplejsza woda jest przy dnie, a chłodniejsza u góry. Rezultatem są te potężne wiry, tak zwane megawiry hydrotermalne. Zwykle rozpraszają się po paru tygodniach.
Pilot popatrzył na pulsującą spiralę na ekranie.
— Wygląda na to, że ten nabiera siły. — Sprawdził współrzędne „Goyi" i ze zdumieniem popatrzył na Tollanda. — I wygląda na to, że zaparkował pan blisko środka.
Tolland pokiwał głową.
— W pobliżu oka prądy są nieco słabsze. Osiemnaście węzłów. To jak kotwiczenie w nurcie rwącej rzeki. W tym tygodniu nasz łańcuch kotwiczny dostał porządny wycisk.
— Jezusie — szepnął pilot. — Osiemnaście węzłów? Lepiej, żeby nikt nie wypadł za burtę! — dodał ze śmiechem.
Rachel nie było do śmiechu.
— Mike, nie wspomniałeś o tym megawirze, kopule magmy i gorących prądach...
Uspokajająco położył rękę na jej kolanie.
— Wierz mi, tam jest bezpiecznie.
Ściągnęła brwi.
— Więc film, który tu kręcisz, dotyczy zjawisk towarzyszących kopule magmy?
— Megawirów i *Sphyrna mokarran*.

— Racja, wspomniałeś o tym wcześniej.

Tolland uśmiechnął się lekko.

— *Sphyrna mokarran* uwielbiają ciepłą wodę. Wszystkie, które znajdowały się w promieniu stu pięćdziesięciu kilometrów, ściągnęły do tego szerokiego na kilometr podgrzanego kręgu.

— Pięknie. — Rachel niespokojnie pokiwała głową. — A teraz bądź łaskaw wyjaśnić, co to jest *Sphyrna mokarran*.

— Najbrzydsza ryba w morzu.

— Płastuga?

— Wielka ryba młot, rekin.

Rachel zesztywniała.

— Wokół statku pływają rekiny?

Tolland puścił do niej oko.

— Odpręż się, nie są groźne.

— Nie powiedziałbyś tego, gdyby nie były.

Zaśmiał się.

— Chyba masz rację. — Zawołał żartobliwie do pilota: — Hej, kiedy ostatni raz uratowaliście kogoś zaatakowanego przez rekina?

Pilot wzruszył ramionami.

— Rany, nie było takiego przypadku od dziesiątków lat.

Tolland odwrócił się w stronę Rachel.

— A widzisz? Dziesiątki lat. Nie ma się czego bać.

— W zeszłym miesiącu mieliśmy atak — dodał pilot — gdy jakiś skretyniały płetwonurek...

— Zaraz, zaraz — przerwała mu Rachel. — Mówił pan, że nie uratowaliście nikogo od dziesiątków lat.

— Zgadza się. Nikogo nie uratowaliśmy. Zwykle przybywamy za późno. Te dranie zabijają w mgnieniu oka.

Rozdział 101

Na horyzoncie ukazała się niewyraźna sylwetka „Goyi". Z odległości kilometra Tolland dostrzegł zapalone przez Xavię światła pokładowe. Na ich widok poczuł się jak zmęczony podróżnik wreszcie wracający do domu.

— Czy nie mówiłeś, że na statku jest tylko jedna osoba? — powiedziała Rachel, patrząc na rzęsiste oświetlenie.

— Nie zapalasz świateł, kiedy jesteś sama w domu?

— Jedno. Nie w całym domu.

Tolland uśmiechnął się. Rachel próbowała żartować, ale wiedział, że pobyt tutaj budzi w niej strach. Miał ochotę objąć ją i pocieszyć, lecz nie miał pojęcia, co mógłby jej powiedzieć.

— Światła palą się ze względów bezpieczeństwa. Sprawiają, że statek wygląda na w pełni obsadzony.

Corky zachichotał.

— Boisz się piratów, Mike?

— Nie. Większe zagrożenie stanowią idioci, którzy nie umieją odczytywać radaru. Najlepszą obroną przed staranowaniem jest dopilnowanie, żeby wszyscy mogli cię zobaczyć.

Corky popatrzył na oświetlony statek.

— Widzisz? Wygląda jak Times Square w sylwestra. Pewnie NBC płaci za prąd.

Śmigłowiec straży przybrzeżnej zwolnił i okrążył statek. Pilot zaczął podchodzić do lądowiska na pokładzie rufowym. Nawet z wysoka Tolland widział, jak rwąca woda napręża rozpory. „Goya" stał dziobem pod prąd, szarpiąc łańcuch kotwiczny niczym uwięziona bestia.

— Naprawdę jest piękny — powiedział pilot ze śmiechem.

Tolland wiedział, że to sarkazm. „Goya" był brzydki. „Szkaradny", według jednego z recenzentów telewizyjnych. Był jednym z zaledwie siedemnastu statków typu SWATH, czyli dwukadłubowców o małym polu przekroju wodnicowego, i zdecydowanie nie prezentował się elegancko.

W zasadzie była to pływająca platforma, wznosząca się na wysokości dziewięciu metrów nad dwoma wielkimi pontonami. Z daleka wyglądał jak niska wieża wiertnicza. Z bliska zaś przypominał barkę na szczudłach. Kwatery załogi, laboratoria i mostek mieściły się w ustawionych rzędem nadbudówkach.

Mimo mało opływowej sylwetki, „Goya" miał stosunkowo niewielkie pole przekroju wodnicowego, co zapewniało mu większą stabilność. Wysoko podniesiona platforma ułatwiała filmowanie i prowadzenie prac laboratoryjnych oraz znacznie redukowała liczbę przypadków choroby morskiej wśród naukowców. NBC nalegała na zakup nowszej jednostki, ale Tolland z uporem odmawiał. Zgoda, obecnie buduje się lepsze statki, jeszcze bardziej stabilne, ale „Goya" od prawie dziesięciu lat jest jego domem — to na tym statku wrócił do życia po śmierci Celii. W niektóre noce wciąż słyszał jej głos w szumie wiatru na pokładzie. Kiedy — i jeśli — duchy znikną, zastanowi się nad zmianą.

Ale jeszcze nie teraz.

Kiedy śmigłowiec wreszcie usiadł na rufowym pokładzie „Goyi", Rachel Sexton wcale nie poczuła się lepiej. Dobra wiadomość jest taka, że już nie leci nad oceanem. Zła wiadomość — że teraz na nim stoi. Na drżących nogach wysiadła z maszyny i rozejrzała się po pokładzie. Wydawał się dziwnie mały, zwłaszcza z helikopterem na lądowisku. Spojrzała w stronę dziobu na niezgrabną, wielopoziomową konstrukcję.

Tolland stanął obok niej.

— Wiem — powiedział głośno, żeby usłyszała go w szumie wody — w telewizji wydaje się większy.

Rachel pokiwała głową.

— I bardziej stabilny.

— To jeden z najbezpieczniejszych statków. Słowo. — Tolland położył rękę na jej ramieniu i poprowadził przez pokład.

Ciepło jego dłoni ukoiło jej nerwy bardziej niż wszystko, co mógłby powiedzieć. Jednak gdy obejrzała się w stronę rufy, zobaczyła kilwater burzący się tak, jakby statek płynął z maksymalną prędkością. Tkwimy w samym środku megawiru, pomyślała.

W przedniej części pokładu rufowego dostrzegła wiszący na wielkim dźwigu znajomy jednoosobowy batyskaf Tollanda. „Tryton", nazywany tak na cześć greckiego boga morza, w niczym nie przypominał swojego poprzednika, stalowego „Alvina". Sferyczne okno na dziobie upodobniało go do wielkiego akwarium. Rachel mogłaby wymyślić niewiele rzeczy gorszych od zanurzenia się na dziesiątki metrów w głąb oceanu, gdy tylko warstwa przejrzystego pleksiglasu dzieli twarz od wody. Oczywiście według Tollanda jedyną nieprzyjemną częścią podróży w „Trytonie" jest jej początek — powolne opuszczanie przez otwór w pokładzie i kołysanie się jak wahadło dziewięć metrów nad wodą.

— Xavia pewnie siedzi w laboratorium hydrologicznym — powiedział Tolland. — Tędy.

Rachel i Corky poszli za nim przez pokład rufowy. Pilot straży przybrzeżnej został w helikopterze z surowym zakazem korzystania z radia.

— Popatrzcie na to. — Tolland przystanął przy relingu.

Rachel podeszła z wahaniem. Znajdowali się bardzo wysoko, a jednak czuła ciepło bijące od wody.

— Ma mniej więcej temperaturę ciepłej kąpieli — powiedział Tolland, sięgając do przełącznika na relingu. — Patrzcie. — Pstryknął przełącznikiem.

Wodę za statkiem rozjaśnił szeroki wachlarz światła, oświetlając ją od środka niczym reflektory w basenie. Rachel i Corky wstrzymali oddech.

W wodzie wokół statku kłębiły się dziesiątki widmowych cieni. Zaledwie trzydzieści centymetrów pod powierzchnią smukłe, ciemne kształty płynęły pod prąd, a ich charakterystyczne, podobne do młotów głowy kiwały się na boki w takt jakiegoś prehistorycznego rytmu.

— Chryste, Mike — wyjąkał Corky. — Cieszę się, że nam to pokazałeś.

Rachel skamieniała. Chciała odsunąć się od relingu, ale nie mogła się ruszyć. Ten koszmarny widok ją sparaliżował.

— Niesamowite, prawda? — westchnął Tolland, uspokajająco

kładąc rękę na jej ramieniu. — Tygodniami trzymają się ciepłych miejsc. Dzięki powiększonym płatom węchowym w mózgu mają najlepsze nosy w morzu. Wyczuwają krew na kilometr.

Corky zrobił sceptyczną minę.

— Powiększone płaty węchowe?

— Nie wierzysz? — Tolland sięgnął do aluminiowej chłodziarki stojącej przy relingu. Po chwili wyciągnął małą martwą rybę. — Idealna. — Wyjął z szafki nóż i naciął rybę w kilku miejscach. Pokazała się krew.

— Mike, na miłość boską, to obrzydliwe.

Tolland wyrzucił zakrwawioną rybę za burtę. W chwili, gdy wpadła do wody, sześć czy siedem rekinów zaczęło się kotłować, szarpiąc ją dziko rzędami srebrzystych zębów. Po chwili po rybie nie został ślad.

Rachel, przerażona, odwróciła się i popatrzyła na Tollanda, który już trzymał następną rybę, tego samego gatunku i tej samej wielkości.

— Tym razem bez krwi. — Wrzucił rybę do wody. Nic się nie stało. Rekiny jakby jej nie zauważały. Przynęta odpłynęła z prądem, nie wzbudzając zainteresowania.

— Atakują, kierując się wyłącznie zmysłem powonienia — wyjaśnił Tolland, odsuwając się od relingu. — W gruncie rzeczy mógłbyś bezpiecznie pływać wśród nich... pod warunkiem że nie masz otwartych ran.

Corky wskazał szwy na policzku.

Tolland ściągnął brwi.

— No tak, ty lepiej nie próbuj.

Rozdział 102

Taksówka stała przed blokadą w pobliżu FDR Memorial.

Gabrielle spojrzała na pojazdy służb ratowniczych. Miała wrażenie, że nad miasto napłynął surrealistyczny wał mgły. W radiu podawali, że wysadzonym w powietrze samochodem jechał wysokiej rangi urzędnik państwowy.

Wyjęła telefon i zadzwoniła do senatora. Pewnie już się zastanawia, co zabiera jej tyle czasu.

Numer był zajęty.

Gabrielle popatrzyła na tykający taksometr i ściągnęła brwi. Parę innych samochodów, które tu utknęły, wjeżdżało na krawężniki i zawracało, żeby poszukać innej drogi.

Taksówkarz popatrzył na nią przez ramię.

— Chce pani czekać? Licznik bije.

Gabrielle zobaczyła, że nadjeżdżają kolejne wozy ratownicze i policyjne.

— Nie. Wracamy.

Kierowca chrząknął na znak zgody i przystąpił do skomplikowanego manewru zawracania. Gdy podskakiwali na krawężnikach, Gabrielle ponownie zadzwoniła do Sextona.

Wciąż zajęte.

Kilka minut później, po zrobieniu wielkiej pętli, taksówka wjechała na C Street i Gabrielle zobaczyła biurowiec Philipa A. Harta. Zamierzała jechać prosto do apartamentu senatora, ale skoro biuro jest tak blisko...

— Proszę stanąć — poprosiła kierowcę. — Tutaj. Dzięki.

Wóz się zatrzymał.

Do sumy wskazanej przez taksometr dodała dziesięć dolarów.

— Zaczeka pan dziesięć minut?

Taksiarz spojrzał na pieniądze, potem na zegarek.

— Ani minuty dłużej.

Gabrielle pobiegła. To zajmie tylko pięć.

Puste marmurowe korytarze biurowca Senatu o tej porze robiły wrażenie grobowca. Gabrielle z dreszczem niepokoju przebiegła między surowymi posągami, które stały po obu stronach holu na drugim piętrze. Ich kamienne oczy śledziły ją bacznie.

Użyła karty magnetycznej, żeby otworzyć główne drzwi do składającego się z pięciu pomieszczeń biura senatora Sextona. Sekretariat był słabo oświetlony. Poszła korytarzem do swojego biura. Zapaliła jarzeniówki i podeszła do szafy na dokumenty.

Miała teczkę poświęconą budżetowi orbitalnego systemu obserwacji Ziemi, łącznie z licznymi informacjami na temat PODS. Sexton na pewno będzie chciał dostać wszystkie dane, gdy tylko powie mu o Harperze.

NASA skłamała co do PODS.

Gdy przeglądała teczki, zadzwoniła komórka.

— Senatorze? — powiedziała.

— Nie, Gabs, tu Yolanda. — Głos przyjaciółki zdradzał zdenerwowanie. — Wciąż jesteś w NASA?

— Nie, w biurze.

— Znalazłaś coś na agencję?

A żebyś wiedziała. Gabrielle nie mogła powiedzieć Yolandzie o niczym, dopóki nie porozmawia z senatorem; senator bardzo rygorystycznie podchodził do kwestii dzielenia się informacjami z osobami postronnymi.

— Powiem ci po rozmowie z senatorem. Jadę do niego.

— Gabs, pamiętasz, jak mówiłaś o finansach kampanii Sextona i SFF?

— Mówiłam ci, że się pomyliłam i...

— Przed chwilą się dowiedziałam, że dwaj nasi reporterzy, którzy zajmują się przemysłem lotniczym i kosmicznym, pracowali nad podobną sprawą.

Gabrielle była zaskoczona.

— To znaczy?

— Nie wiem. Ale ci faceci są dobrzy... i przekonani, że Sexton bierze w łapę od fundacji SFF. Uznałam, że powinnam cię o tym poinformować. Wiem, sama mówiłam, że to obłędny pomysł. Marjorie Tench jako źródło wydaje się mało wiarygodna, ale ci nasi chłopcy... Nie wiem, może pogadasz z nimi przed spotkaniem z senatorem?

— Skoro są tacy pewni, dlaczego tego nie ujawnili? — Gabrielle mimowolnie zajęła obronne stanowisko.

— Nie mają solidnych dowodów. Senator najwyraźniej jest dobry w zacieraniu śladów.

Jak większość polityków.

— Nie ma drugiego dna, Yolando. Mówiłam ci, senator przyznał się, że bierze pieniądze od SFF, ale kwoty nie przewyższają dozwolonych.

— Wiem, co ci powiedział, Gabs, i nie twierdzę, że wiem, co jest tutaj prawdą, a co fałszem. Po prostu poczułam, że muszę zadzwonić, bo jak już mówiłam, po pierwsze, nie ufam Marjorie Tench, a po drugie, dowiedziałam się, że senator może być skorumpowany. To wszystko.

— Kim są ci reporterzy? — Gabrielle wbrew sobie zawrzała gniewem.

— Bez nazwisk. Mogę zaaranżować spotkanie. Są bystrzy. Znają się na finansowaniu kampanii... — Yolanda zawahała się. — Wiesz, ci faceci naprawdę są przekonani, że Sexton ledwo wiąże koniec z końcem, może nawet jest zupełnie spłukany.

W ciszy, jaka panowała w biurze, Gabrielle usłyszała chrapliwe oskarżenia Tench. „Po śmierci Katherine senator roztrwonił większą część spadku na nietrafione inwestycje, przyjemności i kupienie sobie czegoś, co wygląda na pewne zwycięstwo w prawyborach. Pół roku temu twój kandydat był bez grosza".

— Nasi ludzie chętnie z tobą pogadają — powtórzyła Yolanda.

Nie wątpię, pomyślała Gabrielle.

— Zadzwonię do ciebie.

— Robisz wrażenie wkurzonej.

— Nie na ciebie, Yolando, nigdy w życiu. Dzięki.

Gabrielle zakończyła rozmowę.

Ochroniarz drzemiący na krześle w korytarzu przed apartamentem senatora Sextona zbudził się z drgnieniem, gdy zadzwoniła jego komórka. Wyprostował się, przetarł oczy i wyjął telefon z kieszeni marynarki.

— Słucham?

— Owen, tu Gabrielle.

Ochroniarz poznał jej głos.

— Aha, cześć.

— Muszę porozmawiać z senatorem. Zapukasz do niego? Jego numer jest zajęty.

— Jest trochę późno.

— Nie śpi, gwarantuję. — Głos Gabrielle zdradzał przejęcie. — To pilna sprawa.

— Następna?

— Ta sama. Daj go do telefonu, Owen, to wszystko. Naprawdę muszę zapytać o coś ważnego.

Ochroniarz podniósł się z westchnieniem.

— No dobra, dobra. Zapukam. — Przeciągnął się i ruszył do drzwi. — Ale robię to tylko dlatego, że był zadowolony, iż wpuściłem panią wcześniej. — Niechętnie podniósł rękę, żeby zapukać.

— Co powiedziałeś?

Ochroniarz znieruchomiał z ręką zawieszoną w powietrzu.

— Powiedziałem, że był zadowolony, iż panią wpuściłem. Miała pani rację. Nie było żadnego problemu.

— Rozmawiałeś o tym z senatorem? — Teraz w jej głosie pojawiło się zaskoczenie.

— Tak, a bo co?

— Nic, po prostu nie sądziłam...

— Prawdę mówiąc, wyszło trochę dziwnie. Senator dopiero po chwili przypomniał sobie, że pani tam była. Pewnie wypił o jednego drinka za dużo.

— Kiedy rozmawialiście?

— Niedługo po pani wyjściu. Coś nie tak?

Cisza.

— Nie... nie. Nic. Słuchaj, rozmyśliłam się, nie przeszkadzaj senatorowi. Zadzwonię do niego jeszcze raz, a jeśli nie dopisze mi szczęście, dryndnę do ciebie i wtedy zrobisz to, o co prosiłam.

Ochroniarz przewrócił oczami.

— Jak pani sobie życzy, pani Ashe.

— Dzięki, Owen. Przepraszam, że zawracam ci głowę.

— Nie ma sprawy. — Strażnik rozłączył się, opadł na krzesło i znów pogrążył się w drzemce.

Gabrielle stała bez ruchu przez kilka sekund, zanim odłożyła słuchawkę. Sexton wiedział, że byłam w jego mieszkaniu... i nie wspomniał o tym słowem?

Ta noc z chwili na chwilę robiła się coraz dziwniejsza. Dzwonił do niej, gdy była w ABC. Zaskoczył ją, gdy sam z siebie przyznał się do spotkania z przedstawicielami przedsiębiorstw kosmicznych oraz do brania od nich pieniędzy. Znów uwierzyła w jego uczciwość. Była nawet zawstydzona. Teraz wydawało się, że jego wyznanie wcale nie wynikało ze szczerości serca.

„Czyste pieniądze, powiedział Sexton. Absolutnie legalne".

Nagle znów dały o sobie znać wszystkie wątpliwości, jakie narastały w niej, gdy rozmyślała o postępowaniu senatora.

Na zewnątrz trąbiła taksówka.

Rozdział 103

Mostek „Goyi", pleksiglasowy sześcian, znajdował się dwa poziomy nad głównym pokładem. Z wnętrza roztaczał się niczym nieprzysłonięty widok na ciemne morze, co działało Rachel na nerwy. Rozejrzała się tylko raz, a potem spróbowała odciąć się od otoczenia i skupić uwagę na zadaniu.

Po wysłaniu Tollanda i Corky'ego na poszukiwanie Xavii, przygotowała się do nawiązania łączności z Pickeringiem. Obiecała dyrektorowi, że zawiadomi go, gdy przybędą na miejsce, i była ciekawa, czego się dowiedział na spotkaniu z Marjorie Tench.

Znała system łączności cyfrowej SHINCOM 2100 i wiedziała, że jeśli rozmowa będzie krótka, łączność pozostanie bezpieczna.

Wystukała prywatny numer Pickeringa i czekała ze słuchawką przy uchu. Spodziewała się, że szef odbierze po pierwszym sygnale, ale usłyszała wiele następnych i nic się nie stało.

Sześć sygnałów. Siedem. Osiem...

Popatrzyła na ocean. Niemożność skontaktowania się z dyrektorem dodatkowo pogłębiła niepokój, jaki wiązał się z pobytem na morzu.

Dziewiąty sygnał. Dziesiąty. Odbierz!

Krążyła po mostku, czekając. Co się stało? Przecież Pickering przez cały czas nosi telefon przy sobie i wyraźnie kazał jej zadzwonić.

Po piętnastym sygnale odłożyła słuchawkę.

Z narastającym zdenerwowaniem wybrała numer po raz drugi.

Cztery sygnały. Pięć sygnałów.

Gdzie on się podziewa?

Wreszcie sygnały ucichły. Odetchnęła z ulgą, ale uczucie było krótkotrwałe. Nikt się nie zgłosił. Na linii panowała cisza.

— Halo — przynagliła. — Dyrektorze?

Trzy szybkie trzaski.

— Halo? — powtórzyła.

Jej ucho przeszył głośny stuk zakłóceń, aż zabolała ją głowa. Odsunęła słuchawkę. Nagle zakłócenia ucichły. Teraz słyszała serię szybkich tonów, które pulsowały co pół sekundy. Nagle konsternacja ustąpiła zrozumieniu. A potem strachowi.

— Cholera!

Odwróciła się do konsoli i z trzaskiem odłożyła słuchawkę na widełki. Przez chwilę stała przerażona, zastanawiając się, czy zdążyła to zrobić dostatecznie szybko.

Dwa pokłady niżej, na śródokręciu, mieściło się duże laboratorium hydrologiczne. Zapełniały je długie stoły z profilerami osadów i prądomierzami, komputery i sprzęt elektroniczny, chłodnie na okazy, zlewy, okapy wyciągów, stosy bloczków do zapisywania danych i mnóstwo zapasowej aparatury.

Kiedy Tolland i Corky weszli do laboratorium, Xavia siedziała przed ryczącym telewizorem. Nawet się nie odwróciła.

— Skończyła wam się forsa na piwo? — zawołała przez ramię, najwyraźniej przekonana, że to koledzy wrócili z lądu.

— Xavio, to ja — powiedział Tolland.

Odwróciła się, gryząc sandwicza.

— Mike? — wykrztusiła, zdumiona jego widokiem. Ściszyła telewizor i podeszła, jeszcze przeżuwając kęs. — Myślałam, że to chłopaki wróciły z rajdu po barach. Co ty tu robisz? — Xavia była krępa i ciemnoskóra, obdarzona ostrym głosem i opryskliwym charakterem. Wskazała telewizor, gdzie leciał jego film dokumentalny. — Nie zabawiłeś na lodowcu zbyt długo, prawda?

Coś mi wypadło, pomyślał Tolland.

— Xavio, jestem pewien, że poznajesz Corky'ego Marlinsona.

Xavia pokiwała głową.

— To dla mnie zaszczyt.

Corky pożerał wzrokiem kanapkę, którą trzymała w ręku.

— Wygląda apetycznie.

Xavia obrzuciła go dziwnym spojrzeniem.

— Odebrałem twoją wiadomość — powiedział Tolland. — Mówiłaś, że zrobiłem błąd w prezentacji. Chciałbym o tym pogadać.

Xavia popatrzyła na niego i zaniosła się piskliwym śmiechem.

— Dlatego wróciłeś? Och, Mike, na miłość boską, mówiłam ci, że to nic takiego. Chciałam spuścić ci trochę pary. NASA musiała podać ci nieaktualne dane. To bez znaczenia. Poważnie, tylko trzech czy czterech geologów morskich na świecie mogło zauważyć to przeoczenie.

Wstrzymał oddech.

— Przeoczenie... Czy przypadkiem nie wiąże się z chondrami?

Xavia zrobiła zdumioną minę.

— Mój Boże, już ktoś do ciebie zadzwonił?

Tollandowi opadły ramiona. Chondry. Popatrzył na Corky'ego, potem znowu na Xavię.

— Muszę wiedzieć wszystko, co masz do powiedzenia o chondrach. Jaki błąd popełniłem?

Xavia widziała, że jest śmiertelnie poważny.

— Mike, to naprawdę nic takiego. Jakiś czas temu przeczytałam w fachowym czasopiśmie niewielki artykuł. Nie rozumiem, czemu tak się gorączkujesz.

Tolland westchnął.

— Xavio, może się to wydać dziwne, ale im mniej będziesz wiedziała, tym lepiej. Proszę cię tylko, żebyś nam powiedziała, co wiesz o chondrach, a potem sprawdzisz dla nas próbkę skały.

Xavia była zaintrygowana i trochę zła, że nie chce jej wtajemniczyć.

— Zgoda, przyniosę ci ten artykuł. Mam go na biurku. — Odłożyła kanapkę i ruszyła do drzwi.

Corky zawołał za nią:

— Mogę dokończyć?

Xavia przystanęła.

— Chce pan dojeść moją kanapkę? — zapytała z niedowierzaniem.

— No, tylko pomyślałem, że skoro pani...

— Sam się pan obsłuż — warknęła i wyszła.

Tolland zachichotał i wskazał chłodnię na okazy.

— Dolna półka, Corky. Między butelkami wódki a workami na kalmary.

Rachel zeszła z mostka po stromych schodach i ruszyła w kierunku śmigłowca stojącego na pokładzie rufowym. Pilot straży przybrzeżnej drzemał, ale wyprostował się, gdy tylko zapukała do kabiny.

— Już? — zdziwił się. — Szybko.

Rachel, zdenerwowana, pokręciła głową.

— Może pan włączyć radary?

— Jasne. Promień piętnaście kilometrów.

— Niech pan to zrobi.

Pilot miał zdziwioną minę, ale bez słowa pstryknął kilkoma przełącznikami i ekran radaru pojaśniał, a promień zaczął zataczać leniwe kręgi.

— Widać coś? — zapytała Rachel.

Odczekał, aż wiązka wykona kilka okrążeń. Pomanipulował paroma pokrętłami i patrzył.

— Parę niewielkich jednostek na skraju, ale oddalają się od nas. Poza tym czysto. Kilometry otwartego morza ze wszystkich stron.

Rachel Sexton odetchnęła, choć nie czuła się szczególnie uspokojona.

— Proszę coś dla mnie zrobić. Jeśli zobaczy pan, że coś się zbliża — statek, samolot, cokolwiek — proszę natychmiast dać mi znać, dobrze?

— Jasne. Wszystko w porządku?

— Tak. Po prostu chcę wiedzieć, jeśli będziemy mieli towarzystwo.

Pilot wzruszył ramionami.

— Będę obserwował radar. Jeśli coś się pojawi, pani dowie się o tym pierwsza.

Pełna złych przeczuć, Rachel ruszyła do laboratorium. Corky i Tolland stali przed monitorem komputera i jedli kanapki.

Corky zawołał do niej z pełnymi ustami:

— Co ma być? Rybne kurczę, rybna kiełbasa czy sałatka z rybich jaj?

Rachel ledwo go usłyszała.

— Mike, jak szybko możemy zdobyć informacje i wynieść się z tego statku?

Rozdział 104

Tolland krążył po laboratorium, czekając z Rachel i Corkym na powrót Xavii. Potwierdzenie, że popełnił błąd dotyczący chondr, było niemal równie niepokojące jak wiadomość, że Rachel nie zdołała skontaktować się z Pickeringiem.

Dyrektor nie odpowiadał.

I ktoś próbował namierzyć „Goyę".

— Uspokójcie się — przykazał Tolland. — Jesteśmy bezpieczni. Pilot straży przybrzeżnej obserwuje radar. Powiadomi nas z wyprzedzeniem, jeśli ktoś skieruje się w naszą stronę.

Rachel pokiwała głową, przyznając mu rację, choć wciąż wyglądała na zdenerwowaną.

— Mike, a co to takiego? — zapytał Corky, wskazując monitor, na którym złowieszczo pulsowały psychodeliczne kolory.

— Dopplerowski miernik rozkładu prądów. To przekrój poprzeczny prądu i gradienty temperatury wody pod statkiem.

Rachel spojrzała na monitor.

— To jest to, nad czym kotwiczy statek?

Tolland musiał przyznać, że obraz może budzić zaniepokojenie. Woda na powierzchni miała barwę niebieskawozieloną, ale niżej, wraz ze wzrostem temperatury, kolory przechodziły w złowieszczy oranż. Blisko dna, ponad półtora kilometra w dole, nad dnem oceanu szalał krwawoczerwony cyklon.

— To właśnie megawir hydrotermalny — wyjaśnił Tolland.

Corky chrząknął.

— Wygląda jak podwodne tornado.

— Ta sama zasada. W pobliżu dna oceanu woda zwykle jest

chłodniejsza i bardziej gęsta, ale tutaj mamy inwersję. Woda w głębi jest podgrzewana, staje się lżejsza i wznosi się ku powierzchni. Cięższa woda z powierzchni spływa w dół wielką spiralą, żeby uzupełnić ubytek i tworzy się potężny wir.

— A czym jest ten wielki garb na dnie? — Corky wskazał płaskie dno, na którym wznosiło się duże wybrzuszenie. Wprost nad nią obracał się wir.

— To kopuła magmy. Tam magma wciska się pod dno oceanu.

Corky pokiwał głową.

— Jak wielki pryszcz.

— W pewnym sensie.

— A jeśli wystrzeli?

Tolland ściągnął brwi, przypominając sobie słynny megawir hydrotermalny z 1986 roku na grzbiecie Juan de Fuca, gdzie tysiące ton magmy o temperaturze tysiąca dwustu stopni Celsjusza znienacka rzygnęły do oceanu, błyskawicznie wzmacniając siłę wiru. Prądy powierzchniowe przyspieszyły, gdy gorąca woda szybko wznosiła się w górę. Tolland nie miał zamiaru tej nocy opowiadać Corky'emu i Rachel o tym, co było dalej.

— Atlantycka kopuła magmy nie wystrzeli — zapewnił. — Zimna woda krążąca nad garbem stale chłodzi i utwardza skorupę ziemską. Magma jest zamknięta bezpiecznie pod grubą warstwą skały. W końcu wystygnie i spirala zniknie. Generalnie megawiry nie są groźne.

Corky wskazał zszargane czasopismo leżące w pobliżu komputera.

— Mówisz więc, że w „Scientific American" publikują fikcję?

Tolland zobaczył okładkę i skrzywił się. Ktoś musiał wyciągnąć z archiwum naukowych magazynów numer „Scientific American" z lutego 1999. Na okładce widniała artystyczna grafika, przedstawiająca supertankowiec osuwający się w ogromny lej w powierzchni oceanu. Nagłówek brzmiał: MEGAWIRY — GIGANTYCZNI ZABÓJCY Z GŁĘBIN?

— Zupełnie bez związku — zaśmiał się Tolland. — Ten artykuł mówi o megawirach w strefach trzęsień ziemi. Parę lat temu była to popularna hipoteza wyjaśniająca zaginięcia statków w rejonie Trójkąta Bermudzkiego. Technicznie rzecz biorąc, gdyby na dnie oceanu doszło do jakiegoś katastrofalnego zdarzenia geologicznego, co tutaj jest raczej niemożliwe, kopuła mogłaby pęknąć, a wówczas wir mógłby... no wiecie...

— Nie, nie wiemy — mruknął Corky.

Tolland wzruszył ramionami.

— Wznieść się na powierzchnię.

— Super. Cieszę się, że ściągnąłeś nas na ten statek.

Weszła Xavia z jakimiś papierami.

— Podziwiacie megawir?

— Pewnie — parsknął Corky. — Mike właśnie powiedział, że jeśli ten kopczyk pęknie, wszyscy spłyniemy w dół jak woda w umywalce.

— W umywalce? — Xavia zaśmiała się zimno. — Prędzej w największym klozecie świata.

Pilot straży przybrzeżnej czujnie wpatrywał się w ekran radaru. Jako ratownik niejeden raz widział strach w ludzkich oczach; Rachel Sexton zdecydowanie była wystraszona, kiedy prosiła go, żeby miał oko na niespodziewanych gości zbliżających się do „Goyi".

Jakich gości się spodziewa? — zastanawiał się.

Widział, że na morzu i w powietrzu w promieniu piętnastu kilometrów nie ma niczego niezwykłego. Łódź rybacka około dwunastu kilometrów dalej. Samoloty przecinające skraj pola radaru i odlatujące w kierunku jakiegoś nieznanego miejsca przeznaczenia.

Pilot westchnął, patrząc na ocean przemykający wokół statku. Wrażenie było niesamowite, jakby płynęli pełną mocą, choć stali na kotwicy.

Znów skierował wzrok na ekran radaru i patrzył uważnie.

Rozdział 105

Tolland dokonał prezentacji. Xavia stała speszona przed tak znamienitym gronem. Jej zdenerwowanie powiększała Rachel, która chciała jak najszybciej znać wyniki badań i opuścić statek.

— Bez pośpiechu, Xavio — uspokoił ją Tolland. — Musimy wiedzieć wszystko.

Zaczęła drewnianym głosem:

— W swoim filmie, Mike, powiedziałeś, że te małe metaliczne inkluzje mogą powstać wyłącznie w kosmosie.

Tolland już czuł drżenie lęku. Chondry tworzą się tylko w kosmosie. Tak powiedzieli ci z NASA.

— Ale te notatki świadczą o tym, że to niezupełnie prawda — powiedziała Xavia, podnosząc kartki.

Corky popatrzył na nią ze złością.

— Oczywiście, że prawda!

Xavia spiorunowała go wzrokiem i pomachała notatkami.

— W zeszłym roku młody geolog, niejaki Lee Pollock z uniwersytetu Drew, używał nowego modelu morskiego robota do pobierania próbek skorupy z dna Rowu Mariańskiego. Wydobył luźną skałę, która zawierała struktury geologiczne, jakich dotąd nie widział. Z wyglądu były one bardzo podobne do chondr. Nazwał je „plagioklazowymi inkluzjami metamorficznymi" — maleńkie metaliczne kuleczki, które najwyraźniej uległy przeobrażeniu pod wpływem ciśnienia w głębinach oceanu. Doktor Pollock był ogromnie zdumiony znalezieniem metalicznych sferul w skale z dna oceanu i sformułował oryginalną teorię, żeby wyjaśnić ich obecność.

Corky chrząknął.

— Pewnie, jakżeby inaczej.

Xavia nie zwróciła na niego uwagi.

— Doktor Pollock twierdzi, że w bardzo głębokim środowisku oceanicznym ogromne ciśnienie spowodowało stopienie metalicznych składników już istniejącej skały i jej przeobrażenie.

Tolland zastanowił się. Rów Mariański o głębokości ponad jedenastu kilometrów jest jednym z ostatnich najmniej zbadanych miejsc na planecie. Tylko kilka automatycznych sond dotarło na taką głębokość; większość ulegała zniszczeniu na długo przed osiągnięciem dna. Ciśnienie wody w rowie jest ogromne, wynosi ponad tysiąc dwieście atmosfer w porównaniu z zaledwie 1,6 atmosfery na powierzchni. Oceanografowie wciąż niewiele wiedzą o procesach geologicznych zachodzących w najgłębszych partiach oceanów.

— A więc ten Pollock uważa, że w Rowie Mariańskim mogą powstawać skały ze strukturami podobnymi do chondr?

— Teoria jest dość mętna — odparła Xavia. — Szczerze mówiąc, nigdy nie została formalnie opublikowana. W zeszłym miesiącu przypadkiem natknęłam się na prywatne notatki doktora, kiedy sprawdzałam w sieci informacje o interakcjach woda-skała dla naszego programu o megawirze. Gdyby nie to, nigdy bym się o niej nie dowiedziała.

— Teoria nie została opublikowana, ponieważ jest śmieszna — skomentował Corky. — Do powstania chondr niezbędne jest ciepło. Wykluczone, żeby ciśnienie wody przeobraziło strukturę krystaliczną skały.

— Tak się składa, że ciśnienie ma największy udział w zmianach geologicznych zachodzących na naszej planecie — odpaliła Xavia. — Słyszał pan może o takiej drobnostce jak skały metamorficzne? Polecam *Podstawy geologii*.

Corky spochmurniał.

Tolland wiedział, że Xavia ma rację. Choć ciepło odgrywało dużą rolę w procesach metamorficznych, większa część skał ulegała przeobrażeniu w wyniku oddziaływania kolosalnego ciśnienia. Skały w głębi skorupy ziemskiej podlegały tak wielkiemu ciśnieniu, że przypominały bardziej gęstą melasę niż solidną skałę — były plastyczne i zachodziły w nich przemiany chemiczne. Mimo wszystko teoria doktora Pollocka wciąż wydawała się naciągana.

— Xavio, nigdy nie słyszałem, żeby samo ciśnienie wody

spowodowało zmiany chemiczne w skale. Jesteś geologiem, co o tym sądzisz?

— Cóż — mruknęła, wertując notatki — wygląda na to, że ciśnienie wody nie jest jedynym czynnikiem. — Znalazła odpowiedni fragment i przeczytała: — *Skorupa oceaniczna w Rowie Mariańskim, już podlegająca ogromnemu ciśnieniu hydrostatycznemu, może znaleźć się pod jeszcze większym naciskiem spowodowanym przez siły tektoniczne oddziałujące ze stref subdukcji w regionie.*

Oczywiście, pomyślał Tolland. Dno Rowu Mariańskiego, na które działa ciśnienie jedenastu kilometrów wody, jest strefą subdukcji, gdzie płyta pacyficzna i indyjska napierają na siebie. W efekcie na dnie rowu mogło panować kolosalne ciśnienie. Jeśli rzeczywiście powstawały tam chondry, to szanse, że ktoś się o nich dowie, są naprawdę znikome. Po prostu z badaniem tego regionu wiążą się zbyt wielkie trudności.

Xavia czytała:

— *Teoretycznie połączone ciśnienie hydrostatyczne i tektoniczne może spowodować przejście skorupy oceanicznej w stan plastyczny lub półpłynny, a wówczas stopione lżejsze składniki mogłyby utworzyć skupienia podobne do chondr, które, jak powszechnie przyjmowano, występują wyłącznie w kosmosie.*

Corky przewrócił oczami.

— Niemożliwe.

Tolland popatrzył na niego.

— Czy istnieje jakieś alternatywne wyjaśnienie obecności chondr w skale doktora Pollocka?

— Jasne — odparł Corky. — Pollock znalazł meteoryt. Meteoryty przez cały czas wpadają do oceanu. Uznał, że skała nie jest meteorytem, bo być może skorupa obtopieniowa uległa erozji w czasie wielu lat spoczywania w wodzie, przez co meteoryt upodobnił się do zwyczajnej skały. — Zwrócił się do Xavii: — Nie przypuszczam, żeby Pollockowi przyszło na myśl zmierzenie zawartości niklu.

— Przyszło — mruknęła Xavia. — Pollock pisze: *Z zaskoczeniem stwierdziłem, że zawartość niklu w próbce odbiega od wartości typowych dla innych skał ziemskich.*

Tolland i Rachel wymienili zaskoczone spojrzenia.

Xavia czytała dalej:

— *Choć nie mieści się w przedziale przyjętym dla skał pochodzenia meteorytowego, jest mu zaskakująco bliska.*

Rachel była stropiona.

— Jak bliska? Czy można pomylić oceaniczną skałę z meteorytem?

Xavia pokręciła głową.

— Nie jestem petrografem, ale o ile wiem, istnieje wiele różnic natury chemicznej pomiędzy skałą znalezioną przez Pollocka a prawdziwym meteorytem.

— Jakich różnic? — chciał wiedzieć Tolland.

Xavia pokazała mu wykres.

— Według tego jedyna różnica polega na budowie samych chondr. Odmienne proporcje tytanu i cyrkonu. Chondry z próbki oceanicznej wykazują znikomą ilość cyrkonu. — Podniosła głowę. — Tylko dwie części na milion.

— Dwie na milion? — zdumiał się Corky. — W meteorytach jest tysiące razy więcej!

— Właśnie — przyznała Xavia. — Dlatego Pollock uważa, że chondry w jego próbce nie pochodzą z kosmosu.

Tolland pochylił się i szepnął do Corky'ego:

— Czy NASA zmierzyła proporcje tytanu i cyrkonu w skale z Milne'a?

— Jasne, że nie. Nikt by tego nie zrobił. To tak, jakbyś musiał zmierzyć zawartość gumy w oponach, żeby się przekonać, że samochód, na który patrzysz, rzeczywiście jest samochodem!

Tolland westchnął i spojrzał na Xavię.

— Jeśli dam ci próbkę skały z chondrami, będziesz mogła stwierdzić, czy te inkluzje są chondrami meteorytowymi... czy też tym, co opisał Pollock?

Xavia wzruszyła ramionami.

— Chyba tak. Mikrosonda elektronowa powinna mieć wystarczającą dokładność. Ale o co tu chodzi?

Tolland zwrócił się do Corky'ego:

— Daj jej to.

Corky niechętnie wyjął próbkę z kieszeni i podał ją Xavii.

Xavia ze zmarszczonym czołem popatrzyła na kamienny krążek. Obejrzała skorupę obtopieniową, a potem skamielinę.

— Mój Boże! — szepnęła, podnosząc głowę. — Czy to nie jest fragment...

— Jest — odparł Tolland. — Niestety.

Rozdział 106

Gabrielle Ashe stała przy oknie w swoim biurze, zastanawiając się, co zrobić. Niespełna godzinę temu wyszła z NASA przepełniona podnieceniem, pragnąc jak najszybciej powiadomić senatora o oszustwie Chrisa Harpera.

Teraz nie była taka pewna.

Według Yolandy dwaj niezależni reporterzy ABC podejrzewali, że Sexton przyjmuje łapówki od SFF. Co więcej, przed chwilą dowiedziała się, że senator wie o jej obecności w swoim mieszkaniu w czasie spotkania z SFF, a jednak nie wspomniał o tym słowem.

Gabrielle westchnęła. Taksówka już dawno odjechała. Za parę minut zadzwoni po następną, ale najpierw musi zrobić coś innego.

Naprawdę chcesz spróbować?

Ściągnęła brwi, świadoma, że nie ma wyboru. Już nie wiedziała, komu ufać.

Wyszła do sekretariatu i na szeroki korytarz. Na drugim końcu widziała masywne dębowe drzwi gabinetu Sextona, a po obu stronach flagi — Stanów Zjednoczonych i stanu Delaware. Drzwi, jak w większości biur senackich w gmachu, były wzmocnione stalą, zabezpieczone zamkiem konwencjonalnym i elektronicznym oraz systemem alarmowym.

Wiedziała, że gdyby mogła wejść do środka choćby na parę minut, znalazłaby wszystkie odpowiedzi. Idąc w stronę zabezpieczonego wejścia, nie łudziła się, że zdoła je sforsować. Miała inne plany.

Trzy metry od gabinetu Sextona skręciła w prawo i weszła do toalety. Jarzeniówki zapaliły się automatycznie, oświetlając białe kafelki. Gdy jej oczy przyzwyczaiły się do jaskrawego światła, zatrzymała się przed lustrem. Jej twarz wydawała się łagodniejsza, niż mogłaby sobie życzyć. Niemal delikatna. Zawsze czuła się silniejsza, niż sugerował to jej wygląd.

Jesteś pewna, że chcesz to zrobić?

Gabrielle wiedziała, że Sexton czeka na nią niecierpliwie, pragnąc poznać wyniki dochodzenia w sprawie PODS. Na nieszczęście wiedziała także, że Sexton manipulował nią zręcznie tej nocy. A Gabrielle Ashe nie lubiła być manipulowana. Senator nie był z nią dzisiaj szczery — pytanie tylko na ile. Odpowiedzi, jak wiedziała, znajdowały się w jego biurze — za ścianą toalety.

— Pięć minut — powiedziała głośno, podejmując decyzję.

Podeszła do schowka i przeciągnęła ręką po futrynie drzwi. Sprzątacze z gmachu Philip A. Hart byli pracownikami federalnymi i znikali za każdym razem, gdy tylko dochodziło do jakiegokolwiek strajku, a wówczas w toalecie przez parę tygodni z rzędu brakowało papieru toaletowego i podpasek. Kobiety w biurze Sextona, zmęczone ciągłymi przykrymi niespodziankami, wzięły sprawy w swoje ręce i dorobiły klucze do schowka, żeby korzystać z zapasów w „sytuacjach kryzysowych".

Dzisiejsza noc pasuje jak ulał, pomyślała.

Otworzyła schowek.

Wnętrze było ciasne, pełne środków czyszczących, mopów i zapasów papieru. Miesiąc temu Gabrielle szukała papierowych ręczników i dokonała niezwykłego odkrycia. Nie mogąc dosięgnąć rolki leżącej na najwyższej półce, próbowała strącić ją kijem od szczotki, ale zamiast tego przesunęła płytę w suficie. Kiedy wspięła się na półki, żeby umieścić ją na miejscu, zaskoczona usłyszała głos senatora Sextona.

Czysto i wyraźnie.

Z pogłosu domyśliła się, że senator mówi do siebie w prywatnej łazience, oddzielonej od schowka tylko ruchomymi płytami pilśniowymi.

Gabrielle zdjęła buty, wspięła się po półkach, podważyła płytę w suficie i podciągnęła się do góry. I tyle, jeśli chodzi o bezpieczeństwo narodowe, pomyślała, zastanawiając się, ile praw stanowych i federalnych właśnie łamie.

Opuściła się do prywatnej łazienki Sextona, postawiła stopy na zimnej, porcelanowej umywalce i zeskoczyła na podłogę. Wstrzymując oddech, weszła do gabinetu.

Orientalne dywany były miękkie i ciepłe.

Rozdział 107

Pięćdziesiąt kilometrów dalej czarny śmigłowiec bojowy Kiowa mknął nad czubami karłowatych sosen w północnej części Delaware. Delta Jeden sprawdził współrzędne wprowadzone do automatycznego systemu nawigacyjnego.

Sprzęt łączności, jakim posługiwała się Rachel na pokładzie „Goyi", oraz telefon komórkowy Pickeringa miały urządzenia szyfrujące dla ochrony treści rozmów, ale nie o treść chodziło grupie Delta Force. Ich celem było namierzenie osoby telefonującej. Dzięki GPS * i komputerowej triangulacji określenie współrzędnych było znacznie łatwiejsze, niż odszyfrowanie treści rozmowy.

Deltę Jeden zawsze ogarniało rozbawienie na myśl, że większość użytkowników telefonów komórkowych nie zdaje sobie sprawy, iż za każdym razem, gdy dzwonią, rządowy posterunek podsłuchowy może, jeśli zachodzi taka potrzeba, namierzyć ich pozycję z dokładnością do trzech metrów w dowolnym miejscu na Ziemi — drobiazg, jakiego operatorzy sieci telefonii komórkowej raczej nie umieszczają w reklamach. Dzisiejszej nocy, po uzyskaniu dostępu do częstotliwości komórki Williama Pickeringa, mogli bez trudu określić współrzędne osoby, która próbowała się do niego dodzwonić.

Delta Jeden zbliżył się na trzydzieści kilometrów do celu.

— Parasol przygotowany? — zapytał Deltę Dwa, który obsługiwał radar i system uzbrojenia.

— Potwierdzam. Czekam na zasięg ośmiu kilometrów.

---

* Global Positioning System

Osiem kilometrów, pomyślał Delta Jeden. Musi wlecieć w zasięg radaru celu, żeby użyć systemu uzbrojenia kiowy. Nie wątpił, że ktoś na pokładzie „Goyi" nerwowo obserwuje niebo, a ponieważ obecne zadanie Delta Force polegało na wyeliminowaniu celu bez dania mu możliwości wezwania pomocy przez radio, musieli podejść bez alarmowania ofiary.

W odległości dwudziestu pięciu kilometrów, wciąż poza zasięgiem radaru, Delta Jeden skręcił z kursu o trzydzieści pięć stopni na zachód. Wzniósł się na dziewięćset metrów — typowy pułap niewielkiego samolotu — i leciał z prędkością 110 węzłów.

Na pokładzie „Goyi" radar śmigłowca straży przybrzeżnej pisnął jeden raz, gdy jakiś obiekt znalazł się w zasięgu piętnastu kilometrów. Pilot wyprostował się, wpatrując się w ekran. Wyglądało na to, że niewielki samolot transportowy zmierza na zachód.

Prawdopodobnie do Newark.

Chociaż tor lotu miał go doprowadzić na odległość sześciu kilometrów od „Goyi", najwyraźniej było to kwestią przypadku. Mimo wszystko pilot bacznie obserwował mrugającą plamkę, która z prędkością 110 węzłów przesuwała się po prawej stronie ekranu. Odległość zmalała do sześciu kilometrów. Ale jak się spodziewał, samolot po chwili zaczął się od nich oddalać.

6,1 kilometra. 6,2 kilometra.

Pilot odetchnął, odprężając się.

A potem stała się rzecz dziwna.

— Parasol włączony! — Delta Dwa, siedzący na fotelu z lewej strony kabiny, podniósł kciuki. Zapora, modulowany szum i sygnał zagłuszający uaktywnione i wycelowane.

Delta Jeden ostro skręcił w prawo, ustawiając maszynę prosto na kursie do „Goyi". Ten manewr miał być niewidoczny dla radaru.

— Bije na głowę paski z folii aluminiowej! — zawołał Delta Dwa.

Delta Jeden przyznał mu rację. Zagłuszanie radaru zostało wynalezione w czasie drugiej wojny światowej, kiedy jakiś łebski brytyjski lotnik wpadł na pomysł, żeby w czasie rajdów bombowych wyrzucać z samolotu kulki siana owiniętego cynfolią.

Niemieckie radary wykrywały tyle ech, że obsługa działek przeciwlotniczych nie miała pojęcia, do czego strzelać. Od tej pory technika została znacznie udoskonalona.

Pokładowy „parasol", czyli system zakłócania sygnałów radiolokacyjnych, zaliczał się do najbardziej zabójczych broni elektronicznych. Emisja szumu tła do atmosfery ponad obszarem o określonych współrzędnych sprawiała, że cel stawał się ślepy, głuchy i niemy. Przed chwilą zgasły wszystkie ekrany radarów na pokładzie „Goyi". Zanim załoga zorientuje się, że należy wezwać pomoc, nie będzie w stanie nadawać. Łączność statku ze światem odbywa się za pośrednictwem radia — nie ma linii telefonicznych. Gdy kiowa podleci dostatecznie blisko, wszystkie systemy łączności „Goyi" przestaną funkcjonować, ich sygnały nośne zostaną wymazane przez niewidzialną chmurę szumów, które wyprzedzają helikopter niczym światło potężnego reflektora.

Izolacja doskonała, pomyślał Delta Jeden. Są bezbronni.

Celom dopisało szczęście w trakcie pomysłowej ucieczki z Lodowca Milne'a, ale to już się nie powtórzy. Opuszczając brzeg, Rachel Sexton i Michael Tolland dokonali kiepskiego wyboru. Podjęli ostatnią decyzję w życiu.

Zach Herney miał mętlik w głowie, gdy siedział na łóżku ze słuchawką przy uchu.

— Teraz? Ekstrom chce rozmawiać ze mną o tej porze? — Popatrzył na budzik. 3:17.

— Tak, panie prezydencie — odparł oficer łączności. — Mówi, że to sprawa niecierpiącą zwłoki.

Rozdział 108

Podczas gdy Corky i Xavia pochylali się nad elektroniczną mikrosondą mierzącą ilość cyrkonu w chondrach, Rachel poszła z Tollandem do pokoju sąsiadującego z laboratorium. Tam Tolland włączył komputer. Najwyraźniej zamierzał sprawdzić coś jeszcze.

Gdy komputer się uruchamiał, Tolland odwrócił się z taką miną, jakby chciał coś powiedzieć, zachował jednak milczenie.

— O co chodzi? — zapytała Rachel. Była zdumiona, jak bardzo Mike ją pociąga, nawet w środku tego chaosu.

— Jestem ci winny przeprosiny — powiedział ze skruszoną miną.

— Za co?

— Za to, co zrobiłem na pokładzie. Nie powinienem pokazywać ci rekinów. Byłem podekscytowany. Czasami zapominam, że dla wielu ludzi ocean może być przerażający.

Rachel czuła się jak nastolatka, która stoi przed drzwiami domu ze swoim nowym chłopakiem.

— Nie ma sprawy, naprawdę. — Coś jej mówiło, że Tolland chce ją pocałować.

Po chwili odwrócił się, zawstydzony.

— Wiem. Chcesz wrócić na brzeg. Powinniśmy zabrać się do pracy.

— Na razie. — Uśmiechnęła się łagodnie.

— Na razie — powtórzył, siadając przed komputerem.

Rachel wypuściła powietrze. Stanęła tuż za jego plecami, rozkoszując się odosobnieniem w tym małym laboratorium. Patrzyła, jak Tolland przegląda pliki.

— Co robimy?

— Szukamy w bazie danych informacji o wielkich oceanicznych stonogach. Jestem ciekaw, czy znajdziemy jakieś prehistoryczne skamieniałości, które przypominają to, co widzieliśmy w meteorycie. — Otworzył stronę opatrzoną wielkimi literami: PROJEKT DIVERSITAS.

Przewijając menu, wyjaśnił:

— Diversitas jest stale uaktualnianym indeksem organizmów oceanicznych. Kiedy biolog morski odkrywa nowy gatunek albo skamieniałość, może pochwalić się światu i podzielić swoim odkryciem za pośrednictwem bazy, do której wprowadza dane i zdjęcia. Ponieważ praktycznie co tydzień odkrywa się coś nowego, to naprawdę jedyny sposób, żeby być na bieżąco.

Rachel patrzyła, jak Tolland przegląda menu.

— Mamy więc dostęp do sieci?

— Nie, dostęp do Internetu na morzu jest trudny. Przechowujemy wszystkie te dane na pokładzie, na wielu dyskach optycznych w innym pomieszczeniu. Za każdym razem, gdy jesteśmy w porcie, łączymy się z Projektem Diversitas i uaktualniamy bazę danych. W ten sposób możemy sprawdzać informacje, które pochodzą co najwyżej sprzed dwóch miesięcy, bez konieczności łączenia się z siecią. — Tolland zaśmiał się i zaczął wpisywać kluczowe słowa. — Pewnie słyszałaś o Napsterze, kontrowersyjnym programie do ściągania muzyki?

Rachel pokiwała głową.

— Diversitas jest uważany za biologiczną wersję Napstera. Nazywamy go HOMAR — Harówka Oceanografów Mających Absolutną Rację.

Rachel roześmiała się. Choć sytuacja była napięta, Tollanda nie opuszczał cierpki humor, który uciszał jej obawy. Uświadomiła sobie, że ostatnio nieczęsto się śmiała.

— Nasza baza danych jest ogromna — mówił, kończąc wpisywanie słów do wyszukiwarki. — Ponad dziesięć terabajtów opisów i zdjęć. Nikt nigdy nie przeczytał ani nie przeczyta wszystkich tych informacji. Gatunków oceanicznych jest po prostu zbyt wiele. — Kliknął ikonkę „szukaj". — Dobra, przekonajmy się, czy ktoś spotkał się ze skamieniałością podobną do naszej kosmicznej stonóżki.

Po paru sekundach ekran rozbłysnął, ukazując cztery nazwy

skamieniałych zwierząt. Tolland klikał na jedną po drugiej i oglądał zdjęcia. Żadne nawet w przybliżeniu nie przypominało skamieliny z meteorytu.

Zmarszczył czoło.

— Spróbujmy czegoś innego. — Usunął słowo „skamieniałość" z ciągu słów i kazał programowi szukać. — Przeszukamy wszystkie żyjące gatunki. Może znajdziemy żywego potomka o cechach skamieniałości z Milne'a.

Ekran znów stał się jasny.

Tolland miał przed oczami setki haseł. Przez chwilę gładził pociemniałą od zarostu szczękę.

— Dobra, za dużo. Zawęzimy pole poszukiwań.

Rachel patrzyła, jak rozwija menu „habitat". Lista opcji wydawała się nieskończona: tereny zalewowe, bagno, laguna, rafa, grzbiet śródoceaniczny, źródła siarkowe. Tolland przewinął listę i wybrał STREFY UBOGIE W ŻYCIE/ROWY OCEANICZNE.

Sprytnie, pomyślała Rachel. Tolland ograniczył poszukiwania do środowiska, w którym według hipotezy Pollocka utworzyły się chondropodobne struktury.

Tym razem Tolland zareagował uśmiechem.

— Super. Tylko trzy hasła.

Rachel przeczytała pierwszą nazwę na liście. *Linulus poly*... coś tam.

Tolland kliknął, pojawiło się zdjęcie. Stworzenie wyglądało jak przerośnięty konik morski bez ogona.

— Pudło — mruknął, wracając do strony głównej.

Rachel spojrzała na drugie hasło. *Krewetkus szpetus zpiekłarodemus*.

— Czy to prawdziwa nazwa? — zapytała zdezorientowana.

Tolland zaśmiał się.

— Nie. To nowy gatunek, jeszcze niesklasyfikowany. Facet, który go odkrył, ma poczucie humoru. Proponuje umieścić *Krewetkusa szpetusa* w oficjalnej klasyfikacji taksonomicznej. — Otworzył zdjęcie, które przedstawiało wyjątkowo brzydkie, podobne do krewetki stworzenie z wąsami i fluorescencyjnym różowym czułkiem.

— Trafna nazwa — przyznał. — Ale to nie jest nasz kosmiczny znajomy. — Wrócił do indeksu. — Ostatnia propozycja to... — Kliknął na trzecie hasło.

— *Bathynomous giganteus*... — przeczytał głośno. Po chwili ukazała się kolorowa fotografia.

Rachel podskoczyła.

— Mój Boże! — Widok stworzenia przyprawił ją o ciarki na karku.

Tolland wypuścił długi oddech.

— O rany. Facet wygląda jakby znajomo.

Rachel, oniemiała, mogła tylko pokręcić głową. *Bathynomous giganteus*. Stworzenie wyglądało jak wielka pływająca stonoga. Było bardzo podobne do skamieniałych okazów ze skały NASA.

— Są drobne różnice — powiedział Tolland, przechodząc do diagramów i szkiców anatomicznych. — Ale podobieństwo jest duże, zwłaszcza że facet miał sto siedemdziesiąt milionów lat na ewolucję.

Duże, pomyślała Rachel. Zbyt duże.

Tolland przeczytał opis:

— *Uważany za jeden z najstarszych gatunków w oceanie, rzadki i niedawno sklasyfikowany* Bathynomous giganteus *jest głębinowym nekrofagiem z rzędu równonogów, przypominającym wielkiego prosionka. Osiąga do sześćdziesięciu centymetrów długości, ma chitynowy segmentowany szkielet zewnętrzny, w którym wyróżnia się głowę, tułów i odwłok. Posiada parzyste wyrostki, czułki i złożone oczy podobnie jak owady lądowe. Ten nekrofag nie ma znanego naturalnego wroga i żyje na dnie w jałowych środowiskach pelagicznych dotąd uważanych za niezamieszkane.* — Tolland podniósł głowę. — Co może wyjaśniać brak innych skamieniałości w próbce!

Rachel patrzyła na stworzenie na ekranie, podekscytowana, a zarazem niepewna, czy w pełni rozumie, co to wszystko oznacza.

— Wyobraź sobie — ciągnął Tolland z ożywieniem — że sto siedemdziesiąt milionów lat temu kolonia *Bathynomousów* została pogrzebana w głębinowym zsuwie błotnym. Gdy błoto przemieniło się w skałę, skorupiaki skamieniały. Jednocześnie dno oceanu, które stale przesuwa się niczym powolny pas transmisyjny w kierunku rowów oceanicznych, przeniosło skamieniałości do strefy wysokich ciśnień, gdzie w skale wytworzyły się chondry! — Tolland mówił coraz szybciej. — I jeśli część tej skamieniałej skorupy z chondrami oderwała się i zakończyła podróż tam, gdzie materiał skalny się spiętrza, co nie jest niczym wyjątkowym, znalazłaby się w doskonałym miejscu do odkrycia.

— Ale jeśli NASA... — Rachel zająknęła się. — To znaczy, jeśli to wszystko jest kłamstwem, w NASA musieli wiedzieć, że prędzej czy później ktoś stwierdzi, iż ta skamieniałość przypomina stworzenie morskie, prawda? Tak jak przed chwilą my to stwierdziliśmy!

Tolland zaczął drukować zdjęcia *Bathynomousa* na drukarce laserowej.

— Nie wiem. Nawet gdyby ktoś poszedł dalej i wykazał podobieństwa między skamieniałościami a żyjącą stonogą morską, okazy nie są identyczne. A różnice przemawiają na korzyść NASA.

Rachel nagle zrozumiała.

— Panspermia. — Życie na Ziemi zostało posiane z kosmosu.

— Właśnie. Podobieństwa między organizmami ziemskimi i pozaziemskimi mają idealny sens naukowy. Ta morska stonoga rzeczywiście przemawia za twierdzeniem NASA.

— Dopóki nie postawi się pod znakiem zapytania autentyczności meteorytu.

Tolland pokiwał głową.

— Kiedy zakwestionuje się meteoryt, wtedy wszystko runie. Nasza stonoga z przyjaciela NASA przemieni się w kata.

Rachel stała w milczeniu, gdy wydruki przedstawiające *Bathynomousa* wysuwały się z drukarki. Próbowała sobie wmówić, że NASA nie dokonała oszustwa z premedytacją, ale wiedziała, że to nieprawda. Ludzie, którzy popełniają błędy przez przypadek, nie próbują nikogo zabić.

Nagle w laboratorium rozległ się nosowy głos Corky'ego:

— Niemożliwe!

Tollan i Rachel odwrócili się.

— Zmierz jeszcze raz, do cholery! Te proporcje nie mają sensu!

Xavia wbiegła z wydrukiem w ręku. Twarz miała szarą jak popiół.

— Mike, nie wiem, jak to powiedzieć... — Głos jej się załamał. — Proporcje tytanu i cyrkonu w tej próbce... — Odchrząknęła. — To zupełnie jasne, że NASA popełniła ogromny błąd. Ten meteoryt jest skałą oceaniczną.

Tolland i Rachel popatrzyli na siebie bez słowa. Wszystkie podejrzenia i wątpliwości wezbrały niczym spieniona fala, osiągająca punkt załamania.

Tolland pokiwał głową ze smutkiem w oczach.

— Tak. Dzięki, Xavio.

— Ale nie rozumiem — powiedziała. — Skorupa obtopieniowa... lokalizacja w lodzie...

— Wyjaśnimy to w drodze na brzeg. Lecimy.

Rachel zebrała szybko całą dokumentację. Dowody były szokująco jednoznaczne: wydruk z GPR ukazujący dolny szyb pod „meteorytem" w lodowcu szelfowym Milne'a; zdjęcia żyjącej stonogi morskiej, przypominającej skamieniałości NASA; artykuł doktora Pollocka o chondrach oceanicznych; wyniki badania mikrosondą, wykazujące znikomą ilość cyrkonu w próbce.

Wniosek był niezaprzeczalny. Oszustwo.

Tolland popatrzył na plik papierów w jej rękach i westchnął melancholijnie.

— Ha, powiedziałbym, że William Pickering ma swój dowód.

Rachel pokiwała głową, znów zastanawiając się, dlaczego dyrektor nie odebrał telefonu.

Tolland podniósł słuchawkę aparatu i wyciągnął w jej stronę.

— Chcesz spróbować jeszcze raz?

— Nie, lecimy. Spróbuję skontaktować się z nim z helikoptera. — Już zadecydowała, że jeśli nie zdoła nawiązać kontaktu z Pickeringiem, każe pilotowi lecieć prosto do NRO, około trzystu kilometrów od statku.

Tolland chciał odłożyć słuchawkę, gdy nagle znieruchomiał. Skonsternowany, podniósł ją do ucha i zmarszczył brwi.

— Dziwne. Nie ma sygnału.

— Co to znaczy? — zapytała Rachel czujnie.

— Bezpośrednie linie COMSAT nigdy nie tracą nośnej...

— Panie Tolland? — Do laboratorium wpadł blady pilot straży przybrzeżnej.

— O co chodzi? — zapytała Rachel. — Ktoś się zbliża?

— W tym problem — odparł pilot. — Nie wiem. Radary i urządzenia łączności przestały działać.

Rachel upchnęła papiery za koszulą.

— Do helikoptera. Odlatujemy. NATYCHMIAST!

Rozdział 109

Serce jej waliło, gdy przemierzała ciemny gabinet senatora Sextona. Pomieszczenie było rozległe i elegancko urządzone — ozdobna boazeria na ścianach, olejne obrazy, perskie dywany, skórzane fotele, ogromne mahoniowe biurko. Pokój był oświetlony tylko przez neonowy blask z ekranu komputera.

Gabrielle kierowała się w stronę biurka.

Senator Sexton rozbudował „cyfrowe biuro" do maniakalnych rozmiarów, rezygnując z szaf na akta na rzecz komputera osobistego, w którym przechowywał ogrom informacji — notatki z zebrań, zeskanowane artykuły, teksty przemówień, pomysły. Komputer stanowił uświęcone terytorium i Sexton nigdy nie zapominał o zamykaniu gabinetu, żeby nikt go nie naruszył. Nie godził się nawet na podłączanie do Internetu ze strachu, że hakerzy zinfiltrują jego święty cyfrowy sejf.

Przed rokiem Gabrielle nie uwierzyłaby, że jakiś polityk może być na tyle głupi, by przechowywać kopie kompromitujących go dokumentów, ale w Waszyngtonie wiele się nauczyła. Informacja to władza. Była zdumiona, gdy się dowiedziała, że pospolitą praktyką wśród polityków, którzy przyjmują wątpliwe dotacje na kampanie, jest przechowywanie dowodów — listów, wyciągów bankowych, rachunków, rejestrów — w bezpiecznym miejscu. Ta taktyka, eufemistycznie nazywana „syjamskim ubezpieczeniem", chroni kandydatów przed szantażem ofiarodawców, którzy nie wiedzieć czemu uważają, że hojność uprawnia ich do wywierania nacisku politycznego. Jeśli ofiarodawca staje się zbyt wymagający, kandydat może po prostu pokazać dowód nielegalnego datku i przypomnieć, że obie strony złamały prawo. Dowód łączy kandydatów i ofiarodawców jak syjamskie bliźnięta.

Gabrielle wsunęła się za biurko i usiadła. Odetchnęła głęboko, patrząc na komputer. Jeśli senator przyjmuje łapówki od SFF, dowody są tutaj.

Wygaszacz ekranu, przedstawiający zmieniające się widoki Białego Domu i jego otoczenia, został zrobiony specjalnie dla Sextona przez ambitnego, wizjonerskiego podwładnego, którego cechowało pozytywne myślenie. Wokół obrazków biegła serpentyna z napisem: „Prezydent Stanów Zjednoczonych Sedgewick Sexton... Prezydent Stanów Zjednoczonych Sedgewick Sexton... Prezydent...".

Gabrielle poruszyła myszką i ukazało się okno dialogowe.

WPROWADŹ HASŁO:

Spodziewała się tego. Nie będzie problemu. W zeszłym tygodniu weszła do gabinetu w chwili, gdy senator logował się do komputera. Zobaczyła, jak trzy razy szybko nacisnął klawisz.

— To hasło? — zapytała od drzwi.

Sexton podniósł głowę.

— Co?

— A myślałam, że zależy ci na bezpieczeństwie — zganiła go dobrodusznie. — Twoje hasło składa się tylko z trzech znaków? Informatycy kazali nam używać co najmniej sześciu.

— To nastolatki. Niech spróbują zapamiętać sześć przypadkowych liter, kiedy będą po czterdziestce. Poza tym w drzwiach jest alarm. Nikt nie może tu wejść.

Gabrielle podeszła do niego z uśmiechem.

— A jeśli ktoś się zakradnie, gdy będziesz w ubikacji?

— I wypróbuje wszystkie kombinacje? — Zaśmiał się sceptycznie. — W ubikacji nie jestem zbyt szybki, ale też nie aż tak wolny.

— Kolacja w restauracji Davide mówi mi, że odgadnę twoje hasło w dziesięć sekund.

Sexton miał zaciekawioną i rozbawioną minę.

— Nie stać cię na Davide, Gabrielle.

— Tchórzysz?

Senator niemal jej współczuł, gdy przyjął wyzwanie.

— Dziesięć sekund? — Wylogował się, gestem kazał jej usiąść

i podjąć próbę. — Wiesz, że w Davide zamawiam tylko saltimboccę*. A to nie jest tanie.

Wzruszyła ramionami.

— To twoje pieniądze.

WPROWADŹ HASŁO:

— Dziesięć sekund — przypomniał Sexton.

Gabrielle musiała się roześmiać. Potrzebowała dwóch. Nawet z progu widziała, że Sexton wprowadził hasło, używając tylko palca wskazującego. Najwyraźniej ten sam klawisz. Niezbyt mądrze. Widziała też, że jego ręka znajdowała się nad lewą stroną klawiatury, co ograniczało alfabet do mniej więcej dziewięciu liter. Wybór był prosty; Sexton uwielbiał potrójną aliterację nazwiska i urzędu. Senator Sedgewick Sexton.

Nigdy nie zrozumiem ego polityka.

Wpisała SSS i wygaszasz zniknął.

Sextonowi szczęka opadła do samej podłogi.

To było w ubiegłym tygodniu. Teraz, gdy patrzyła na ekran, była pewna, że Sexton nie miał czasu na zmianę hasła. Zresztą czemu miałby to robić? Ufa mi bezgranicznie.

Wpisała SSS.

HASŁO NIEPRAWIDŁOWE — ODMOWA DOSTĘPU

Gabrielle skamieniała.

Najwidoczniej przeceniła poziom zaufania senatora.

---

* *saltimbocca* — sznycle cielęce z szynką parmeńską

Rozdział 110

Atak nastąpił bez ostrzeżenia. Nisko nad horyzontem, na południowy zachód od „Goyi", ukazała się złowieszcza sylwetka śmigłowca bojowego. Rachel nie miała wątpliwości, co to takiego ani dlaczego tutaj jest.

W ciemności rozległo się jazgotanie i pokład z włókna szklanego zasypał grad kul, wyrysowując linię w poprzek rufy. Rachel za późno skoczyła pod osłonę i pocisk rozdarł jej ramię. Mocno uderzyła o pokład, przetoczyła się i skuliła za wypukłym oknem batyskafu.

Gdy helikopter przeleciał nad statkiem, huk przewalił się nad jej głową. Hałas przycichł do groźnego syku, gdy maszyna oddaliła się i zataczała szeroki łuk nad oceanem, przygotowując się do drugiego podejścia.

Przyciskając rękę do rany, Rachel rozglądała się w poszukiwaniu Tollanda i Corky'ego. Schowali się za magazynem i teraz wstali chwiejnie, ze strachem w oczach patrząc na nocne niebo. Rachel podciągnęła się na kolana. Miała wrażenie, że cały świat porusza się w zwolnionym tempie.

Kucając za przejrzystą krzywizną batyskafu, spojrzała w stronę jedynej szansy ucieczki — śmigłowca straży przybrzeżnej. Xavia wsiadała właśnie do kabiny, gorączkowo machając ręką, żeby pozostali zrobili to samo. Pilot już siedział w fotelu, szaleńczo pstrykając przełącznikami i pociągając dźwignie. Łopaty zaczęły się obracać... wolno.

Zbyt wolno.

Prędzej!

Rachel nawet nie wiedziała, kiedy się podniosła, przygotowana do biegu, zastanawiając się, czy zdoła pokonać otwartą przestrzeń, zanim napastnicy przypuszczą następny atak. Słyszała, jak za jej plecami Corky i Tolland zrywają się do biegu do czekającej maszyny. Tak! Szybko!

Wtedy to zobaczyła.

Sto metrów dalej w ciemności rozbłysła cienka jak ołówek wiązka światła i cięła noc, przeszukując pokład „Goyi". Znalazła cel i zastygła na burcie śmigłowca straży przybrzeżnej.

Zrozumienie, co oznacza ten widok, zajęło ułamek sekundy. W tej koszmarnej chwili Rachel miała wrażenie, że wszystko na pokładzie „Goyi" rozmywa się w kolaż kształtów i dźwięków. Tolland i Corky biegli w jej stronę, Xavia dziko machała rękami w śmigłowcu, nocne niebo rozcinało czyste czerwone światło.

Za późno.

Rachel odwróciła się w stronę Corky'ego i Tollanda, którzy co sił w nogach gnali do helikoptera. Przecięła im drogę, rozkładając ręce i próbując ich zatrzymać. Miała wrażenie, że uderzył w nią pociąg, gdy wszyscy troje z trzaskiem runęli na pokład w plątaninie rąk i nóg.

W dali błysnęło białe światło. Rachel z niedowierzaniem i grozą patrzyła, jak rakieta Hellfire podąża tropem promienia lasera w kierunku śmigłowca.

Kiedy pocisk uderzył w kadłub, maszyna eksplodowała jak zabawka. Po pokładzie przetoczyła się fala gorąca i huku, spadł deszcz płonących odłamków. Płonący szkielet śmigłowca przechylił się na strzaskany ogon, balansował przez chwilę, a potem zsunął się ze statku i wpadł do oceanu w syczącej chmurze pary.

Rachel zamknęła oczy, nie mogąc oddychać. Słyszała bulgotanie i skwierczenie tonącego wraku, oddalał się od „Goyi" porwany silnym prądem. Przez hałas przebił się krzyk Tollanda. Rachel poczuła, jak jego silne ręce próbują poderwać ją na nogi. Nie mogła się ruszyć.

Pilot i Xavia nie żyją.

My będziemy następni.

Rozdział 111

Burza na Lodowcu Szelfowym Milne'a przeminęła i w habisferze panowała cisza, lecz mimo to administrator Lawrence Ekstrom nawet nie pomyślał o położeniu się spać. Dwie godziny spędził w samotności, spacerując po kopule, zaglądając do szybu, przeciągając rękami po wyżłobieniach w wielkiej poczerniałej skale.

Wreszcie podjął decyzję.

Teraz siedział przed wideofonem w przyczepie PSC i patrzył w zmęczone oczy prezydenta Stanów Zjednoczonych. Zach Herney był w szlafroku i ani trochę nie wyglądał na rozbawionego. Ekstrom wiedział, że spochmurnieje jeszcze bardziej, kiedy usłyszy, co ma mu do powiedzenia.

Kiedy skończył mówić, Herney miał trochę nieprzytomną minę — jakby myślał, że jest zbyt zaspany, aby go dobrze zrozumieć.

— Chwileczkę — powiedział. — Coś musi być nie w porządku na łączach. Czy powiedziałeś, że NASA przechwyciła współrzędne meteorytu z nadanego przez radio wezwania o pomoc, a potem udawała, że to PODS dokonał odkrycia?

Ekstrom milczał, sam w ciemności, pragnąc zbudzić się z tego koszmaru.

Cisza wyraźnie działała prezydentowi na nerwy.

— Na miłość boską, Larry, powiedz mi, że to nieprawda!

Ekstromowi zaschło w ustach.

— Meteoryt został znaleziony, panie prezydencie. To wszystko, co się liczy.

— Powiedz mi, że to nieprawda!

W uszach Ekstroma cisza narastała do głuchego ryku. Musiałem mu powiedzieć, przekonywał się w duchu. Nie ma tego złego, co by na dobre nie wyszło.

— Panie prezydencie, klęska PODS zabijała pana w sondażach. Kiedy przechwyciliśmy transmisję, w której była mowa o meteorycie tkwiącym w lodzie, dostrzegliśmy szansę na powrót do gry.

Herney był oszołomiony.

— Markując odkrycie PODS?

— PODS miał zostać naprawiony, ale nie przed wyborami. Notowania spadały, Sexton atakował NASA, więc...

— Jesteś obłąkany! Okłamałeś mnie, Larry!

— Okazja sama się nadarzyła, panie prezydencie. Przechwyciliśmy transmisję radiową Kanadyjczyka, który odkrył meteoryt. Zginął w burzy. Nikt inny nie wiedział o meteorycie. PODS orbitował nad tym obszarem. NASA potrzebowała zwycięstwa. Mieliśmy współrzędne.

— Dlaczego mówisz mi o tym teraz?

— Uznałem, że powinien pan wiedzieć.

— Wiesz, co Sexton zrobi z tą informacją, jeśli się dowie?

Ekstrom wolał o tym nie myśleć.

— Powie światu, że Biały Dom do spółki z NASA okłamał Amerykanów! I wiesz co? Będzie miał rację!

— To nie pan skłamał, tylko ja. I to ja poniosę konsekwencje, jeśli...

— Larry, nie rozumiesz. Próbowałem opierać swoje rządy na prawdzie i przyzwoitości! Niech to jasna cholera! Dzisiejszy wieczór był czysty. Pełen godności. A teraz dowiaduję się, że kłamałem całemu światu?

— To tylko małe kłamstwo, panie prezydencie.

— Nie ma czegoś takiego jak małe kłamstwo, Larry. — Herney z trudem hamował wściekłość.

Ekstrom czuł, jak napierają na niego ściany małego pomieszczenia. Miał znacznie więcej do powiedzenia, ale wiedział, że to może zaczekać do rana.

— Przepraszam, że pana obudziłem, panie prezydencie. Po prostu uznałem, że powinien pan wiedzieć.

Po drugiej stronie miasta Sedgewick Sexton pociągnął łyk koniaku, z narastającym rozdrażnieniem krążąc po mieszkaniu.

Gdzie, do cholery, podziewa się Gabrielle?

Rozdział 112

Gabrielle Ashe siedziała w ciemności przy biurku senatora Sextona i zniechęcona wpatrywała się w ekran.

HASŁO NIEPRAWIDŁOWE — ODMOWA DOSTĘPU

Wypróbowała kilka haseł, które rokowały nadzieję, ale żadne nie zadziałało. Po sprawdzeniu, czy w gabinecie nie ma otwartych szuflad albo jakichś wskazówek, nie miała innego wyboru, jak się poddać. Już miała wyjść, kiedy spostrzegła na biurkowym kalendarzu Sextona coś dziwnie lśniącego. Ktoś otoczył datę wyborów czerwonym, białym i niebieskim żelowym markerem. Na pewno nie senator. Gabrielle przysunęła kalendarz. W poprzek daty wypisane było błyszczące słowo: POTUS *!

Tryskająca energią sekretarka Sextona dała wyraz swojemu optymizmowi. Służby specjalne akronimem POTUS określały prezydenta Stanów Zjednoczonych. W dzień wyborów, jeśli wszystko pójdzie dobrze, Sexton zostanie nowym POTUS-em.

Gabrielle odstawiła kalendarz na biurko i wstała. Nagle znieruchomiała, znów patrząc na ekran komputera.

WPROWADŹ HASŁO:

Spojrzała na kalendarz.

POTUS.

Poczuła nagły przypływ nadziei. Akronim idealnie nadawał się na hasło Sextona. Proste, pozytywne, pasujące-do-niego.

Szybko wystukała je na klawiaturze.

POTUS.

---

* President of the United States

Wstrzymując oddech, wcisnęła „enter". Komputer zapiszczał.

HASŁO NIEPRAWIDŁOWE — ODMOWA DOSTĘPU

Poddała się. Ruszyła do łazienki, żeby wrócić tą samą drogą, którą weszła. Nagle zabrzęczała komórka. Gabrielle była zdenerwowana i dźwięk ją przestraszył. Stanęła jak wryta, wyjęła telefon i spojrzała w górę, żeby sprawdzić godzinę na cennym zegarze szafkowym Jourdaina. Prawie czwarta. Wiedziała, że o tej porze może dzwonić tylko Sexton. Pewnie zastanawia się, co się z nią dzieje. Odebrać czy nie? Jeśli odbierze, będzie musiała kłamać. Jeśli nie odbierze, Sexton nabierze podejrzeń.

— Słucham?

— Gabrielle? — Sexton był zniecierpliwiony. — Co cię zatrzymuje?

— FDR Memorial — odparła. — Taksówka ugrzęzła w korku i teraz jesteśmy...

— Nie słychać, żebyś była w taksówce.

— Nie — odparła, słysząc szum krwi w uszach. — Nie. Wstąpiłam do biura po dokumenty, które mogą mieć związek z PODS. Nie mogę ich znaleźć.

— Pospiesz się. Chcę zaplanować poranną konferencję prasową, musimy omówić szczegóły.

— Niedługo będę — zapewniła.

Zapadła cisza.

— Jesteś w swoim biurze? — Głos zdradzał konsternację.

— Tak. Za dziesięć minut będę w drodze.

Następna pauza.

— W porządku. Do zobaczenia.

Gabrielle rozłączyła się, zbyt przejęta, żeby zwrócić uwagę na głośne charakterystyczne tykanie zegara szafkowego, stojącego zaledwie dwa kroki od niej.

Rozdział 113

Michael Tolland pociągnął Rachel za kadłub „Trytona" i dopiero wtedy spostrzegł krew na jej ramieniu. Z katatonicznego wyrazu jej twarzy domyślił się, że nie czuje bólu. Podtrzymując ją, odwrócił się, żeby znaleźć Corky'ego. Astrofizyk gramolił się po pokładzie, chcąc do nich dołączyć.

Musimy znaleźć kryjówkę, pomyślał Tolland, jeszcze nie w pełni świadom koszmaru, jakiego przed chwilą był świadkiem. Jego wzrok instynktownie prześliznął się po nadbudówkach nad nimi. Schody wiodące na mostek były odsłonięte, a sam mostek — szklany prostokąt — nie zapewniał żadnej ochrony przed atakiem z powietrza. Wchodzenie na górę byłoby samobójstwem. Mogą uciekać tylko na dół.

Przez chwilę patrzył z nadzieją na batyskaf, zastanawiając się, czy mógłby zabrać wszystkich pod wodę, daleko od kul.

Absurd. W „Trytonie" jest miejsce tylko dla jednej osoby, a opuszczenie się przez zapadnię w pokładzie do leżącego dziewięć metrów niżej oceanu trwa dobre dziesięć minut. Poza tym bez odpowiednio naładowanych akumulatorów i sprężarek batyskaf będzie jak martwy.

— Lecą! — wrzasnął Corky głosem piskliwym ze strachu, patrząc w niebo.

Tolland nie musiał patrzeć. Wskazał pobliską gródź, skąd aluminiowa schodnia prowadziła na dolne pokłady. Corky nie potrzebował zachęty. Chowając głowę w ramionach, popędził w stronę otworu i dopadł schodów. Tolland mocno objął Rachel w talii i pospieszył za nim. Zniknęli pod pokładem w chwili, gdy z helikoptera padły pierwsze strzały.

Tolland pomógł Rachel zejść na platformę podwieszoną pod kadłubem. Poczuł, jak jej ciało nagle sztywnieje. Spojrzał na nią, przestraszony, że może trafił ją rykoszet.

Kiedy zobaczył jej twarz, uświadomił sobie, że musi chodzić o coś innego. Prześledził kierunek jej skamieniałego spojrzenia i natychmiast zrozumiał.

Rachel stała bez ruchu, sparaliżowana z przerażenia. Patrzyła w dół na roztaczający się pod nią niesamowity widok.

Zbudowany według projektu SWATH „Goya" był w zasadzie wielkim katamaranem. Nie miał kadłuba, tylko pokład wznoszący się wysoko na dwóch pływakach. Na pomoście z kratownicy, wiszącym dziewięć metrów nad szalejącym morzem, panował ogłuszający hałas, wzmacniany przez odbicia od spodniej strony pokładu. Przerażenie Rachel potęgował fakt, że podwodne lampy wciąż były zapalone, rzucając zielonkawy blask w głąb oceanu. W wodzie unosiło się sześć czy siedem smukłych sylwetek. Wielkie rekiny płynęły pod prąd, ich sprężyste ciała rytmicznie wyginały się na boki.

Usłyszała przy uchu głos Tollanda:

— Rachel, nic ci nie grozi. Patrz prosto przed siebie. Jestem zaraz za tobą. — Objął ją od tyłu, delikatnie próbując oderwać jej ręce zaciśnięte na poręczy. Wtedy spostrzegła szkarłatną kropelkę krwi, która stoczyła się z jej ramienia i spadła przez kratkę pomostu. Śledziła ją wzrokiem w drodze do morza. Straciła ją z oczu na długo przed wpadnięciem do wody, ale wiedziała, kiedy to się stało. Rekiny natychmiast zbiły się w gromadkę, wymachując potężnymi ogonami, zderzając się w gorączkowym szaleństwie.

Powiększone płaty węchowe...

Wyczuwają krew na kilometr.

— Patrz przed siebie — powtórzył Tolland silnym, uspokajającym głosem. — Jestem zaraz za tobą.

Rachel poczuła jego ręce na biodrach, popychające ją do przodu. Starając się nie myśleć o ziejącej pod nią toni, ruszyła przez pomost. Z góry znów dobiegał łopot wirnika. Spanikowany Corky, który wyprzedził ich o spory kawałek, zataczał się jak pijany.

Tolland zawołał za nim:

— Do ostatniej podpory, Corky! Po schodach na dół!

Rachel już widziała, dokąd się kierują. Na końcu pomostu

zaczynał się ciąg opadających zakosami schodków. Na poziomie wody przez długość „Goyi" biegła wąska kładka, od której odchodziło kilka małych, podwieszonych pomostów, tworzących miniaturową przystań pod statkiem. Napis na dużej tablicy oznajmiał:

STREFA NURKOWANIA
Nurkowie mogą wynurzyć się bez ostrzeżenia
— zachować ostrożność podczas kierowania łodziami —

Rachel miała nadzieję, że Michael nie każe im nurkować. Jej strach nasilił się, kiedy przystanął przy rzędzie siatkowych szafek obrzeżających pomost. Otwierał drzwiczki, odsłaniając stroje piankowe, fajki, płetwy, kamizelki ratunkowe, kusze. Nim zdążyła zaprotestować, chwycił rakietnicę.

— Idziemy.

Ruszyli.

Corky już był w połowie drogi na dół.

— Widzę! — krzyknął niemal z radością, głosem ledwie słyszalnym w szumie morza.

Co? — zastanowiła się Rachel, gdy Corky biegł dolnym pomostem. Widziała tylko falujący niebezpiecznie blisko, pełen rekinów ocean. Tolland popchnął ją i nagle zobaczyła, co tak podekscytowało astrofizyka. Na końcu pokładu zacumowana była niewielka łódź motorowa. Corky biegł w jej kierunku.

Rachel szeroko otworzyła oczy. Tolland chce prześcignąć helikopter motorówką?

— Na pokładzie jest radio — wyjaśnił. — Jeśli zdołamy wydostać się poza obszar zakłóceń z helikoptera...

Rachel nie usłyszała kolejnych słów. Zobaczyła coś, co zmroziło jej krew w żyłach.

— Za późno — wychrypiała, wyciągając drżący palec. Już po nas...

Tolland odwrócił się i w jednej chwili zrozumiał, że wszystko skończone. Na drugim końcu statku czarny helikopter opadł nisko i wisiał na wprost nich jak łeb smoka, który z góry zagląda do jaskini. Przez chwilę Tolland myślał, że ruszy na nich pod pokładem, ale śmigłowiec zaczął ustawiać się pod kątem.

Tolland prześledził kierunek luf. Nie!

Zajęty odcumowywaniem motorówki, Corky spojrzał w górę w chwili, gdy zagrzmiały karabiny maszynowe. Poderwał się jak trafiony. Błyskawicznie przegramolił się nad burtą i przypadł do dna łodzi, szukając osłony. Karabiny umilkły. Tolland widział, jak przyjaciel wciąga się do kokpitu. Nogę pod kolanem miał czerwoną od krwi. Kucając poniżej pulpitu sterowniczego, wyciągnął rękę i na oślep macał przełączniki, aż w końcu trafił na kluczyk. Silnik Mercury o mocy 250 koni mechanicznych z rykiem zbudził się do życia.

Chwilę później z nosa wiszącego helikoptera wystrzelił czerwony promień lasera, namierzający łódź.

Tolland zareagował instynktownie, podnosząc swoją jedyną broń.

Rakietnica w jego ręku zasyczała, gdy pociągnął za spust. Oślepiająca smuga przeleciała poziomo pod pokładem statku, zmierzając prosto ku helikopterowi. A jednak Tolland czuł, że zareagował zbyt późno. Gdy raca pędziła ku owiewce śmigłowca, wyrzutnia rakietowa pod kadłubem błysnęła własnym światłem. W tej samej chwili maszyna zakręciła ostro i poderwała się w górę, żeby uniknąć zderzenia z racą.

— Uważaj! — wrzasnął Tolland, pociągając Rachel na pomost.

Pocisk zboczył z kursu, o włos minął Corky'ego, przeleciał wzdłuż „Goyi" i uderzył w podstawę podpory dziewięć metrów pod Rachel i Tollandem.

Huk był ogłuszający. Woda i płomienie wybuchły pod nimi. Kawałki poskręcanego metalu wzbiły się w powietrze i zasłały pomost. Rozległ się zgrzyt, gdy statek przechylał się, szukając równowagi. Wreszcie znieruchomiał, lekko przekrzywiony.

Kiedy dym się rozwiał, Tolland zobaczył, że jedna z czterech głównych podpór „Goyi" została poważnie uszkodzona. Potężne prądy groziły oderwaniem pontonu. Zygzakowate schodki wyglądały tak, jakby trzymały się na słowo honoru.

— Chodź! — krzyknął, popychając Rachel. — Musimy zejść na dół!

Ale było za późno. Schody z przeraźliwym trzaskiem oderwały się od nadwątlonej podpory i runęły do morza.

Delta Jeden gorączkowo manipulował wolantem, dopóki nie odzyskał panowania nad maszyną. Na chwilę oślepiony przez nadlatującą racę, odruchowo pociągnął dźwignię w górę, przez co nie trafił w cel. Klnąc siarczyście, krążył teraz nad dziobem statku, gotów wylądować i dokończyć robotę.

Wyeliminować wszystkich pasażerów. Żądanie kontrolera było jasne.

— Cholera! Patrz! — zawołał z tylnego fotela Delta Dwa, wskazując za okno. — Motorówka!

Delta Jeden odwrócił się i zobaczył umykającego w ciemność podziurawionego przez kule crestlinera.

Musi podjąć decyzję.

Rozdział 114

Corky zaciskał zakrwawione ręce na kole łodzi. Przesunął dźwignię przepustnicy maksymalnie do przodu, żeby osiągnąć jak największą prędkość. Popatrzył w dół i zobaczył, że z lewej nogi tryska krew. Natychmiast zakręciło mu się w głowie.

Opierając się o koło, odwrócił się i popatrzył na „Goyę", pragnąc, żeby śmigłowiec poleciał za nim. Tolland i Rachel zostali uwięzieni na pomoście, a on nie był w stanie do nich dotrzeć. Musiał podjąć błyskawiczną decyzję.

Dziel siły i podbijaj.

Corky wiedział, że jeśli odciągnie helikopter dostatecznie daleko od „Goyi", Tolland i Rachel będą mogli wezwać pomoc przez radio. Na nieszczęście, obejrzawszy się przez ramię, zobaczył, że śmigłowiec wciąż krąży niezdecydowanie nad oświetlonym statkiem.

Dalej, sukinsyny! Za mną!

Jednak helikopter nie poleciał za nim. Wzleciał nad rufę „Goyi", ustawił się odpowiednio i opadł na pokład. Nie! Corky patrzył ze zgrozą, rozumiejąc, że zostawił Tollanda i Rachel na pewną śmierć.

Świadom, że teraz wezwanie pomocy to jego zadanie, skierował spojrzenie na deskę rozdzielczą i znalazł radio. Pstryknął przełącznikiem zasilania. Nic się nie stało. Żadnych świateł. Żadnych szumów. Pokręcił gałką głośności. Nic. No, dalej! Puścił ster i ukląkł, żeby przyjrzeć się z bliska. Ból przeszył mu nogę. Skupił spojrzenie na radiu. Nie mógł uwierzyć własnym oczom. Pulpit został ostrzelany, a nadajnik zniszczony. Spod deski zwisał pęk porwanych przewodów. Przez chwilę patrzył na nie z niedowierzaniem.

Co za cholerny pech...

Podniósł się z trudem, zastanawiając się, czy może być jeszcze gorzej. Gdy obejrzał się na „Goyę", poznał odpowiedź. Na pokład wyskoczyło z helikoptera dwóch uzbrojonych żołnierzy. Maszyna wystartowała, z maksymalną prędkością pędząc w jego kierunku.

Corky zmartwiał. Dziel siły i podbijaj. Najwyraźniej nie był jedynym, który tej nocy wpadł na ten błyskotliwy pomysł.

Gdy Delta Trzy przemierzył pokład i zbliżył się do schodni, usłyszał kobiecy krzyk. Odwrócił się i dał znać Delcie Dwa, że schodzi na dół, by to sprawdzić. Jego partner pokiwał głową, kryjąc się na górnym poziomie. Obaj mieli porozumiewać się przez urządzenia cryptalk; system zakłócający kiowy pozostawiał pasmo otwarte dla łączności wewnętrznej.

Z karabinem maszynowym w rękach Delta Trzy zbliżył się szybko do zejścia wiodącego na dolne pokłady. Zaczął schodzić ostrożnym krokiem wyszkolonego zabójcy.

Na schodach pole widzenia było ograniczone, więc przykucnął, żeby mieć lepszy widok. Teraz słyszał krzyk bardziej wyraźnie. Ruszył dalej. Przystanął w połowie schodów i rozejrzał się po labiryncie pomostów wiszących pod pokładem „Goyi". Krzyk był coraz głośniejszy.

Wreszcie ją zobaczył. Rachel Sexton stała w połowie poprzecznej kładki, wychylając się przez poręcz i rozpaczliwie nawołując Michaela Tollanda.

Czyżby Tolland wpadł do morza? Może w czasie wybuchu?

Jeśli tak, robota będzie łatwiejsza, niż się spodziewał. Musi zejść tylko parę stopni niżej, żeby mieć czystą linię strzału. To będzie jak strzelanie do ryby w beczce. Powinien tylko sprawdzić, czy Rachel nie stoi w pobliżu otwartej szafki ze sprzętem, bo to może oznaczać, że ma broń — kuszę albo strzelbę na rekiny — choć ani jedno, ani drugie nie może równać się z jego karabinem. Pewny, że panuje nad sytuacją, opuścił broń i zrobił kolejny krok w dół. Rachel Sexton była prawie odsłonięta. Podniósł karabin.

Jeszcze jeden stopień.

Pod nim, pod schodami, nagle coś się poruszyło. Delta Trzy był bardziej zaskoczony niż przestraszony, gdy spojrzał w dół i zobaczył Michaela Tollanda, który wysuwał aluminiowy drążek, celując w jego stopę. Został przechytrzony, ale ta niezdarna próba zbicia go z nóg tylko go rozbawiła.

Czubek pręta uderzył w piętę.

Wybuch rozgrzanego do białości bólu wstrząsnął jego ciałem, gdy prawa noga uciekła spod niego w wyniku silnego uderzenia. Delta Trzy stracił równowagę i zamachał rękami, spadając ze schodów. Jego karabin zagrzechotał na stopniach i zsunął się do morza, a on sam runął na pomost. Zwinął się z bólu i sięgnął do prawej stopy, ale stopy nie było.

Tolland stał nad napastnikiem, trzymając dymiący, długi na półtora metra przyrząd do odstraszania rekinów. Aluminiowa tyczka zakończona czułym na nacisk nabojem myśliwskim kaliber dwanaście służyła do obrony w przypadku ataku rekinów. Tolland załadował następny nabój i przyłożył wystrzępiony, dymiący czubek tyczki do grdyki napastnika. Mężczyzna leżał na plecach jak sparaliżowany, patrząc na niego ze zdumieniem, wściekłością i bólem w oczach.

Rachel przybiegła pomostem. Jej zadanie polegało na zabraniu karabinu, ale na nieszczęście broń wpadła do morza.

Zatrzeszczał komunikator przypięty do pasa żołnierza. Głos brzmiał mechanicznie.

— Delta Trzy? Zgłoś się. Słyszałem strzał.

Mężczyzna nie poruszył się, żeby odpowiedzieć.

Urządzenie znowu zatrzeszczało.

— Delta Trzy? Potwierdź. Potrzebujesz wsparcia?

Prawie w tej samej chwili usłyszeli drugi głos, również syntetyzowany, ale wyróżniający się tym, że w tle brzmiał warkot helikoptera.

— Tu Delta Jeden — powiedział pilot. — Ścigam uciekającą motorówkę. Delta Trzy, potwierdź. Jesteś na dole? Potrzebujesz wsparcia?

Tolland przycisnął tyczkę do szyi jeńca.

— Powiedz, żeby helikopter zostawił łódź w spokoju. Jeśli zabiją mojego przyjaciela, zginiesz.

Żołnierz skrzywił się z bólu, podnosząc komunikator do ust. Patrząc Tollandowi prosto w oczy, wcisnął guzik i powiedział:

— Tu Delta Trzy. Nic mi nie jest. Zniszcz motorówkę.

Rozdział 115

Gabrielle Ashe wróciła do łazienki, żeby wydostać się z biura senatora. Telefon od niego zbił ją z tropu. Sexton zareagował z niedowierzaniem, gdy powiedziała mu, że jest w swoim biurze — jakby wiedział, że kłamie. Tak czy inaczej, nie zdołała włamać się do jego komputera i teraz nie była pewna, co zrobić.

Sexton czeka.

Weszła na umywalkę, gotowa wspiąć się wyżej, gdy coś zagrzechotało na kafelkach. Spojrzała w dół i z irytacją spostrzegła, że strąciła spinki do mankietów, które musiały leżeć na brzegu umywalki.

Zostaw wszystko w takim stanie, w jakim zastałaś.

Zeskoczyła na podłogę, podniosła spinki i położyła je na umywalce. W trakcie wchodzenia zastygła, patrząc na spinki. W każdą inną noc nie zwróciłaby na nie uwagi, ale dzisiaj jej oczy zatrzymały się na monogramie. Były to dwie splecione litery, znane jej z wielu innych rzeczy senatora. SS. Gabrielle wróciła myślami do pierwotnego hasła — SSS. Wyobraziła sobie kalendarz... POTUS... i wygaszacz z Białym Domem, z optymistycznymi słowami krążącymi wokół ekranu w nieskończonej pętli.

„Prezydent Stanów Zjednoczonych Sedgewick Sexton... Prezydent Stanów Zjednoczonych Sedgewick Sexton... Prezydent...".

Zastanawiała się przez chwilę. Czyżby naprawdę był tak pewny swego?

Wiedząc, że ma niewiele czasu, aby się o tym przekonać, szybko wróciła do gabinetu, podeszła do komputera i wystukała siedmioliterowe hasło.

POTUSSS

Wygaszasz zniknął.

Patrzyła z niedowierzaniem.

Nigdy nie lekceważ ego polityków.

Rozdział 116

Corky Marlinson już nie trzymał steru, gdy motorówka pędziła w noc. Wiedział, że łódź sama będzie płynąć w linii prostej, z nim albo bez niego przy sterze. Ostatnia linia oporu...

Corky siedział na rufie podskakującej łodzi, próbując ocenić obrażenia. Kula weszła z przodu łydki, o włos mijając piszczel. Z tyłu nie było rany wylotowej, co znaczyło, że pocisk tkwi w mięśniu. Rozejrzał się w poszukiwaniu czegoś do zatamowania krwawienia, ale znalazł tylko płetwy, fajkę i dwie kamizelki ratunkowe. Ani śladu apteczki. Gorączkowo otworzył małą skrzynkę z narzędziami. Zawierała jakieś przybory, szmaty, taśmę monterską, smar i inne rzeczy potrzebne do konserwacji łodzi. Popatrzył na skrwawioną nogę i zastanowił się, kiedy wypłynie poza terytorium rekinów.

Cholera, nieprędko.

Delta Jeden leciał nisko nad oceanem, szukając w ciemności uciekającego crestlinera. Zakładając, że łódź zmierza do brzegu i próbuje jak najszybciej oddalić się od „Goyi", trzymał się kierunku, w jakim wyruszyła.

Powinienem już go dopędzić.

W normalnych okolicznościach wytropienie łodzi byłoby proste, ale szumy cieplne generowane przez system zakłócający kiowy uniemożliwiały posłużenie się radarem. Delta Jeden wiedział, iż nie może wyłączyć systemu zakłócającego, dopóki nie będzie miał gwarancji, że wszyscy na pokładzie nie żyją. I że tej nocy z „Goyi" nie popłynie żadne wezwanie o pomoc.

Tajemnica meteorytu umiera. Teraz. Tutaj.

Delta Jeden miał inne możliwości wyśledzenia celu. Nawet na tle dziwnie podgrzanego oceanu silnik łodzi pozostawiał wyraźny ślad cieplny. Włączył skaner na podczerwień. Temperatura oceanu wynosiła ponad trzydzieści stopni Celsjusza. Na szczęście pracujący silnik o mocy 250 koni wydzielał znacznie więcej ciepła.

Corky'emu Marlinsonowi zdrętwiała noga.

Nie wiedząc, co jeszcze mógłby zrobić, wytarł szmatą zranioną łydkę i okręcił ranę taśmą izolacyjną. Gdy skończył, całą łydkę od kostki po kolano pokrywał szczelny srebrny pancerz. Krwawienie ustało, ale ręce i ubranie miał ubrudzone krwią.

Siedząc w pędzącej motorówce, zastanawiał się, dlaczego helikopter jeszcze go nie znalazł. Wypatrywał go teraz, omiatając wzrokiem horyzont za rufą. Co dziwne, nie widział ani „Goyi", ani nadlatującego śmigłowca. Światła „Goyi" znikły. Przecież nie mógł odpłynąć aż tak daleko.

Nagle wezbrała w nim nadzieja, że zdoła uciec. Może zgubili go w ciemności? Może uda mu się dotrzeć do brzegu!

Wtedy zauważył, że kilwater za łodzią nie jest prosty. Zakrzywiał się, jakby łódź płynęła po łuku. Skonsternowany tym widokiem, przekręcił głowę, żeby prześledzić wzrokiem łuk kilwateru, przedłużając krzywą w ciemność. Chwilę później zobaczył.

„Goya" znajdował się na wprost lewej burty, niespełna kilometr dalej. Corky z przerażeniem zrozumiał swój błąd. Nie pilnował steru, więc dziób crestlinera stale skręcał pod wpływem potężnego prądu — kolistego megawiru. Cholera, zataczam wielkie koło!

Skręcił.

Świadom, że wciąż znajduje się w obrębie pełnego rekinów megawiru, wspomniał ponure słowa Tollanda. „Powiększone płaty węchowe... Ryby młoty wyczuwają kroplę krwi na kilometr". Popatrzył na zakrwawioną nogę i ręce.

Helikopter niedługo go dopadnie.

Corky zdarł z siebie zakrwawione ubranie i nagi usadowił się blisko rufy. Wiedząc, że prawdopodobnie żaden rekin nie dotrzyma tempa łodzi, jak najdokładniej umył się w wysoko wzbijanej wodzie.

Jedna kropla krwi...

Gdy się wyprostował, wiedział, że pozostała mu do zrobienia tylko jedna rzecz. Kiedyś czytał, że zwierzęta znaczą swoje terytoria moczem, ponieważ kwas moczowy jest wydzieliną o najsilniejszym zapachu.

Silniejszym od krwi, pomyślał z nadzieją. Żałując, że nie wypił paru piw więcej, podniósł zranioną nogę na burtę i próbował wysikać się na taśmę. No dalej! Czekał. Nie ma to jak zmuszanie się do sikania, gdy na człowieka poluje helikopter.

Wreszcie dopiął swego. Obsikał całą taśmę, mocząc ją porządnie. Tym, co zostało w pęcherzu, nasączył szmatę, którą przetarł całe ciało. Czysta rozkosz.

Na ciemnym niebie rozbłysnął promień lasera, pędzący w jego stronę jak lśniące ostrze gigantycznej gilotyny. Helikopter nadleciał z boku; najwidoczniej pilot był zdezorientowany jego manewrem.

Corky szybko założył kamizelkę ratunkową i przeniósł się na rufę pędzącej łodzi. W zachlapanym krwią kokpicie, zaledwie półtora metra od niego, pojawiła się czerwona plamka.

Nadszedł czas.

Na pokładzie „Goyi" Michael Tolland nie widział, jak motorówka staje w płomieniach i koziołkuje w powietrzu w kuli ognia i dymu.

Ale usłyszał wybuch.

Rozdział 117

O tej porze w Zachodnim Skrzydle zwykle panowała cisza, ale niespodziewane przybycie prezydenta w szlafroku i kapciach wyrwało pracowników z „dziennych łóżek" i kwater sypialnych.

— Nie mogę jej znaleźć, panie prezydencie — meldował młody człowiek, spiesząc za nim do Gabinetu Owalnego. Szukał wszędzie. — Pani Tench nie odpowiada na pager ani na telefon komórkowy.

Prezydent nie krył irytacji.

— Zajrzałeś do...

— Opuściła budynek, panie prezydencie — oznajmił inny pracownik, wpadając do gabinetu. — Mniej więcej godzinę temu podpisała listę przy wyjściu. Uważamy, że być może pojechała do NRO. Jedna z telefonistek mówi, że pani Tench rozmawiała dzisiaj z Pickeringiem.

— Z Williamem Pickeringiem? — Prezydent był zbity z tropu. Tench i Pickering nie przepadali za sobą. — Dzwoniliście do niego?

— On też nie odpowiada. Telefonistki mówią, że nie mają sygnału jego komórki. Jakby zapadł się pod ziemię.

Herney przez chwilę patrzył na współpracowników, a potem podszedł do baru i nalał sobie bourbona. Gdy podniósł szklaneczkę do ust, wbiegł agent służb specjalnych.

— Panie prezydencie? Nie chciałem pana budzić, ale powinien pan wiedzieć, że w FDR Memorial miał miejsce zamach bombowy.

— Co takiego? — Prezydent o mało nie upuścił szklanki. — Kiedy?

— Przed godziną. — Agent miał ponurą minę. — A FBI właśnie zidentyfikowało ofiarę...

Rozdział 118

Noga płonęła. Delta Trzy był półprzytomny, otumaniony bólem. Czy to śmierć? Spróbował się poruszyć, ale był jak sparaliżowany, ledwo mógł oddychać. Widział tylko rozmazane kształty. Jego umysł przywołał zapamiętane obrazy: wybuch motorówki na morzu, wściekłość w oczach stojącego nad nim Michaela Tollanda, który przykładał mu do gardła wybuchowy pręt.

Na pewno mnie zabił...

A jednak palący ból w prawej nodze mówił, że żyje. Powoli wszystko mu się przypomniało. Gdy rozległ się huk eksplozji, oceanograf krzyknął, pełen wściekłości i bólu z powodu utraty przyjaciela. Potem wbił w niego zimny wzrok i przyjął taką pozycję, jakby zamierzał uderzyć go tyczką w szyję. Nagle zawahał się, jakby powstrzymało go sumienie. Sfrustrowany, poderwał pręt i z brutalną siłą opuścił but na jego pokiereszowaną stopę.

Delta Trzy pamiętał, że wymiotował z bólu, gdy świat spowiła czarna mgła. Teraz dochodził do siebie, nie mając pojęcia, jak długo był nieprzytomny. Ręce związano mu za plecami tak mocno i wprawnie, że węzły musiały być dziełem żeglarza. Nogi, też skrępowane, były podkulone i połączone sznurem z nadgarstkami. Był unieruchomiony, z plecami wygiętymi w łuk. Chciał krzyknąć, ale z jego ust nie wydobył się żaden dźwięk. Został zakneblowany.

Delta Trzy nie miał pojęcia, co się z nim dzieje. Wreszcie poczuł chłodny wiatr i zobaczył jasne światła. Stwierdził, że leży na głównym pokładzie „Goyi". Wykręcił szyję, żeby rozejrzeć się w poszukiwaniu pomocy, i zobaczył przerażoną, zniekształconą twarz — własną, odbijającą się w odblaskowym pleksiglasowym bąblu batyskafu, wiszącym wprost przed nim. Delta Trzy zrozumiał, że leży na wielkiej klapie w pokładzie. Ten fakt był niemal równie niepokojący jak najbardziej oczywiste pytanie.

Skoro ja jestem na pokładzie... to gdzie jest Delta Dwa?

Delta Dwa był coraz bardziej niespokojny.

Jego partner przez cryptalk stwierdził, że nic mu nie jest, ale pojedynczy strzał, który słyszał chwilę wcześniej, nie został oddany z karabinu maszynowego. Najwyraźniej Tolland albo Rachel Sexton wystrzelili z jakiejś broni. Delta Dwa zbliżył się do schodni, na której zniknął jego kolega, i spojrzał w dół. Zobaczył krew.

Z podniesioną bronią zszedł na pomost, a trop krwi doprowadził go na dziób statku. Tam krwawy szlak wiódł po drugiej schodni z powrotem na główny pokład. Delta Dwa czujnie prześledził długą szkarłatną smugę, która biegła w kierunku rufy, omijając zejście, z którego niedawno korzystał.

Co jest grane, do cholery? Smuga zataczała wielkie koło.

Ostrożnie, z karabinem gotowym do strzału, Delta Dwa minął wejście do laboratoryjnej części statku. Ślady prowadziły na pokład rufowy. Ostrożnie wychylił się zza rogu, wzrokiem prześledził szlak.

Zobaczył.

Jezu Chryste!

Delta Trzy, związany i zakneblowany, leżał jak worek kartofli obok niewielkiego batyskafu. Nawet z daleka Delta Dwa widział, że jego partnerowi brakuje sporej części prawej stopy.

Licząc się z zasadzką, czujnie ruszył w jego stronę. Delta Trzy szamotał się, próbując coś mu powiedzieć. Jak na ironię, sposób, w jaki został związany — z nogami mocno zgiętymi w kolanach — prawdopodobnie uratował mu życie; krwawienie było niewielkie w porównaniu z tym, na jakie wskazywały wcześniejsze ślady.

Zbliżając się do batyskafu, Delta Dwa miał rzadki luksus obserwowania tego, co było za jego plecami: cały pokład przeglądał się w kopule. Podszedł do szamoczącego się partnera. Za późno zobaczył ostrzeżenie w jego oczach.

Kątem oka dostrzegł błysk srebra.

Jeden z chwytaków „Trytona" nagle wysunął się do przodu i z miażdżącą siłą zamknął się na jego lewym udzie. Delta Dwa próbował się uwolnić, ale szczęki zacisnęły się jeszcze mocniej. Wrzasnął z bólu, czując pękającą kość. Jego oczy przeskoczyły na kabinę batyskafu. Zobaczył go za odbiciem pokładu, skrytego w ciemnym wnętrzu „Trytona".

Michael Tolland siedział w batyskafie przy pulpicie sterowniczym.

Zły pomysł, pomyślał mściwie Delta Dwa. Walcząc z bólem, podniósł karabin. Wycelował w pierś Tollanda, oddalonego o niecały metr, siedzącego po drugiej stronie pleksiglasowego okna. Nacisnął spust, karabin plunął ogniem. Wściekły, że dał się przechytrzyć, Delta Dwa zwolnił spust dopiero wtedy, gdy skończyły się naboje. Zadyszany, rzucił broń i z wściekłością popatrzył na ostrzelaną szybę.

— Trup! — syknął, wytężając się, żeby uwolnić nogę ze szczęk. Gdy się wykręcił, ostry skraj rozciął skórę na udzie. — Kurwa mać! — Sięgnął do pasa po cryptalk. Gdy podniósł urządzenie do ust, drugie ramię otworzyło się i skoczyło do przodu, zaciskając się na jego prawej ręce. Komunikator upadł na pokład.

Wtedy w oknie przed sobą Delta Dwa zobaczył ducha. Blada twarz przesunęła się w bok i spoglądała na niego przez nieuszkodzony fragment szyby. Delta Dwa w osłupieniu przyjrzał się oknu i zrozumiał, że kule nie zdołały przebić grubej skorupy. Szkło pokryte było siatką pęknięć, to wszystko.

Chwilę później otworzył się właz na szczycie batyskafu i wyłonił się z niego Michael Tolland. Był roztrzęsiony, ale cały. Zszedł po aluminiowej drabince na pokład i popatrzył na zniszczone okno.

— Wytrzymuje sześćset osiemdziesiąt atmosfer — powiedział. — Wygląda na to, że potrzebujesz broni większego kalibru.

Rachel wiedziała, że czas ucieka. Słyszała strzały na pokładzie i modliła się, żeby wszystko przebiegło zgodnie z planem Tollanda. Już jej nie obchodziło, kto stoi za mistyfikacją — administrator NASA, Marjorie Tench czy sam prezydent. To już nie miało znaczenia.

Nie ujdzie im to na sucho. Ktokolwiek to jest, prawda wyjdzie na jaw.

Rana na jej ramieniu przestała krwawić, a adrenalina krążąca w żyłach uśmierzyła ból i wyostrzyła zmysły. Rachel znalazła długopis i kartkę, napisała długą na dwie linijki wiadomość. Litery były koślawe, a wiadomość sformułowana bez finezji, ale w tej chwili nie próbowała silić się na elokwencję. Dołączyła kartkę do pliku obciążających dokumentów — wydruku z GPR, zdjęć *Bathynomousa giganteusa*, notatki dotyczące oceanicznych chondr, wyników z sondy elektronowej. Meteoryt jest fałszywy, a ona ma dowody.

Włożyła cały plik do faksu w laboratorium hydrologicznym. Znając na pamięć tylko kilka numerów, miała ograniczony wybór, ale już zadecydowała, kto otrzyma dokumenty wraz z listem. Wstrzymując oddech, starannie wystukała numer faksu tej osoby.

Wcisnęła klawisz „wyślij", modląc się, żeby wybór odbiorcy nie okazał się błędem.

Faks zapiszczał.

BŁĄD: BRAK SYGNAŁU

Spodziewała się tego. Łączność wciąż była zakłócana. Czekała, wpatrując się w urządzenie. Miała nadzieję, że działa tak samo jak to, które stoi u niej w domu.

Ruszaj!

Po pięciu sekundach faks znowu zapiszczał.

PONOWNE WYBIERANIE...

Tak! Rachel patrzyła, jak urządzenie wpada w nieskończoną pętlę.

BŁĄD: BRAK SYGNAŁU

PONOWNE WYBIERANIE...

BŁĄD: BRAK SYGNAŁU

PONOWNE WYBIERANIE...

Pozostawiając maszynie nawiązywanie połączenia, Rachel wybiegła z laboratorium w chwili, gdy nad statkiem zahuczały łopaty helikoptera.

Rozdział 119

Dwieście pięćdziesiąt kilometrów od „Goyi" Gabrielle Ashe w niemym zdumieniu wpatrywała się w ekran komputera senatora Sextona. Jej podejrzenia były uzasadnione.

Ale nie spodziewała się jak bardzo.

Patrzyła na tuziny zeskanowanych czeków bankowych z nazwiskiem Sextona, wystawionych przez prywatne firmy kosmiczne, i potwierdzenia zdeponowania pieniędzy na licznych kontach na Kajmanach. Najniższą sumą, na jaką opiewały czeki, było piętnaście tysięcy dolarów. Kilka przekraczało pół miliona.

„Drobnica, powiedział jej Sexton. Wszystkie datki poniżej dozwolonych dwóch tysięcy".

Najwyraźniej kłamał od samego początku. Gabrielle miała przed sobą dowody nielegalnego finansowania kampanii na ogromną skalę. Ból zdrady i rozczarowania kłuł ją w sercu. Kłamał.

Czuła się jak idiotka. Czuła się brudna. Ale przede wszystkim była wściekła.

Siedziała samotnie w ciemności, uświadamiając sobie, że nie ma pojęcia, co zrobić.

Rozdział 120

Kiowa zawisł nad pokładem rufowym „Goyi". Delta Jeden patrzył w dół, nie mogąc oderwać oczu od zaskakującej sceny.

Michael Tolland stał na pokładzie obok małego batyskafu. W chwytakach, jak w szczękach ogromnego owada, wił się Delta Dwa, bez powodzenia próbujący się uwolnić.

Na Boga, co się dzieje?!

Co więcej, na pokład wybiegła Rachel Sexton i stanęła nad związanym, zakrwawionym człowiekiem leżącym przy batyskafie. To mógł być tylko Delta Trzy. Kobieta mierzyła do niego z karabinu maszynowego Delta Force i patrzyła na helikopter takim wzrokiem, jakby zachęcała do ataku.

Zdezorientowany Delta Jeden nie był w stanie pojąć, jak do tego doszło. Błędy w rodzaju tych popełnionych na lodowcu nie zdarzały się często, ale dawały się wyjaśnić. To, na co patrzył teraz, było nie do pomyślenia.

Już w normalnych okolicznościach Delta Jeden spaliłby się ze wstydu, a tej nocy jego upokorzenie sięgało zenitu. Sprawę pogarszała obecność osoby, która leciała z nim w śmigłowcu.

Kontroler.

Po akcji w FDR Memorial kontroler rozkazał Delcie Jeden lecieć do wyludnionego parku niedaleko od Białego Domu. Na jego rozkaz Delta Jeden usiadł na trawiastym pagórku wśród drzew. Kontroler, który czekał w parkującym w pobliżu samochodzie, wyłonił się z ciemności i wsiadł na pokład kiowy. Po paru sekundach byli w powietrzu.

Z drugiej strony, choć bezpośredni udział kontrolera w operacjach należał do rzadkości, Delta Jeden nie miał powodów do narzekań. Kontroler, przygnębiony nieudaną akcją na Lodowcu Milne'a, bojący się dociekliwości i narastających podejrzeń z wielu stron, poinformował go, że ostatnią fazą operacji pokieruje osobiście.

I kierował, na własne oczy oglądając klęskę, jakiej Delta Jeden jeszcze nigdy nie doświadczył.

To musi się skończyć. Teraz.

Kontroler patrzył ze śmigłowca na pokład „Goyi" i zastanawiał się, jak mogło do tego dojść. Nic nie szło zgodnie z planem — podejrzenia dotyczące meteorytu, niepowodzenie Delta Force na lodowcu, konieczność uśmiercenia wysoko postawionej osoby w FDR.

— Kontrolerze — wyjąkał Delta Jeden, patrząc na pokład „Goyi". Jego głos wyrażał oszołomienie i wstyd. — Nie wyobrażam sobie...

Ja też nie, pomyślał kontroler. Nie docenili zwierzyny, poważnie nie docenili.

Spojrzał na Rachel Sexton, która zadarła głowę, patrząc na odblaskową owiewkę helikoptera, i podniosła do ust cryptalk. W kabinie kiowy zatrzeszczał przetworzony głos. Kontroler spodziewał się żądania odlotu albo wyłączenia systemu zagłuszającego, żeby Tolland mógł wezwać pomoc. Ale wiadomość Rachel Sexton ścięła mu krew w żyłach.

— Spóźniliście się — powiedziała. — Nie jesteśmy jedynymi, którzy wiedzą.

Słowa przez chwilę tłukły się w kabinie. Choć oświadczenie wydawało się naciągane, cień prawdopodobieństwa skłonił kontrolera do namysłu. Powodzenie całego projektu wymagało wyeliminowania wszystkich, którzy znają prawdę. Zapobieganie rozprzestrzenianiu się informacji okazało się krwawe, ale musi być konsekwentny.

Wie jeszcze ktoś inny...

Rachel Sexton uchodziła za osobę rygorystycznie przestrzegającą protokołu tajności, więc kontroler doszedł do wniosku, że to mało prawdopodobne, aby zdecydowała się podzielić tajemnicą z kimś z zewnątrz.

Rachel znowu się odezwała:

— Wycofajcie się, a oszczędzimy waszych ludzi. Zbliżcie się, a umrą. Tak czy inaczej prawda wychodzi na jaw. Ograniczcie swoje straty. Odlećcie stąd.

— Blefujesz — rzucił kontroler. Wiedział, że Rachel Sexton słyszy bezpłciowy, mechaniczny głos. — Nikomu nie powiedziałaś.

— Jesteście gotowi zaryzykować? — odpaliła Rachel. — Nie mogłam skontaktować się z Williamem Pickeringiem, więc się przestraszyłam i postanowiłam się zabezpieczyć.

Kontroler ściągnął brwi. To było prawdopodobne.

— Nie kupują tego — powiedziała Rachel, patrząc na Tollanda.

Żołnierz w kleszczach zaśmiał się mimo bólu.

— Twój karabin nie jest naładowany i tamci poślą cię do diabła. Oboje umrzecie. Waszą jedyną nadzieją jest to, że nas uwolnicie.

Akurat, pomyślała Rachel, próbując przewidzieć następny ruch przeciwnika. Popatrzyła na związanego i zakneblowanego mężczyznę, który leżał u jej stóp. Wyglądał na półprzytomnego z powodu utraty dużej ilości krwi. Kucnęła przy nim i spojrzała w zimne oczy.

— Wyjmę ci knebel i przytrzymam cryptalk. Przekonasz ich, żeby odlecieli. Czy to jasne?

Mężczyzna gorliwie pokiwał głową.

Rachel wyciągnęła knebel. Żołnierz splunął jej krwawą śliną w twarz.

— Suka — wysyczał i zakasłał. — Będę patrzył, jak zdychasz. Zaszlachtują cię jak świnię, a ja będę rozkoszował się każdą chwilą.

Rachel wytarła gorącą ślinę z twarzy. Czuła, jak silne ręce podnoszą ją, odciągają, podtrzymują, zabierają karabin. Drżący dotyk Tollanda zdradzał, że właśnie coś w nim pękło. Podszedł do oddalonego o parę metrów pulpitu sterowniczego, położył rękę na dźwigni i spojrzał w oczy mężczyźnie leżącemu na pokładzie.

— Drugi raz — wycedził. — I to na moim statku. Zapłacisz za to.

Z wściekłością pociągnął dźwignię. Wielka klapa pod „Trytonem" otworzyła się jak zapadnia na szubienicy. Związany żołnierz zawył ze strachu i zniknął w otworze. Spadł z wysokości dziewięciu metrów do oceanu, wzbijając bryzgi szkarłatnej wody. Rekiny rozprawiły się z nim w jednej chwili.

Kontroler trząsł się z wściekłości, patrząc z góry na okaleczone ciało Delty Trzy, niesione pod statkiem przez silny prąd. Podświetlona woda była różowa. Kilka ryb walczyło o coś, co wyglądało jak ręka.

Jezu Chryste.

Przeniósł spojrzenie na pokład. Delta Dwa wciąż był uwięziony w chwytakach „Trytona" i wisiał teraz nad szerokim otworem w pokładzie. Pod jego stopami ziała pustka. Wystarczy, że Tolland otworzy szczęki, a Delta Dwa będzie następny.

— W porządku — szczeknął kontroler przez cryptalk. — Trzymać. Tylko trzymać!

Rachel stała na pokładzie i patrzyła na kiowę. Nawet z daleka kontroler wyczytał w jej oczach zdecydowanie. Podniosła cryptalk do ust.

— Wciąż myślisz, że blefuję? Zadzwoń do centrali w NRO. Zapytaj o Jima Samiljana. On ma dzisiaj dyżur w dziale P i A. Powiedziałam mu wszystko o meteorycie. Potwierdzi to.

Podaje mi nazwisko? To nie wróży nic dobrego. Rachel Sexton nie jest głupia, a kontroler może sprawdzić ten blef w ciągu paru sekund. Nie zna wprawdzie żadnego Jima Samiljana, lecz organizacja jest ogromna. Możliwe, że Rachel mówi prawdę. Zanim zarządzi ostateczną eliminację, musi to sprawdzić.

Delta Jeden obejrzał się przez ramię.

— Mam przerwać zagłuszanie? Wtedy będzie można zadzwonić.

Kontroler spojrzał na Rachel i Tollanda. Oboje stali na otwartej przestrzeni. Jeśli któreś z nich sięgnie po komórkę albo radio, Delta Jeden znów włączy zagłuszanie i odetnie łączność. Ryzyko jest minimalne.

— Wyłącz — polecił, wyciągając telefon komórkowy. — Sprawdzę Rachel. Potem obmyślimy, jak uwolnić Deltę Jeden i zakończyć tę sprawę.

Operatorka centrali NRO w Fairfax zaczynała tracić cierpliwość.

— Jak mówiłam, w dziale planów i analiz nie ma żadnego Jima Samiljana.

Rozmówca był uparty.
— Sprawdziła pani różne wersje pisowni nazwiska? Sprawdziła pani w innych działach?
Operatorka już to zrobiła, ale uległa prośbie dzwoniącego. Po kilku sekundach powiedziała:
— Na liście personelu nie ma żadnego Jima Samiljana, niezależnie od pisowni.
Rozmówca sprawiał wrażenie dziwnie zadowolonego.
— Jest pani pewna, że NRO nie zatrudnia żadnego Jima...
Nagle na linii wybuchł hałas. Ktoś wrzasnął. Rozmówca zaklął głośno i natychmiast przerwał połączenie.

Na pokładzie kiowy Delta Jeden warczał ze złości, usiłując jak najszybciej uruchomić system zagłuszający. Za późno zrozumiał podstęp. Wśród licznych zapalonych kontrolek maleńka dioda wskazywała, że z „Goyi" wypływa sygnał SATCOM. Jak? Nikt nie opuścił pokładu! Nim włączył zagłuszasz, połączenie z „Goyi" samoistnie dobiegło końca.
Faks w laboratorium pisnął z zadowoleniem.
NOŚNA SYGNAŁU ZNALEZIONA... FAKS WYSŁANY

Rozdział 121

Zabij albo daj się zabić. Rachel odkryła w sobie coś, o istnieniu czego dotąd nie wiedziała. Instynkt przeżycia — bezwzględność i odwaga napędzane strachem.

— Co było w tym faksie? — zapytał głos przez cryptalk.

Rachel z ulgą usłyszała potwierdzenie, że faks został wysłany.

— Odlećcie stąd — zażądała, patrząc wściekle na krążący helikopter. — Już po wszystkim. Wasz sekret wyszedł na jaw. — Powiedziała napastnikom, jakie informacje właśnie wysłała. Pół tuzina stron zdjęć i tekstu. Niepodważalny dowód, że meteoryt jest fałszywy. — Skrzywdzenie nas tylko pogorszy waszą sytuację.

Przez chwilę panowała ciężka cisza.

— Do kogo wysłałaś faks?

Rachel nie miała zamiaru odpowiadać na to pytanie. Oboje z Tollandem musieli zyskać jak najwięcej czasu. Stali w pobliżu otworu w pokładzie, na jednej linii z „Trytonem", uniemożliwiając strzelanie do nich bez narażania żołnierza wiszącego w szczękach batyskafu.

— William Pickering — powiedział rozmówca jakby z nadzieją. — Wysłałaś faks do Pickeringa?

Pudło, pomyślała Rachel. Pickering byłby pierwszym kandydatem, ale musiała wybrać kogoś innego ze strachu, że napastnicy już wyeliminowali dyrektora NRO — śmiałość takiego posunięcia byłaby mrożącym krew w żyłach świadectwem determinacji wroga. Mając zaledwie chwilę na podjęcie decyzji,

Rachel postanowiła przefaksować dane pod drugi znany jej numer.

Do biura swojego ojca.

Numer faksu w gabinecie senatora wrył się jej w pamięć po śmierci matki, kiedy ojciec postanowił zająć się majątkiem bez konieczności osobistego kontaktowania się z córką. Rachel nigdy nie wyobrażała sobie, że w chwili potrzeby zwróci się do ojca, ale miał on dwie niezwykle ważne tej nocy cechy — wszystkie politycznie poprawne motywy, by ujawnić informację o meteorycie oraz na tyle silną pozycję, żeby zadzwonić do Białego Domu i szantażem wymusić odwołanie tego szwadronu śmierci.

O tej porze ojca na pewno nie ma w biurze, ale Rachel wiedziała, że gabinet jest zamknięty jak sejf. Równie dobrze mogłaby przefaksować dokumenty do skarbca z zamkiem czasowym. Nawet gdyby napastnicy wiedzieli, dokąd trafiły informacje, istniały nikłe szanse, że zdołają pokonać szczelną federalną ochronę w biurowcu i niepostrzeżenie włamać się do gabinetu senatora.

— Niezależnie, kim jest odbiorca danych — powiedział głos z góry — naraziła go pani na wielkie niebezpieczeństwo.

Rachel wiedziała, że musi mówić z pozycji siły, nie bacząc na strach, jaki odczuwa. Wskazała żołnierza uwięzionego w ramionach „Trytona". Jego nogi wisiały nad przepaścią, ociekając krwią, która spadała do oddalonego o dziewięć metrów morza.

— Jedyną zagrożoną osobą jest wasz agent — powiedziała. — Gra skończona. Dane wysłane. Przegrałeś. Odlećcie, bo inaczej ten człowiek umrze.

— Pani Sexton, nie rozumie pani powagi...

— Nie rozumiem?! — wybuchła. — Rozumiem, że zabiliście niewinnych ludzi! Rozumiem, że kłamaliście na temat meteorytu! I rozumiem, że nie ujdzie wam to na sucho! Nawet jeśli zabijecie nas wszystkich, sprawa nie zostanie zamknięta!

Nastąpiła długa chwila ciszy. Wreszcie rozmówca powiedział:

— Wychodzę.

Rachel czuła, jak napinają się jej mięśnie. Wychodzi?

— Nie jestem uzbrojony. Nie róbcie niczego pochopnie. Musimy porozmawiać twarzą w twarz.

Nim Rachel mogła zareagować, helikopter opadł na pokład

„Goyi". Drzwi po stronie pasażera otworzyły się i ktoś wysiadł. Był to mężczyzna o pospolitym wyglądzie, w czarnym płaszczu i krawacie. Rachel na chwilę skamieniała.

Patrzyła na Williama Pickeringa.

William Pickering stał na pokładzie i spoglądał ze smutkiem na Rachel Sexton. Nie przypuszczał, że do tego dojdzie. Idąc ku niej, widział w jej oczach niebezpieczną mieszaninę emocji.

Szok, poczucie zdrady, konsternacja, gniew.

To zrozumiałe, pomyślał. Tylu rzeczy nie rozumie.

Przez chwilę miał przed oczami swoją córkę Dianę. Zastanawiał się, co czuła przed śmiercią. Obie, Diana i Rachel, były ofiarami tej samej wojny — wojny, którą przysiągł toczyć bez końca. Czasami śmierć bywa taka okrutna.

— Rachel, wciąż możemy uratować sytuację. Muszę pani coś wyjaśnić.

Tolland wziął od Rachel karabin maszynowy i celował w jego pierś. On też był oszołomiony.

— Stój! — wrzasnął.

Pickering zatrzymał się w odległości pięciu metrów od Rachel, która patrzyła na niego z przerażeniem i obrzydzeniem.

— Pani ojciec bierze łapówki, Rachel. Łapówki od prywatnych przedsiębiorstw kosmonautycznych. Zamierza zlikwidować NASA i otworzyć kosmos dla sektora prywatnego. Trzeba było go powstrzymać, to kwestia bezpieczeństwa narodowego. — Pickering westchnął. — NASA, mimo wszystkich swoich wad, musi pozostać agencją rządową. — Z pewnością rozumie niebezpieczeństwo. W następstwie prywatyzacji najtęższe głowy i zrodzone przez nie pomysły odpłynęłyby do sektora prywatnego. Trust mózgów przestałby istnieć. Wojsko straciłoby dostęp. Prywatne firmy kosmonautyczne szukające kapitału zaczęłyby wyprzedawać patenty i pomysły NASA temu, kto zaoferuje najwięcej.

— Spreparował pan meteoryt i zabił niewinnych ludzi... — Rachel drżał głos — w imię bezpieczeństwa narodowego?

— Miało być zupełnie inaczej. Celem było ratowanie ważnej agencji rządowej. Zabijania w planach nie było.

Pickering wiedział, że mistyfikacja, jak większość innych propozycji wywiadu, wynikała ze strachu. Trzy lata temu w trakcie rozmieszczania hydrofonów NRO w głębinach poza zasięgiem sabotażystów zainicjował nowy program. Obejmował on wykorzystanie opracowanej przez NASA rewolucyjnej ceramiki do budowy nadzwyczaj wytrzymałego batyskafu, zdolnego zabrać ludzi w największe głębie oceanu — łącznie z dnem Rowu Mariańskiego.

Dwuosobowy batyskaf został skonstruowany na podstawie planów ściągniętych nielegalnie z komputera kalifornijskiego inżyniera Grahama Hawkesa, genialnego projektanta statków głębinowych. Inżynier marzył o zbudowaniu batyskafu, który nazwał „Deep Flight II", ale miał kłopoty ze znalezieniem funduszy. Pickering zaś dysponował nieograniczonym budżetem.

W tajnym ceramicznym statku wysłał ludzi pod wodę, żeby umieścili nowe hydrofony na zboczach Rowu Mariańskiego, głębiej, niż sięgały sensory wroga. W trakcie wiercenia załoga odkryła struktury geologiczne niepodobne do wszystkich innych znanych naukowcom. Była to skała z chondrami i skamieniałościami jakiegoś nieznanego gatunku. Ponieważ NRO nie chciało zdradzać się ze zdolnością zanurzania na taką głębokość, odkrycie również zostało utajnione.

Dopiero niedawno napędzany strachem Pickering wraz z cichym zespołem doradców naukowych NRO postanowił wykorzystać unikalną strukturę geologiczną z Rowu Mariańskiego do ocalenia NASA. Przekształcenie znalezionej skały w meteoryt okazało się dziecinnie proste. Używając silnika ekspansyjnego na breję wodorową, pracownicy NRO zwęglili skałę, tworząc przekonującą skorupę obtopieniową. Następnie wpłynęli małym statkiem podwodnym pod Lodowiec Szelfowy Milne'a i od spodu umieścili skałę w lodzie. Kiedy szyb zamarzł, skała wyglądała tak, jakby tkwiła w lodzie od ponad trzystu lat.

Na nieszczęście, jak to często bywa w świecie tajnych operacji, najwspanialsze plany mogą rozsypać się na najmniejszej przeszkodzie. Wczoraj wystarczył drobny fluorescencyjny plankton...

Z kabiny kiowy Delta Jeden patrzył na rozgrywający się przed nim dramat. Wydawało się, że Rachel i Tolland panują nad sytuacją, ale Delta Jeden z trudem powstrzymał się od śmiechu, rozbawiony płytkością tej iluzji. Karabin maszynowy w rękach Tollanda był bezużyteczny; nawet z daleka Delta Jeden widział cofnięte suwadło, co świadczyło o tym, że magazynek jest pusty.

Delta Jeden spojrzał na swojego partnera szamoczącego się w kleszczach „Trytona". Wiedział, że musi się spieszyć. Dwoje ludzi skupia uwagę na Pickeringu, może więc wykonać swój ruch. Pozostawiając rotory na jałowym biegu, przesiadł się na tył kabiny i osłonięty kadłubem helikoptera niepostrzeżenie wysunął się na sterburtę. Z karabinem maszynowym w ręku ruszył w stronę dziobu. Przed wylądowaniem Pickering podał mu dokładne instrukcje i Delta Jeden nie miał zamiaru zawalać tak prostego zadania.

Za parę minut, pomyślał, będzie po wszystkim.

Rozdział 122

Zach Herney siedział w szlafroku przy biurku w Gabinecie Owalnym. Bolała go głowa. Przed chwilą poznał najnowszy element układanki.

Marjorie Tench nie żyje.

Jego współpracownicy powiedzieli, że mają informacje sugerujące, iż Tench pojechała do FDR Memorial na prywatne spotkanie z Williamem Pickeringiem. Ponieważ Pickering zniknął, personel wyrażał obawy, że on również zginął.

Prezydent i dyrektor NRO toczyli ostatnio wojnę. Kilka miesięcy temu Herney dowiedział się, że Pickering zaangażował się w nielegalną działalność, która miała na celu uratowanie jego kulejącej kampanii.

Wykorzystując możliwości NRO, Pickering dyskretnie wykopał tyle brudów, że mógłby bez wysiłku utopić w nich kampanię kontrkandydata — skandaliczne zdjęcia Sextona ze współpracownicą Gabrielle Ashe, obciążające dokumenty finansowe świadczące o tym, że senator bierze łapówki od prywatnych przedsiębiorstw kosmonautycznych. Pickering anonimowo wysłał wszystkie dowody do Marjorie Tench, zakładając, że Biały Dom mądrze je spożytkuje. Prezydent zaznajomił się z dowodami i zabronił starszemu doradcy ich wykorzystywać. Waszyngton już był zżerany przez raka korupcji i skandali seksualnych, więc publiczne pranie brudów tylko ugruntowałoby brak zaufania do rządu.

Cynizm zabija ten kraj.

Herney wiedział, że mógłby zniszczyć Sextona poprzez wyciągnięcie jego sprawek na światło dzienne, lecz ceną byłaby kompromitacja Senatu Stanów Zjednoczonych, a do tego nie chciał dopuścić.

Pickering, rozwścieczony odmową wykorzystania dostarczonych przez niego dowodów, spróbował wywołać skandal przez rozpuszczenie plotki, że Sexton sypia z Gabrielle Ashe. Na nieszczęście Sexton bronił swojej niewinności z takim przekonaniem i oburzeniem, że prezydent poczuł się zobowiązany do osobistych przeprosin. Wyszło na to, że William Pickering zrobił więcej złego niż dobrego. Herney powiedział mu, że jeśli znów zacznie wtrącać się w przebieg kampanii, to postawi go w stan oskarżenia. Na ironię zakrawało to, że w gruncie rzeczy Pickering nie darzył sympatią prezydenta Herneya. Jego próby wsparcia kampanii wynikały z lęku o los NASA. Zach Herney był po prostu mniejszym złem.

Czyżby ktoś zabił Pickeringa?

Herney nie potrafił sobie tego wyobrazić.

— Panie prezydencie? — odezwał się pracownik. — Jak pan kazał, zadzwoniłem do Lawrence'a Ekstroma i powiedziałem mu o Marjorie Tench.

— Dziękuję.

— Administrator chce z panem mówić.

Herney wciąż był wściekły na Esktroma za kłamstwo dotyczące PODS.

— Powiedz mu, że porozmawiam z nim rano.

— Pan Ekstrom chce rozmawiać teraz, panie prezydencie. — Pracownik miał niepewną minę. — Jest bardzo zdenerwowany.

On jest zdenerwowany? Herney czuł, że powoli traci nad sobą panowanie. Gdy szedł, żeby odebrać rozmowę od Ekstroma, zastanawiał się ponuro, co jeszcze, do jasnej cholery, wyniknie tej nocy.

Rozdział 123

Rachel kręciło się w głowie. Gęsta mgła tajemnicy, która spowijała ją do tej pory, zaczynała się podnosić. Teraz, gdy wszystko zrozumiała, czuła się naga i zdegustowana. Patrząc na stojącego przed nią człowieka, ledwo słyszała jego głos.

— Musieliśmy odbudować wizerunek NASA — mówił Pickering. — Spadająca popularność i niedofinansowanie stały się groźne pod wieloma względami. — Milczał przez chwilę, wbijając w nią szare oczy. — Rachel, NASA rozpaczliwie potrzebowała cudu. Ktoś musiał go sprawić.

Coś trzeba zrobić, zadecydował Pickering.

Spreparowanie meteorytu było aktem rozpaczy. Pickering próbował spowodować wcielenie NASA do środowiska wywiadu, gdzie agencja cieszyłaby się zwiększonymi funduszami i lepszym bezpieczeństwem. Biały Dom stale torpedował ten pomysł jako atak na czystą naukę. Krótkowzroczny idealizm. Sexton nacierał z coraz większą zajadłością, więc Pickering oraz jego sztab wojskowych szarych eminencji wiedział, że czasu jest coraz mniej. Wspólnie zadecydowali, że jedynym sposobem na ocalenie wizerunku NASA i uchronienie agencji przed wystawieniem na licytację jest przemówienie do wyobraźni podatników i Kongresu. Aby przetrwać, agencja kosmiczna potrzebowała zastrzyku wspaniałości — czegoś, co przypomni podatnikom o dniach chwały z czasów misji „Apollo". I jeśli Zach Herney zamierzał pokonać senatora Sextona, to potrzebował pomocy.

Próbowałem mu pomóc, powiedział sobie Pickering, wspominając wszystkie miażdżące dowody, jakie wysłał Marjorie Tench.

Na nieszczęście Herney nie pozwolił ich wykorzystać, tym samym nie pozostawiając mu innego wyjścia, jak podjęcie drastycznych środków.

— Rachel, informacje, które właśnie wysłała pani ze statku, są niebezpieczne — powiedział. — Musi pani to zrozumieć. Jeśli wyjdą na jaw, Biały Dom i NASA będą wyglądać na współwinnych. Prezydent i NASA ogromnie ucierpią z tego powodu. O niczym nie wiedzą, Rachel. Są niewinni. Wierzą, że meteoryt jest autentyczny.

Pickeringowi nawet przez myśl nie przeszło, żeby wtajemniczyć Herneya lub Ekstroma; obaj byli zbyt wielkimi idealistami, żeby zgodzić się na jakiekolwiek szachrajstwo, choćby miało ono na celu zachowanie urzędu czy też uratowanie agencji kosmicznej. Jedyne przestępstwo administratora NASA polegało na nakłonieniu kierownika misji PODS do kłamstwa na temat oprogramowania wykrywającego anomalie. Nie ulegało wątpliwości, że Ekstrom pożałował swojego posunięcia w chwili, gdy zrozumiał, że meteoryt znajdzie się pod lupą całego świata.

Marjorie Tench, sfrustrowana uporem, z jakim Herney trzymał się prowadzenia czystej kampanii, współpracowała z Ekstromem w nadziei, że drobny sukces satelity PODS pomoże odeprzeć coraz silniejsze ataki Sextona.

Gdyby Tench wykorzystała zdjęcia i informacje dotyczące korupcji, sprawa już dawno zostałaby zamknięta!

Jej los został przesądzony w chwili, gdy Rachel zadzwoniła do Białego Domu i wysunęła zarzuty o oszustwo. Pickering bolał z powodu śmierci Tench, ale wiedział, że wszczęłaby śledztwo i w końcu dowiedziałaby się, co skłoniło Rachel do wygłoszenia tych szokujących twierdzeń. Nie mógł do tego dopuścić. Na ironię, Tench mogła najlepiej przysłużyć się swojemu prezydentowi po śmierci; jej tragiczny koniec miał zapewnić mu głosy współczucia oraz rzucić niejasne podejrzenia o nieczystą grę na Sextona, który został przez nią publicznie upokorzony podczas debaty w CNN.

Rachel stała bez ruchu, patrząc na swojego szefa.

— Proszę zrozumieć — mówił Pickering — jeśli wieść o oszustwie wyjdzie na jaw, zniszczy pani niewinnego prezydenta i niewinną agencję kosmiczną. Poza tym umieści pani w Gabinecie Owalnym bardzo niebezpiecznego człowieka. Muszę wiedzieć, komu przefaksowała pani dane.

Gdy wypowiedział te słowa, na twarzy Rachel pojawił się dziwny wyraz. Było to przerażenie osoby, która właśnie uświadomiła sobie, że być może popełniła niewybaczalny błąd.

Delta Jeden zatoczył koło, wrócił na lewą burtę i teraz stał w laboratorium, z którego wybiegła Rachel, gdy helikopter nadleciał znad morza. Na ekranie komputera widniał niepokojący obraz — polichromatyczna wizualizacja pulsującego, głębokiego wiru, który wznosił się z dna oceanu gdzieś pod „Goyą".

Kolejny powód, żeby wynieść się stąd w cholerę, pomyślał, zmierzając do celu.

Celem był faks stojący na stole w drugim końcu laboratorium. Na tacce leżał plik kartek, dokładnie tak, jak powiedział Pickering. Delta Jeden podniósł je. Na wierzchu znalazł list Rachel. Tylko dwie linijki. Przeczytał.

W dziesiątkę, pomyślał.

Gdy przewertował kartki, był zdumiony i zaniepokojony, do jakiego stopnia Tolland i Rachel przejrzeli oszustwo. Ktokolwiek zobaczy te wydruki, bez trudu zrozumie ich znaczenie. Na szczęście nie musiał nawet wciskać klawisza ponownego połączenia, żeby się dowiedzieć, do kogo zostały wysłane. Na wyświetlaczu wciąż widniał numer faksu odbiorcy.

Waszyngton, D. C., prefiks.

Starannie przepisał numer, zebrał papiery i wyszedł z laboratorium.

Tolland trzymał karabin maszynowy w spoconych dłoniach, celując w pierś Williama Pickeringa. Dyrektor NRO wciąż naciskał na Rachel, próbując się dowiedzieć, do kogo wysłała faks. Tollanda opadło niepokojące wrażenie, że Pickering po prostu próbuje zyskać na czasie. Po co?

— Biały Dom i NASA są niewinni — powtórzył Pickering. — Niech się pani zgodzi na współpracę. Niech pani nie pozwoli, żeby przez moje błędy ucierpiała wiarygodność NASA. Agencja będzie wyglądać na winną, jeśli ta sprawa się wyda. Możemy dojść do porozumienia. Proszę mi powiedzieć, do kogo przefaksowała pani dane, zanim będzie za późno.

— Żeby mógł pan zabić następną osobę? — zapytała Rachel. — Robi mi się niedobrze, gdy na pana patrzę.

Tolland był zdumiony jej postawą. Rachel gardziła ojcem, ale najwyraźniej nie miała zamiaru go narażać. Na nieszczęście okazało się, że pomysł wysłania prośby o pomoc do senatora Sextona miał złe strony. Jeśli nawet senator po wejściu do gabinetu zobaczy faks, a następnie powiadomi prezydenta o oszustwie i każe odwołać atak, nikt w Białym Domu nie będzie miał pojęcia, o co mu chodzi.

— Powiem jeszcze tylko jedno. — Pickering przeszył Rachel groźnym spojrzeniem. — Sytuacja jest zbyt skomplikowana, żeby mogła ją pani zrozumieć. Popełniła pani wielki błąd, wysyłając dane ze statku. Naraziła pani kraj na niebezpieczeństwo.

Teraz Tolland już wiedział, że William Pickering rzeczywiście gra na zwłokę. Powód zwłoki szedł spokojnie w ich stronę po sterburcie. Tollanda przeniknął strach, gdy zobaczył żołnierza z plikiem papierów i karabinem maszynowym w rękach.

Zareagował ze zdecydowaniem, które zaskoczyło nawet jego. Odwrócił się, wycelował w żołnierza i nacisnął spust.

Iglica zaszczękała nieszkodliwie.

— Znalazłem numer faksu — powiedział żołnierz, podając kartki Pickeringowi. — A pan Tolland nie ma amunicji.

Rozdział 124

Sedgewick Sexton pędził jak burza korytarzem. Nie miał pojęcia, jak Gabrielle tego dokonała, ale nie ulegało wątpliwości, że dostała się do jego gabinetu. W czasie rozmowy przez telefon wyraźnie słyszał w tle charakterystyczne tykanie zegara Jourdaina. Domyślił się, że to, co podsłuchała na spotkaniu z SFF, podkopało jej zaufanie do niego i zaczęła szukać dowodów.

Jak, do ciężkiego licha, dostała się do mojego gabinetu?

Po wejściu do biura wystukał kod, żeby wyłączyć alarm, po czym znalazł klucze, otworzył ciężkie drzwi i pchnął je gwałtownie, zamierzając przyłapać Gabrielle na gorącym uczynku.

Gabinet był pusty i ciemny, oświetlony tylko przez blask wygaszacza na ekranie komputera. Sexton zapalił światła i rozejrzał się po wnętrzu. Wszystko leżało na swoim miejscu. Panowała martwa cisza, zmącona tylko tykaniem zegara.

Gdzie ona jest, do cholery?

Usłyszał szmer i wbiegł do łazienki, zapalając światło. Łazienka była pusta. Sprawdził za drzwiami. Nikogo.

Zaintrygowany, przejrzał się w lustrze i pomyślał, że może wypił zbyt dużo tej nocy. Coś słyszałem. Zdezorientowany, już mniej pewny swego, wrócił do gabinetu.

— Gabrielle! — zawołał. Poszedł do jej biura. Nie zastał jej. W biurze było ciemno.

Usłyszał szum spuszczanej wody, zawrócił na pięcie i pomaszerował w stronę damskiej toalety. Zjawił się w chwili, gdy

Gabrielle wychodziła na korytarz, osuszając ręce. Podskoczyła na jego widok.

— Mój Boże! Ale mnie wystraszyłeś! — zawołała z nieudawanym przestrachem. — Co tu robisz?

— Mówiłaś, że wpadłaś do biura po dokumenty NASA — powiedział, patrząc na jej ręce. — Gdzie one są?

— Nie mogłam ich znaleźć. Szukałam wszędzie. Dlatego to tak długo trwało.

Spojrzał jej prosto w oczy.

— Byłaś w moim gabinecie?

Zawdzięczam życie faksowi, pomyślała Gabrielle.

Parę minut wcześniej siedziała przed komputerem Sextona, próbując wydrukować widoczne na ekranie dowody nielegalnych przelewów. Pliki były zabezpieczone i potrzebowała więcej czasu, żeby dojść, jak je wydrukować. Prawdopodobnie nadal próbowałaby tego dokonać, gdyby nie pisk faksu, który przestraszył ją i przywołał do rzeczywistości. Gabrielle uznała dźwięk za sygnał do wyjścia. Nie tracąc czasu na sprawdzenie, czego dotyczy napływający faks, wylogowała się z komputera, ułożyła wszystko na swoim miejscu i poszła do łazienki. W trakcie ucieczki usłyszała, że Sexton wchodzi do gabinetu.

Teraz, gdy stał przed nią i przeszywał ją wzrokiem, wyczuła, że szuka w jej oczach kłamstwa. Sedgewick Sexton potrafił bezbłędnie wykryć fałsz. Natychmiast się zorientuje, że ona kłamie.

— Jesteś pijany — powiedziała, odwracając się do niego plecami. Skąd wie, że byłam w jego gabinecie?

Sexton położył ręce na jej ramionach i odwrócił ją do siebie.

— Byłaś w moim gabinecie?

Narósł w niej strach. Sexton rzeczywiście sporo wypił. Brutalnie trzymał ją za ramiona.

— W twoim gabinecie? — powtórzyła zdumiona, zmuszając się do uśmiechu. — Jak? Dlaczego?

— Słyszałem w tle zegar, kiedy do ciebie zadzwoniłem.

Gabrielle wzdrygnęła się wewnętrznie. Zegar? Nie przyszło jej to do głowy.

— Wiesz, jak śmiesznie to brzmi?

— Spędzam w tym gabinecie całe dnie. Znam tykanie tego zegara.

Gabrielle wiedziała, że musi położyć temu kres. Najlepszą obroną jest atak, tak mawia Yolanda Cole. Biorąc się pod boki, przystąpiła do kontrofensywy. Pochyliła się w stronę Sextona i z wściekłością spojrzała mu w twarz.

— Wyjaśnijmy sobie jedno, senatorze. Jest czwarta nad ranem, piłeś, usłyszałeś tykanie przez telefon i z tego powodu tu przyjechałeś? — Z oburzoną miną wskazała palcem na drzwi jego gabinetu. — Reasumując, zakładasz, że unieszkodliwiłam federalny system alarmowy, otworzyłam dwa zestawy zamków, włamałam się do gabinetu, jak ostatnia idiotka odebrałam telefon w czasie popełniania przestępstwa, włączyłam system alarmowy po wyjściu z pustymi rękami, a potem spokojnie skorzystałam z toalety? Na pewno o to ci chodzi?

Sexton zamrugał zdziwiony.

— Nie bez powodu ludzie nie powinni pić w samotności — dodała Gabrielle. — A teraz mów, chcesz porozmawiać o NASA czy nie?

Sexton czuł się skołowany, gdy wrócił do gabinetu. Podszedł prosto do baru i nalał sobie pepsi. Jasne jak słońce, nie jest pijany. Czy naprawdę mógł aż tak się pomylić? Po drugiej stronie pokoju zegar tykał szyderczo. Sexton wypił pepsi, nalał sobie i Gabrielle.

— Napijesz się, Gabrielle? — zapytał, odwracając się. Gabrielle nie weszła za nim. Wciąż stała w drzwiach, jakby chciała utrzeć mu nosa. — Na miłość boską, wejdź! Powiedz mi, czego dowiedziałaś się o NASA.

— Chyba mam dość na dzisiaj — odparła z roztargnieniem. — Porozmawiamy jutro.

Sexton nie był w nastroju do prowadzenia gierek. Potrzebował tych informacji natychmiast i nie miał zamiaru o nie błagać. Westchnął ze zmęczeniem. Wzbudź zaufanie. Wszystko opiera się na zaufaniu.

— Spieprzyłem — wyznał. — Przepraszam. To był koszmarny dzień. Nie wiem, co sobie myślałem.

Gabrielle wciąż stała w progu.

Sexton podszedł do biurka i postawił na blacie jej pepsi. Wskazał swój skórzany fotel — miejsce władzy.

— Usiądź. Napij się. Ja włożę głowę pod kran. — Ruszył do łazienki.

Gabrielle stała nieporuszona.

— Chyba widziałem jakiś nowy faks — zawołał przez ramię, wchodząc do łazienki. Okaż, że jej ufasz. — Rzucisz okiem?

Zamknął drzwi i napełnił umywalkę zimną wodą. Ochlapał twarz, ale wcale nie poczuł się lepiej. Nigdy wcześniej nie przytrafiło mu się nic podobnego. Był tak pewny swego, a jednak wszystko wskazywało na to, że się pomylił. Zawsze ufał swojemu instynktowi, a instynkt mówił mu, że Gabrielle Ashe była w jego gabinecie.

Ale jak? To niemożliwe.

Spróbował zapomnieć o tym incydencie i skupić się na ważniejszej sprawie. NASA. Potrzebuje Gabrielle. W tej chwili nie powinien jej zrażać. Musi wiedzieć, czego się dowiedziała. Daj sobie spokój z instynktem. Pomyliłeś się.

Gdy osuszył twarz, podniósł głowę i odetchnął głęboko. Odpręż się, przykazał sobie. Nic na siłę. Zamknął oczy i odetchnął jeszcze raz, czując się trochę lepiej.

Po wyjściu z łazienki z ulgą zobaczył, że Gabrielle posłuchała i weszła do gabinetu. To dobrze, pomyślał. Teraz możemy przejść do rzeczy. Gabrielle stała przy faksie, przeglądając wysuwające się kartki. Sexton zaniepokoił się, gdy zobaczył jej minę. Była to mieszanina dezorientacji i strachu.

— Co to jest? — zapytał, podchodząc do niej.

Gabrielle zachwiała się, jakby miała zemdleć.

— Co?

— Meteoryt... — wykrztusiła, w drżącej ręce podnosząc kartki. — A twoja córka... jest w niebezpieczeństwie.

Osłupiały, wziął od niej wydruk. Na pierwszej stronie widniała odręcznie napisana notka. Sexton natychmiast rozpoznał charakter pisma. Wiadomość była szokująca w swojej prostocie:

Meteoryt jest fałszywy. Oto dowód.
NASA/Biały Dom chce mnie zabić. Pomocy! — RS

Senator rzadko miewał kłopoty ze zrozumieniem sytuacji, ale gdy powtórnie przeczytał słowa Rachel, nie miał pojęcia, co oznaczają.

Meteoryt jest fałszywy? NASA i Biały Dom chcą ją zabić?

Zaczął przeglądać kartki. Pierwsza była komputerowym wydrukiem opatrzonym nagłówkiem „Radar do penetracji gruntu

(GPR)". Wydawało się, że to wynik badania ultradźwiękami. Zobaczył szyb, o którym mówili w telewizji. Jego uwagę przyciągnęło coś, co przypominało ludzką sylwetkę unoszącą się w szybie. Potem zobaczył coś jeszcze bardziej szokującego — wyraźny zarys drugiego szybu bezpośrednio pod miejscem, z którego wydobyto meteoryt, jakby kamień został umieszczony w lodzie od spodu.

Do licha, co to jest?

Sexton przełożył kartkę i zobaczył zdjęcie żyjącego stworzenia oceanicznego zwanego *Bathynomous giganteus*. Oszołomiony, wytrzeszczył oczy. To zwierzę ze skamieniałości w meteorycie!

Przejrzał pozostałe strony i zobaczył diagram przedstawiający ilość zjonizowanego wodoru w skorupie meteorytu. Odręczny napis na tej kartce głosił: „Spalanie brei wodorowej? Silnik ekspansyjny NASA?".

Sexton nie wierzył własnym oczom. Pokój zaczął wirować. Obejrzał ostatnią kartkę — zdjęcie skały z metalicznymi kuleczkami, które wyglądały dokładnie jak te w meteorycie. Co dziwne, opis mówił, że skała jest produktem podmorskich procesów wulkanicznych. Skała z oceanu? — zastanowił się. Przecież NASA powiedziała, że chondry powstają tylko w kosmosie!

Sexton położył kartki na biurku i opadł na fotel. W ciągu piętnastu sekund skompilował wszystkie nadesłane faksem informacje. Wnioski były krystalicznie jasne. Każdy półgłówek zrozumie, czego dowodzą te zdjęcia.

Meteoryt NASA jest fałszywy.

Sexton nigdy nie przeżył tylu wzlotów i upadków. To przypominało jazdę kolejką górską nadziei i rozpaczy. Pytanie, w jaki sposób zorganizowano tak ogromny przekręt, stało się nieistotne, gdy uświadomił sobie jego polityczne implikacje.

Kiedy podam te informacje do wiadomości publicznej, zostanę prezydentem!

Upojony rychłym triumfem senator Sedgewick Sexton zapomniał, że jego córka ma kłopoty.

— Rachel jest w niebezpieczeństwie — przypomniała mu Gabrielle. — Napisała, że NASA i Biały Dom próbują...

Nagle zapiszczał faks. Gabrielle odwróciła się i wbiła oczy w urządzenie. Sexton zrobił to samo. Nie miał pojęcia, co jeszcze Rachel mogłaby mu przysłać. Kolejne dowody? Ile jeszcze może ich być? To wystarczy!

Kiedy maszyna odpowiedziała na wezwanie, nie wysunęły się kartki. Faks nie wykrył przekazu i przełączył się na tryb automatycznej sekretarki.

— Słucham — zatrzeszczała nagrana wiadomość. — Biuro senatora Sedgewicka Sextona. Jeśli chcesz przesłać faks, możesz to zrobić w każdej chwili. Jeśli nie, zostaw wiadomość po usłyszeniu sygnału.

Nim Sexton zdążył odebrać, urządzenie zapiszczało.

— Senator Sexton? — Głos mężczyzny brzmiał surowo. — Mówi William Pickering, dyrektor Narodowego Biura Wywiadowczego. Zapewne o tej porze nie ma pana w biurze, ale muszę porozmawiać z panem jak najszybciej. — Urwał, jakby miał nadzieję, że ktoś odbierze.

Gabrielle sięgnęła po słuchawkę.

Sexton chwycił ją za rękę i odsunął gwałtownie.

Gabrielle była zdumiona.

— Ale to dyrektor...

— Senatorze — podjął Pickering niemal z ulgą, że nikt się nie zgłosił. — Obawiam się, że mam do przekazania złe wieści. Właśnie dowiedziałem się, że pańskiej córce Rachel grozi wielkie niebezpieczeństwo. Wysłałem zespół na pomoc. Nie mogę podać szczegółów przez telefon, ale niedawno otrzymałem wiadomość, że być może wysłała do pana faks z pewnymi informacjami o meteorycie NASA. Nie widziałem tych dokumentów, ale ludzie grożący pańskiej córce ostrzegli mnie, że jeśli pan albo ktokolwiek inny ujawni te dane, pańska córka umrze. Przepraszam za brutalną szczerość, panie senatorze, robię to, by uświadomić panu powagę sytuacji. Życie pańskiej córki jest zagrożone. Jeśli rzeczywiście przefaksowała panu jakieś dokumenty, niech pan nikomu ich nie pokazuje. Jeszcze nie. Od tego zależy życie Rachel. Proszę na mnie czekać. Niebawem się zjawię. — Umilkł na chwilę. — Przy odrobinie szczęścia, senatorze, wszystko zostanie wyjaśnione, zanim pan się obudzi. Jeśli przypadkiem odbierze pan tę wiadomość przed moim przybyciem, proszę zostać w gabinecie i do nikogo nie dzwonić. Robię wszystko, co w mojej mocy, by ocalić pańską córkę.

Pickering rozłączył się.

Gabrielle dygotała.

— Rachel jest zakładniczką?

Sexton wyczuł, że choć sprawił jej zawód, szczerze przejęła się losem jego córki. Dziwne, sam miał kłopoty z wykrzesaniem podobnych emocji. W zasadzie czuł się jak dziecko, które właśnie dostało pod choinkę wymarzony prezent i nie chce pozwolić, żeby ktokolwiek mu go odebrał.

Pickering chce, żebym milczał?

Stał przez chwilę, próbując rozstrzygnąć, co to wszystko oznacza. Zimna, kalkulująca część jego umysłu już pracowała jak niezawodna maszyneria — polityczny komputer przerabiający wszystkie możliwe scenariusze i oceniający wyniki. Popatrzył na plik faksów i zaczął rozumieć zawartą w nich siłę. Odkrycie NASA zniszczyło jego marzenia o prezydenturze. Ale to było kłamstwo. Konstrukt. Teraz ci, którzy to zrobili, zapłacą. Meteoryt stworzony przez wrogów chcących go zniszczyć uczynił go silniejszym, niż się spodziewał. Jego córka o to zadbała.

Wiedział, że tylko jeden wynik jest do przyjęcia. Urodzony przywódca może obrać tylko jeden kurs.

Zahipnotyzowany wizją własnego zmartwychwstania, Sexton jakby dryfował we mgle. Przemierzył gabinet i włączył kserokopiarkę, żeby powielić przysłane przez Rachel dokumenty.

— Co chcesz zrobić? — zapytała zdumiona Gabrielle.

— Nie zabiją Rachel — oświadczył. Zresztą nawet gdyby coś poszło nie tak, śmierć córki z rąk wroga jeszcze bardzie umocni jego pozycję. Tak czy inaczej, wygra. Dopuszczalne ryzyko.

— Dla kogo te kopie? — chciała wiedzieć Gabrielle. — William Pickering powiedział, żebyś nic nikomu nie mówił!

Sexton odwrócił się od kopiarki i popatrzył na asystentkę. Zdumiał się, bo nagle wydała mu się nieatrakcyjna. W tej chwili senator Sexton był wyspą. Był nietykalny. Miał w rękach wszystko, czego potrzebował, żeby spełnić swoje marzenia. Teraz nic nie może mu zaszkodzić. Ani oskarżenia o korupcję, ani plotki o seksie. Nic.

— Idź do domu, Gabrielle. Już nie jesteś mi potrzebna.

Rozdział 125

To koniec, pomyślała Rachel.

Siedziała na pokładzie „Goyi" obok Tollanda, patrząc w lufę karabinu maszynowego. Na domiar złego Pickering wie, do kogo wysłała faks. Do biura senatora Sedgewicka Sextona.

Rachel wątpiła, czy ojciec odsłucha telefoniczną wiadomość zostawioną przez Pickeringa. Pickering prawdopodobnie dotrze do jego gabinetu przed kimkolwiek innym. Jeśli zdoła wejść do środka, po cichu usunie faks i wykasuje nagraną wiadomość, więc nie będzie potrzeby likwidowania senatora. William Pickering jest zapewne jednym z niewielu ludzi w Waszyngtonie, którzy mogą załatwić sobie cichy wstęp do gabinetu senatora. Rachel zawsze się dziwiła, ile można osiągnąć „w imię bezpieczeństwa narodowego".

Oczywiście, jeśli się nie uda, pomyślała, Pickering może strzelić rakietą Hellfire przez okno i rozwalić faks na kawałki. Coś jednak jej mówiło, że nie będzie to konieczne.

Zaskoczona, poczuła, jak silna ręka Tollanda delikatnie wsuwa się w jej dłonie. Ich palce splotły się tak naturalnie, jakby robili to przez całe życie. Wszystkim, czego w tej chwili pragnęła, było to, żeby jego ramiona osłoniły ją od ryku otaczającego ich morza.

To się nigdy nie stanie, pomyślała.

Michael Tolland czuł się jak skazaniec, który w drodze na szubienicę ujrzał światełko nadziei.

Życie ze mnie zadrwiło.

Przez długie lata po śmierci Celii zdarzały się noce, kiedy chciał umrzeć, bo tylko śmierć mogła uwolnić go od bólu i samotności. A jednak wybrał życie, powtarzając sobie, że zdoła przeżyć je sam. Dzisiaj po raz pierwszy zaczął rozumieć to, co od dawna powtarzali mu przyjaciele.

„Mike, nie musisz być sam. Znajdziesz inną miłość".

Ręka Rachel w jego dłoni sprawiała, że znacznie trudniej było pogodzić się z taką ironią losu. Tolland miał wrażenie, że jego serce uwalnia się z kolejnych warstw pancerza. Przez chwilę czuł, że spogląda na niego duch Celii, jak to często bywało w przeszłości. Słyszał jej głos w szumie wody... słyszał ostatnie słowa, jakie wyszeptała przed śmiercią: „Dasz sobie radę. Obiecaj mi, że znajdziesz inną miłość".

„Nigdy nie będę chciał innej" — odparł.

Uśmiechnęła się wtedy mądrze.

„Będziesz musiał nauczyć się chcieć".

Teraz na pokładzie „Goyi" zrozumiał, że zaczął się uczyć. W jego duszy wezbrało głębokie uczucie. Uświadomił sobie, że to szczęście.

A wraz z nim napłynęło przejmujące pragnienie życia.

Pickering czuł dziwną obojętność, gdy szedł w stronę więźniów. Zatrzymał się przed Rachel, zdziwiony, że to wcale nie będzie trudne.

— Czasem okoliczności zmuszają nas do podejmowania wręcz nieprawdopodobnych decyzji — powiedział.

Rachel patrzyła na niego niewzruszenie.

— Sam pan je stworzył.

— Wojna wymaga ofiar — dodał pewniejszym głosem. Zapytaj Dianę Pickering albo innych, którzy co roku giną w obronie tego kraju. — Kto jak kto, ale ty powinnaś to rozumieć, Rachel. — Spojrzał jej w oczy. — *Iactura paucorum serva multos.*

Widział, że rozpoznała te słowa, będące właściwie frazesem w kręgach bezpieczeństwa narodowego. „Poświęcić nielicznych dla ocalenia wielu".

Rachel popatrzyła na niego z odrazą.

— Teraz Michael i ja wejdziemy w skład pańskich nielicznych?

Pickering podjął decyzję. Nie ma innego wyjścia. Odwrócił się do Delty Jeden.

— Uwolnij partnera i skończ z tym.

Delta Jeden pokiwał głową.

Pickering obrzucił Rachel ostatnim długim spojrzeniem, a potem podszedł do relingu i skierował oczy na morze. Nie chciał oglądać tego, co miało się za chwilę rozegrać.

Delta Jeden czuł się silniejszy, gdy z karabinem w dłoniach zerknął na partnera wiszącego w chwytakach. Wystarczyło zamknąć zapadnię pod stopami Delty Trzy, uwolnić go, a następnie wyeliminować Rachel Sexton i Michaela Tollanda.

Widział jednak, że pulpit sterowniczy jest skomplikowany — mnóstwo nieopisanych dźwigni i tarcz, które służyły do obsługiwania klapy, wyciągarki i innych urządzeń. Pociągnięcie za niewłaściwą dźwignię mogło spowodować opuszczenie batyskafu i narażenie życia partnera.

Wyeliminować ryzyko. Nigdy nie działać pochopnie.

Zmusi Tollanda do wskazania właściwej dźwigni. I żeby nie spróbował jakiejś sztuczki, podejmie środki ostrożności zwane w jego fachu zabezpieczeniem biologicznym.

Wykorzystaj jednego przeciwnika przeciwko drugiemu.

Delta Jeden wycelował prosto w twarz Rachel, z lufą oddaloną o kilkanaście centymetrów od jej czoła. Rachel zamknęła oczy, a Tolland zacisnął pięści w bezsilnym gniewie.

— Pani Sexton, proszę wstać — polecił Delta Jeden.

Zrobiła to.

Przyciskając lufę do jej pleców, zaprowadził ją do aluminiowych przenośnych schodków, które prowadziły na szczyt „Trytona".

— Proszę wejść i stanąć na batyskafie.

Rachel była przerażona i zdezorientowana.

— Proszę to zrobić — rzucił Delta Jeden.

Rachel czuła się jak w koszmarze, gdy wspinała się po aluminiowej drabince z tyłu „Trytona". Stanęła na szczycie, nie mając najmniejszej ochoty na przechodzenie nad przepaścią na wiszący batyskaf.

— Proszę wejść na batyskaf — powtórzył żołnierz, wracając do Tollanda i przyciskając karabin do jego głowy.

Żołnierz uwięziony w chwytakach patrzył na nią, wijąc się z bólu, pragnąc jak najszybszego uwolnienia. Rachel spojrzała na Tollanda. Wejdź na batyskaf. Nie miała wyboru.

Czując się, jakby stała na krawędzi kanionu, weszła na pokrywę silnika „Trytona", niewielką płaską część kadłuba nad wypukłym oknem z pleksi. Batyskaf wisiał na linie jak ogromne wahadło nad otwartą zapadnią. Ważył dziewięć ton i gdy na nim stanęła, zakołysał się tylko odrobinę.

— Dobra, zaczynamy — powiedział żołnierz. — Podejdź do pulpitu i zamknij klapę.

Tolland ruszył w kierunku pulpitu z żołnierzem za plecami. Idąc powoli w stronę Rachel, wpatrywał się w nią z natężeniem, jakby próbował przekazać jej jakąś wiadomość. Przeniósł spojrzenie na właz „Trytona".

Rachel spojrzała w dół. Właz był otwarty, ciężka okrągła pokrywa stała w pionie. Widziała z góry jednoosobową kabinę. Chce, żebym tam weszła? Czując, że na pewno nie o to chodzi, jeszcze raz popatrzyła na Tollanda. Był prawie przy pulpicie. Spojrzał jej prosto w oczy. Tym razem był mniej subtelny.

— Skacz! Teraz! — powiedział bezgłośnie.

Delta Jeden kątem oka dostrzegł ruch i odwrócił się, instynktownie otwierając ogień. Rachel zniknęła we włazie, o ułamek sekundy wyprzedzając grad kul. Pociski zabębniły o podniesioną pokrywę, odbijając się i krzesząc iskry. Właz zatrzasnął się pod wpływem siły ognia.

Gdy tylko Tolland poczuł, że lufa oderwała się od jego pleców, wykonał swój ruch. Rzucił się w lewo, daleko od zapadni, upadł na pokład i przetoczył się w chwili, gdy żołnierz odwrócił się w jego stronę. Kule gwizdały dokoła, gdy upadł pod osłoną kabestanu, wielkiego bębna, na który nawinięte było kilka tysięcy metrów stalowej liny kotwicznej.

Tolland miał plan i musiał działać szybko. Gdy żołnierz pędził w jego stronę, oburącz chwycił dźwignię służącą do wypuszczania liny i pociągnął w dół. Kabestan natychmiast zaczął się obracać i „Goya" podskoczył, porwany przez silny prąd. Nagły ruch sprawił, że wszyscy na pokładzie zakołysali się na boki. Statek płynął rufą do przodu, niesiony prądem, a lina kotwiczna rozwijała się coraz szybciej.

No dalej, mały, przynaglał Tolland.

Żołnierz odzyskał równowagę i ruszył w jego stronę. W ostatniej chwili Tolland zaparł się mocno nogami o pokład i poderwał dźwignię, unieruchamiając kabestan. Lina napięła się, statek stanął i zadygotał. Wszystko na pokładzie, co nie było przymocowane, przesunęło się w kierunku rufy. Żołnierz osunął się na kolana niedaleko Tollanda. Pickering upadł na pokład. „Tryton" zakołysał się dziko.

Spod pokładu dobiegł zgrzytliwy jęk giętego metalu, gdy nadwątlona podpora nie wytrzymała naprężenia. Prawa rufowa część „Goyi" zaczęła zarywać się pod własnym ciężarem. Statek zachwiał się i przekrzywił jak ciężki stół, który stracił jedną nogę. Z dołu dobiegał ogłuszający hałas — zawodzenie skręcanego metalu i huk fal.

Rachel kuliła się w kabinie dziewięciotonowego „Trytona", który kołysał się nad otwartą klapą w stromo nachylonym pokładzie. Przez szklany bąbel widziała szalejący w dole ocean. Gdy spojrzała w górę, żeby poszukać Tollanda, ujrzała błyskawicznie rozgrywający się dramat.

Zaledwie metr od niej uwięziony w szczękach żołnierz Delty wył z bólu, podskakując jak kukiełka. William Pickering czołgał się do najbliższej knagi. Tolland wisiał na dźwigni kabestanu, ratując się przed zsunięciem z pokładu do wody. Żołnierz z pistoletem maszynowym podnosił się w pobliżu niego. Rachel wrzasnęła:

— Mike, uważaj!

Ale Delta Jeden nie zwracał uwagi na Tollanda. Z ustami otwartymi z przerażenia patrzył w kierunku pracującego na jałowym biegu helikoptera. Rachel odwróciła głowę. Bojowy śmigłowiec, z wciąż obracającymi się łopatami, powoli zsuwał się po pochyłym pokładzie. Długie metalowe płozy zachowywały się jak narty na stoku. Rachel zrozumiała, że wielka maszyna sunie prosto na „Trytona".

Delta Jeden przebiegł po pokładzie i wskoczył do kabiny ześlizgującego się helikoptera. Nie miał zamiaru dopuścić, żeby ich jedyny środek ucieczki spadł do morza. Łopaty przyspieszyły z ogłuszającym rykiem, podejmując próbę poderwania ciężko uzbrojonej maszyny z pokładu. Delta Jeden padł na fotel i pociągnął drążek. Podnieś się! W górę, do cholery! Śmigłowiec sunął prosto na „Trytona" i unieruchomionego Deltę Dwa.

Łopaty były nachylone do przodu, kiedy więc kiowa wreszcie oderwał się od pokładu, przesunął się bardziej do przodu niż w górę, zbliżając się do batyskafu jak wielka piła tarczowa. W górę! Delta Jeden ściągał drążek i żałował, że nie może zrzucić pół tony głowic bojowych Hellfire, które ściągały go w dół. Łopaty o włos minęły głowę Delty Dwa i czubek batyskafu, ale śmigłowiec poruszał się zbyt szybko. Nie miał szans ominąć liny, na której wisiał „Tryton".

Gdy wirujące z prędkością trzystu obrotów na minutę stalowe łopaty zderzyły się ze stalową liną o udźwigu piętnastu ton, noc wybuchła zgrzytem metalu o metal. Dźwięki wyczarowały obrazy epickiej bitwy. Z opancerzonej kabiny kiowy Delta Jeden patrzył, jak łopaty nacierają na linę niczym ostrza ogromnej kosiarki, która najechała na stalowy łańcuch. Nad pokładem wystrzeliła oślepiająca fontanna iskier i łopaty eksplodowały. Delta Jeden poczuł, jak maszyna opada i ciężko uderza w pokład. Próbował odzyskać nad nią panowanie, ale utracił siłę nośną. Helikopter podskoczył dwa razy i uderzył w reling statku.

Delta Jeden przez chwilę myślał, że reling wytrzyma.

Po chwili usłyszał trzask. Ciężki śmigłowiec przechylił się i spadł do morza.

Rachel Sexton siedziała jak sparaliżowana, wciśnięta w fotel w kabinie „Trytona". Gdy łopaty zderzyły się z liną, batyskaf zakołysał się gwałtownie. Jakimś cudem minęły jego korpus, ale wiedziała, że lina musiała zostać poważnie uszkodzona. W tej chwili myślała tylko o tym, jak najszybszej uciec ze statku. Żołnierz uwięziony w kleszczach patrzył na nią, półprzytomny, zakrwawiony, zraniony odłamkiem. Za nim widziała Williama Pickeringa, wciąż trzymającego się knagi na nachylonym pokładzie.

Gdzie Michael?! Nie mogła go wypatrzyć. Po chwili paniki narósł w niej nowy strach. Wystrzępiona lina jęknęła złowieszczo, gdy splecione druty się rozwinęły. Potem rozległ się głośny trzask i Rachel poczuła, że lina pęka.

Batyskaf runął w dół. Rachel przez chwilę wisiała nieważko nad fotelem. Pokład zniknął, pomosty pod „Goyą" ruszyły „Trytonowi" na spotkanie. Żołnierz w chwytakach zbielał ze strachu, patrząc wprost na nią.

Batyskaf spadał bez końca.

Kiedy uderzył w wodę, Rachel ciężko opadła na fotel. Oświetlona woda zamykała się nad kopułą. Żołądek podszedł jej do gardła, kiedy batyskaf zwolnił, zatrzymał się pod wodą, po czym zawrócił i jak korek podskoczył na powierzchni.

Rekiny zaatakowały błyskawicznie. Rachel skamieniała, patrząc na spektakl rozgrywający się zaledwie metr od niej.

Kanciasty łeb rekina uderzył Deltę Dwa z niewyobrażalną siłą. Ostre jak brzytwa zęby zacisnęły się na jego ręce, rozcinając ciało do kości i nie chcąc puścić. W mózgu Delty Dwa eksplodował błysk rozżarzonego do białości bólu, gdy rekin przekręcił potężne cielsko i gwałtownie potrząsnął głową, odrywając rękę od tułowia. Do akcji wkroczyły pozostałe. Zęby wbiły się w nogi, tors i kark. Delcie Dwa brakowało tchu, nie mógł więc krzyczeć z bólu, gdy rekiny wydzierały kęsy jego ciała. Ostatnią rzeczą, jaką zobaczył, był przekrzywiający się na bok półkolisty pysk pełen zębów, które zamknęły się na jego twarzy.

Zapadła ciemność.

Łomotanie, z jakim ciężkie łby taranowały okno, w końcu ucichło. Poobijana Rachel otworzyła oczy. Mężczyzna zniknął. Woda omywająca okno miała szkarłatny kolor.

Rachel skuliła się w fotelu, podciągając kolana do piersi. Czuła, że batyskaf się porusza. Dryfował, niesiony prądem, ze zgrzytem przesuwając się wzdłuż dolnego pokładu do nurkowania. Przesuwał się również w innym kierunku. W dół.

Z zewnątrz dobiegało charakterystyczne bulgotanie wody wlewającej się do zbiorników balastowych. Było coraz głośniejsze. Ocean centymetr po centymetrze wspinał się po przejrzystej kopule.

Tonę!

Wstrząsnęło nią przerażenie i zerwała się na równe nogi. Starała się dosięgnąć mechanizmu zamykającego właz. Jeśli zdoła wyjść z batyskafu, zdąży wskoczyć na pokład „Goyi". Jest oddalony najwyżej półtora metra.

Muszę się wydostać!

Na mechanizmie wyraźnie zaznaczono, w którą stronę należy go przekręcić, żeby otworzyć właz. Wytężyła siły. Koło nie ustąpiło. Spróbowała jeszcze raz. Nic. Pokrywa została zatrzaśnięta. Wygięta. Gdy strach narastał w niej jak morze na zewnątrz batyskafu, Rachel zebrała siły i pchnęła ostatni raz.

Właz nawet nie drgnął.

„Tryton" zanurzył się głębiej, ostatni raz zderzył się z „Goyą" i wypłynął spod pogruchotanego kadłuba... na otwarte morze.

Rozdział 126

— Nie rób tego — błagała Gabrielle, gdy senator kończył kopiować dokumenty. — Narażasz życie córki!

Sexton, głuchy na jej słowa, wrócił do biurka z dziesięcioma kompletami kserokopii. Każdy komplet zawierał kopie stron przefaksowanych przez Rachel, łącznie z odręcznie napisanym listem twierdzącym, że meteoryt jest fałszywy oraz że NASA i Biały Dom nastają na życie Rachel.

Media nigdy nie dostały bardziej szokujących materiałów, myślał Sexton, pakując dokumenty do dużych płóciennych białych kopert. Na każdej widniało jego nazwisko, adres biura i senatorska pieczęć. Nikt nie będzie miał wątpliwości, od kogo pochodzą te niewiarygodne informacje. Polityczna afera stulecia, myślał, i to ja ją ujawnię!

Gabrielle wciąż błagała, żeby nie narażał Rachel, ale Sexton jej nie słyszał. Zamknął się w swoim świecie. Kariera każdego polityka ma przełomową chwilę. Niedługo nastąpi moja.

Wiadomość od Williama Pickeringa ostrzegała, że jeśli ujawni materiały, życie Rachel znajdzie się w niebezpieczeństwie. Na nieszczęście dla niej Sexton wiedział, że jeśli zdemaskuje oszustwo NASA, to jedno śmiałe posunięcie zagwarantuje mu wjazd do Białego Domu w sposób tak zdecydowany i efektowny, jakiego w amerykańskiej polityce jeszcze nie widziano.

Życie jest pełne trudnych decyzji, pomyślał. I te trafne podejmują zwycięzcy.

Gabrielle już kiedyś widziała ten błysk w oczach Sextona. Ślepa ambicja. Bała się tego. I nie bez powodu, jak teraz zrozumiała.

Sexton był gotów zaryzykować życie córki, byle tylko jako pierwszy ogłosić światu oszustwo NASA.

— Nie rozumiesz, że już wygrałeś? — zapytała. — Wykluczone, żeby Zach Herney i NASA przetrwali ten skandal. Nie ma znaczenia, kto go ujawni! Nie ma znaczenia, kiedy! Zaczekaj, dopóki nie dowiesz się, że Rachel jest bezpieczna. Zaczekaj na rozmowę z Pickeringiem!

Sexton nie słuchał. Otworzył szufladę biurka, wyciągnął foliowy arkusz z tuzinami samoprzylepnych woskowych pieczęci wielkości pięciocentówek. Na każdej widniały jego inicjały. Gabrielle wiedziała, że zwykle opatruje nimi formalne zaproszenia. Najwyraźniej uznał, że szkarłatne pieczęcie na kopertach będą stanowiły dodatkowy akcent dramatyczny. Zrywał je z folii i naklejał na skrzydełka, pieczętując koperty jak królewskie listy.

W sercu Gabrielle wezbrał gniew. Przyszły jej na myśl skany nielegalnych czeków w komputerze. Wiedziała, że jeśli o nich wspomni, Sexton po prostu wykasuje dowody.

— Nie rób tego, bo rozgłoszę, że mieliśmy romans — ostrzegła.

Sexton roześmiał się głośno, wciąż naklejając woskowe pieczęcie.

— Poważnie? I myślisz, że ci uwierzą? Myślisz, że ktokolwiek da wiarę żądnej władzy pracownicy, która spotkała się z odmową zatrudnienia w mojej administracji i za wszelką cenę szuka zemsty? Już raz zaprzeczyłem i świat mi uwierzył. Po prostu zaprzeczę jeszcze raz.

— Biały Dom ma zdjęcia.

Sexton nawet nie podniósł oczu.

— Nie ma. A gdyby nawet są bezwartościowe. — Przykleił ostatnią pieczęć. — Mam immunitet. Te koperty przebiją wszystko, czym ktokolwiek spróbuje mnie obrzucić.

Gabrielle wiedziała, że Sexton ma rację. Czuła się zupełnie bezradna, gdy podziwiał swoje dzieło. Na jego biurku leżało dziesięć eleganckich białych kopert. Każda opatrzona nazwiskiem i adresem oraz szkarłatną pieczęcią z jego inicjałami. Wyglądały jak listy królewskie. Z pewnością królowie byli koronowani dzięki mniej ważnym informacjom.

Sexton zebrał koperty i przygotował się do wyjścia. Gabrielle zastąpiła mu drogę.

— Popełniasz błąd. To może zaczekać.

Przeszył ją wzrokiem.

— Ja cię stworzyłem, Gabrielle, a teraz cię odwołuję.

— Ten faks od Rachel zapewni ci prezydenturę. Jesteś jej coś winien.

— Dałem jej dużo.

— A jeśli coś jej się stanie?

— Wtedy zapewni mi głosy współczucia.

Gabrielle nie mogła uwierzyć, że śmiał pomyśleć o czymś takim, a w dodatku powiedział to głośno. Zdegustowana, sięgnęła po słuchawkę telefonu.

— Dzwonię do Białego...

Sexton odwrócił się i uderzył ją w twarz.

Gabrielle zatoczyła się, czując, że pękła jej warga. Przytrzymała się biurka, patrząc ze zdumieniem na człowieka, którego kiedyś wielbiła.

Sexton obrzucił ją długim, twardym spojrzeniem.

— Jeśli choćby pomyślisz, żeby mi przeszkodzić, będziesz tego żałowała do końca życia. — Stał niewzruszony, trzymając pod pachą plik opieczętowanych kopert. W jego oczach widać było brutalną groźbę.

Kiedy wyszła z biurowca na zimne nocne powietrze, warga wciąż krwawiła. Zatrzymała taksówkę. Wsiadła. Po raz pierwszy od czasu przyjazdu do Waszyngtonu Gabrielle Ashe załamała się i rozpłakała.

Rozdział 127

„Tryton” opada...

Michael Tolland stanął niepewnie na nachylonym pokładzie i popatrzył zza kabestanu na wystrzępioną linę, na której jeszcze niedawno wisiał batyskaf. Odwrócił się w stronę rufy, omiótł wzrokiem wodę. Niesiony prądem „Tryton” właśnie wyłaniał się spod „Goyi”. Zadowolony, że batyskaf nie został uszkodzony, przeniósł spojrzenie na właz. Niczego bardziej nie pragnął, jak tego, żeby się otworzył, żeby Rachel, cała i zdrowa, wyszła na pokład. Ale właz pozostał zamknięty. Tolland zastanowił się, czy przypadkiem nie straciła przytomności w wyniku gwałtownego upadku.

Nawet z pokładu widział, że „Tryton” jest wyjątkowo głęboko zanurzony, znacznie poniżej linii wody. Tonie. Nie miał pojęcia, dlaczego, ale powód w tej chwili był nieistotny.

Muszę wydostać Rachel. Natychmiast.

Gdy ustawił się do skoku na krawędzi pokładu, wokół niego załomotał grad pocisków z broni maszynowej, krzesząc iskry na wielkim kabestanie. Tolland rzucił się na kolana. Cholera! Wyjrzał zza bębna i zobaczył, że Pickering stoi na górnym pokładzie, celując do niego niczym snajper. Żołnierz upuścił karabin w czasie wsiadania do skazanego na zagładę helikoptera i szef NRO musiał go podnieść. Teraz zajmował dogodną pozycję strzelecką.

Uwięziony za kabestanem, Tolland popatrzył na tonącego „Trytona”. Prędzej, Rachel! Wyłaź! Czekał, patrząc na właz. Nic się nie stało.

Odwrócił się, mierząc wzrokiem otwartą przestrzeń między

kabestanem a relingiem na rufie. Sześć metrów. Kawał drogi bez osłony.

Odetchnął głęboko i podjął decyzję. Zdarł koszulę, rzucił ją w prawo, na otwarty pokład. Podczas gdy Pickering dziurawił kulami koszulę, Tolland skoczył w lewo, w dół nachylonego pokładu, w kierunku rufy. Wybił się i przeskoczył nad relingiem. Lecąc wysokim łukiem, słyszał gwiżdżące wokół kule i wiedział, że wystarczy jedno draśnięcie, a w chwili upadku do wody stanie się przekąską dla rekinów.

Rachel Sexton czuła się jak dzikie zwierzę zamknięte w klatce. Kolejne próby otworzenia włazu kończyły się niepowodzeniem. Słyszała, jak gdzieś pod nią zbiornik napełnia się wodą. Batyskaf stawał się coraz cięższy. Ciemny ocean wspinał się coraz wyżej po przejrzystej szybie, jak czarna kurtyna zaciągana od dołu do góry.

Przez dolną połowę okna Rachel widziała pustkę oceanu przypominającą otwarty grób i grożącą połknięciem jej w całości. Chwyciła mechanizm i po raz kolejny spróbowała otworzyć właz. Nie chciał ustąpić. Oddychała z trudem, czując wilgotną woń, która świadczyła o nadmiarze dwutlenku węgla. Prześladowała ją jedna stale powracająca myśl.

Umrę sama pod wodą.

Przebiegła wzrokiem po pulpicie sterowniczym, szukając czegoś, co mogłoby jej pomóc, ale wszystkie kontrolki były ciemne. Brak zasilania. Została zamknięta w stalowej trumnie, która opada na dno morza.

Bulgotanie w zbiornikach jakby się wzmogło. Już tylko kilkanaście centymetrów dzieliło linię wody od górnej krzywizny okna. W dali, za bezkresną przestrzenią wody, zza horyzontu wysuwała się szkarłatna wstęga. Nadchodził świt. Rachel bała się, że to będzie jej ostatni. Zamknęła oczy, żeby choć w ten sposób odgrodzić się od nieuchronnego przeznaczenia. Natychmiast zaatakowały ją straszne wspomnienia z dzieciństwa.

Trzask lodu. Zimna woda.

Brakowało jej tchu. Nie mogła się wydostać. Tonęła.

Matka wołała: „Rachel! Rachel!".

Z majaczeń wyrwało ją walenie w kadłub. Otworzyła oczy.

— Rachel! — Głos był stłumiony. Za szybą zobaczyła widmową twarz, okoloną ciemnymi włosami. Ledwo rozpoznała ją w mroku.

— Michael!

Tolland wypłynął na powierzchnię i odetchnął z ulgą. Rachel żyje, porusza się wewnątrz batyskafu. Żyje. Kilka razy machnął rękami, podpłynął do rufy „Trytona" i wspiął się na zanurzoną osłonę silnika. Woda wydawała się gorąca i ciężka, gdy przykucnął, żeby chwycić okrągłe pokrętło. Miał nadzieję, że znajduje się poza zasięgiem karabinu Pickeringa.

Kadłub „Trytona" był już prawie pod wodą. Tolland wiedział, że jeśli ma otworzyć właz i wyciągnąć Rachel, musi się spieszyć. W tej chwili miał w zapasie dwadzieścia pięć centymetrów. Rezerwa szybko malała. Kiedy właz się zanurzy, potok wody wleje się do wnętrza, uniemożliwiając Rachel wyjście i wysyłając batyskaf na dno.

— Teraz albo nigdy — wysapał, chwytając koło i ciągnąc je w kierunku przeciwnym do ruchu wskazówek zegara. Nic się nie stało. Spróbował jeszcze raz, szarpiąc z całej siły. Koło ani drgnęło.

Słyszał Rachel po drugiej stronie pokrywy. W jej stłumionym głosie pobrzmiewał strach.

— Próbowałam! — wołała. — Nie dałam rady!

Woda już wdzierała się na pokrywę włazu.

— Kręćmy razem! — krzyknął. — Przeciwnie do ruchu wskazówek zegara! — Wiedział, że tarcza jest wyraźnie oznakowana. — Dobra, teraz!

Zaparł się o zbiorniki balastowe i wytężył mięśnie. Słyszał, jak Rachel szarpie koło. Obróciło się o centymetr i znieruchomiało na dobre.

Teraz zobaczył. Pokrywa nie leżała równo we wgłębieniu. Jak w przypadku nierówno nałożonego i mocno zakręconego wieczka słoika, zapadki wykrzywiły się i zakleszczyły, co znaczyło, że właz można otworzyć tylko palnikiem.

Gdy cały batyskaf zniknął pod powierzchnią wody, Tollanda sparaliżował strach. Rachel Sexton nie ucieknie z „Trytona".

Sześćset metrów niżej zmiażdżony kadłub obładowanego bombami śmigłowca Kiowa szybko opadał, będąc niewolnikiem grawitacji i potężnego zasysania głębinowego wiru. W kabinie leżały zwłoki Delty Jeden, straszliwie zdeformowane przez miażdżące ciśnienie głębiny.

Maszyna spiralnie opadała w dół, z wciąż podczepionymi pociskami Hellfire. Na dnie oceanu, niczym rozgrzane do czerwoności lądowisko, czekała rozjarzona kopuła. Pod grubą na trzy metry skorupą wrzała magma o temperaturze tysiąca stopni Celsjusza, wulkan gotowy do erupcji.

Rozdział 128

Tolland stał po kolana w wodzie na pokrywie silnika tonącego „Trytona", gorączkowo szukając sposobu na ocalenie Rachel.

Nie pozwól, żeby batyskaf zatonął!

Spojrzał w stronę „Goyi", zastanawiając się, czy zdoła dotrzeć do wyciągarki i podczepić batyskaf, żeby zatrzymać go w drodze na dno. Niemożliwe. Odległość wynosiła już pięćdziesiąt metrów, a Pickering stał wysoko na mostku niczym rzymski cesarz w loży honorowej na krwawym widowisku w Koloseum.

Myśl! Dlaczego „Tryton" tonie?

Mechanika pływalności batyskafu była boleśnie prosta: o ruchu w pionie decydowały zbiorniki balastowe — napompowane powietrzem pozwalały na wynurzenie, a napełnione wodą powodowały zanurzenie.

Najwyraźniej zbiorniki się napełniają.

Przecież nie powinny!

Zbiorniki balastowe wszystkich statków podwodnych wyposażone są w otwory na górze i od spodu. Dolne, tak zwane zalewowe, zawsze są otwarte, podczas gdy górne — zawory powietrzne — można zamykać, żeby uwięzić wpompowywane powietrze, i otwierać, żeby powietrze mogło uciec, ustępując wodzie.

Może zawory powietrzne „Trytona" z jakiegoś powodu są otwarte? Tolland nie potrafił wyobrazić sobie dlaczego. Przesuwał się po zanurzonej osłonie silnika, macając zbiornik balastowy. Zawory zamknięte. Ale jego palce znalazły coś innego.

Dziury po kulach.

Cholera! „Tryton" został trafiony, kiedy Rachel wskoczyła do środka. Tolland natychmiast zanurkował i wpłynął pod statek, ostrożnie przesuwając rękę po ważniejszym zbiorniku balastowym — szybkiego zanurzenia. Anglicy nazywają go „ekspresem na dno", a Niemcy „zakładaniem ołowianych butów". W obu przypadkach nazwa mówi sama za siebie. Ten zbiornik po napełnieniu szybko ściąga batyskaf w dół.

Przesuwając rękę po bokach zbiornika, Tolland wymacał tuziny dziur po kulach. Czuł wpływającą wodę. „Tryton" szykował się do ostatecznego zanurzenia.

Batyskaf był już dziewięćdziesiąt centymetrów pod powierzchnią. Tolland przesunął się na dziób, przycisnął twarz do okna i zajrzał do kabiny. Rachel waliła w szybę i krzyczała. Strach w jej głosie sprawił, że opadła go bezsilność. Przez chwilę znów był w chłodnym szpitalu, znów patrzył, jak umiera ukochana kobieta, znów wiedział, że nie może nic dla niej zrobić. Unosząc się pod wodą przed tonącym batyskafem powiedział sobie, że drugi raz tego nie zniesie. „Dasz sobie radę", powiedziała mu Celia, ale on nie chciał żyć sam... już nie.

Płuca paliły, domagając się powietrza, a jednak został z nią, z Rachel. Za każdym razem, gdy uderzała w szybę, słyszał bulgotanie powietrza i batyskaf opadał głębiej. Rachel krzyczała coś o wodzie wlewającej się przez okno.

Okno widokowe przecieka.

Dziura po kuli w tym szkle? Wydawało się to mało prawdopodobne. Czując ogień w płucach, przygotował się do wypłynięcia na powierzchnię. Gdy przesuwał dłonią po wielkim pleksiglasowym oknie, palce trafiły na kawałek luźnej gumy. Uszczelka musiała zostać naruszona w chwili zderzenia z powierzchnią wody. Kabina została rozszczelniona. Kolejne złe wieści.

Tolland wynurzył się i odetchnął głęboko trzy razy, próbując się skupić. Woda dostająca się do kabiny przyspieszy opadanie „Trytona". Batyskaf już był półtora metra pod powierzchnią, ledwo muskał go stopami. Czuł, jak Rachel rozpaczliwie wali w kadłub.

Tylko jedno przychodziło mu na myśl: jeśli zanurkuje do pokrywy silnika i znajdzie butlę ze sprężonym powietrzem, będzie mógł napompować zbiornik szybkiego zanurzenia. Choć napełnianie dziurawego zbiornika na dłuższą metę mija się z celem, być może „Tryton" utrzyma się blisko powierzchni jeszcze przez minutę.

A co potem?

Nie mając innego pomysłu, Tolland przygotował się do zanurzenia. Wziął bardzo głęboki oddech, napełniając płuca powietrzem niemal do bólu. Większa pojemność płuc. Więcej tlenu. Dłuższe nurkowanie. Ale gdy jego płuca się rozszerzały, napierając na żebra, do głowy wpadła mu dziwna myśl.

A gdyby zwiększyć ciśnienie wewnątrz kadłuba? Bąbel widokowy ma uszkodzoną uszczelkę. Może, jeśli zdoła zwiększyć ciśnienie w kabinie, powietrze wysadzi całe okno. Wówczas będzie mógł uwolnić Rachel.

Wypuścił powietrze z płuc i przez chwilę unosił się na powierzchni, próbując ocenić, czy pomysł jest realny. Na pewno logiczny. Ostatecznie statek głębinowy zbudowany jest w taki sposób, żeby wytrzymywać duże ciśnienie zewnętrzne, ale prawie żadnego od środka.

Co więcej, wszystkie zawory na „Trytonie" są jednakowe, co zmniejsza ilość części zapasowych przewożonych przez „Goyę". Tolland doszedł do wniosku, że mógłby po prostu podłączyć przewód butli ze sprężonym powietrzem do awaryjnego regulatora po lewej stronie statku. Zwiększone ciśnienie sprawi Rachel ból, ale być może uratuje jej życie.

Zaczerpnął powietrza i zanurkował.

Batyskaf był już prawie dwa metry pod powierzchnią, a prądy i ciemność utrudniały orientację. Kiedy znalazł butlę, szybko podłączył wąż i chwycił zawór, gotów wpuścić powietrze do kabiny. Wymalowany odblaskową żółtą farbą napis na butli przypomniał mu, że to niebezpieczne posunięcie: UWAGA: SPRĘŻONE POWIETRZE — 20 atmosfer.

Dwadzieścia atmosfer, pomyślał. Miał nadzieję, że okno „Trytona" zostanie wypchnięte, zanim ciśnienie w kabinie zmiażdży płuca Rachel. Ma wetknąć wąż strażacki do balonu pełnego wody, odkręcić zawór i modlić się, żeby balon pękł jak najszybciej.

Podjął decyzję. Zawieszony nad tonącym batyskafem, otworzył zawór. Przewód natychmiast zesztywniał i Tolland usłyszał syk powietrza, które z ogromną siłą wpadało do kabiny.

Rachel poczuła nagły dojmujący ból głowy. Otworzyła usta, by krzyknąć, ale powietrze wdarło się do jej gardła z tak wielką siłą, że przeraziła się, iż zaraz eksplodują jej płuca. Miała wrażenie, że ciśnienie wtłacza jej oczy w głąb czaszki. Ogłuszające dudnienie atakowało bębenki. Była o krok od utraty przytomności. Instynktownie zacisnęła powieki i podniosła ręce do uszu. Ból narastał.

Usłyszała łomotanie. Zmusiła się do uchylenia powiek i zobaczyła w ciemności sylwetkę Michaela. Przyciskał twarz do szyby. Wymachiwał rękami, każąc jej coś zrobić.

Ale co?

Ledwo widziała go w mroku. Patrzyła jak przez mgłę, ciśnienie zniekształciło obraz. Mimo to wiedziała, że batyskaf opadł poniżej głębokości, na jaką dociera blask podwodnych reflektorów „Goyi". Otaczała ją nieskończona atramentowa pustka.

Tolland nie przestawał tłuc w okno. Jego płuca domagały się powietrza i wiedział, że za parę sekund będzie musiał wrócić na powierzchnię.

Pchnij szybę! — wołał w myślach. Słyszał, jak bąbelki powietrza krążą wokół szkła. Gdzieś obluzowała się uszczelka. Macał wzdłuż skraju, szukając jakiegoś punku zaczepienia. Nic.

Gdy tlen się wyczerpał i pociemniało mu w oczach, zabębnił w okno po raz ostatni. Już nawet nie widział Rachel. Mając w płucach resztkę powietrza, wrzasnął pod wodą:

— Rachel... pchnij... szybę!

Z jego ust popłynął stłumiony bełkot.

Rozdział 129

Rachel miała wrażenie, że jej głowa jest ściskana w jakimś średniowiecznym narzędziu tortur. Garbiąc się nad fotelem, czuła zbliżającą się śmierć. Znajdujące się na wprost niej okno było puste. Ciemne. Łomotanie ucichło.

Tolland uciekł. Zostawił ją.

Syk sprężonego powietrza przypominał jej ogłuszający wiatr na Lodowcu Milne'a. Na podłodze batyskafu było już trzydzieści centymetrów wody. Wypuść mnie! Tysiące myśli i wspomnień przemykały przez jej głowę jak błyski jaskrawego światła.

Batyskaf się przechylił. Rachel zachwiała się, tracąc równowagę. Zatoczyła się na fotel i upadła do przodu, uderzając w sferyczne okno. Jej ramię przeniknął ostry ból. Wylądowała pod oknem i poczuła coś niespodziewanego — nagły spadek ciśnienia w kabinie. Ból w uszach zelżał i usłyszała bulgot powietrza uciekającego z batyskafu.

Dopiero po chwili zrozumiała, co się stało. Upadła na okno, które poruszyło się pod jej ciężarem. Wtedy powietrze zaczęło uciekać. Najwyraźniej szyba była poluzowana! Nagle zrozumiała, do czego zmierzał Tolland, zwiększając ciśnienie w kabinie.

Chce wysadzić okno!

Butla wciąż pompowała sprężone powietrze. Leżąc przy oknie, Rachel czuła wzrastające ciśnienie. Ucieszyła się, choć wiedziała, że jest bliska utraty przytomności. Z trudem podniosła się na nogi i z całej siły naparła na szybę.

Tym razem nie usłyszała bulgotania. Szkło poruszyło się, lecz tylko minimalnie.

Rzuciła się na nie całym ciężarem. Nic. Zabolało ją ramię. Popatrzyła na nie. Krew zaschła. Rachel przygotowała się do ponownej próby, ale nie zdążyła. Nagle uszkodzony batyskaf zaczął się przechylać. Gdy ciężki przedział silnika przeważył nad zalanymi zbiornikami balastowymi, „Tryton" przekręcił się i zaczął opadać rufą do przodu.

Rachel upadła na plecy na tylną ścianę kabiny. Na wpół zanurzona w wodzie, patrzyła na nieszczelne okno, wiszące nad nią jak wielki świetlik.

Na zewnątrz była tylko noc... i tysiące ton napierającej wody.

Chciała wstać, ale jej ciało wydawało się martwe i ciężkie. Znów wróciła myślami do wypadku z dzieciństwa, kiedy była uwięziona pod lodem.

„Walcz, Rachel!" — krzyczała matka, wyciągając ręce, żeby wydobyć ją z wody. „Chwyć się!".

Rachel zamknęła oczy. Tonę. Łyżwy ciążyły niczym ołów, ciągnąc ją w dół. Widziała, że matka leży na lodzie z rozpostartymi nogami, rozkładając ciężar, i wyciąga ręce.

„Machaj nogami, Rachel! Kop!".

Rachel starała się jak mogła. Jej ciało uniosło się lekko w przeręblu. Rozbłysła iskierka nadziei. Wreszcie matka ją złapała.

„Tak! — krzyczała. — Pomóż, żebym mogła cię podnieść! Kop nogami!".

Ciągnięta przez matkę, Rachel zużyła resztki sił na machanie nogami. Wystarczyło. Matka wydostała ją na bezpieczny lód, przeciągnęła na zaśnieżony brzeg i usiadła, zalewając się łzami.

Rachel otworzyła oczy, wdychając coraz bardziej wilgotne i ciepłe powietrze. W ciemności słyszała, jak matka szepcze zza grobu, głosem wyraźnym nawet tutaj, w kabinie tonącego „Trytona".

„Kop, machaj nogami".

Popatrzyła na kopułę. Zbierając się na odwagę, weszła na oparcie fotela, teraz niemal poziome jak w fotelu dentystycznym. Leżąc na plecach, podciągnęła nogi i wycelowała stopy w górę. Z dzikim wrzaskiem rozpaczy i siły kopnęła w sam środek pleksiglasowej kopuły. Jej golenie przeniknęły igły bólu. Zahuczało jej w uszach i poczuła, że ciśnienie gwałtownie spada. Uszczelka po lewej stronie puściła i wielkie okno odchyliło się na zewnątrz jak wrota stodoły.

Do kabiny wlał się strumień wody i wbił ją w oparcie. Ocean huczał, wirował pod jej plecami, a wreszcie poderwał z fotela i zaczął rzucać jak skarpetkę w bębnie pralki. Rachel po omacku szukała czegoś, czego mogłaby się przytrzymać, ale wir kręcił nią dziko. Gdy kabina wypełniała się wodą, batyskaf szybko opadał na dno. Jej ciało bezwolnie popłynęło w górę. Wokół niej pędziły bąble powietrza, wykręcały ją, ciągnęły w lewo i w górę. Arkusz pleksiglasu uderzył ją w biodro.

Wreszcie była wolna.

Koziołkowała w ciepłej czerni wody, brakowało jej powietrza. Płyń na powierzchnię! Rozejrzała się w poszukiwaniu światła. Jej świat ze wszystkich stron wyglądał jednakowo. Czerń. Brak siły ciążenia. Nie wiedziała, gdzie jest góra, a gdzie dół.

W tej koszmarnej chwili Rachel zrozumiała, że nie ma pojęcia, w którą stronę płynąć.

Tysiące metrów pod nią tonący kiowa był miażdżony przez wciąż wzrastające ciśnienie. Piętnaście przeciwpancernych pocisków AGM-114 Hellfire też podlegało działaniu ciśnienia, ich miedziane otuliny i detonatory wginały się niebezpiecznie do wewnątrz.

Trzydzieści metrów nad dnem oceanu potężny trzon megawiru pochwycił resztki śmigłowca i zassał je, rzucając na rozgrzaną do czerwoności kopułę magmy. Jak zapalane po kolei zapałki, pociski Hellfire eksplodowały, rozdzierając ziejącą dziurę w skorupie.

Michael Tolland wypłynął na powierzchnię, zaczerpnął tchu i zanurkował. Gdy pociski wybuchły, unosił się cztery i pół metra pod powierzchnią wody, omiatając wzrokiem ciemności. W białym błysku ujrzał niesamowity obraz — stop-klatkę, którą miał pamiętać do końca życia.

Rachel Sexton wisiała trzy metry niżej jak połamana marionetka. Pod nią szybko opadał „Tryton" z naderwanym oknem. Rekiny pierzchły na otwarte morze, najwyraźniej przeczuwając niebezpieczeństwo.

Radość Tollanda na widok Rachel prysła w jednej chwili, gdy zrozumiał, co się zaraz stanie. Światło zgasło, ale miał w pamięci jej pozycję. Zanurkował głębiej, zmierzając w jej stronę.

Tysiące metrów w dole nadwątlona skorupa pękła i podwodny wulkan eksplodował, wyrzygując do morza lawę o temperaturze tysiąca dwustu stopni Celsjusza. Pod wpływem ciepła woda przemieniła się w parę i ogromna kolumna gazu wzbiła się ku powierzchni wzdłuż osi megawiru. W myśl tych samych praw, które rządzą tornadami, pionowy wznos pary był równoważony przez antycyklonalną spiralę wody, spływającą w dół trzonu.

Prądy oceaniczne wirujące wokół słupa wznoszącego się gazu przybrały na sile. Uciekająca para wytwarzała ogromną próżnię, która zasysała galony wody w dół, gdzie stykały się z lawą. Woda uderzała w dno, parowała, dołączała do rosnącej kolumny pary i pędziła w górę, a w jej miejsce napływała świeża woda. Wir hydrotermalny z sekundy na sekundę stawał się coraz silniejszy i większy, a jego górna krawędź przybliżała się do powierzchni.

Rodziła się oceaniczna czarna dziura.

Rachel czuła się jak dziecko w łonie matki. Spowijała ją gorąca, wilgotna ciemność. Atramentowe ciepło otumaniło jej umysł. Oddychaj. Błysk światła, który widziała, mógł pochodzić tylko z powierzchni, a jednak wydawał się ogromnie daleki. Złudzenie. Płyń na powierzchnię. Zaczęła płynąć wolno w kierunku światła. Nagle dostrzegła coś więcej... dziwny czerwony żar w dali. Świt? Przyspieszyła.

Jakaś ręka złapała ją za kostkę.

Rachel niemal krzyknęła pod wodą, wydychając resztki powietrza.

Ręka, znajoma ręka, ciągnęła ją w tył, wykręcała, kierowała w przeciwną stronę. Był z nią Michael Tolland.

Umysł mówił jej, że ciągnie ją w dół. Serce zapewniało, że wie, co robi.

„Machaj nogami", szepnęła matka.

Rachel posłuchała i zaczęła z całych sił kopać wodę.

Rozdział 130

Oboje wypłynęli bezpiecznie, ale Tolland wiedział, że nie mają szans. Kopuła magmy wybuchła. Gdy tylko szczyt wiru dotrze na powierzchnię, gigantyczne podwodne tornado zacznie wszystko zasysać. Dziwne, świat na powierzchni nie był już taki cichy jak przed chwilą. Panował ogłuszający hałas, wiał silny wiatr, jakby w czasie, gdy był pod wodą, na powierzchni rozpętała się burza.

Tolland był prawie nieprzytomny z powodu niedotlenienia. Próbował podtrzymywać Rachel, która zaczynała wysuwać się z jego ramion. Prąd! Starał się, ale niewidzialna siła napierała coraz mocniej, grożąc wyrwaniem mu Rachel. Nagle wysunęła się z jego uścisku... w górę.

Oszołomiony Tolland patrzył, jak Rachel wynurza się z wody.

Rachel została wciągnięta na pokład samolotu Osprey. Dwadzieścia minut wcześniej dyżurni ze straży przybrzeżnej otrzymali meldunek o wybuchu na morzu. Stracili kontakt radarowy ze śmigłowcem Dolphin, który powinien przebywać na tym obszarze, i obawiali się, że doszło do wypadku. Wpisali do systemu nawigacyjnego ostatnie znane współrzędne maszyny i pospieszyli na ratunek.

W odległości kilkuset metrów od oświetlonego statku załoga dostrzegła niesiony prądem płonący wrak, który wyglądał na resztki motorówki. W pobliżu ktoś dziko wymachiwał rękami. Wciągnęli go na pokład. Mężczyzna był zupełnie nagi i miał nogę okręconą taśmą izolacyjną.

Wyczerpany Tolland patrzył na brzuch huczącego samolotu. Z ustawionych poziomo śmigieł biły ogłuszające podmuchy. Gdy Rachel wzniosła się na linie, liczne ręce wciągnęły ją do kabiny. Tolland, który nie spuszczał jej z oka, dostrzegł kucającą w drzwiach znajomą, wpółnagą postać.

Corky? W jego sercu wezbrała radość. Żyjesz!

Uprząż opuściła się z nieba i spadła do wody trzy metry od niego. Chciał do niej podpłynąć, ale już zasysał go wir. Morze trzymało go bezlitośnie, nie chciało puścić.

Prąd wciągnął go pod wodę. Tolland walczył z nim, próbując wypłynąć, ale zmęczenie zaczynało brać górę. „Dasz sobie radę", powtarzał jakiś głos. Tolland wierzgnął nogami, wyrwał się na powierzchnię. Uderzył w niego dmący od śmigieł wiatr. Uprząż wciąż była poza jego zasięgiem. Zadzierając głowę w strumieniu wiatru i huku, zobaczył Rachel. Patrzyła w dół, przywołując go do siebie.

Dotarcie do uprzęży wymagało czterech potężnych wymachów rękami. Resztką sił wsunął ramię i głowę w pętlę, a potem zawisł na niej bezwładnie.

Ocean pod nim zaczął się zapadać.

Tolland spojrzał w dół w chwili, gdy w wodzie otworzył się ziejący lej. Wir hydrotermalny wreszcie dotarł na powierzchnię.

William Pickering stał na mostku „Goyi" i w osłupieniu patrzył na rozgrywający się przed nim dramat. Na prawo od rufy na powierzchni morza powstawało ogromne zagłębienie. Wir miał setki metrów średnicy i szybko się powiększał. Woda wlewała się spiralnie, gładko pokonując krawędź. Z głębiny dochodziło niskie zawodzenie. Pickering z pustką w głowie patrzył, jak lej rozdziawia się niczym usta jakiegoś pradawnego boga, który łaknie ofiary.

To sen, pomyślał.

Nagle z potężnym sykiem, który strzaskał okna na mostku „Goyi", z leja wystrzelił pióropusz pary. Kolosalny gejzer z hukiem piął się w niebo, a jego wierzchołek niknął w ciemności.

W jednej chwili ściany leja stały się bardziej strome; wir rozszerzał się jeszcze szybciej, pędząc w jego stronę. „Goya" obrócił się rufą w kierunku rosnącego zagłębienia. Pickering stracił równowagę i upadł na kolana. Jak dziecko w obliczu Boga, spoglądał w głąb powiększającej się otchłani.

Jego ostatnie myśli dotyczyły córki. Pickering miał nadzieję, że nie było jej dane zaznać przed śmiercią takiego strachu, jakiego sam właśnie doświadczał.

Fala uderzeniowa od uciekającej pary miotała ospreyem na boki. Tolland i Rachel trzymali się, gdy piloci wyrównywali lot, przelatując nisko nad skazanym na zagładę „Goyą". Zobaczyli Williama Pickeringa, Kwakra, w ciemnym płaszczu i krawacie klęczącego przy relingu.

Gdy para rozłożyła się jak parasol wysoko nad ogromnym tornadem, pękł łańcuch kotwiczny. Z dumnie zadartym dziobem „Goya" zsunął się z krawędzi, zassany do wnętrza wirującego leja. Światła wciąż się paliły, gdy zniknął pod powierzchnią.

Rozdział 131

Poranek w Waszyngtonie był czysty i rześki.

Wokół monumentu Waszyngtona wirowały liście. Największy obelisk świata zwykle samotnie przeglądał się w stawie, ale tego ranka tłoczyły się wokół niego gromady reporterów.

Senator Sedgewick Sexton czuł się większy od samego Waszyngtona, gdy wysiadł z limuzyny i kroczył jak lew w kierunku czekających reporterów. To on zaprosił przedstawicieli dziesięciu największych agencji informacyjnych i obiecał ujawnienie skandalu dziesięciolecia.

Nic tak nie przyciąga ścierwojadów, jak zapach śmierci, pomyślał.

W ręku trzymał plik białych płóciennych kopert, elegancko opatrzonych pieczęcią z monogramem. Jeśli informacja jest władzą, to on niesie głowicę jądrową.

Upojony, zbliżył się do podium. Był zadowolony z zaimprowizowanej sceny z dwoma „ramami sławy" — dużymi, wolno stojącymi ściankami, które okalały mównicę jak granatowe kurtyny. Była to stara sztuczka Ronalda Reagana, zapewniająca wyróżnianie się na każdym tle.

Sexton wszedł na scenę i wyłonił się zza ścianki niczym aktor zza kulis. Reporterzy szybko zajęli miejsca na składanych krzesłach ustawionych w kilku rzędach. Słońce wyłaniało się zza kopuły Kapitolu; skośne promienie, różowe i złote, opromieniały senatora jak boska chwała.

Idealny dzień, żeby zostać najpotężniejszym człowiekiem świata.

— Dzień dobry państwu — rozpoczął, kładąc koperty na pulpicie. — Postaram się, żeby moje wystąpienie było krótkie i bezbolesne. Informacje, jakimi zamierzam się z wami podzielić, są, szczerze mówiąc, dość niepokojące. Te koperty zawierają dowody oszustwa na najwyższych szczeblach. Ze wstydem wyznam, że prezydent wezwał mnie pół godziny temu i błagał — tak, błagał — żebym ich nie ujawniał. — Z niesmakiem pokręcił głową. — A jednak jestem człowiekiem, który wierzy w prawdę, niezależnie od tego, jak jest bolesna.

Sexton umilkł i potrząsnął kopertami, podsycając ciekawość tłumu. Reporterzy wodzili za nimi wzrokiem niczym stado psów, które ślinią się na widok jeszcze nieznanego, ale najpewniej smacznego kąska.

Prezydent wezwał go pół godziny wcześniej i wszystko mu wyjaśnił. Herney rozmawiał z Rachel, już bezpieczną na pokładzie jakiegoś samolotu. Niewiarygodne, ale wydawało się, że Biały Dom i NASA są niewinnymi widzami kompromitującego spisku obmyślonego przez Williama Pickeringa.

To nie ma znaczenia, pomyślał Sexton. Notowania Zacha Herneya wciąż ostro spadają.

Żałował, że nie jest muchą na ścianie w Białym Domu, bo wtedy mógłby zobaczyć twarz prezydenta w chwili, kiedy zrozumie, że informacje zostaną ujawnione. Sexton zgodził się na spotkanie w Białym Domu, żeby przedyskutować z Herneyem, w jaki sposób przedstawić narodowi prawdę o meteorycie. Zapewne teraz Herney stoi przed telewizorem i z osłupieniem zaczyna pojmować, że Biały Dom w żaden sposób nie może powstrzymać ręki przeznaczenia.

— Przyjaciele — ciągnął Sexton, nawiązując kontakt wzrokowy z publicznością — rozważyłem to głęboko. Zastanawiałem się, czy uszanować życzenie prezydenta i zachować tę sprawę w sekrecie, i doszedłem do wniosku, że muszę zrobić to, co dyktuje mi serce. — Westchnął, zwieszając głowę jak człowiek osaczony przez historię. — Prawda jest jedna. Nie będę ubarwiał faktów. Przedstawię je takie jakie są.

Usłyszał napływający z dali łoskot rotorów wielkiego helikoptera. Przez chwilę myślał, że może spanikowany prezydent leci z Białego Domu w nadziei na przerwanie konferencji prasowej. To byłoby dopełnieniem miary szczęścia, pomyślał z rozbawieniem. Czy mógłby wtedy wyglądać na bardziej winnego?

— Nie sprawia mi to przyjemności... — podjął z uczuciem, że to idealna chwila — ale uważam, iż moim obowiązkiem jest poinformowanie Amerykanów, że zostali oszukani.

Maszyna przeleciała nad monumentem Waszyngtona i usiadła na esplanadzie po prawej stronie. Sexton podniósł głowę i zaskoczony stwierdził, że nie jest to śmigłowiec prezydencki, tylko osprey, wielki samolot z uchylnymi wirnikami.

Na kadłubie widniał napis: STRAŻ PRZYBRZEŻNA STANÓW ZJEDNOCZONYCH.

Zbity z tropu patrzył, jak drzwi się otwierają i z maszyny wysiada kobieta, ubrana w pomarańczowy skafander straży przybrzeżnej i wyglądająca niechlujnie, jakby wróciła z wojny. Ruszyła prosto ku zgromadzonym reporterom. Przez moment Sexton nie miał pojęcia, kim ona jest. Potem zrozumiał.

Rachel? — zachłysnął się w szoku. Do licha, co ona tu robi?

Nad tłumem uniósł się pomruk konsternacji.

Z przylepionym do twarzy szerokim uśmiechem, Sexton odwrócił się do reporterów i przepraszająco podniósł ręce.

— Darujecie mi jedną minutę? Ogromnie mi przykro. — Wydał zmęczone, dobroduszne westchnienie. — Rodzina na pierwszym miejscu.

Kilka osób parsknęło śmiechem.

Rachel zbliżała się szybko. Sexton nie wątpił, że byłoby najlepiej, gdyby ich spotkanie odbyło się na osobności. Na nieszczęście w tej chwili nie mógł na to liczyć. Jego wzrok przeniósł się na dużą ściankę po prawej stronie.

Uśmiechnął się pogodnie, pomachał do córki i odsunął od mikrofonu. Idąc ku niej, manewrował w taki sposób, żeby Rachel musiała przejść za ścianką. Spotkał się z nią w połowie drogi, z dala od oczu i uszu prasy.

— Kochanie! — zawołał z uśmiechem, otwierając ramiona. — Co za niespodzianka!

Rachel podeszła i uderzyła go w twarz.

Sam na sam z ojcem, osłonięta ścianką, Rachel patrzyła na niego z nienawiścią. Uderzyła go mocno, ale prawie nie drgnął. Z lodowatym spokojem zgasił fałszywy uśmiech, a na jego twarzy odmalowała się surowa nagana.

Jego głos opadł do demonicznego szeptu.
— Nie powinno cię tu być.
Rachel zobaczyła gniew w jego oczach i po raz pierwszy w życiu poczuła się nieustraszona.
— Zwróciłam się do ciebie o pomoc, a ty mnie sprzedałeś! O mało nie zginęłam!
— Ale nic ci nie jest. — W jego głosie zabrzmiało rozczarowanie.
— NASA nie ponosi winy! Prezydent ci to powiedział! Co tutaj robisz? — W trakcie krótkiego lotu do Waszyngtonu odbyła pospieszne rozmowy telefoniczne z Białym Domem, ojcem, a nawet ze zdezorientowaną Gabrielle Ashe. — Obiecałeś Zachowi Herneyowi, że udasz się do Białego Domu!
— Owszem. — Uśmiechnął się znacząco. — W dniu wyborów.
Rachel zrobiło się niedobrze na myśl, że ten człowiek jest jej ojcem.
— To, co chcesz zrobić, to szaleństwo.
— Doprawdy? — zachichotał. Odwrócił się i wskazał na podium za ścianką. Na mównicy leżał plik białych kopert. — Te koperty zawierają informacje, które sama mi przysłałaś. Ty, Rachel. Masz na rękach krew prezydenta.
— Przefaksowałam ci te informacje, bo potrzebowałam twojej pomocy! Bo myślałam, że prezydent i NASA są winni!
— Zważywszy na dowody, agencja kosmiczna zdecydowanie wygląda na winną.
— Ale nie jest! Zasługuje na szansę przyznania się do błędu. Ty już wygrałeś wybory. Zach Herney jest skończony, wiesz o tym. Pozwól mu odejść z godnością.
Sexton jęknął.
— Aleś ty naiwna. Tu nie chodzi o wygranie wyborów, Rachel, tylko o władzę. O ostateczne zwycięstwo, udowodnienie swojej wielkości, zmiażdżenie opozycji i kontrolę sił w Waszyngtonie, żeby móc czegoś dokonać.
— Za jaką cenę?
— Nie bądź taka pewna swego. Ja tylko przedstawiam dowody. Ludzie sami wyciągną wnioski, kto jest winny.
— Wiesz, jak to będzie wyglądało.
Wzruszył ramionami.
— Być może czas NASA dobiegł końca.

Senator Sexton wyczuwał, że reporterzy się niepokoją. Nie miał zamiaru tkwić tu cały ranek i słuchać pouczeń córki. Chwila chwały czeka.

— Dość tego — uciął. — Mam konferencję prasową.

— Proszę cię jako córka, nie rób tego. Zastanów się. Jest lepszy sposób.

— Nie dla mnie.

Zza ścianki dobiegł pisk sprzężenia i Sexton odwrócił się na pięcie. Jakaś spóźnialska reporterka przycupnęła przy podium, próbując przymocować mikrofon do jednego z uchwytów.

Czemu ci idioci nie przychodzą punktualnie? — zżymał się Sexton w duchu.

Nieuważna reporterka strąciła plik kopert na ziemię.

Cholera! Sexton odszedł, przeklinając córkę, która zaprzątała jego uwagę. Kobieta klęczała, zbierając koperty. Sexton nie widział jej twarzy, ale musiała być z „sieci" — miała długi kaszmirowy płaszcz z przypiętą przepustką prasową ABC, szalik i naciągnięty na czoło beret.

Głupia suka, pomyślał.

— Ja to wezmę — warknął.

Kobieta zebrała ostatnie koperty i podała mu je, nie podnosząc głowy.

— Przepraszam... — wymamrotała, wyraźnie zakłopotana. Kuląc się ze wstydu, szybko zniknęła w tłumie.

Sexton szybko przeliczył koperty. Dziesięć. W porządku. Nikt nie odbierze mu poklasku. Poprawił mikrofony i z żartobliwym uśmiechem powiedział:

— Lepiej je rozdam, zanim komuś stanie się krzywda!

Zebrani roześmiali się nerwowo.

Sexton czuł, że córka stoi tuż za ścianką.

— Nie rób tego — powtórzyła. — Pożałujesz.

Zignorował ją.

— Proszę cię, zaufaj mi — mówiła coraz głośniej. — Popełniasz błąd.

Podniósł koperty.

— Tato... — głos Rachel brzmiał błagalnie — to twoja ostatnia szansa, żeby zachować twarz.

Zachować twarz? Sexton zakrył mikrofon i odwrócił się, jakby chciał odchrząknąć. Zerknął ukradkiem na córkę.

— Jesteś taka sama jak matka, małostkowa idealistka. Kobiety po prostu nie rozumieją natury władzy.

Sedgewick Sexton zapomniał o córce, gdy odwrócił się w kierunku niecierpliwiących się reporterów. Z wysoko podniesioną głową obszedł mównicę i rozdał koperty. Po chwili usłyszał trzask przełamywanych pieczęci i szelest papieru, gdy rozdzierali koperty jak opakowania gwiazdkowych prezentów.

Zapadła cisza.

Tak wygląda przełomowa chwila jego kariery.

Meteoryt jest fałszywy, a ja to ujawniłem.

Senator wiedział, że zaraz zrozumieją znaczenie tego, co mają przed oczami: dolny szyb na wydruku z GPR, żyjący gatunek morski niemal identyczny ze skamielinami NASA, dowody, że chondry mogą powstawać na Ziemi. Wszystko to wiedzie do jednego szokującego wniosku.

— Panie senatorze? — wydukał któryś z reporterów. — Czy to prawdziwe?

Sexton westchnął ponuro.

— Tak, niestety, obawiam się, że bardzo prawdziwe.

Usłyszał szepty konsternacji.

— Przejrzyjcie dowody, a potem odpowiem na pytania i spróbuję rzucić trochę światła na to, na co patrzycie.

— Senatorze? — Głos następnego reportera wyrażał bezbrzeżne zdumienie. — Czy te zdjęcia są autentyczne? Bez retuszu?

— Na sto procent — odparł Sexton stanowczo. — W przeciwnym wypadku nie śmiałbym ich państwu zaprezentować.

Konsternacja jakby się pogłębiła. Sexton pomyślał, że słyszy nawet śmiech, a przecież nie takiej reakcji oczekiwał. Obawiał się, że przecenił zdolność mediów do powiązania oczywistych faktów.

— Senatorze? — zagadnął ktoś podejrzanie rozbawionym tonem. — Na pewno ręczy pan za ich autentyczność?

Sexton zaczął się denerwować.

— Przyjaciele, powiem po raz ostatni: dowody w waszych rękach są prawdziwe, na sto procent. Jeśli ktoś wykaże, że jest inaczej, to kaktus mi na dłoni wyrośnie!

Czekał na śmiech, ale odpowiedziała mu cisza.

Martwa cisza. Puste spojrzenia.

Reporter, który odezwał się ostatni, podszedł do niego, przekładając odbitki.

— Ma pan rację, senatorze. To skandal. — Urwał, drapiąc się po głowie. — Zastanawiamy się, dlaczego postanowił pan nam to pokazać, zwłaszcza po wcześniejszych żarliwych zaprzeczeniach.

Sexton nie miał pojęcia, o czym facet mówi. Reporter podał mu fotokopie. Sexton spojrzał... i zmartwiał.

Panowała absolutna cisza.

Patrzył na nieznane zdjęcia. Czarno-białe. Dwoje ludzi. Nagich. Splecione ręce i nogi. Przez chwilę nie miał pojęcia, co to ma znaczyć. Potem zrozumiał. Poczuł się, jakby dostał armatnią kulą w brzuch.

Przerażony podniósł głowę. Reporterzy skręcali się ze śmiechu. Połowa już telefonowała, przekazując wieści do swoich redakcji.

Ktoś poklepał go po ramieniu.

Odwrócił się, wciąż oszołomiony.

Rachel.

— Próbowaliśmy cię powstrzymać — powiedziała. — Miałeś szansę. — Obok niej stała jakaś kobieta.

Sexton drżał, przenosząc na nią spojrzenie. Była to reporterka w kaszmirowym płaszczu i moherowym berecie — kobieta, która strąciła koperty. Zobaczył jej twarz i krew w jego żyłach przemieniła się w lód.

Ciemne oczy przewiercały go na wylot, gdy Gabrielle odchyliła płaszcz i pokazała mu białe koperty, które trzymała pod pachą.

Rozdział 132

W Gabinecie Owalnym panował półmrok, rozpraszany przez miękki blask mosiężnej lampy, palącej się na biurku prezydenta Herneya. Gabrielle Ashe stała z wysoko podniesioną głową. Za oknem, za plecami prezydenta, zmierzch kładł się na zachodnim trawniku.

— Słyszałem, że nas opuszczasz — powiedział prezydent z nutką zawodu.

Gabrielle pokiwała głową. Prezydent wspaniałomyślnie zaproponował jej azyl w Białym Domu, ale wolała nie szukać kryjówki w oku cyklonu. Chciała być jak najdalej stąd. Przynajmniej przez jakiś czas.

Herney patrzył na nią z drugiej strony biurka, wyraźnie będąc pod wrażeniem jej postawy.

— Decyzja, jaką podjęłaś dziś rano, Gabrielle... — Urwał, jakby zabrakło mu słów. Oczy miał szczere i czyste. Enigmatyczne, głębokie studnie, które kiedyś przyciągnęły ją do Sedgewicka Sextona, nie mogły się z nimi równać. Nawet tutaj, z dala od kamer i fleszy, Gabrielle wyczytała w jego spojrzeniu niekłamaną życzliwość, honor i godność, których długo nie miała zapomnieć.

— Zrobiłam to również dla siebie — powiedziała w końcu.

Herney pokiwał głową.

— Mimo wszystko jestem ci winny podziękowanie. — Wstał, gestem wskazując, że powinna wyjść z nim na korytarz. — Miałem nadzieję, że zostaniesz na tyle długo, abym mógł zaproponować ci miejsce w dziale planowania wydatków.

Gabrielle popatrzyła na niego z powątpiewaniem.

— Koniec wydawania, początek naprawiania?

Zaśmiał się.

— Coś w tym stylu.

— Chyba oboje wiemy, panie prezydencie, że w tej chwili jestem dla pana nie pomocą, ale kulą u nogi.

Herney wzruszył ramionami.

— Odczekajmy parę miesięcy. Wszystko przycichnie. Wielu wspaniałych ludzi znajdowało się w równie przykrej sytuacji, a jednak wspięło się na szczyty. — Puścił oko. — Niektórzy z nich zostali nawet prezydentami.

Gabrielle wiedziała, że Herney ma rację. Od kilku godzin była bezrobotna, ale już otrzymała dwie propozycje pracy — jedną od Yolandy Cole z ABC, drugą z St. Martin's Press, gdzie zaproponowano jej nieprzyzwoicie wysokie honorarium za napisanie biografii. Odrzuciła obydwie. Nie, wielkie dzięki.

Idąc z Herneyem, myślała o zdjęciach, które pokazywały teraz wszystkie stacje telewizyjne.

Szkody dla kraju mogłyby być większe, powtarzała sobie. Znacznie większe.

Po powrocie do ABC, skąd zabrała zdjęcia i gdzie od Yolandy Cole pożyczyła przepustkę prasową, zakradła się do gabinetu Sextona po duplikaty kopert. Wydrukowała również kopie czeków z jego komputera. Po konfrontacji pod monumentem Waszyngtona przekazała kopie czeków osłupiałemu Sextonowi i wysunęła żądania. Albo dasz prezydentowi szansę na przyznanie się do błędu, albo te dokumenty ujrzą światło dzienne. Senator rzucił okiem na dowody finansowe, wsiadł jak niepyszny do swojej limuzyny i odjechał. Od tej pory nie dał znaku życia.

Gabrielle zatrzymała się z Herneyem przed tylnym wejściem do sali konferencyjnej. Słyszała szmer czekającego tłumu. Po raz drugi w ciągu dwudziestu czterech godzin świat czekał na specjalne oświadczenie prezydenta.

— Co im pan powie?

Herney westchnął ciężko, ale zachował spokojny wyraz twarzy.

— W ciągu lat sprawowania władzy nauczyłem się jednej rzeczy... — Z uśmiechem położył rękę na jej ramieniu. — Nie ma czegoś takiego jak substytut prawdy.

Przepełniona dumą, Gabrielle patrzyła, jak prezydent wchodzi na podwyższenie. Zach Herney za chwilę miał przyznać się do największego błędu w swoim życiu, ale, co dziwne, nigdy nie wyglądał bardziej imponująco.

Rozdział 133

Rachel się zbudziła. W pokoju było ciemno.

Cyfrowy zegar wskazywał 22:14. Obce łóżko. Przez długą chwilę leżała bez ruchu, zastanawiając się, gdzie jest. Powoli zaczęła sobie przypominać... megawir... poranek przy monumencie Waszyngtona... zaproszenie do Białego Domu.

Jestem w Białym Domu. Przespałam cały dzień.

Na polecenie prezydenta samolot straży przybrzeżnej przetransportował Michaela Tollanda, Corky'ego Marlinsona i Rachel Sexton do Białego Domu, gdzie podano im obfite śniadanie, dokładnie zbadano i zaproponowano czternaście sypialni do wyboru, żeby mogli odzyskać siły.

Wszyscy troje wyrazili zgodę.

Rachel nie mogła uwierzyć, że spała tak długo. Włączyła telewizor i ze zdumieniem stwierdziła, że konferencja prasowa prezydenta Herneya już się zakończyła. Wraz z towarzyszami zaproponowała, że zostanie z nim, gdy będzie przyznawał się do błędu. Wszyscy razem popełniliśmy błąd. Herney uparł się, że sam udźwignie to brzemię.

— To przykre, ale okazało się, że NASA nie odkryła śladów życia z kosmosu — mówił w telewizji analityk polityczny. — Drugi raz w ciągu dziesięciu lat NASA mylnie sklasyfikowała meteoryt jako zawierający formy życia pozaziemskiego. Tym razem dało się zwieść również wielu cenionych naukowców niezależnych.

— W normalnych okolicznościach pomyłka na taką skalę byłaby katastrofalna dla kariery prezydenta — powiedział drugi komentator — ale w świetle incydentu, jaki dziś rano miał miejsce pod monumentem Waszyngtona, szanse Zacha Herneya na drugą kadencję są większe niż kiedykolwiek.

Analityk pokiwał głową.

— Nie ma zatem życia w kosmosie, ale nie ma też życia w kampanii senatora Sextona. Wypływają nowe informacje, które sugerują, iż senator boryka się z poważnymi problemami finansowymi...

Rachel przestała słuchać, bo ktoś zapukał do drzwi.

Michael, pomyślała z nadzieją, szybko ściszając telewizor. Nie widziała go od śniadania. Po przybyciu do Białego Domu marzyła tylko o tym, żeby zasnąć w jego ramionach. Wiedziała, że on pragnie tego samego, ale Corky zaparkował na łóżku Tollanda i zaczął barwnie opisywać, jak to musiał się obsikać i jak w ostatniej chwili zapobiegł nieszczęściu. Rachel i Tolland, zupełnie wyczerpani, wreszcie dali za wygraną i położyli się spać w osobnych sypialniach.

W drodze do drzwi Rachel przejrzała się w lustrze. Wyglądała komicznie. W komodzie w swojej sypialni znalazła tylko starą bluzę futbolową Penn State i z braku czegoś lepszego położyła się w niej spać. Sięgała jej do kolan jak nocna koszula.

Pukanie nie cichło.

Rachel otworzyła drzwi i poczuła ukłucie zawodu. W progu stała agentka służb specjalnych, wysportowana i urocza, ubrana w niebieską garsonkę.

— Pani Sexton, gość zajmujący Sypialnię Lincolna usłyszał włączony telewizor. Mam pani powiedzieć, że skoro pani już nie śpi... — Urwała i znacząco uniosła brwi, najwyraźniej przyzwyczajona do nocnych gierek na górnych piętrach Białego Domu.

Rachel zarumieniła się, czując mrowienie skóry.

— Dzięki.

Agentka poprowadziła ją w głąb elegancko urządzonego korytarza do zwyczajnych na oko drzwi.

— Sypialnia Lincolna — oznajmiła. — I jak zawsze przed tymi drzwiami powiem: „Śpij dobrze i strzeż się duchów".

Rachel pokiwała głową. Legendy o duchach w Sypialni Lincolna były równie stare jak Biały Dom. Powiadano, że Winston Churchill widział tam ducha Lincolna, podobnie jak wielu innych, łącznie z Eleanor Roosevelt, Amy Carter, aktorem Richardem Dreyfussem oraz dziesiątkami pokojówek i lokajów. Pies prezydenta Reagana potrafił ujadać przed tymi drzwiami przez wiele godzin.

Myśli o historycznych duchach nagle uświadomiły Rachel, że ten pokój to prawdziwe sanktuarium. Nagle zawstydziła się, że stoi na bosaka, w długiej futbolowej bluzie, jak nastolatka zwabiona do pokoju chłopaka.

— Czy to wypada? — szepnęła do agentki. — To przecież Sypialnia Lincolna.

Agentka mrugnęła.

— Nasza polityka na tym piętrze to: „Nie pytaj, nie mów".

— Dzięki. — Rachel z uśmiechem sięgnęła do klamki, czując dreszcz emocji na myśl o tym, co czeka ją za drzwiami.

— Rachel! — Nosowy głos poniósł się korytarzem jak brzęczenie piły tarczowej.

Rachel i agentka odwróciły się. Corky Marlinson kuśtykał o kulach, oszczędzając profesjonalnie obandażowaną nogę.

— Ja też nie mogę spać!

Rachel zgarbiła się, czując, że romantyczna schadzka odchodzi w niebyt. Corky oszacował wzrokiem zgrabną figurę agentki i błysnął szerokim uśmiechem.

— Uwielbiam kobiety w mundurach.

Agentka odchyliła połę marynarki, pokazując kaburę z bronią.

Corky się cofnął.

— Wszystko jasne. — Odwrócił się do Rachel. — Mike też nie śpi? Wchodzisz? — Miał ogromną ochotę dołączyć do towarzystwa.

Rachel jęknęła.

— Szczerze mówiąc, Corky...

— Doktorze Marlinson... — włączyła się agentka, wyjmując kartkę z kieszeni marynarki. — Pan Tolland dał mi list, z którego wynika, że mam zaprowadzić pana do kuchni, kazać naszemu szefowi przyrządzić, co tylko pan zechce i poprosić pana o szczegółową opowieść, jak uniknął pan pewnej śmierci... — Agentka zawahała się i skrzywiła, jeszcze raz odczytując słowa. — Sikając na siebie?

Najwyraźniej wypowiedziała magiczne słowa, bo Corky natychmiast rzucił kule, wsparł się na jej ramieniu i rozkazał:

— Do kuchni marsz, kochanie!

Gdy agentka bez wielkiego entuzjazmu prowadziła go korytarzem, Rachel nie miała wątpliwości, że Corky Marlinson jest w siódmym niebie.

— Mocz jest kluczem — mówił — ponieważ dzięki tym przeklętym płatom węchowym wyczuwają krew na kilometr!

W Sypialni Lincolna było ciemno. Zaskoczona Rachel zobaczyła, że łóżko jest puste i zasłane. Michaela Tollanda nigdzie nie było widać.

Obok łóżka paliła się zabytkowa lampa naftowa. W miękkim świetle Rachel dostrzegła brukselski dywan... słynne łoże z palisandru... portret Mary Todd, żony Lincolna... biurko, przy którym Lincoln podpisał proklamację znoszącą niewolnictwo.

Gdy zamknęła za sobą drzwi, poczuła na gołych nogach zimny przeciąg. Gdzie on jest? Okno po drugiej stronie pokoju było otwarte, wiatr wydymał białe jedwabne zasłony. Podeszła do okna, a wówczas z szafy dobiegł szept:

— Maaaarrrry...

Odwróciła się.

— Maaaarrrrrry? To ty?... Mary Todd Liiiiincoln?

Rachel szybko zamknęła okno i odwróciła się w stronę schowka. Serce jej waliło, choć wiedziała, że to głupie.

— Mike, wiem, że to ty.

— Nieeee... Nie jestem Mike.... jestem.... Aaaaaabe.

Rachel podparła się pod boki.

— Och, naprawdę? Czcigodny Abe?

Stłumiony śmiech.

— Tak, umiarkowanie czci godny Abe...

Rachel też się roześmiała.

— Bóóóóóój się — wyjęczał głos z szafy. — Baaaaaardzo się bój.

— Nie boję się.

— Bój się, proszę... — zawodził głos. — W przypadku ludzkiego gatunku emocje strachu i podniecenia seksualnego są powiązane.

Rachel parsknęła śmiechem.

— Czy to twój pomysł na podryw?

— Wyyyybacz.... Minęły laaaaata, odkąd byłem z kobietą.

— Najwyraźniej — powiedziała, szeroko otwierając drzwi.

Przed nią stał Michael Tolland z szelmowskim uśmiechem. Wyglądał nieodparcie pociągająco w granatowej satynowej piżamie. Rachel spostrzegła prezydenckie godło na piersi.

— Prezydencka piżama?

Wzruszył ramionami.

— Leżała w szufladzie.

— A u mnie tylko ta bluza?

— Powinnaś wybrać Sypialnię Lincolna.

— Powinieneś zaproponować!

— Słyszałem, że materac jest marny. Przedpotopowe końskie włosie. — Tolland mrugnął, wskazując paczkę leżącą na marmurowym blacie stołu. — To dla ciebie.

Ogarnęło ją wzruszenie.

— Dla mnie?

— Wysłałem jednego z ludzi prezydenta. Przyniósł to przed chwilą. Nie potrząsaj.

Ostrożnie rozpakowała paczkę. Wewnątrz wielkiej kryształowej kuli pływały dwie brzydkie pomarańczowe rybki. Spojrzała na nie z zawodem i konsternacją.

— To żart, prawda?

— *Helostoma temmincki* — oznajmił z dumą.

— Kupiłeś mi ryby?

— Rzadkie chińskie gurami całujące. Bardzo romantyczne.

— Ryby nie są romantyczne, Mike.

— Im to powiedz. Będą całować się godzinami.

— Uważasz, że to rajcowne?

— Romantyczna strona mojej natury trochę zardzewiała. Docenisz moje starania?

— Tak na przyszłość, Mike, ryby mnie zdecydowanie nie kręcą. Wypróbuj kwiaty.

Tolland wyjął zza pleców bukiet białych lilii.

— Chciałem zdobyć czerwone róże, ale omal mnie nie zastrzelili, gdy grasowałem po Ogrodzie Różanym.

Gdy Tolland przytulił Rachel i poczuł delikatny zapach jej włosów, lata samotności zaczęły odchodzić w przeszłość. Pocałował ją namiętnie, czując, jak przytula się do niego. Białe lilie rozsypały się u ich stóp, a mur, który podświadomie zbudował, nagle runął.

Duchy odeszły.

Czuł, jak Rachel delikatnie popycha go w stronę łóżka, słyszał jej łagodny głos:

— Tak naprawdę wcale nie uważasz, że morskie stworzenia są romantyczne, prawda?

— Uważam — odparł, znowu ją całując. — Powinnaś zobaczyć rytuał godowy meduzy. Niesamowicie erotyczny.

Rachel pchnęła go na materac z końskiego włosia i nakryła swoim smukłym ciałem.

— A koniki morskie... — ciągnął bez tchu, rozkoszując się jej dotykiem przez cienki atłas piżamy. — Koniki morskie wykonują... niewiarygodnie zmysłowy taniec miłości.

— Dość tego gadania o rybach — szepnęła, rozpinając jego piżamę. — Co możesz mi powiedzieć o rytuałach godowych zaawansowanych naczelnych?

Tolland westchnął.

— Obawiam się, że tego nie przerabiałem.

Rachel ściągnęła futbolową bluzę.

— W takim razie, przyrodniku, proponuję szybkie nadrobienie zaległości.

Epilog

Transportowy odrzutowiec NASA leciał wysoko nad Atlantykiem.

Administrator Lawrence Ekstrom obrzucił ostatnim spojrzeniem wielką poczerniałą skałę. Wracaj do morza, pomyślał. Tam, gdzie cię znaleziono.

Na jego rozkaz pilot otworzył drzwi ładowni i uwolnił ładunek. Patrzyli, jak wielki kamień spada za samolotem, przecinając świetlisty ocean nieba. W końcu zniknął w wodzie, wzbijając kolumnę srebrnych kropelek.

Szybko opadał na dno.

Na głębokość stu metrów docierało tak niewiele światła, że z trudem można by rozpoznać koziołkującą bryłę. Poniżej stu pięćdziesięciu kamień spowiły nieprzeniknione ciemności.

Pędził w dół.

Coraz głębiej.

Spadał prawie dwanaście minut.

Niczym meteoryt uderzający w ciemną stronę Księżyca, w chmurze pyłu spadł na rozległą równinę na dnie oceanu. Gdy drobiny osiadły, przedstawiciel jednego z tysięcy nieznanych gatunków głębinowych podpłynął, by zbadać dziwnego przybysza.

Obojętny, pomknął dalej.